한국
한문자전의 세계

왕평(王平)·하영삼(河永三) 지음

김화영(金和英) 옮김

도서출판
3josfidianism

한국
한문자전의 세계

왕평(王平)·하영삼(河永三) 지음

김화영(金和英) 옮김

한국한자연구소
번역 총서 03

한국 한문자전의 세계

저자 왕평(王平)·하영삼(河永三)
역자 김화영(金和英)
발행인 정우진
표지 디자인 김소연
펴낸곳 도서출판 3

초판 1쇄 발행 2019년 2월 25일

등록번호 제2018-000017호
주소 서울특별시 강북구 솔샘로 174, 133동 2502호
전화 070-7737-6738
팩스 051-751-6738
전자우편 3publication@gmail. com **홈페이지** www. hanja. asia

ISBN: 979-11-87746-30-0

이 도서의 국립중앙도서관 출판예정도서목록(CIP)은 서지정보유통지원시스템 홈페이지(http://seoji. nl. go. kr)와 국가자료공동목록시스템(http://www. nl. go. kr/kolisnet)에서 이용하실 수 있습니다. (CIP제어번호: CIP2019006032)

This work was supported by Seed Program for Korean Studies through the Ministry of Education of Republic of Korea and Korean Studies Promotion Service of The Academy of Korean Studies(AKS-2014-INC-2230008)

목 차

일러두기

- 이 책은 『韓國漢文字典槪論』(南京大學出版社, 2018.09)을 번역했다.
- 번역 과정에서 한국의 실정에 맞도록 한국 관련 부분을 저자와 협의하여 일부를 보완했다.
- 예문은 독자의 편의를 위해 모두 한글로 옮겼다.
- 한자 병기 시 한자는 시기에 관계없이 한국 한자음으로 표기했다.

1

들어가는 말

자전(字典)이라는 명칭은 중국에서 시작하여 한자문화권에서만 사용되는 용어이다. 중국과 서양은 언어와 문자의 특성이 서로 다르기 때문에 서양에는 자전(字典)이라는 개념이 존재하지 않는다. 자전이라는 이름을 처음 사용한 『강희자전(康熙字典)』은 고대 중국에서 편찬된 사전을 집대성한 저작이다. 『강희자전』이 출판되기 전까지는[1] 개별 글자[單字]들이 수록되어 있으면서 한자의 형(形: 형체), 음(音: 독음), 의(義: 의미)를 찾아보는데 사용되는 참고서를 대부분 자서(字書)라고 불렀다.[2] 현재 중국에서 현존하는 최초의 자전은 동한(東漢)의 허신(許慎)이 저술한 『설문해자(說文解字)』(이하 『설문』이라고 줄여 부른다)이다. 『설문』은 한자의 자형을 체계적으로 분석하고 그 어원을 고찰한 중국 최초의 자전이며, 세계에서 가장 오래된 자전의 하나이다.

한국은 2천여 년 동안 중국 문화의 영향을 받았다. 『설문해자』, 『옥편(玉篇)』, 『강희자전』 등과 같은 중국의 자전들이 차례로 한국으로 전해져 주

---

1) 『康熙字典』이전에 明代의 徐袍가 편찬한 『字典考略』이 있었으나, 지금은 소실되었다. 劉志成, 『中國文字學書目考錄』(巴蜀書社, 1997) 참조.
2) 字書와 字典의 경계에 관해서는 劉葉秋의 『中國古代的字典』(商務印書館, 1986)을 참조.

목을 받으면서 이를 모방해서 판각하고 편집하는 일이 상당히 많았다. 한국은 중국자전의 편찬 체제와 내용을 학습함과 동시에, 한국인의 특징을 강하게 가진 독자적인 자전문화를 창조하였다. "한 시대, 한 민족의 사전, 자전, 백과사전 등은 그 민족의 지식플랫폼을 농축한 표현이라 할 것이다."[3] 중국과 한국의 고대 자전은 특수한 성격을 지닌 자료로, 공시적·통시적 문화지식을 대량으로 보존하고 있다. 특히 한국의 한문자전은 조선시대의 학자들에 의해 저술되었기 때문에, 그 당시 한자의 수량과 종류 및 형음의(形音義)에 대한 취사 현황을 반영하고 있다. 게다가 중국 이외 지역의 다른 언어적 환경에서 사용된 한자를 반영하고 있어, 그 문헌적 가치가 매우 뛰어나다고 할 수 있다.

1. 한국한문자전의 정의

대략 삼국시기에 한자가 조선으로 전해진 이후, 19세기 말까지 줄곧 한국의 공식문자로 기능했다. 고대의 한국은 중국문화를 경모하여 한자를 신성한 글자로 보았다. 그리하여 한국인들은 한자로 경전이나 문헌들을 필사하고, 한국의 역사를 기록하였으며, 문학작품을 창작하였다. 또 중국어와 중국의 경전이나 문헌을 더 잘 학습하고자 대량의 한문사전을 집필하였다. 현재 한국에 전해지는 한문자전(漢文字典), 운서(韻書), 사전(詞典), 자보(字譜) 등과 같은 공구서를 이 책에서는 '한국한문사서(韓國漢文辭書)'라고 통칭하고자 한다. 한국한문사서는 고대 한국의 한문서적에서 중요한 부분을 차지하고 있으며, 중국과 한국의 중국어 사료학, 문자학, 문화학, 역사학 등의 연구에도 중요한 참고자료가 된다.

이 책에서 말하는 '한국한문자전(韓國漢文字典)'은 한국의 역대 학자들이 사람들에게 한자의 형음의(形音義)를 학습하게 하거나 찾아보는데 도움을 주고자 만든 중국어로 쓴 공구서를 의미한다.[4] 한국한문자전은 한국한문사서(漢文辭書)의 한 분과에 속한다. 한글이라는 환경에서 생성된 한문자전은

---

3) 鐘少華, 『中文槪念史論』(中國國際廣播出版社, 2012), 21쪽.
4) 王平, 「字典聯合檢索系統的資訊組織與分類硏究 － 以韓中日傳世漢字字典爲中心」, 『漢字硏究』제10輯(2014).

대체로 고대중국어 및 경전이나 문헌을 학습하기 위한 것이거나 과거시험에 참가하는 사람들을 위해 만들어졌다.

한국한문자전은 이후에 나온 한중(韓中)자전과는 다르다. 한중자전에는 일 방향 및 쌍방향의 구분이 있는데, 외국어를 모국어로 해석하거나 또는 모국어를 외국어로 해석하는 두 가지의 방식이 있다. 쌍방향 중한자전은 기본적으로 두 개의 일 방향 중한자전을 하나로 병합하고 외국어 및 모국어 해석을 더한 것이다.

2. 한국한문자전의 시기구분

(1) 한문자전의 맹아기

한국한문자전이 발전한 역사를 살펴보면, 한국한문운서에서부터 그 편찬이 시작되었다. 한국에 전래된 한자는 독음 때문에 늘 사람들을 힘들게 하였다. 한국과 중국 한자의 표준음을 통일시키기 위해, '훈민정음(訓民正音)(1443)'을 창제하였고, 이로부터 『홍무정운역훈(洪武正韻譯訓)』(1455), 『사성통고(四聲通攷)』(1455), 『사성통해(四聲通解)』(1517), 『번역노걸대·박통사(飜譯老乞大·朴通事)』(1515) 등 여러 가지 한중 음역 자료들이 나타났다. 『홍무정운역훈』은 내용이 번잡하고 사용이 불편하였기에, 검색의 편리를 위해 다시 『사성통고』를 편찬하였다. 그래서 이 책은 『홍무정운역훈』의 축약본이라 할 수 있다. 『사성통해』는 『사성통고』의 한자 해석을 보충한 운서이다. 『동국정운(東國正韻)』(1448)은 한국 최초의 운서이자 한자의 뒤에 한글 발음을 표기한 최초의 운서이다. 그러므로 한국한문자전의 편찬은 한문운서의 편찬에서 시작되었으며, 그 내용과 체제는 한문자전의 초기 편찬 스타일의 영향을 받았다고 할 수 있다.

'옥편(玉篇)'이라는 명칭으로 이름 붙여진 자전은 『운회옥편(韻會玉篇)』(1536)에서부터 시작된다. 『운회옥편』은 원대(元代)에 조선으로 전해진 『고금운회거요(古今韻會擧要)』에 수록된 한자들을 편리하게 검색하고자 올림자를 필획 수에 따라 새롭게 배열해서 만든 공구서이다.

이후에 출판된 『전운옥편(全韻玉篇)』(18세기 말)은 운서의 부록에서 독립되어 나온 현존하는 최초의 한문자전이다. 이 자전은 수록한 한자에다 한글로 독음을 표시했고, 중국어를 사용하여 주석하였다. 이는 한문자전의 기능을 갖추었을 뿐만 아니라, 운서의 부속적 지위에서부터 독립된 도서로 간행되었기에, 한국한문자전이 정식으로 탄생한 지표가 된다. 그렇기에 『전운옥편』은 한국한문사서의 토대 위에 새로운 형식을 만들어 더함으로써, 한국한문자전의 효시가 되었다.

한국에서 편찬한 한자의 형음의를 검색하는 공구서에서 '자전(字典)'으로 이름 붙여진 것은 『자전석요(字典釋要)』(1906)가 처음이다. 『자전석요』 이전, 자전을 부르는 이름은 『훈몽자회(訓蒙字會)』(1527), 『전운옥편(全韻玉篇)』(18세기 말), 『자류주석(字類注釋)』(1856) 등과 같이 여러 가지가 존재했다.

(2) 한문자전의 절정기

① 성과

조선(朝鮮, 1392~1910)은 한국의 마지막 봉건왕조로, 역사학자들은 고조선과 구별하기 위해 이성계(李成桂)가 창건한 조선이라는 의미에서 이씨조선(李氏朝鮮)이라고 불렀으며, 이를 줄여서 이조(李朝)라고 불렀다. 그러나 오늘날 한국에서는 조선왕조(朝鮮王朝)가 더 익숙한 이름이다.5) 어떤 학자는 조선을 두 시기로 구분하여, 1392년(太祖 원년)의 조선 건립에서 1865년(高宗 2년)까지를 전기, 1866년부터 1910년까지를 후기로 나누는데, 조선의 후기는 한국의 역사에서 근대시기에 해당된다.6) 현대시기는 1910년에서 1945년까지이다. 이 시기 구분은 양소전(楊昭全)의 견해를 채택하였고, 현대시기에 대한 정의도 그의 견해를 따랐다.

조선으로부터 현대까지 약 550여 년 동안, 주자학(朱子學), 유물학(唯物學), 실학(實學), 유학(儒學), 서학(西學)이 전반적으로 발전하여, 한국의 문화사업에 큰 변화를 가져왔다. 그와 동시에 조선에서는 언어문자 사업에서도 큰 성과를 이루어 내었다.

한국의 언어 문자 체계를 대표하는 훈민정음7)의 출현은 한국문화의 대

---

5) 馬樹德, 『中外文化交流史』(北京語言文化大學出版社, 2002), 86쪽.
6) 楊昭全, 『韓國文化史』(山東人民出版社, 2009), 222-223쪽.

중화를 촉진시켰으며, 더 나아가 중국 유학(儒學)을 전파시켰다. 유학에 관한 교육을 과거제도와 연결시키기 위해, 조선은 중국의 음운학 서적을 도입하게 되었으며, 사서(辭書) 편찬의 길로 들어서게 되었다.

조선시대에는 중국의 자전을 판각하면서 한국의 한문자전들도 대량으로 편찬하였다. 자전의 편찬은 정조(正祖, 1776~1800) 때 절정기를 이루어, 상당한 수의 한문자전들이 편찬되었다. 이렇게 해서 조선시대에는『훈몽자회(訓蒙字會)』(1527),『운회옥편(韻會玉篇)』(1536),『신증유합(新增類合)』(1574),『삼운성휘보옥편(三韻聲彙補玉篇)』(1746),『경사백가음운자보(經史百家音韻字譜)』(1792),『전운옥편(全韻玉篇)』(18세기 말),『제오유(第五遊)』(18세기 말),『육서경위(六書經緯)』(1777~1780),『자류주석(字類注釋)』(1856),『자전석요(字典釋要)』(1906),『국한문신옥편(國漢文新玉篇)』(1908) 등의 자전이 편찬되었다.

현재의 연구 성과로 봤을 때, 조선시대 사람들에게 맞도록 편찬한 한문자전은『훈몽자회』에서 시작된다.『훈몽자회』는 현존하는 최초의 한문자전이다. 중국과 마찬가지로, 초기의 한문자전은 어린 아이들에게 글을 가르쳐주기 위한 교재였다. 쉽게 기억할 수 있게, 종종 4자를 한 구로 하여 읽게 만들었다. 정조(正祖) 시기에 이르러, 운서(韻書)를 모방해서 만든 한문자전이 나타났다.『전운옥편』은 한국 운서의 모태에서 독립해서 나온 첫 번째 한문자전으로, 이의 독립적인 출판은 한국한문자전의 정식 탄생을 상징한다. 한문자전의 편찬이 나날이 성숙해지면서, 조선 시대 말기에는 지식인들이 전통문화를 지키고 계승하고자 하는 목적으로『신자전(新字典)』(1915)을 편찬하였다.『신자전』은 한국의 한자자전 역사에서 한문자전을 집대성한 것이지만, 중국의『강희자전』(1716)보다 200여 년이 늦다.

② 배경

현재 필자가 수집한 한국 고대의 한문자전은 40여 종에 이른다. 이 자전들은 출판시기, 편찬자, 서명, 체제의 스타일이 각기 다르고 포함된 내용도 상당히 풍부하지만, 아직까지 중국에서는 대부분 출판되지 않은 자료들이다. 이 자료들이 중국의 역사 언어학, 자전 편찬학, 역사 문화학, 한자 확

---

7) 즉 諺文으로, 朝鮮語라고도 부른다. 현재 한국에서는 이를 韓文, 韓字, 한글/Hangul이라고 부른다.

장사, 한자 발전사 등 여러 방면의 연구에 있어, 참고가치가 뛰어나다는 점은 의심의 여지가 없다. 또한 이 자료들을 통해 오히려 중국에 현존하는 문헌들의 결함을 보충할 수도 있을 것이다.

한국한문자전이 탄생하게 된 역사와 문화적 배경은 다음과 같다.

A. 태평성세의 영향

조선시대는 경제와 문화가 전반적으로 발전한 전성기였다. 1392년 이성계(李成桂)가 건립한 조선왕조는 한양(漢陽)에 도읍을 정하고 500여 년 동안 총 27대의 군왕을 거치면서, 문자, 문화, 입법, 유학(儒學) 등 방면에서 뛰어난 성과를 이뤄, 한국의 역사상 문화의 황금시기라고 일컬을 수 있다. 1443년 세종(世宗)대왕이 공포한 '훈민정음(訓民正音)'은 정확한 자음(字音)으로 백성을 가르친다는 의미를 가지고 있다. 이후, 그는 공문과 개인의 서신에 '훈민정음'을 사용할 것을 제창하였다. 또 '훈민정음'으로 과거시험의 필수과목으로 삼았으며, 화폐에다 '훈민정음'이라는 문자부호를 새겨 넣었다. 한글은 대중문화를 보급시켰으며, 조선시대의 문명을 더욱 발전시켰다.

이외에, '국가 건립의 반석'이라고 불리는 『조선경국대전(朝鮮經國大典)』은 세조(世祖) 때에 저술되기 시작하여, 성종(成宗) 16년에 완성되고 같은 해에 반포되었다. 『조선경국대전』은 조선의 법전으로, 국가의 행정, 재무, 군사, 예절의식 제도, 형벌, 공사 건설 등에 관한 운영규칙을 정해놓고, 조선왕조가 국가를 통치하는 법으로 삼았다. 또 『조선왕조실록(朝鮮王朝實錄)』(국보 제151호)도 이 시기에 탄생하였는데, 조선왕조의 시조인 태조(太祖)에서부터 철종(哲宗)에 이르는 472년(1392~1863)간의 역사적 사실을 기록하였다. 모두 1,894권, 888책으로 구성되어 있고, 6,400여 만자로 써져 있어, 조선왕조의 역사시라고 부를 수 있다.

B. 숭유억불 정책과 과거제도의 추진

숭유억불(崇儒抑佛) 정책은 『경제육전(經濟六典)』에 잘 드러나 있다. 『경제육전』은 유가(儒家)의 사상을 드러내면서, 중앙집권제를 더욱 강화시켜 유학(儒學)을 국학으로 확립시켰다. 조선 왕실은 토지개혁을 통해 불교세력에 큰 타격을 주었으며, 유신(儒臣)을 중용함으로써 유가의 통치지위를 확립시켰다. 유학(儒學)은 16세기에 부흥하여, 조광조(趙光祖)와 이이(李珥) 등과 같은 유학자를 거치면서, 조선시대 사람들의 생활에 깊이 자리 잡게 되었다.

『자류주석(字類注釋)』의 「서문」에는 한국한문자전의 편찬목적을 아래와 같이 상세하게 설명하고 있다.

서문8):

> 서계(書契)가 지어질 적에 말로써 글자를 삼았다. 말로써 사물을 말하고 물상을 가리켰기에, 사물과 물상은 제각각 글자를 가지게 되었다. 그래서 옛날 책에서는 '글자'를 '말'이라고 했던 것이다. 중국 사람은 말과 글이 하나라서 그 글자체를 알면 음과 뜻도 모두 안다. 그러나 우리나라 사람은 말과 글이 다르므로 방언으로 뜻을 풀고 음을 구분하며 다시 글자체를 구하기 때문에 번잡하고 어려운 것이다. 자서의 학문은 그 지극함을 말하자면, 육예(六藝: 禮·樂·射·御·書·數)에 나열되고, 왕이 된 자가 행하는 삼종(三重: 儀禮·制度·古文)과 나란히 한다. 그러니 천문과 지문을 이루고 인문으로써 천하를 교화시킨 것이 오래되었음은 두말할 나위가 없다. 한유(韓愈)가 말했다. "글을 지으려면 글자에 대해 대략적으로 알아야만 한다." 그러니 글자를 알지 못하면 옛글을 읽어 사람의 감정을 공유하는 것이 불가능하다.(書契之作也, 以言爲字. 言以道事指物, 而事與物各有其字, 故古書謂字曰言. 華人言與字一, 故識其字體而音義具焉. 東人言與字二, 故以方言釋義辨音, 而復求之字體, 所以煩而難也. 字書之學, 語其至則列於六藝, 竝於三重. 成天地之文, 人文以化天下者也, 尙矣, 未可與議也. 韓子曰: 爲文辭宜略識字, 非識字無以讀古書而通人情也.)

유학(儒學)과 경학(經學)이 흥성하자, 소학(小學)도 따라서 흥성하였다. 제자백가, 『사기(史記)』, 『한서(漢書)』와 같은 문헌들은 대부분이 고대어로 이루어져 있어, 소학을 알지 못하면 읽을 수가 없었다. 경학의 흥성은 경학의 근본이 되는 소학이 발전하는 객관적인 조건이었다. 학자들은 그러한 추세에 맞추어 경학에 정진하였고, 종류도 다양하고 체계도 완전한 대량의 한문자전을 편찬하였다. 이 자전들이 전쟁 등의 요소로 인해 일부분이 실전되었다 해도, 과거제도에서 배출된 문인들은 문화교육 사업에 이 자전들을 사용하였다. 이러한 관점에서 봤을 때, 한문자전의 편찬은 과거제도의 영향을

---

8) (역주) 한국한자연구소, 『자류주석』(부산: 도서출판3, 2017), 서문의 내용을 따옴.

크게 받았다고 말할 수 있다.

3. 한국한문자전의 체재

(1) 한문자전의 수록자의 자량(字量)

자량(字量)은 한자어의 수량을 말한다. 한문자전의 수록자 자량은 자전에 수록된 올림자의 총량을 지칭한다. 한자학을 연구하는 목적은 한자가 발전하고 변천하는 현상을 조사하여 한자의 변화와 확장규칙을 알아내는 데 있다. 그런데 이러한 연구에는 자전의 수록자 자량에 대한 시기별 조사가 반드시 필요하다. 각 시기별로 한자의 사용상황을 분명하게 밝혀야만, 한자의 발전사에서 현대한자의 지위를 확립시킬 수 있으며, 현대한자학에 관한 연구에 의의와 가치가 있을 수 있다. 자전은 특수한 문헌의 하나로, 역대한자의 자량을 조사하는 데 가장 훌륭한 조건을 제공해주고 있다. 현재 연구된 성과로 보면, 중국 역대 한자의 자량에 대한 조사와 통계는 주로 다음의 두 가지 자료에서 이루어졌다.

첫째, 역대로 전해져 내려오던 자전.

역대 자전들은 각 시대별로 통용된 한자의 자량을 반영하고 있으며, 당시에 사용된 한자를 통계하고 편집한 것이다. 현재까지 연구된 성과를 통계 내보면 그 구체적인 숫자는 다음과 같다.[9]

- 『설문해자』, 동한(東漢)의 허신(許愼), 9,353자.
- 『송본옥편』, 남조(南朝)시기 양(梁)나라의 고야왕(顧野王), 16,917자. 이는 후세 사람들의 증보를 거쳐 22,561자가 수록되어 있다.
- 『강희자전』, 청대(淸代)의 장옥서(張玉書) 등, 47,043자.
- 『중화대자전(中華大字典)』, 민국(民國)시기의 육비규(陸費逵) 등, 44,094자.
- 『한어대자전(漢語大字典)』, 서중서(徐中舒) 등, 54,678자.
- 『중화자해(中華字海)』, 냉옥룡(冷玉龍), 위일심(韋一心) 주편, 86,000여자.

---

9) http://xh.5156edu.com/page/18229.html, 온라인 『新華字典』.

둘째, 아동들에게 글자를 가르치기 위한 역대 교재.

현재 볼 수 있는 이른 시기의 어린이 교재로는 3,300자가 수록된 서한 (西漢) 때의 『창힐편(倉頡篇)』, 1,000자가 수록된 남북조(南北朝)시기의 『천자문(千字文)』, 576자가 수록된 송대(宋代)의 『백가성(百家姓)』과 1,248자가 수록된 『삼자경(三字經)』, 2,044자가 수록된 청대(清代)의 『문자몽구(文字蒙求)』가 있다. 이들 교재는 모두 당시의 상용한자들을 뽑아서 책으로 편집한 것으로, 아동들의 한자 학습서로 제공되었는데, 중국 고대의 상용자표라고 말할 수 있다.[10] 한국의 대표적인 한문자전의 수록자 자량을 통계 처리해 본 결과, 중국자전과 마찬가지로 그 자량이 계속해서 증가하는 추세에 있다는 것을 발견했다. 다만 한국의 몽구류(蒙求類) 자전의 자량은 보통 3,000자 정도며, 일반적인 자전에 수록된 자량은 20,000자를 초과하지 않는다. 상세한 부분은 아래의 데이터를 살펴보자.[11]

- 『훈몽자회』(1527), 3,360자.
- 『운회옥편』(1536), 9,892자.
- 『신증유합』(1574), 3,000자.
- 『전운옥편』(18세기 말), 10,977자.
- 『자류주석』(1856), 10,969자.
- 『자전석요』(1906), 16,309자.
- 『국한문신옥편』(1908), 11,000자.
- 『신자전』(1915), 13,348자.
- 『자림보주』(1915), 11,370자.

한자의 속성 연구는 글자의 양과 빈도에 대한 연구로, 표음문자의 수량과 비교해봤을 때, 한자는 글자 수[字數]가 많다는 특징이 있다. 그래서 글자 수가 많고 또한 그 수가 정해져 있지 않은 것은 한자의 사용 및 정보처리에 많은 불편함을 안겨다주었다.

---

10) 孫曼均, 「漢字應用水準測試用字的統計與分級」, 『語言文字應用』第1期(2004).
11) 이 데이터베이스 통계는 王平교수의 국가사회과학 중점연구과제인 『韓國傳世漢字字典集成』(14ZDB108)에서 나온 것이다.

한자의 수량에 대해, 캐나다의 헨리 로저스(Henry Rogers)는 『문자 체계--언어학의 방법(*Writing System-linguistic Approach*)』12)에서 다음과 같이 말했다. "도대체 얼마나 많은 한자가 있느냐는 이 문제에 대답하기 전에, 중국어의 문자 체계에서 얼마나 많은 한자가 존재하는가? 사람들이 사용하는 한자는 얼마나 되는가? 라는 문제를 구분해야 한다. 실제로 기본적인 1,500개의 한자로 충분히 읽고 쓸 수 있다고 예상되며, 2,000개~3,000개의 한자를 알면, 전문서적을 열독할 수 있다. 또한 대학을 졸업한 사람들은 대개 4,000개 정도의 한자를 인식하고 있는데, 그중에서 중국어 언어학과 역사를 전공한 학생들이 인식하는 글자의 수량은 더 많고, 학자들은 6,000개 정도의 한자를 인식하고 있다.

대형 자전을 연구하게 되면, 50,000개 정도의 한자를 접하게 된다. 학자들조차도 6,000개의 한자 정도만 인식하고 있는데, 나머지 44,000개의 한자는 왜 존재하는 것일까? 그 원인은 매우 간단하다. 이 한자들은 상용자가 아니다. 그중에서 일부는 고대 한자 혹은 표준한자의 변이체이거나 일부 지역에서 사용하는 이체자이다. 즉 이 글자들은 지역 방언의 형태소를 나타내거나 또는 일부 지역의 지명이나 인명을 나타내는데 사용된다. 또 일부는 각각의 물고기의 이름, 버섯의 이름, 말의 멍에를 구성하는 부품명과 같이 전문용어들이다. 마지막에 우리에게는 3,000개와 50,000개라는 두 가지 숫자가 남게 된다. 당신이 만약 3,000개의 한자를 인식한다면 전문성이 강한 서적은 읽을 수 없을 것이다. 50,000개의 한자는 중국에 존재하는 모든 한자의 집합체로, 과거에 존재했던 사람들이 어느 시간, 어느 지점에서 어떤 사건을 위해 일찍이 중국어에서 사용한 적이 있는 한자의 형식을 말한다."13)

한국의 역대한문자전에 수록된 한자의 양과 종류는 시기별, 영역별로 한자의 사용 및 확장에 대해 연구를 할 때 훌륭한 자료로 제공될 수 있다.

---

12) (역주) 세계에는 한자, 일어, 한국어, 베트남문자, 서아시아 지역의 설형문자, 이집트 문자, 셈족 문자, 그리스문자, 로마문자, 영어, 아시아의 기타 표음문자, 마야문자, 체로키문자, 이누이트문자, 고대 북유럽문자, 오검문자 등 매우 다양한 문자 체계가 존재하고 있는데, 이 책에서는 이와 같이 세계에 현존하고 역사상에 존재했던 문자 체계를 역사와 발전, 내부구조, 언어문자, 사회언어요소 등 4개의 영역으로 나누어 고찰하였다.

13) 헨리 로저스(Henry Rogers), 『文字系統－語言學的方法』(商務印書館, 2016), 69-70쪽.

한자를 정량화하는 연구가 이루어져야만 한자의 글자 수[字數]를 감소시키고 제한시킬 수가 있다.

(2) 한문자전의 글자 배열순서

자전에서 글자의 순서에 따라 배열하는 방법을 자서법(字序法)이라고 부른다. 자서법은 문자나 어휘를 배열할 때 누락을 방지하고, 정확하고 편리하게 검색하기 위해 만든 일종의 규칙이다. 한자의 배열규칙을 일반적으로 검자법(檢字法)이라고 부르지만, 배자법(排字法), 배검법(排檢法), 색인법(索引法), 검색법(檢索法), 사자법(査字法) 등으로 부르기도 한다.

한국한문자전의 배열방법은 대체로 형서검자법(形序檢字法), 음서검자법(音序檢字法), 의서검자법(義序檢字法) 3종류가 존재한다.

① 형서검자법(形序檢字法)

한자의 자형을 기준으로 한자를 배열하는 방법을 형서법(形序法)이라고 부르는데, 부수로 글자를 검색하는 방법[部首檢字法]을 말한다. 한자는 표의 체계를 가진 문자로서, 그 형체구조에 근거하여, 같은 뜻을 나타내는 부분들로 나누어져 있다. 각각의 분류를 부(部)라고 부르고, 부(部)의 첫 번째 글자를 부수(部首)라고 부른다. 동한(東漢)의 허신(許愼)이 『설문』에서 처음으로 540부수를 만든 이후에, 역대의 자전이나 사서(辭書)에 있는 부수의 수와 내용도 변하게 되었다. 남조(南朝)시기 양(梁)나라의 고야왕(顧野王)이 쓴 중국 최초의 해서(楷書)로 된 자전인 『옥편』에는 542부수로 늘어났다. 명나라 매응조(梅膺祚)의 『자휘(字彙)』에는 214부수로 줄어들었다. 청나라 장옥서(張玉書)와 진정경(陳廷敬) 등이 편찬한 『강희자전』은 『자휘』를 따라 214부수를 채택하였는데, 중국의 자전 및 동아시아 문화권의 한자자전의 배열방법에 막대한 영향을 끼쳤다.

한국한문자전에서 『삼운성휘(三韻聲彙)』의 글자를 검색하기 위해 편찬된 『삼운성휘보옥편(三韻聲彙補玉篇)』과 『전운옥편』, 『자전석요』, 『기자휘』, 『한선문신옥편』, 『신자전』 등과 같은 자전들은 모두 『강희자전』의 214부수를 따랐다. 214부수 체계는 1획에서 17획까지 필획의 순서에 따라 배열되어 있고, 동일한 부수 내의 한자도 필획의 순서에 따라 배열되어 있다.

② 음서검자법(音序檢字法)

한자의 독음을 기준으로 한자를 배열하는 방법을 음서법(音序法)이라고 부른다. 음서법은 위(魏)나라의 좌교령(左校令)이었던 이등(李登)이 『성류(聲類)』에서 처음으로 만들었다. 이등은 한자의 운(韻)에 따라 '오음(五音)'으로 나누고, 다시 각각의 독음에 속한 한자들을 배열하였다. 이후, 중국의 운서는 대부분 이 방법을 채택하였다. 운서에서는 같은 운에 해당되는 한자를 함께 모아놓았기 때문에 글자를 검색할 때 매우 편리하였다.

한어병음방안(漢語拼音方案)이 마련되기 이전에, 한국에서는 '훈민정음'을 제정하여 주음자모로 한자의 독음을 표기하였다. 한국에서 음서법으로 한자를 배열한 것은 전 세계에서 처음이다. 한글을 가지고 한자의 한국 독음과 중국 독음을 표기하였다. 그리하여 한자의 한국 독음을 정확하게 기록하였고, 독특한 한자 배열검색방법이 만들어졌다.

음서법으로 한자를 배열하는 초기 단계에서는 동일한 자전에 형서법(形序法)과 음서법(音序法)을 병용하기도 하였다. 예를 들어, 『국한문신옥편』은 『강희자전』의 214부수 배열방법을 채용하는 한편 한글로 한자의 한국음과 뜻도 표기하였다. 이 책은 특히 한국음의 가나다 순서로 한자를 배열해서 글자를 검색할 수 있는 「음훈자휘(音訓字彙)」를 첨부하였다. 한국자전은 1900년대부터 한글자모로 한자의 훈독과 의미를 표기하기 시작했다. 이때는 한글이 보편적으로 사용되고 한국 독음이 뿌리내리면서, 한글로 한자음을 표기하는 현상이 자연스레 증가하게 되었다. 『신자전』, 『국한문신옥편』, 『자전석요』, 『언음첩고(諺音捷考)』, 『한선문신옥편』 등처럼 이 시기에 간행된 자서들은 한글로 한자의 훈독이나 의미를 표기했기 때문에 한글 자모의 순서에 따라 배열하는 새로운 방법이라 할 자서법(字序法)—음서법(音序法)이 탄생하게 되었다.

③ 의서검자법(義序檢字法)

의서검자법도 분류 배열법의 하나이다. "분류 배열법은 글자나 단어의 의미나 단어의 학문분류에 따라 나누어 성질이 같은 글자나 단어를 함께 배열하는 방법을 말한다. 이러한 방법은 『이아(爾雅)』에서 시작되었는데, 역대 사전과 동한(東漢)의 『석명(釋名)』 등의 사서(辭書)에서 이 방법이 채택되었다."[14] 한국한문자전에서 한자의 의미로 분류한 것으로는 『훈몽자회』(33부류), 『신증유합』(27부류), 『제오유』(8부류), 『육서경위』(7부류), 『자류주석』(35부류), 『경사백가음훈자보』(28부류) 등이 있다. 이들의 자세한 내용은 다음의 표와 같다.

표1. 한국한문자전의 배열방법 일람표

순번	간행연도	자전명	편집자	배열방법
1	1527	훈몽자회(訓蒙字會)	최세진(崔世珍)	33부류
2	1536	운회옥편(韻會玉篇)	최세진(崔世珍)	214부수
3	1574	신증유합(新增類合)	유희춘(柳希春)	27부류
4	17세기 중반	금석운부(金石韻府)	허목(許穆)	사성(四聲)에 따라 배열
5	1777~1780	육서경위(六書經緯)	홍양호(洪良浩)	7부류
6	1792	경사백가음훈자보(經史百家音訓字譜)	이우형(李宇炯)	28부류
7	18세기 말	전운옥편(全韻玉篇)	미상	214부수+운(韻)
8	18세기 말	제오유(第五游)	심유진(沈有鎭)	8부류
9	1856	자류주석(字類注釋)	정윤용(鄭允容)	35부류
10	약 1872	설문해자익징(說文解字翼徵)	박선수(朴瑄壽)	214부수
11	1880 이전	기자휘(奇字彙)	미상	214부수
12	1898	교정전운옥편(校訂全韻玉篇)	지송욱(池松旭)	214부수
13	1906	자전석요(字典釋要)	지석영(池錫永)	214부수
14	1908	국한문신옥편(國漢文新玉篇)	정익로(鄭益魯)	214부수

---

14) 張明華, 『中國字典詞典史話』(商務印書館, 1998), 25쪽.

15	1913	한선문신옥편 (漢鮮文新玉篇)	현공렴 (玄公廉)	214부수
16	1915	신자전(新字典)	최남선 (崔南善)	214부수
17	1915	자림보주(字林補注)	유한익 (劉漢翼)	214부수

(3) 한문자전의 텍스트 구조

텍스트 구조는 자전의 구성형식을 말한다. 한국한문자전의 편찬연대는 그 시간대가 비교적 넓다. 이 책에서 연구한 자료들로만 보았을 때도 거의 400년에 걸쳐 있다. 시대도 다르고 편집자도 다르기 때문에 편찬목적도 각각 다르다. 그래서 이들 자전들이 통일된 형식을 갖추기란 매우 어려운 일이다. 일반적으로 한문자전의 텍스트 구조는 서문, 이끄는 말[引], 범례, 총론, 본문, 발문 등을 포함하고 있는데, 색인을 사용한 경우는 아직 보지 못했다.

표2. 한국한문자전의 텍스트 구조 일람표

순번	간행 연도	자전명	편집자	서문1	서문2	이끄는 말	범례	발문1	발문2	기타서지정보
1	1527	훈몽자회	최세진	무	무	유	유	무	무	무
2	1536	운회옥편	최세진	무	무	유	유	무	무	무
3	1574	신증유합	유희춘	유	무	무	유	유	무	무
4	17세기 중반	금석운부	허목	무	무	무	무	무	무	무
5	1777~ 1780	육서경위	홍양호	유	무	무	무	유	유	무
6	1792	경사백가 훈자보	이우형	유	무	무	유	무	무	擬進字譜 箋, 六書 衍義
7	18세기 말	전운옥편	미상	무	무	무	유	무	무	무

8	18세기 말	제오유	심유진	무	무	무	무	유	유	무
9	1856	자류주석	정윤용	유	무	무	무	무	무	총론
10	약 1892	설문해자익징	박선수	유	유	무	무	무	무	무
11	1880 이전	기자휘	미상	무	무	무	무	무	무	무
12	1898	교정전운옥편	지송욱	유	무	무	무	무	무	무
13	1906	자전석요	지석영	유	유	무	유	유	무	무
14	1908	국한문신옥편	정익로	유	무	무	무	무	무	무
15	1913	한선문신옥편	현공렴	유	무	무	무	무	무	무
16	1915	신자전	최남선	유	무	무	유	무	무	무
17	1921	자림보주	유한익	유	무	무	유	유	무	무

4. 한국한문자전에 대한 연구사

최근 10년 동안 한국의 한문자전에 대한 한중 학자들의 꾸준한 연구 덕분에 이에 관한 연구가 새로운 학술적 문제로 부각되었다. 한중 학자들로 구성된 초국적 연구 집단과 그들이 산출해낸 일련의 연구 성과는 중국과 해외 학계의 지대한 관심을 불러일으켰고 한자문화권의 한문자전 연구가 빨라지도록 만들었다.

(1) 한문자전의 디지털화

한자의 디지털화는 이미 중국어 문자학 영역에서 뜨거운 관심사로 떠올라, 한자문화권에 속하는 많은 연구기관과 학술단체들이 한자발전의 디지털화 연구와 확장이라는 획기적인 의미를 인식하게 되었다.
한국학중앙연구원에서 관리하는 '한국역사정보 통합시스템'의 '왕실도서관 장서각 디지털아카이브(Digital Archive)'에서 일부 학자들이 조선시대의 언어학 자료를 정리하였으나, 적용대상이 불분명하였기 때문에 디지털화 텍스트의 멀티검색기능을 설계할 수가 없었다. 그 때문에 실용적 가치가 크게 떨어졌다.

2008년부터 하영삼(河永三)·왕평(王平)교수가 이끄는 한중프로젝트팀이 10여종의 한국한문자전을 디지털화하고 통합검색 소프트웨어를 개발하였다. '중한 고대 소학류 문헌 통합검색', '한국 조선시대 자전 데이터베이스', '한중일 고대자전 통합검색', '한중일 고대자전 통합검색 시스템'15) 등의 소프트웨어 시리즈는 한국한문자전의 디지털화 구축 및 한문자전의 자원 공유라는 측면에서 크게 공헌하였다. 예를 들어, '조선시대 경전 한자자전 통합검색'은 텍스트를 검색하는 다기능 검색 소프트웨어로서, 학술과 그의 활용이라는 두 가지 영역에서 혁신적인 면모를 선보였다. 학술적 측면에서, 한국은 한학(漢學)이 전파된 중요 요충지로 한자의 자형과 사용방법에 독특한 발전을 이루었지만, 이전에는 대규모의 한중 자전 비교 연구가 없었다. 활용적 측면에서, 한국과 중국 고대의 각종 자전들은 문헌연구에서 없어서는 안 될 자료이다. 그래서 데이터베이스 기술을 가지고 고대자전에서 언어학자들이 관심을 가지는 정보를 추출해내어 통합검색으로 찾을 수 있는 소프트웨어를 개발한다면, 한자의 형음의(形音義)를 더욱 빠르고 정확하게 검색할 수 있다. 이러한 데이터베이스는 한중 한자 비교연구의 공백을 메워줄 수 있을 뿐만 아니라, 한자체계의 역사적인 면모와 발전규칙을 전반적으로 파악하는 것을 비롯해 한자의 발전과 확장, 한국한자교학 등 영역의 연구에도 도움을 줄 수 있다.

(2) 한문자전에 대한 연구

필자는 이전 학자들의 한국한문자전에 대한 성과를 자전별로 저서 및 논문으로 나누고 해당 연구목록을 정리하여 이 책의 부록에 첨부해 놓았다.16) 아래에는 한국한문자전을 정리한 최근의 성과를 중심으로 소개한 것

---

15) http://ffr.krm.or.kr/base/td022/intro_db.html 참조.
16) 이 책의 부록2를 참조.

이다.

2012년 중국국가출판기금을 받아 중국 상해교통대학의 왕평교수와 한국 경성대학교의 하영삼교수가 공동으로 주편하고, 상해인민출판사에서 출판한 『역외한자전파서계(域外漢字傳播書系)·한국권(韓國卷)』은 『전운옥편』, 『자류주석』, 『제오유』, 『설문해자익징』, 운서인 『화동정음통석운고(華東正音通釋韻考)』, 몽구류인 『훈몽자회』, 『신증유합』, 『천자문』 등 3종을 포함하고 있다. 이 책은 체계적인 정리와 자료의 정확성으로 인해 한자의 확장사, 근대한자학사 등의 연구영역에 중요한 참고 자료가 되고 있다.

또 2017년 8월에 출판한 『한국역대한자자전총서(韓國歷代漢字字典叢書)』(16책, 圖書出版3)는 조선시대에서 현대시기(1945)까지 한국에서 편찬한 대표적인 한자자전인 『전운옥편(全韻玉篇)』, 『자류주석(字類注釋)』, 『국한문신옥편(國漢文新玉篇)』, 『한선문신옥편(漢鮮文新玉篇)』, 『증보자전대해(增補字典大解)』, 『자전석요(字典釋要)』, 『신자전(新字典)』, 『일선신옥편(日鮮新玉篇)』, 『자림보주(字林補注)』, 『회중일선자전(懷中日鮮字典)』, 『신정의술옥편(新訂醫術玉篇)』, 『실용선화대사전(實用鮮和大辭典)』 등 12종을 포함하고 있다. 이 총서는 대상 자료들을 새로이 교정하고 구두 작업을 했으며, 각각의 자전마다 부록으로 한글독음 색인, 총획색인, 중국어 병음 색인을 첨부하여, 독자들에게 편리를 제공하였다.

그 밖에도, 최근 몇 년간, 한중 프로젝트팀은 한국과 중국의 등재지에 학술논문 40여 편을 발표하였고, 석박사 논문 17편과 박사 후(P-Doc) 보고서도 1편 발표하였다. 이러한 연구 성과들로 인해 이 영역의 중요성이 다시 한 번 주목을 받게 되었다.

(3) 한국한문자전의 편찬 역사 소개

박형익 교수의 『한국자전의 역사』는 한국한문자전을 체계적으로 소개한 전문서적이다. 저자는 서문에서 "한국에는 어떠한 자전이 존재하는가? 언제 자전을 사용했는가? 누가 어떤 방법으로 자전을 편찬했는가? 사전과 자전에는 어떤 공통점과 차이점이 존재하는가?" 등 여러 가지 의문점에 대해 논의했다. 저자는 이상의 여러 의문을 해결하고자 자전과 관련된 연구논문과 전문서적을 조사하고 수집하였다. 한국한자자전의 편찬역사가 오래되고 그 종류가 풍부하다 해도, 지금까지 한국에서 자전과 관련된 종합적인 연구는 매우 드물었으며, 일부 특정한 자전에 대한 연구에 한정되어 체계적인 연구가 이루어지지 못했다.

박형익 교수는 1945년 이전에 한국에서 발행한 자전을 수집하고 그 목록을 정리하고 나서, 자전의 개념, 자전의 정의, 자전의 형성과정, 자전의 연구 경향 등과 같은 한국자전의 각종 문제에 대해 논술하였다. 그리고 수집한 대표적인 한국자전에 대해서도 간략하게 소개했다. 저자는 저술목적을 이렇게 말했다. "이 책은 한국자전의 편찬 역사를 세밀하게 묘사하고, 자전의 구성과 특징에 대해 체계적으로 분석하여 독자의 이해를 돕고자 하였다. 또한 한국의 역대 자전사료와 당대의 각 학문 영역의 연구를 결합시켜, 자전학(字典學), 문자학(文字學), 한자학(漢字學), 한국한자의 형음의(形音義) 변화의 역사, 한국한자어 및 한글의 어원 등 영역에 참고자료를 제공하고자 하였다."[17]

(4) 한문자전의 연구 영역

다른 학문에 비해, 한국한문자전에 대한 체계적인 정리와 연구는 상당히 뒤쳐진 상황이다. 이러한 상황은 먼저, 한문자전에 대한 홀대에서 비롯되었다고 할 수 있다. 즉 한문자전은 한국에서 언어학자들의 연구범위에 속해 있지 않으며, 전통적인 한문학자들의 연구대상도 아니다. 그래서 관심을 가지는 사람들도 소수에 한정되었다. 둘째, 한문자전 연구의 낙후된 연구방법도 이 영역의 연구에 장애요소가 되었다. 역대 한문자전들은 현재 한국에서 외국어 자료에 속한다. 그래서 연구자들은 고대 중국어에 대한 지식을 갖춰야 하며, 상당히 긴 시간과 정력을 들여 자료를 수집하고 정리해야 한다. 이는 이 영역의 연구성과의 산출주기를 늦추게 하였으며, 자료를 종합적으로 정리하고 깊이 있는 탐색과 문제를 발견하는 시간 등을 부족하게 만들었다. 그래서 이 영역은 연구범위가 제한적이며, 내용도 빈약하여 체계를 이루기가 힘들었다. 중국학자들도 현재 자료의 수집에 제약이 많아 대량

---

17) 박형익, 『한국 자전의 역사 · 서문』(도서출판 역락, 2012) 참조.

의 자료를 얻을 방법이 없기 때문에, 연구관점도 상대적으로 단순하고 범위도 협소하여 이론적으로 깊이 파고들어 체계를 이루기가 어려운 실정이다. 예컨대, 한자 확장의 시간, 층차, 지역에 대한 연구를 비롯해 한자의 확장이 다른 나라에 미친 영향, 확장되는 과정에서 발생한 변이규칙 등 다방면에 대한 연구는 거시적인 기술과 개별적인 분석에만 머물러 있는 실정이다.

이러한 현상이 존재하는 원인은 체계적이고 전반적인 문헌정보의 자원 플랫폼이 결여되어 있기 때문이다. 이러한 인식에 기초하여 필자는 한국한문자전의 자료를 최대한 많이 수집하고 정리 및 연구를 하면서 동아시아 한문자전의 자원공유 플랫폼을 구축하기 시작했다. 이제 한국한문자전에 대한 전반적이고 체계적인 연구 작업은 이미 더 이상 지체할 수 없는 중요한 문제가 되었다. 그러나 이 영역은 중국의 전통자전을 정리하고 연구한 기초가 다져져 있어야 하고, 한국한문자전이 발전한 맥락, 편찬방법 및 각 시기를 대표하는 자전의 판본·내용·체제·특징 등에 대한 이해를 필요로 한다. 이런 이유로 한국 및 중국 심지어 아시아에서 이 영역을 다룬 전문서적과 논문은 거의 전무한 상태이다. 이러한 관점에서 봤을 때, 이 책은 이 영역에 대한 그 간의 부진한 상황을 만회할 수 있는 자료가 될 것이라 생각한다.

5. 한국한문자전 연구의 의의

자전의 발상지는 중국이다. 고대 중국의 자전은 자료의 체계성, 시대성 등으로 한자의 변천을 연구하는 데 중요한 역할을 한다. 중국자전은 문화가 발전하면서 동아시아 각국으로 확장되었고, 고대 한국의 한문자전으로 옮겨 가게 되었다. 이는 국경을 넘어 융합, 전수 및 계승, 변이 등의 과정을 거쳐 한국한문자전의 여러 가지 특징을 형성하게 되었다. 한국의 역대 한문자전들은 고대 중국자전의 특성도 가지고 있으면서 규범성, 체계성, 한국적 특성 등도 구비하고 있어, 오늘날 동아시아로 확장된 한자를 연구할 때 필요한 매우 오래된 자료들이다. 이 자전들은 여러 시기를 거쳐 누적되면서 시기별로 그 내용이 풍부하며, 자료도 복잡하여 연구영역도 폭넓다. 역대 한국한문자전을 정리하고 연구하는 작업은 중국한자의 확장사와 중국 근대 한자 발전사의 연구영역을 넓히는 중요한 과제이다.

기존 연구의 독창적인 학술적 가치, 활용 가치, 사회적 가치는 다음과 같다.

(1) 학술적 가치

학술연구 영역의 확장은 새로운 자료와 새로운 관점 및 방법과 밀접하게 관련되어 있다. 중국의 입장에서 한국의 역대 한문자전은 외국의 고서에 속하지만, 중국과 세계학술계에서 이는 새로운 자료라 할 수 있다. 중국학자들이 한자의 확장과 중국자전의 보완이라는 관점에서 봤을 때, 그 학술적 가치는 다음과 같다.

① 자료의 가치
역대 한국한문자전은 40여종에 이를 정도로 수량이 많은 편이다. 그러나 어느 한 곳에 보관해서 관리하고 있는 것이 아니라 산재해 있어, 학자들이 사용하거나 참고하는 것이 쉽지 않다. 1960년대 이래로 『전운옥편』, 『자림보주』, 『자류주석』 등과 같이, 단행본으로 출판된 자전은 수종에만 그치고 있어, 학술적 가치가 뛰어남에도 수량이 많지 않아 체계를 이루지 못하고 있는 실정이다. 그러므로 한국의 역대 한문자전을 체계적으로 정리하고 연구하는 것은 동아시아 각국에서 중국의 역대 한자 문헌을 계승하고 확장하는 작업이 될 것이다. 현재 '초국가', '추세', '위치정립(定位)'이라는 단어들은 모두 자원(資源)의 정합과 관련이 있다. 그렇기에 한국의 역대 한문자전들에 대한 진정한 의미의 체계적인 정리와 연구가 없었다는 점은 실로 유감스러운 일이다. 우리는 이들 문헌을 가능한 빨리 정리하고 연구하여, 현재는 물론 미래의 주류가 될 정보의 확장플랫폼에서 마땅히 가져야 할 지위와 발언권을 갖게 할 것이다.

② 정리의 가치
한국의 한문자전들은 번잡한 한문 자료에 속하기 때문에 검색과 이용이 어렵다. 이러한 상황에서 한국한문자전들을 선택하고 유형별로 모아 체계적으로 정리한 것은 학술적 독창성이라 하겠다. 데이터베이스 기술에 기반하

여 시대별로 한문자전을 정리하고 연구하여, 번잡하고 산재되어 있어 검색하기 어려운 문제점들을 해결하였다. 이러한 작업을 거쳐 대형 공구서로의 학술적 가치와 사용가치가 드러나게 되어, 한자 확장사나 중국어 발전사 연구의 필수 자료로 기능하게 되었다.

③ 확장의 가치

역대 한국한문자전을 정리하고 연구하는 일은 중국의 처지에서는 '밖으로 확장한' 한자의 발전궤적과 맥락을 더듬어서 한자의 확장규칙을 탐구하고 토론하는 것이며, 한국의 처지에서는 '밖에서 들어온' 한자자료를 가지고 중국의 문헌과 이 영역에서의 연구의 결점을 보충하고 수정하는 일이다. 따라서 대형 공구서를 정리하는 것은 한자 확장사 연구의 좌표가 되어, 한자 확장학 이론을 정립할 수 있으며 한자 그 자체를 연구할 수 있다. 게다가 한국 역대 한자연구라는 새로운 영역을 개척하여 관련 학문의 발전을 가져올 수 있을 것이다.

첫째, 한자 확장학의 측면에서, 한자는 중국의 문자이지만 한국에서는 한자를 차용하여 그들의 사상을 나타내고 기록했다. 한국과 중국 양국은 한자라는 똑같은 문자를 사용했지만, 표현하는 사상과 전하는 문화의 정보에는 차이가 있다. 이는 한국에서의 한자 확장사를 연구하는 데 매우 높은 가치를 가지고 있다. 역대 한국한문자전에 대한 연구를 통해, 한자와 중국문화의 확장 시대, 층차, 나라별, 규칙, 특징, 방향을 이해할 수 있게 되면서, 한자 확장사라는 학문적 영역도 형성되었다.

둘째, 자전편찬 발전사의 관점에서, 한문자전이 중국에서 시작되었고 자전의 주류도 중국에 있지만, 한국의 한문자전을 통해 중국문화에 대한 이해와 한문자전편찬의 과학적인 면모를 살펴볼 수 있다.

셋째, 문화학적인 관점에서, 한국에서 사용된 한자는 자연스럽게 본국문화를 기록하고 반영하는 특징을 가지게 된다. 그렇기에 한국한자와 중국한자에는 공통점도 있지만 그들만의 특징도 가지고 있다. 한국에 전해진 한자의 독자성은 한국에서의 한자사용을 반영하면서, 한국문화 특유의 변화를 반영하고 있다.

한국의 역대 한문자전을 하나의 체계로 보고, 성질의 확정(定性)과 수량의 확정(定量)에 대해 조사하고 연구하는 것은 동아시아의 한자발전사를 정확하게 기술하는 토대가 된다. 조사 대상 국가와 범위가 증가하면서, 한자 확장사와 관련된 연구도 정확해지고 과학적으로 변하였다. 그러므로 한국의 역대 한문자전을 연구하고, 그 사용기능과 활용범위를 확대하는 것은 한자 확장사를 연구하고, 동아시아의 한자발전사를 연구하는데 중요한 과제가 된다.

'결함을 보충하는' 것은 '밖에서 가져온' 한국의 한자자료를 가지고 중국의 전통자전에서 누락된 부분이나 결함을 메운다는 것을 의미한다. 즉 역대 한국한문자전들을 한 곳에 모아 정리를 하였기 때문에, 중국 고대의 언어학 연구 문헌과 관점에서의 결점을 보충하고 수정할 수 있게 되었다. 한국한문 자전에는 당시 편찬자가 한자의 의미, 독음, 자형 등에 대해 어떤 취사선택을 했는지에 대한 정보와 한자의 형음의(形音義)에 대해 새롭게 설명한 정보 등이 담겨져 있어, 근대 한자발전사를 연구하는 데 중요한 자료가 될 수 있다. 예를 들면, 한국에서 중국의 문헌을 각인할 때 한자의 사용빈도를 기록한 자보류(字譜類) 자전은 중국의 역대 문헌에 존재하는 결함을 보충할 수 있는데, 글자의 빈도를 나타내는 자전이 중국에서는 비교적 늦게 만들어졌기 때문이다. 또 한국의 역대 한문자전에서 일부는 한글로 표기되어 있거나 중국음과 한글로 병기를 하여 16세기의 음성체계를 완벽하게 간직하고 있어, 기존의 중국어 음운학 연구 성과를 수정하고 보충하는데도 꼭 필요한 자료로 사용될 수 있다.

(2) 활용 가치

① 한자 자체의 연구 심화

중국자전에 근원을 두면서 한국의 언어 문화적 특징이 풍부한 한국한문 자전에는 다양한 정보를 포함하고 있어, 중국과 한국 자전의 체계를 비교하면서 한자 자체의 연구를 심화시킬 수 있다.

② 동아시아 한자 연구 촉진

동아시아로 확장되는 한자의 변화발전과정이 바로 동아시아 한자의 연구범주에 속한다. 한자의 주된 사용국인 한국의 한자 사용상황과 발전과정은 동아시아 한자 연구에서 중요한 역할을 한다. 그러므로 한국한문자전 연구의 확장 및 심화는 동아시아 한자학 연구에 참고자료로 제공될 수 있다.

③ 한자의 국제표준화

조선시대에 간행된 각종 한문자전은 매우 높은 학술적 가치를 가지고 있지만, 현재까지 동아시아의 역사와 문화연구에 활용된 적이 없으며, 한자의 확장과 발전사를 연구하는 데에도 활용되지 못했다. 이는 한국한자의 내부코드가 국제에서 통용되는 표준코드와 맞지 않기 때문이었다. 그러므로 한국한자의 국제표준화는 반드시 이루어져야 할 작업이다. 그러나 이 문제를 해결하려면 한국의 역대 한자와 현행한자의 상관관계를 분명하게 정리해야 한다. 그래야만 이에 상응하는 한자의 국제표준화를 제정할 수 있다.

이 책에서 전개하고 있는 여러 논의는 한국한자의 국제표준화에 중요한 정보를 제공해 줄 수 있을 것이다.

(3) 사회적 가치

전 세계적으로 정보화가 가속되면서, 한자문화권 속의 한자연구와 활용 영역에서 학제간 융합이라는 특징이 두드러지게 되었다. 그러나 한자의 확장과 수용에 관한 연구가 부족한 상태라, 한자문화권에서 역대 한문문헌의 자원의 공유에 제약이 생겨났다. 이는 이미 초학문, 초문화라는 국제적인 문제로 부상하였다.

최근 십여 년 동안, 꾸준히 늘어난 한자문화권의 연구기관과 학술단체들은 역대 한문 문헌의 디지털화와 한자 확장응용 연구의 중요성을 심각하게 인식해 왔다. 한국, 중국, 일본 등 한자문화권의 각 국가들은 역대 한문 문헌에 대한 디지털화 작업을 진행하고 있지만, 한자문화권에서의 국가 간 역대 한문 문헌에 대한 정리와 연구는 아직까지 관련 기관이나 학자들의 주목을 받지 못하고 있다.

정보화 시대에, 국가 간 한자의 차이는 한자문화권의 정보교류와 한자 자원 공유에 많은 불편을 초래하였다. 그러므로 한자의 공통화에 대한 연구는 매우 절실하다 하겠는데, 이를 위해서는 우선 한자문화권 국가에서 사용한 한자의 역사와 현상에 대해 분명하게 파악하여, 그 차이점이 형성된 원인을 분석해야 한다. 이러한 공통된 인식이 형성된 기반 위에서, 한자의 통일된 기준을 확정짓고, 각 국가에서 모두 수용할 수 있고 부합될 수 있는 한자 변천규칙의 과학적인 방안을 제정하는 것이 한자문화권 한자의 공통화를 이루는 길이 될 것이다.

6. 이 책에 관한 설명

(1) 연구 자료의 범위

이 책의 연구 자료범위는 우리가 현재 수집한 한국한문자전을 그 범위로 하였다.

표3. 이 책에 소개된 자전의 판본출처 일람표

순번	간행 연도	자전명	편집자	판본의 출처
1	1527	훈몽자회	최세진	규장각 도서관
2	1536	운회옥편	최세진	한국국립중앙도서관
3	1574	신증유합	유희춘	한국한자연구소
4	17세기 중반	금석운부	허목	흥문당(興文堂) 서점 판본 부산대학교 도서관
5	1777~1780	육서경위	홍양호	한국국립중앙도서관 이계외집(耳溪外集)제5집
6	1792	경사백가훈자보	이우형	일본 천리(天理)도서관
7	18세기 말	전운옥편	미상	한국한자연구소
8	18세기 말	제오유	심유진	한국국립중앙도서관
9	1856	자류주석	정윤용	건국대학교 중간본
10	약 1892	설문해자익징	박선수	한국국립중앙도서관
11	1880 이전	기자휘	미상	한국국립중앙도서관
12	1898	교정전운옥편	지송욱	한국국립중앙도서관
13	1906	자전석요	지석영	회동서관(匯東書館)
14	1908	국한문신옥편	정익로	한국한자연구소

15	1913	한선문신옥편	현공렴	한국한자연구소
16	1915	신자전	최남선	조선광문회
17	1921	자림보주	유한익	한국국립중앙도서관

(2) 연구 방법

① 문헌정리법

이 책의 가장 기초적인 작업은 바로 문헌 및 관련정보의 수집이다. 자료를 수집하고 정리하면서 신뢰할 수 있는 문헌을 가장 우선적으로 확보하고자 하였다. 이 책에서 언급하고 있는 한국자전의 한자는 다음의 내용들을 포함하고 있다. 첫째, 학술적 가치가 뛰어난 원시 문헌 즉 지물 문헌을 우선적 근거로 삼았다. 둘째, 지물 문헌에 이어 영상 문헌까지 참고하였다. 셋째, 원시 문헌의 각각의 시대, 판본, 저자, 유형, 기록, 출처 등의 정보를 분류하여 연구의 근거로 삼았다.

② 데이터베이스 통계법

데이터베이스 기술을 전통학문의 기초자료를 정리하는 데 활용하여, 학제 간 발전 추세와 컴퓨터를 사용한 자료통계 분석에서의 과학성, 고효율성을 부각시켰다. 최근 몇 년간, 필자는 한중전통자전 데이터베이스 및 통합검색 소프트웨어를 직접 설계하는 과정에서 디지털 연구 모델을 축적함으로써 '데이터베이스 한자학' 등의 이론을 제시한 바 있는데, 이를 이 책의 연구에 활용할 수 있었다.[18]

③ 통시와 공시 대조법

'통시'와 '공시'라는 두 가지 술어는 스위스 학자 소쉬르에 의해서 제시되어, 두 언어학을 구분하는데 사용되었다.[19] 한국한문자전에 수록되어 해

---

18) 王平, 「數據庫漢字學芻議」, 『中國文字研究』(2013).
19) "통시는 시간이 지나면서 생성되는 단계를 말한다. 이 단계의 특징은 주로 우리가 연속성의 현상을 직시하면서 발견되는 사실로 나타난다.", "다른 하나는 언어현상에 존재하는 상태로, 그것들은 평형적인 입장에 처해 있다. 이러한 요소는 반드

석한 한자에도 마찬가지로 '통시'와 '공시'라는 두 가지 형태가 존재한다. 한문자전을 개방된 체계로 간주하면 그 발전과정에서 나타나는 연속성의 특징을 연구하게 되고, 한문자전을 폐쇄된 체계로 간주하면 그 발전과정에서 나타나는 단계성의 특징을 연구하게 된다.

④ 한중 전통자전 비교법

비교는 사물을 인식하는 기반이 되며, 인류가 사물의 공통점과 차이점을 인식하고 구별하며 확정하는 데 가장 자주 사용되는 사유방법이다. 이 책에서는 같은 시기, 같은 종류의 한문자전과 각각의 시기와 서로 다른 종류의 한문자전에 대해서 비교연구를 하였으며, 한국과 중국의 전통자전에 대해서도 비교연구를 하였다. 비교연구의 목적은 그 공통점과 차이점을 찾아 보편적인 규칙과 특수한 규칙을 탐구하는 데 있다.

결과적으로, 모든 연구방법은 독립적으로 존재하는 것이 아니며, 종합적이고 합리적으로 활용을 해야 연구대상의 실제상황에 적합할 수 있다.

(3) 연구 목표

첫째, 한국한문자전의 종류, 판본, 내용, 체제 등을 체계적으로 소개하고 분석하였다. 이를 통해, 한국한문자전이 발전한 맥락, 편찬전통, 민족적 특징을 총괄해내어, 이를 동아시아에서 한자의 확장사를 연구하는데 기초적인 자료로 도움이 되고자 하였다.

둘째, 한국한문자전을 통해 한자의 동아시아로의 확장을 구체적으로 드러내었다.

셋째, 한국한문자전을 데이터베이스한 성과를 소개하여, 자전의 데이터베이스가 여러 학문의 연구 영역에 활용될 수 있도록 하였다.

넷째, 한국과 중국의 전통자전의 공통점과 차이점을 찾아내어, 기존의 중국 전통자전의 부족한 점을 보충하고자 하였다.

시 동시성을 지녀야 하므로, 공시태(共時態)로 구성된다. 우리가 직면하는 것은 공존하는 요소들로, 연속되는 현상들이 아니다."([스위스] 소쉬르(저), 屠友祥(역), 『第三次普通語言學教程』(上海人民出版社, 2002).

2

한국한문자전의 종류

분류가 연구의 기초과정이긴 하지만, 분류 기준으로 전체를 아우르기란 쉽지 않다. 우리는 한국한문자전을 몽구자전(蒙求字典), 옥편자전(玉篇字典), 자원자전(字源字典), 고문자전(古文字典), 의미부류 자전[義類字典]과 같이 5가지로 나누었다. 본장에서는 이상의 분류에 근거하여, 각각의 종류마다 대표적인 자전을 소개하였다.

제1절 몽구자전(蒙求字典)

몽구자전은 어린이들이 한자를 배우고, 그 형음의(形音義)를 알고자 할 때 사용하는 자전을 말한다. 어린이들에게 글자를 가르치기 위해 편찬한 몽구류(蒙求類) 자전을 조선시대에는 '훈몽(訓蒙)' 또는 '유합(類合)'이라고 불렀다. 이들 자전은 종종 교재와 자전의 기능을 함께 가지고 있다. 편찬자는 학생들이 한자를 제대로 학습할 수 있게 대개 상용한자를 수록하였으며, 한자의 의미도 간단명료하게 해석해두었다. 또 이해를 돕기 위해 한글을 덧붙여 해석하기도 하였다.

1. 『훈몽자회(訓蒙字會)』

『훈몽자회』는 조선시대의 유명한 중국어학자인 최세진(崔世珍)이 1527년에 편찬한 최초의 한자학습자전이다.

(1) 저자 및 편찬 목적

최세진(崔世珍, 1468~1542)은 자(字)가 공서(公端)이며, 충청북도 괴산(槐山) 사람으로, 중정(中宗) 때의 학자이다. 그는 중국어에 정통했을 뿐만 아니라, 중국의 운서(韻書)와 아동들의 한자교육에도 독창적인 연구를 하여, 『번역노걸대(翻譯老乞大)』, 『번역박통사(翻譯朴通事)』, 『언역노걸대(諺譯老乞大)』, 『언역박통사(諺譯朴通事)』, 『노박집람(老朴集覽)』, 『노걸대언해(老乞大諺解)』, 『박통사언해(朴通事諺解)』, 『사성통해(四聲通解)』, 『친영의주언해(親迎儀註諺解)』, 『책빈의주언해(冊嬪儀註諺解)』, 『훈몽자회(訓蒙字會)』, 『번역여훈(翻譯女訓)』, 『운회옥편(韻會玉篇)』, 『소학편몽(小學便蒙)』, 『이문집람(吏文輯覽)』, 『이문독집람(吏文讀輯覽)』 등과 같이 수많은 저서를 남겼다.

『훈몽자회』의 편찬 목적은 한자를 배울 수 있는 이상적인 교재를 아동들에게 제공하는데 있었다. 최세진은 당시에 유행하던 『천자문(千字文)』, 『유합(類合)』 등과 같은 한자교재가 아동들에게 적합하지 않다고 지적하였다. 『천자문』은 내용을 이해하기 어렵고, 『유합』에는 허사가 매우 많이 들었다고 여겨, 아동들의 한자교육은 생활주변에 있는 사물을 나타내는 실사에서부터 시작되어야 한다고 주장했다.

'훈몽(訓蒙)'이란 명칭은 "직급이 낮은 관리들에게도 자세히 가르쳐야 한다.(具訓於蒙士)"라고 한 『서(書)·이훈(伊訓)』에서 유래하였다. 『훈몽자회』는 '아동들을 가르치기 위한 글자들의 모음'이라고 할 수 있다. 책의 이름을 통해서, 저자의 편찬 목적이 아동들에게 더욱 쉽고 현실적으로 다가갈 수 있는 한자 학습교재를 제공하기 위한 것이라는 사실을 알 수 있다.

(2) 판본

『훈몽자회』는 중종(中宗) 22년(1527)에 처음 출판하였으나, 지금은 실전되었다. 초간본이 발행되고 나서, 고성(固城), 회녕(會寧), 상원(祥原), 거제(巨濟) 등지에서 목판본을 다시 조판하여 발간하였는데, 이들 판본이 지금까지 전해지고 있다. 기존의 『훈몽자회』에 대한 연구는 주로 판본에 집중되어 있었다. 이 영역에서는 방종현(方鐘鉉)의 성과가 가장 두드러진다. 방종현은 1950년대 이전에 발견한 12종의 판본 중 이병기(李秉岐)의 옛 소장본, 도쿄대학 도서관본(간단히 '도쿄본'이라고 부른다), 이씨 왕가 소장본, 송석하(宋錫夏)의 옛 소장본 등을 조사하여, 판본을 크게 '미만본(瀰漫本)'과 '낙예본(洛汭本)'의 두 가지로 귀납하였다.1) 방종현은 이병기의 옛 소장본이 가장 오래된 판본이라고 했는데, 1970년대에 일본에서 에이산[叡山] 문고본(간단히 '에이산본'이라고 부른다)이 발견되고, 초간본으로 인정되면서 방종현의 결론이 뒤집혀졌다. '에이산본'은 1572년에 간행된 활자본(活字本)으로, 히에이산[比叡山]의 에이산 문고[叡山文庫]에서 소장하였다. 이 판본은 목판본과 달리, 상권·중권·하권으로 분명하게 나눠져 있고, 각 권의 머리와 꼬리부분에 권명이 표기되어 있으며, 주석도 중간본(重刊本)보다 훨씬 풍부하다. 이를 통해 인쇄방식이 변하면서 『훈몽자회』의 일부 주석이 생략되었을 것으로 추정할 수 있다.2)

　'도쿄본'은 목판본 중에서 가장 빠른 것으로, 초간본과는 달리 네 글자로 묶는 형식을 채택했다. 이 때문에 읽기가 더욱 편해졌지만 내용이 간략해졌고 주석의 양도 줄게 되었다. 존경각본(尊經閣本)(간단히 '존경본'이라고 부른다)은 도쿄의 존경각(尊經閣) 문고에서 소장하였다. 존경각의 다른 서적들이 모두 임진왜란(壬辰倭亂)시기에 일본으로 가져간 것이기 때문에, 이 판본도 임진왜란 이전의 중간본으로 추정할 수 있다. 규장각본(奎章閣本)(간단히 '규장본'이라고 부른다)은 임진왜란 이후에 중간한 판본으로, 1613년에 처음으로 출판되었는데, 주석과 자음(字音) 부분에서 이전 시기의 판본과 차이가 있다.

---

1) 하권의 권말 뒷부분의 세 번째와 네 번째 글자가 미(瀰)와 만(漫)인 판본이 미만본(瀰漫本)이고, 락(洛)과 예(汭)의 판본이 낙예본(洛汭本)이다. 방종현, 「『訓蒙字會』考」, 『東方學志』第1期(1954), 79-80쪽 참조.
2) 박미숙, 『中世紀以後韓國漢字音的變遷樣像硏究』(한국외국어대학교 석사학위논문, 2011).

상술한 판본 외에, 또 중앙불교전문학교의 등사본(謄寫本), 동국서림본 (東國書林本)의 영인본(간단히 '동국본'이라고 부른다)(1948), 김근수(金根洙)의 등사본(謄寫本)(1959), 한글학회 영인본(1966~1967), 김근수(金根洙) 교감본(校勘本)(1979), 단국대학교 영인본(1983) 등이 있다.[3] 그중에서 '동국본'은 범문본(汎文本)이라고도 부른다. 이는 원래 김익환(金益煥)이 소장하고 있었는데, 1948년 동국서림본의 영인본이 출판되고, 1969년 범문사(汎文社)가 이를 근거로 수정하여 다시 영인하였다. '동국본'과 '규장본'은 동일한 판본에 속했으나, 범문사가 수정하고 나서는 차이가 생겼다.

다음의 내용은 '도쿄본'에 근거한 것이다. 『훈몽자회』 1책은 상권·중권·하권으로 나뉘며, 동활자(銅活字)로 인쇄되었다. 사용된 활자는 세조(世祖) 때의 서예가 강희안(康希顏)의 서체에 근거한 '을해자(乙亥字)'이다. 표지에는 '훈몽자회 전(訓蒙字會 全)'이라고 써져 있으며, '훈몽자회 이끄는 말[訓蒙字會引]' 2장, '범례'와 '언문자모' 5장, '목차' 1장, '상권' 19장, '중권' 17장, '하권' 15장이 포함되었고, 모두 59장이다. 책은 길이가 29.2cm, 너비가 20.5cm이고, 광곽(匡郭)은 길이가 23.3cm, 너비가 16.9cm이다. 판식은 사주단변(四周單邊)에, 한 면이 10행 18자로 되어 있고, 판심은 단흑 삼판화문 어미(單黑三瓣花紋魚尾)로 되었다. 해서로 된 한자 사이에 두 줄로 작게 글자를 해석해놓았으며, 부류에 따라 글자를 수록하였다. 각 권의 시작부분에 크게 상권(上卷)·중권(中卷)·하권(下卷)이라고 써져 있다.

(3) 내용 및 체제

『훈몽자회』는 '이끄는 말[引]', '범례', '언문자모', '훈몽자회 목차', '본문' 등 다섯 부분으로 구성되어 있다. 그중 '훈몽자회 이끄는 말'에서는 『훈몽자회』의 편찬목적, 한자교육이론, 배열순서 등이 서술되어 있다. 이끄는 말[引]의 내용은 다음과 같다.

신(臣)이 살펴 보건대, 세간에서 아이들에게 책을 가르치는 학자들은 반드시

---

3) 장주현, 『從語言學角度研究『訓蒙字會』－以諺文字母爲中心』(청주대학교 석사학위논문, 1987).

먼저 『천자문』을 가르치고, 그 다음에 『유합(類合)』을 가르치고, 그러고 나서 다른 책을 읽게 해야 한다고 여깁니다.

하지만 『천자문』은 양(梁)나라 때 산기상시(散騎常侍)인 주흥사(周興嗣)가 편찬한 것입니다. 고사를 뽑아서 만든 것으로 문장으로서는 훌륭한 것이지만, 아이들이 익히는 것은 겨우 글자를 배우는 것일 뿐입니다. 그러니 어찌 고사를 살펴 속문(屬文)의 뜻을 알 수 있겠습니까!

그리고 『유합』은 우리나라에서 편찬되었으나 누가 만들었는지 모릅니다. 『유합』에 실린 글자에는 허자(虛字)가 많고 실자(實字)가 적으니, 사물의 형상과 이름의 실상에 통할 방법이 없습니다.

그래서 아이들에게 글을 가르치고 글자를 알게 하려면 먼저 사물을 기억하게 해야 합니다. 이에 관계되는 글자들을 그들이 보고 듣는 형체와 이름의 실상과 부합시킨 다음에야 다른 책들을 읽을 수 있습니다. 그런 즉 고사를 아는 것이 또 어찌 『천자문』 익히는 것에만 의지한다 하겠습니까? 공자는 "시를 배우지 않으면, 함께 말을 할 수가 없다."라고 했습니다. 이를 해석한 자들은 "새·짐승·풀·나무의 이름을 많이 알게 해준다."라고 했습니다.

지금 어린이를 가르치는 자들이 『천자문』이나 『유합』을 익히고 그런 다음 경사(經史)의 모든 책들에까지 이르지만, 그 속의 글자만 알 뿐 사물을 이해하는 게 아닙니다. 그리하여 마침내 글자와 사물이 둘로 나뉘어 버리고, 새·짐승·풀·나무의 이름을 관통하여 이해하지 못하는 자가 많습니다. 이는 대체로 문자만 외우고 익혔을 뿐, 실제로 보는 것에는 힘쓰지 않았기 때문입니다.

신의 어리석은 생각의 간절함이 여기에 미쳐, 전실자(全實字)를 뽑아 상권과 중권 두 편으로 엮었고, 또 반실반허자(半實半虛字)를 뽑아 하권에 이어 보충하였습니다. 4자씩 종류별로 모으고, 운에 맞춰 책을 만드니, 모두 3,360자가 되므로, 『훈몽자회』라 이름을 붙였습니다. 세상의 부모들이 먼저 이 책을 가지고 가정의 어린이들에게 글자 익히는 것으로 가르치면, 어린 아이들이라도 새·짐승·풀·나무의 이름을 알 수 있게 될 것이고, 마침내 글자와 사물이 둘로 나뉘어 어긋나는 것에 이르지는 않을 것입니다.

신(臣)의 얕은 지식으로 이 일을 거행하였으니, 분수를 넘어난 죄로 도망가기 어려운 것을 알지만, 어린이들을 가르치는데 있어서는 도움이 적지 않을 것입니다.

가정(嘉靖) 6년 4월 일 절충장군(折衝將軍) 행충무위(行忠武衛) 부호군신(副護

軍臣) 최세진(崔世珍) 삼가 씁니다.

(臣竊見世之教童幼學書之家, 必先『千字』, 次及『類合』, 然後始讀諸書矣. 『千字』, 梁朝散騎常侍周興嗣所撰也, 摘取故事, 排比爲文, 則善矣. 其在童稚之習, 僅得學字而已. 安能識察故事, 屬文之義乎! 類合之書, 出自本國不知誰之手也, 雖曰類合諸字而虛多實少, 無從通諳事物形名之實矣. 若使童稚學書知字, 則宜先記識事物. 該紐之字, 以符見聞形名之實, 然後始進於他書也. 則其知故事又何假於千字之習乎! 孔子曰: "不學詩, 無以言." 釋之者曰: 多識於鳥獸草木之名. 今之教童稚者, 雖習『千字』、『類合』, 以至讀遍經史諸書, 只解其字, 不解其物, 遂使字與物二, 而鳥獸草木之名, 不能融貫通會者多矣. 蓋由誦習文字而已, 不務實見之致也. 臣愚慮切及此, 鈔取全實之字, 編成上中兩篇, 又取半實半虛者, 續補下篇, 四字類聚, 諧韻作書, 總三千三百六十字, 名之曰『訓蒙字會』. 要使世之爲父兄者首治此書, 施教於家庭總丱之習, 則其在蒙幼者, 亦可識於鳥獸草木之名, 而終不至於字與物二之差矣. 以臣薄識爲此擧, 固知難逃僭越之罪也. 至於訓誨小子, 蓋亦不無少補云爾. 時嘉靖六年四月 日 折衝將軍行忠武衛副護軍臣崔世珍謹題.)

'훈몽자회 범례'에서는 관련 한자의 수록, 독음 표시, 글자 해석의 원칙, 간행 과정 및 언문자모(諺文字母)를 수록한 원인과 목적 등에 대해 언급하고, 학동(學童)들이 언문자모를 먼저 배우고 나서 한자를 배울 것을 장려하였다. 범례에서는 이렇게 말했다.

① 사물의 이름에 해당하는 글자들 중 한 글자나 두 글자로 되었더라도 가리키는 것이 하나라면 모두 수록하였다. 그러나 연철(連綴)되는 허자(虛字)로 읽히는 것, 예를 들어, 수찰자(水扎子)(되요)나 마포랑(馬布郎)(개가머리, 달리 馬不剌로 적기도 한다)과 같은 것들은 취하지 않았다. 하지만 간혹 주석 속에 나타나는 경우는 있다.(凡物名諸字, 或一字或兩字, 指的爲名者一, 皆收之. 其連綴虛字爲呼者, 如水扎子(되요)、馬布郎(개가머리或作馬不剌)之類, 不取也. 然亦或有隱在註下者.)

② 한 물건의 이름에 글자가 셋 이상이거나, 속칭(俗稱) 및 별명(別名)에도 셋 이상의 다른 명칭이 있는데, 이들을 하나의 글자 아래에 적는다면 주석이 번잡해질까 두려워, 그 글자들을 나누어 수록하였다. 이들은 여러 사물의 이름처럼 보이지만 실제로 하나의 사물이다. 주석을 간단하고 편리하게 하는

과정에서 생겨난 결과이다.(一物之名有數三字, 而其俗稱及別名亦有數三之異者, 若收在一字之下, 則恐其地狹註繁, 故分收於數三字之下. 雖似乎各物之名而其實一物也, 以其註簡爲便而然也.)

③ 한 글자에 두세 가지의 이름이 있다면, 그대로 수록하였다. 예를 들면, 규(葵)자(葵菜, 葵花), 조(朝)자(朝夕, 朝廷), 행(行)자(德行, 市行, 行步) 등이 그렇다.(一字有兩三名者, 今亦兩三收之. 如葵字(葵菜、葵花)、朝字(朝夕、朝廷)、行(德行、市行、行步)之類是也.)

④ 사물의 이름에 해당되는 글자들 중에서도 상권과 중권에 방해가 되어 수록하지 않은 것은 하권에다 수록해 두었다. 그 외의 허자(虛字)는 배울 것이 많지만 책이 번잡해질까 두려워 다 수록하지는 않았다.(凡物名諸字, 上中卷有所妨碍未及收入者, 又於下卷收之. 其他虛字可學者雖多, 今畏帙繁不敢盡收.)

⑤ 우리나라에 잘못 전해진 자음(字音)의 경우, 지금 많이 고쳐 두었는데, 훗날 배울 때 바로 잡기를 바람에서였다.(凡字音在本國傳呼差誤者, 今多正之, 以期他日眾習之正.)

⑥ 의술가의 병명(病名)이나 약명(藥名)에 해당되는 글자들 중에서, 혹 의미 해석이 여러 가지라서 한 가지로 부르기 어려운 것이거나, 세속에서 부르지 않는 것 등은 여기서 수록하지 않았다.(醫家病名藥名諸字, 或有義釋多端, 難於一呼之便, 或有俗所不呼者, 今並不收.)

⑦ 주석에서 '속(俗)'이라고 칭한 것은 중국인의 말을 의미한다. 일반 사람이나 중국어를 배우는 사람들이 사용하여 한국어와 중국어에 다 통할 수 있게 하였다. 이 때문에 중국의 구어를 많이 수록해 두었다. 하지만 주석이 복잡해지는 것을 피해야 했기에 역시 전부를 다 수록하지는 않았다.(註內稱'俗'者, 指漢人之謂也. 人或有學漢語者可使兼通. 故多收漢俗稱呼之名也, 又恐註繁, 亦不盡收.)

⑧ 한 글자에 여러 해석이 있는 경우, 간혹 상용되는 해석을 선택하지 않고 별도의 의미로 사용되는 것을 먼저 든 것은, 지금 취하는 것이 여기에 있고 저기에 있지 않기 때문이다.(凡一字有數釋者, 或不取常用之釋, 而先舉別義爲用者, 以今所取, 在此不在彼也.)

⑨ 변두리 시골에 사는 사람들 중 언문을 이해하지 못하는 이들이 많다. 그러므로 지금 언문의 자모를 같이 드러내었다. 그들에게 먼저 언문을 배우게

하고 그 다음 『훈몽자회』를 배우게 한다면, 거의가 깨우칠 수 있는 이로움이 있을 것이다. 한자에 통하지 못한 사람도 언문을 배워서 글자를 알게 된다면 비록 스승에게 배우지 않았더라도 문장을 아는 사람이 될 수 있을 것이다.(凡在邊鄙下邑之人, 必多不鮮諺文, 故今乃並著諺文字母, 使之先學諺文, 次學『字會』, 則庶可有曉誨之益矣. 其不通文字者, 亦皆學諺而知字, 則雖無師授, 亦將得爲通文之人矣.)

⑩ 바깥의 주(州)와 군(郡)에서 이 책을 간행 반포하여, 모든 촌락마다 마을마다 각기 글방의 훈장을 두어 어린이들을 모아서 가르쳐, 권선징악의 도리를 부지런히 시행하고 15살의 소년이 되기를 기다렸다가 향교나 국학의 반열에 보충하여 올린다면 사람들이 모두 배우기를 즐거워하여 어린이들이 나아감이 있을 것이다.(凡在外州郡, 刊布此書, 每於一村一巷, 各設學長, 聚誨幼穉, 勤施懲勸, 竢其成童, 升補鄕校國學之列. 則人皆樂學, 小子有造矣.)

『훈몽자회』는 한자의 뜻에 따라 분류한, 한국에서 현존하는 최초의 몽구자전이다. 본문은 의미 부류에 따라 총 3권으로 나누었다.

상권은 천문(天文, 72), 지리(地理, 136), 화품(花品, 16), 초훼(草卉, 64), 수목(樹木, 40), 과실(果實, 40), 화곡(禾穀, 24), 소채(蔬菜, 64), 금조(禽鳥, 85), 수축(獸畜, 64), 인개(鱗介, 40), 곤충(昆蟲, 104), 신체(身體, 204), 천륜(天倫, 96), 유학(儒學, 32), 서식(書式, 32)과 같이 16부류로 나뉜다.

중권도 인류(人類, 112), 궁댁(宮宅, 96), 관아(官衙, 88), 기명(器皿, 312), 식찬(食饌, 80), 복식(服飾, 88), 주선(舟船, 32), 거여(車輿, 24), 안구(鞍具, 34), 군장(軍裝, 64), 채색(彩色, 24), 포백(布帛, 24), 금보(金寶, 32), 음악(音樂, 19), 질병(疾病, 80), 상장(喪葬, 24)과 같이 16부류로 나뉜다.

하권은 잡어(雜語)이다.

상권과 중권에는 '전실자(全實字)'를 수록하였고, 하권에는 '반실반허자(半實半虛字)'를 수록하였다. 상하권은 16부류로 나뉘어져 있으며, 총 3,360자가 수록되었다. 4글자가 한 구를 이루고, 두 구마다 운(韻)을 맞추었다. 본문의 체제는 『유합(類合)』과 같지만, 각 부류가 분류명으로 제시되어 있어, 4글자가 한 구를 이루는 『천자문』과는 다르다. 『훈몽자회』에서는 '2글자가 하나의 단어'가 되는 한자 어휘를 모아, 4글자씩 묶었다. 이는 최세진이 당시 중국어가 이음절화 되어 가는 추세를 인지하여, 시대적 조류에 적응했었다는 것을 반영하고 있다.

(4) 가치

『훈몽자회』는 4글자가 한 구를 이루는 『천자문(千字文)』의 형식을 따르고, 『유합』의 분류방식을 모방하였는데, 일상생활에 근접한 실자(實字)와 반실반허(半實半虛)의 한자를 중점적으로 수록하여, 몽학도서의 본보기가 되었다.

『훈몽자회』는 고대 중국자전의 확장사 연구에 중요한 참고자료가 될 수 있다.[4] 15세기에서 16세기까지, 조선의 학자들은 조선의 역사와 문화를 깊이 있게 이해하고자 한다면, 중국의 경전 및 당시의 백화 서적들을 반드시 참고해야 한다고 생각했다. 최세진은 비교적 일찍부터 백화의 중요성을 깨달았고, 자신의 중국어 실력으로 시대의 요구에 맞춰 『훈몽자회』를 편찬하였다. 그는 아동의 한자교육에 첫 번째 목적을 두고 책을 집필하였지만, 독자들이 한자를 공부하면서 중국어 백화어휘도 같이 익히기를 바랐다.[5] 이러한 사실은 『훈몽자회』 범례의 제7조에 "주석에 '속(俗)'자로 된 것은 중국어의 속어(俗語)이자 당시의 구어이다."라고 특별히 설명한 데서도 알 수 있다.[6] 『훈몽자회』에는 총 812개의 중국어 어휘가 수록되어 있다.

『훈몽자회』는 각 영역에 속하는 어휘를 다 망라한다는 원칙에 기반하여, 15~16세기까지의 조선시대 어휘 2,261개를 비교적 완벽하게 보존하고 있어, 한글 발전사에서도 중요한 의미를 가진다. 이는 한국의 어휘를 연구하는 후대 학자들에게 중요한 자료를 제공해주고 있다.[7] 그러나 『훈몽자회』는 수록자가 지나치게 방대할 뿐만 아니라 난이도도 높아, 실제 생활에 활용할 기초한자가 부족하다는 단점이 있다. 이처럼 『훈몽자회』가 한자교재로 부적합하다 할지라도, 그 독특한 가치는 무시할 수 없을 것이다.[8]

---

4) 王平,「韓國朝鮮時代『訓蒙字會』與中國古代字書的傳承關係考察 - 以『訓蒙字會』地理類收字與『宋本玉篇』比較爲例」, 韓國『中國學』第32輯(2009).
5) 이상도, 『關於崔世珍的漢語教學之研究』(한국외국어대학교 박사학위논문, 1995).
6) 註內稱俗者指漢人之謂也, 人或有學漢語者可使兼通, 故多收漢俗稱呼之名也, 又恐註繁, 亦不盡收.
7) 王平,「訓蒙字會俗稱研究」,『中國文字研究』第1期(2012).

2. 『신증유합(新增類合)』

선조(宣祖) 7년(1574)에 출판된 『신증유합』은 『훈몽자회』를 잇는 한자 몽구자전이자 한자교재로서, 언어 문자학사에서 중요한 지위를 차지하고 있다.

(1) 저자 및 편찬 목적

저자 유희춘(柳希春, 1513~1577)은 중종(中宗) 33년(1538) 별시문과(別試文科)에 급제하였다. 명종(明宗) 2년(1547), 양재역(良才驛) 벽서사건에 연루되어 제주도로 유배당하였다. 이후에도 끊임없이 각지에서 유배생활을 하다가, 20년이 지난 1567년이 되어서야 관직에 복귀할 수 있었다. 경연관(經筵官) 겸 성균관(成均館) 직강(直講), 대사성(大司成), 대사간(大司諫), 대사헌(大司憲), 부제학(副提學), 예조참판(禮曹參判) 등의 관직을 역임하였는데, 그중에서 홍문관(弘文館)의 부제학(副提學) 직을 가장 오랫동안 역임하였다. 유배 기간 동안 성리학을 탐구하였으며, 아동의 교육에 관해서도 많은 연구를 하였다. 대표적인 저서로는 『속몽구분주(續蒙求分注)』, 『신증유합』, 『육서부록(六書附錄)』 등이 있다.9)

유희춘은 『신증유합』의 서문과 발문에서 다음과 같이 설명했다. "신이 엎드려 『유합(類合)』을 살펴보건대, 우리나라에서 나왔으나 누가 지었는지는 알 수 없습니다. 그러나 선택한 글자가 정확하고 정밀하여 사람들이 많이 그것을 애용하였습니다. 하지만 그 규모가 크지 못하고, 요긴한 글자가 빠진 것이 여전히 많습니다. 신이 외람되게도 수소문을 하여 수정하고 증보하여 완전한 책을 완성하였습니다."(『신증유합』 서문) "신이 오래전 가정(嘉靖) 임인(壬寅)년에, 외람되게도 춘방(春坊)의 관리가 되어, 동궁(東宮)에서 『유합』을 가르치는 것을 살짝 살펴보았습니다. 그 가운데 승려를 공경하고 유가의 성현을 배척하는 내용이 있었습니다. 즉시 수정하겠다는 뜻을 두었으나, 식견이 고루하여 과감하게 못하다가 30여년이 지나고서야 비로소 책을 만

---

8) 王平·河永三(주편), 『域外漢字研究書系韓國卷』 중의 『蒙求字書研究』(上海人民出版社, 2012).

9) 배현숙, 「柳希春主編版刻書籍研究」, 『情報學會誌』 第34卷第3號(2003), 5쪽.

들었습니다."(『신증유합』발문)

　서문과 발문으로 『신증유합』에 두 가지 편찬 목적이 있다는 것을 알 수 있다. 첫째, 『유합』의 부족한 부분을 보완하여 중요한 한자를 증보하는 것이며, 둘째, 『유합』에 담긴 불교적 색채를 없애고 유가(儒家)의 교리를 확립시키는 것이다. 『신증유합』의 상권에는 116자가 증보되었고, 하권에는 1,372자가 증보되었는데, 증보된 한자는 대부분 추상적인 개념과 관련된 내용이다. 예를 들어, '몽피해탈(夢被解脫)'과 같이 불교사상을 나타내는 어휘를 '몽피탈해(蒙被脫解)'라고 바꾸었다. 또 '관사창고(官司倉庫)'를 '관사상서(官司庠序), 창름유고(倉廩庾庫)'라고 바꾸어, 학당을 나타내는 '상서(庠序)'와 '유고(庾庫)'를 보충하여 유학(儒學)의 특징을 강조하였다.10)

(2) 판본

　발문에 따르면, 『신증유합』은 중종(中宗) 37년(1542)에 편찬되기 시작했지만, 이 책을 편찬할 쯤에 저자가 사화를 당하여 20년 가까이 유배되는 바람에 편찬 작업은 중단될 수밖에 없었다. 선조(宣祖) 3년(1570)에 저자의 신분이 회복되고 나서야 다시 시작할 수 있었다. 선조(宣祖) 7년(1574)에 『신증유합』이 완성되고 나서 해주(海州)에서 발간되었다. 초간본은 이미 실전되어, 선조(宣祖) 9년(1576)의 중간본이 지금까지 전해지고 있다.11) 현재 남아 있는 『신증유합』의 판본으로는 나손본(羅孫本), 일사본(一蓑本), 도요문고본[東洋文庫本], 고대본(高大本) 등이 있다. 나손본, 일사본, 도요문고본은 임진왜란 이전에 간행되었고, 고대본은 임진왜란 이후에 간행되었다. 도요문고본은 지금 일본에 있으며, 일사본은 상권만 남아 있다. 각 판본의 구체적인 정보는 아래와 같다.12)

　나손본(羅孫本)은 나손(羅孫) 김동욱(金東旭) 박사가 소장하고 있다. 1권 1책으로 구성되어 있으며, 본문, 목차, 서문, 발문으로 나누어져 있다. 서문과 발문의 내용에 따르면, 선조(宣祖) 9년(1576)에 간행한 판본으로, 원래 저

---

10) 유점숙, 「朝鮮時代之兒童敎育觀硏究」, 『社會科學硏究』(1984), 249-250쪽.

11) 배현숙, 「柳希春主編版刻書籍硏究」, 『情報學會誌』 第34卷第3號(2003), 291쪽.

12) 이은실, 『<新增類合>的漢字音硏究』(공주대학교 석사학위논문, 2004).

서의 모습이 가장 완벽하게 보존되어 있다는 것을 알 수 있다. 나손본은 길이가 35.6cm, 너비가 20cm이고, 사주쌍변(四周雙邊)에, 한 면이 4행 8자로 되어 있다. 글자의 아래에 주석이 적혀 있으며, 판심은 쌍대구 육판화문 흑어미(雙對口六瓣花紋黑魚尾)로 되어 있다. 윗부분에는 서명이, 중간 부분에는 권수가, 아랫부분에는 쪽수가 적혀 있다. 이 판본은 보충해서 적거나 정정한 흔적이 많은데, 이는 간행을 하면서 수정을 하였다는 것을 설명해 주는 것으로, 보충해서 적은 필적과 활자가 같다. 김동욱 박사는 필적에 근거해볼 때 이 판본은 당시에 가장 유명한 서예가였던 석봉(石峰) 한호(韓濩) 선생이 쓴 것이라고 주장했다. 이 책에서는 이 판본을 연구의 저본으로 삼았다.

　　일사본(一蓑本)은 원래 방종현(方鐘鉉) 선생이 소장하고 있다가, 현재는 서울대학교 중앙도서관에서 소장하고 있다. 상권의 일부만 남아있지만, 지질(紙質)이나 인쇄상태 등이 현존하는 판본 중에서 가장 우수하다. 일사본은 길이가 37.5cm, 너비가 25.1cm로, 사주쌍변(四周雙邊)으로 되어 있다. 반곽(半郭)은 길이가 24.7cm, 너비가 19.4cm로, 경계가 있다. 행의 자수는 나손본과 동일하다. 판심(版心)은 대흑구(大黑口)에 쌍대구 육판란심 흑어미(雙對口六瓣蘭心黑魚尾)로 되어 있다. 윗부분에는 서명이 적혀 있고, 중간 부분에는 권수가 적혀 있으며, 아랫부분은 쪽수가 적혀 있다. 이 판본과 나손본은 모두 목활자본으로, 대자(大字)와 소자(小字)의 필적이 똑같은 것으로 보아, 동일한 활자로 인쇄한 것이다.[13]

　　도요문고본[東洋文庫本]은 일본의 도요문고[東洋文庫]에서 소장하고 있다. 길이가 34cm, 너비가 24.2cm로, 사주쌍변(四周雙邊)으로 되어 있다. 반곽(半郭)은 길이가 25.5cm, 너비가 19.7cm이며, 판광(板框)은 사주쌍변(四周雙邊)에, 행을 구분하는 선이 있다. 본문의 한 쪽 면은 4행 8자로 되어 있고, 서문의 한 쪽 면은 8행 16자로 되어 있다. 판심은 일사본과 동일하다.

　　도요문고본과 나손본을 비교했을 때 다음과 같은 특징이 있다. 첫째, 양자는 배열순서가 다르다. 도요문고본은 서문, 상·하권의 목록과 상·하권의 본문으로 나누어져 있으며, 발문이 없다. 둘째, 도요문고본의 서문에는 사성

---

13) 단국대학교 동양학연구소, 『『新增類合』之『解題』』(단국대학교출판부, 1972), 13쪽.

(四聲)에 관한 설명이 있는데, 평성(平聲)과 입성(入聲)은 권점(圈點)으로 표시하지 않고, 독립적으로 행을 이룬다고 했다. 셋째, 도요문고본과 나손본에서 사성(四聲)의 권점(圈點)을 나타내는 형상이 다르다. 넷째, 도요문고본은 탈자와 잘못 새긴 것이 굉장히 많다.[14]

고대본(高大本)은 고려대학교에 소장된 목판본으로, 임진왜란 이후에 중간한 유일한 판본이다. 길이가 32.3cm, 너비가 24.2cm로, 서문과 발문이 있다. 판식(版式)은 다른 판본과 같지만, 상권의 목록이 빠져 있다. 발문의 뒤쪽에 있는 하권의 목록으로 봤을 때, 배열순서에 착오가 있음이 분명하다. 고대본의 독음해석은 나손본과 기본적으로 동일하다. '무인년 3월 해인사 발간[戊寅三月日海印寺開刊]'이나 '무인년 봄 중간[戊寅春重刊]' 등의 간기로 보아, 인조(仁祖) 16년(1638)에 출판된 것으로 추정할 수 있다.[15]

(3) 내용 및 체제

『미암일기(眉巖日記)』의 기록에 따르면, 원본 『신증유합』은 상·중·하 3권으로 나누어졌어야 했지만, 완성본은 서문, 발문, 한글로 독음을 해석한 상·하 2권으로 구성되었다.[16] 다음은 『신증유합』의 서문과 발문의 내용이다. 서문에서 이렇게 말했다.

신이 엎드려 『유합(類合)』을 보건대, 우리나라에서 나왔으나 누가 지었는지는 알 수 없습니다. 그런데 선택한 글자가 정확하고 정밀하여 사람들이 많이 그것을 애용하였습니다. 하지만 그 규모가 크지 못하고, 요긴한 글자가 빠진 것이 여전히 많습니다. 신이 외람되게도 수소문하여 수정하고 증보하여 완전한 책을 완성하였습니다. 총 3천자로, 한글 해석을 덧붙였으며, 잠시 옥당(玉堂)에 있을 때, 동료인 김수(金晬)가 교정을 하여 어린 아이들이 암송하여 익히게 하였습니다. 만력(萬曆) 4년 3월 병오(丙午)일에 가선대부(嘉善大夫) 동지중추부사(同知中樞府事) 유희춘(柳希春)이 삼가 서문을 씁니다.

---

14) 위의 글, 11쪽.
15) 이은실, 「『新增類合』的漢字音研究」(공주대학교 석사학위논문, 2004).
16) 단국대학교 동양학연구소, 「『新增類合』之『解題』」(단국대학교출판부, 1972), 291쪽.

(臣伏覩『類合』一編, 出於我東方不知誰手. 然選字精切, 人多愛之, 第規模不廣, 至大至緊之字, 遺漏尚多. 臣不揆譾聞, 修補增益, 略成完書, 總三千字. 就加諺釋, 頃在玉堂, 又得同僚金睟校正, 謹資童蒙誦習云. 萬曆四年三月丙午嘉善大夫同知中樞府事臣柳春謹序.)

발문에서는 이렇게 말했다.

신이 오래전 가정(嘉靖) 임인(壬寅)년에, 외람되게도 춘방(春坊)의 관리가 되어, 동궁(東宮)에서 『유합』을 가르치는 것을 살짝 살펴본 적이 있는데, 그 가운데 승려를 공경하고 유가의 성현을 배척하는 내용이 있었습니다. 즉시 수정하겠다는 뜻을 두었으나, 식견이 고루하여 과감하게 못하다가 30여년이 지나고서야 비로소 책을 만들었습니다. 감히 스스로 옳다고 할 수는 없으나, 아이들을 가르치는데 대비하고자 한 것일 뿐입니다. 마침 승지(承旨)인 정탁(鄭琢)이 보고 계발되어 명을 받아 올렸습니다. 신(臣)이 지난번에 부름을 받고 와서 또 수정한 책을 헌상하였습니다. 상께서 경연 자리에서 신(臣)에게 "이 책이 진실로 좋으나, 한글해석에 사투리가 너무 많다."고 말하셨습니다. 신(臣)이 그 말씀을 듣고 삼가 깨닫고는, 물러나 옥당(玉堂)의 동료와 논의해서 수정하였습니다. 또 여성군(礪城君) 송인(宋寅)이 글자의 뜻에 밝다고 들었기에 오류를 지적해 주기를 요구하여 다시 정리하였습니다. 이제 삼가 폐하의 감식을 기다릴 뿐입니다. 그러나 자의(字義)가 하나가 아닌데다 신(臣)이 보고들은 것이 적어 정밀하고 상세하지 못하니, 황송할 따름입니다. 삼가 손을 들어 맞잡고 절함으로써 말씀드리는 바입니다.

만력(萬曆) 4년 10월 초4일, 가선대부(嘉善大夫) 행첨지중추부사(行僉知中樞府事) 겸 동지성균관사(同知成均館事) 유희춘(柳希春)이 교감하여 올립니다.

(臣昔在嘉靖壬寅, 忝爲春坊僚屬. 竊觀東宮進講『類合』, 其中尊僧尼而黜儒聖. 即有修正之志, 而以寡陋未果, 後三十餘年, 始克成書, 未敢自是. 只欲備童蒙之誨讀. 適承旨鄭琢見而啓發, 蒙命投進. 臣頃日被召而來, 又獻所修之本. 上於經席謂臣曰: 此書固好, 第諺釋中多土俚爾. 臣聞命兢省, 退而與玉堂同僚商榷改正. 又聞礪城君宋寅多識字訓, 因求指點差繆, 乃得更定, 恭竢聖鑑. 然字義不一, 而臣譾聞之解未能精詳, 不勝惶悚之至, 謹拜手稽首以聞.

萬曆四年十月初四日, 嘉善大夫行僉知中樞府事兼同知成均館事臣柳希春校進.)

『신증유합』의 상권에는 수목(數目)과 천문(天文) 등 일상생활과 밀접한 24개의 항목이 포함되어 있으며, 명칭 위주의 한자를 수록하였다. 하권에는 주로 심술(心術), 동지(動止), 사물(事物) 등 비교적 추상적인 항목이 포함되어 있는데, 동지(動止)에 관한 항목은 다른 것에 비해 상대적으로 더 주목을 받았다.

『신증유합』은 한자의 의미에 따라 전부 27개의 항목으로 분류되어 있다. 항목별 명칭과 수록한자의 숫자는 다음과 같다.

상권은 1,000자가 수록되어 있으며, 수목(數目, 24), 천문(天文, 104), 중색(眾色, 16), 지리(地理, 56), 초훼(草卉, 48), 수목(樹木, 24), 과실(果實, 24), 화곡(禾穀, 16), 채소(菜蔬, 24), 금조(禽鳥, 56), 수축(獸畜, 48), 인개(鱗介, 24), 충치(蟲豸, 40), 인륜(人倫, 40), 도읍(都邑, 56), 권속(眷屬, 24), 신체(身體, 72), 실옥(室屋, 48), 포진(鋪陳, 40), 금백(金帛, 24), 자용(資用, 24), 기계(器械, 24), 식찬(食饌, 32), 의복(衣服, 48)과 같이 24개의 항목으로 나누어져 있다.

하권은 2,000자가 수록되어 있으며, 심술(心術, 72), 동지(動止, 1424), 사물(事物, 504)과 같이, 3개의 항목으로 나누어져 있다.

『신증유합』에 수록된 한자는 상용자가 많다. 각각의 항목 아래에는 또 운(韻)에 따라 분류해 놓았는데, 4자를 한 구로 만들었다. 이러한 방식은 『훈몽자회』와 유사하지만, 『신증유합』에서는 마지막 두 구를 하나의 의항으로 정리하였다는 점이 다르다. 예를 들어, '수목(數目)'의 의항은 '글자의 획을 처음 알면, 산수도 통할 수 있다.(字畫初知, 筭數可達.)'로 마무리하였고, '천문(天文)'의 의항은 '음양이 서로 교체되면, 세월이 역사를 이룬다.(陰陽相代, 歲年成歷.)'로 마무리하였다. 이 점이 『신증유합』의 독특한 점이라고 할 수 있다.[17]

(4) 가치

『신증유합』은 『유합』의 토대위에서 추상적인 한자들을 증보하고, 중국어 독음을 달았다. 이를 근거로 조선시대에서 사용한 한자의 글자 수와 글

---

17) 유점숙, 「朝鮮時代之兒童教育觀研究」, 『社會科學研究』(1984), 250쪽.

자의 종류 등의 관련 정보를 이해할 수 있다. 또 한국과 중국의 음운학 연구에 귀중한 자료가 되므로, 그 문헌학적 가치는 더 강조할 필요가 없을 것이다.

『신증유합』은『유합』에서 보이는 농후한 불교적 색채를 수정하고, 유가(儒家)의 정통적인 지위를 확립하고자 만들었다. 한자의 증감(增減)과 의미해석에서 반영된 정보는 유학(儒學)이 한국에 정착하는 상황과 교육에 사용된 상황을 이해하는 데 도움이 된다.

조선시대의 한자교재였던『신증유합』은 당시에 교육용 한자를 어떻게 선택했는지에 대해 연구를 하는데도 중요한 가치를 가진다. 현재 한국학자들의 연구는 주로『신증유합』에 나타난 한자의 해석과 해제의 비교에 치중되어 있어, 수록 한자 및 한자에 반영된 한국과 중국의 교육과 문화방면에 관한 연구 성과는 적은 편이다. 그러므로 이에 대한 깊이 있는 연구를 통해 그 가치를 드러내는 일은 반드시 필요하다.

제2절 옥편자전(玉篇字典)

'옥편(玉篇)'으로 명명된 자전은 중국에서 기원했다. 남조(南朝)시대 양(梁)나라의 고야왕(顧野王)이『옥편(玉篇)』30권을 편찬하여, 양(梁)나라 대동(大同) 9년(543)에 출판하였다. 고야왕의 원본『옥편』은 당나라 말과 송나라 초쯤에 실전되었다. 당대(唐代)의 처사인 손강(孫強)은 원본『옥편』을 기초로 해서 글자를 조금 더 보탰는데, 세간에서는 이를 손강본(孫強本)『옥편』이라고 부른다. 송(宋)나라 진종(真宗)의 대중상부(大中祥符) 6년(1013)에 진팽년(陳彭年) 등이 천자의 명령을 받고 손강본『옥편』을 다시 수정하였는데, 이것이 현재 통용되고 있는『송본옥편(宋本玉篇)』이다.『송본옥편』은 중국 최초의 해서체 자전으로, 주로 자의(字義)의 설명, 자음(字音)의 기록, 자형(字形)의 변별 등을 담당하고 있다.

중고(中古) 시기까지 발전한 한자는 필세(筆勢)에서만 기본적인 구조가 남게 되는데,『송본옥편』에서는 부호화된 한자의 형음의(形音義)에 대한 관계를 이미 기록하고 있었다.『설문』이 소전(小篆)에 치중한데 반해,『송본옥편』은 해서(楷書)에 치중하였다. 이런 의미에서『송본옥편』은 동한(東漢)시대 허신(許慎)의 『설문』의 뒤를 이어 또 한 번 한자를 정리한 결과물이라 할 수 있다. 이는 중고(中古)시기 한자의 발전과 변화연구에 관한 귀중한 자료가 되므로 중국문화사와 문자학사에서 이정표와 같은 저서라 할 수 있다. 『송본옥편』이 동아시아 한자문화권에 광범위하게 영향을 미치게 되면서, 한국과 일본의 한문자전에 '옥편'이라는 명칭이 많이 생기게 되었는데, "옥편(玉篇)을 만든 이유는 한자의 독음과 의미를 전면적으로 고찰하기 위함이었다.(夫玉篇之作, 爲其通考漢字音訓意義矣.)"[18] 우리는 한국의 전통자전에서 '옥편' 및 그와 유사한 자전들을 '옥편류 자전(玉篇類字典)'이라고 부른다. 이 자전들은 실제로 이 책에서 '일반자전'이라는 절에 귀납시킬 수도 있지만, 한국한문자전이 발전한 역사적 맥락을 정리하기 위해 여기에 따로 절을 배정하여 정리하였다.

1. 『운회옥편(韻會玉篇)』

최세진(崔世珍)의 『운회옥편』은 『고금운회거요(古今韻會擧要)』와 『사성통해(四聲通解)』의 사용에 맞추고자 편찬되었으며, 1536년에 출판되었다.

(1) 저자 및 편찬 목적

조선시대 왕실은 번역 관련 정책을 적극적으로 추진하여 번역관과 번역학자를 대거 양성하였다. 그리하여 우수한 번역관과 유명한 한학자(漢學者)들이 대량으로 출현하게 되는데, 그중에서도 최세진이 가장 대표적인 인물이다. 그는 중국어에 정통하여, 『훈몽자회』, 『사성통해』, 『운회옥편』, 『소학편몽(小學便蒙)』, 『이문집람(吏文集覽)』 등을 편찬하였고, 언문(諺文)을 사용하여 중국어 회화교재인 『노걸대(老乞大)』와 『박통사(朴事通)』를 처음으로 한국어로 번역하였다. 최세진은 『운회옥편』의 편찬목적을 자신의 서문에서 이렇게 밝혔다. 애초에 "모든 운(韻)을 하나의 책에 모아 자음(字音)을 바로하고, 그 의미해석을 요약하여, 독자들이 헷갈리지 않게 하려고" 하였으나,

---

18) 『국한문신옥편(國漢文新玉篇)』의 서문 참조.

나이도 들고 정력도 쇠약해지면서 "『운회』를 옥편으로 저술했을 뿐이었다." 『운회옥편』은 『고금운회거요(古今韻會擧要)』와 『사성통해(四聲通解)』의 사용에 맞춰 편찬되었기 때문에, 두 운서의 검자표(檢字表)나 색인이라고 볼 수 있다.

(2) 판본

『운회옥편』에 보이는 판본은 한국 국립중앙도서관의 소장본이다. 앞부분에는 범례 및 최세진이 쓴 이끄는 글[引文] 한 편이 있다. 이끄는 글은 최세진이 가정(嘉靖) 15년(1536)에 쓴 것이다. 용자(用字)의 자형 및 판형, 어미(魚尾)의 판식에 근거하여, 최세진의 글을 결합시켜보면 이 책의 판각 시간이 최세진이 이 책을 작성한 시간과 그리 차이가 나지 않는다는 것을 알 수 있다. 상하 2권 1책으로 이루어져 있으며, 반곽(半郭)의 길이가 22.7cm, 너비가 16.8cm이다. 사주단변(四周單邊)에, 행을 구분하는 칸[行格]이 있다. 한 쪽 면은 9행 17자로 되어 있고, 정자(正字)의 아래에 두 줄로 작게 주(注)를 달았다. 판심은 흑구(黑口)에, 쌍대구 흑어미(雙對口黑魚尾)로 되어 있으며, 전체 책의 길이는 32.3cm, 너비는 21.4cm이다. 겉표지에는 '운회옥편 상하(上下) 전(全)'이라고 적혀 있으며, 앞부분에는 서문과 범례가 있고, 각 권의 시작부분에 책이름을 크게 적어 놓았다.

(3) 내용 및 체제

한국에서 옥편(玉篇)은 한문자전의 대명사로 통한다. 『운회옥편』은 서명에서 알 수 있듯이, 운서(韻書)의 사용에 맞춰 편찬한 자전이다. 초기의 운서는 운(韻)에 따라 배열되었지만, 자전은 부수에 따라 배열되었다. 『운회옥편』은 『사성통해』에 수록된 한자를 부수의 순서에 따라 새롭게 배열하고, 편방이 같은 것은 형체를 가지고 모았으며, 글자마다 거기에 속한 운모를 표시하였다.

『운회옥편』의 상권은 '범례', '이끄는 말[引]', '운모 목록(韻母目錄)', '부두 목록 상(部頭目錄上)', '본문 상'으로 구성되어 있고, 하권은 '부두 목록 하(部

頭目錄下)'와 '본문 하'로 구성되어 있다. 『운회옥편』에는 339개의 부수와 9,892개의 한자(중복자 포함)가 있다. 다음은 『운회옥편』의 범례와 이끄는 말의 내용이다. 범례에서 다음과 같이 말했다.

① 옛날의 『옥편(玉篇)』는 널리 모든 글자를 수록하였습니다. 그래서 반드시 독음의 해석이 따라야 합니다. 그러나 지금 『옥편』을 편찬하면서 『운회(韻會)』에 수록된 글자만을 수록하였기에, 독음의 해석이 없고, 운모만을 기록하여, 게재된 글자의 운을 알게 하였습니다. 그런 다음에 운(韻)을 찾아 글자를 알게 했으며, 해석은 본문 속에다 해놓았습니다.(古之『玉篇』, 廣收諸字, 故必著音解. 今撰『玉篇』, 只收『韻會』所收之字, 故不著音解, 只著韻母, 使知所載之韻, 然後尋韻得字, 則釋在其中矣.)

②『운회』의 모든 글자들은 다른 운(韻)에 속한 것을 분리하여 수록하였습니다. 그 주석에다 반드시 분리된 운모(韻母)를 수록하여야 하지만, 간혹 빠지고 잘못된 것이 많습니다. 그러므로 지금 각 글자의 아래에다 분리하여 수록한 운모를 상세히 기록하였습니다. 비록 본운(本韻)에서 수록하지 못하였거나 잘못된 것은 보충하거나 바로잡기도 하였습니다. 그러니 본운(本韻)이 게재되지 않은 것을 가지고 의심하지 말아야 합니다.(『韻會』諸字, 分收他韻者, 其註內必著分收韻母, 而間有缺誤者多矣. 今於各字之下詳著分收韻母. 雖本韻不收, 及錯誤者或加或正之也, 勿以本韻不載爲疑也.)

③ 지금 『옥편』을 편찬하면서, 글자의 아래에 둘이나 세 가지 운모(韻母)에 속한 것을 수록한 것이 많습니다. 이 경우 당연히 사성의 순서대로 배열하였습니다. 그런데 간혹 차례가 거꾸로 된 것이 있는데, 그것은 주운(主韻)을 제일 앞에 놓고, 나머지를 사성의 순서에 따라 싣고 있기 때문입니다. 그러므로 차례가 거꾸로 된 것을 가지고 의심하지 말아야 합니다.(今撰『玉篇』, 字下韻母多收二三母者, 宜以四聲循次著之可也. 而或有倒次者, 以其主韻爲首而著之也. 餘下諸母可循四聲之次者, 亦依其次收之, 勿以倒次爲疑也.)

④『운회』는 반드시 정본(正本)의 글자를 수록하였던 바, 상용되는 서체를 수록하지 않은 것이 많습니다. 예를 들어, 자(煮)자는 세속에서 쓰는 필사법인데, 『운회』에서는 죽(鬻)만 표제자로 쓰여 있습니다. 그리고 자(煮)자를 죽(鬻)자의 주석 안에 게재하였습니다. 이러한 것들이 매우 많습니다. 지금 상용 속체자를 취할 때에는 편방(偏旁)의 아래에다 첨가해 두었습니다. 예를

들어, 자(煮)자를 화(火) 부수의 아래에다 수록하고, 본자(本字) 아래에다 주석을 따로 달아 '죽(鬻)자의 주석에 보인다라고 한 것들입니다.(『韻會』必收 正本之字, 而不著常用之體者多矣. 如煮字俗寫, 而『韻會』只著鬻字, 而收煮於 鬻註之內, 此類甚多. 今取常用俗體之字, 加出於偏旁之下, 如以煮字收於火部 之下, 本字下分註曰鬻註是也.)

⑤ 혹자(或字)나 속자(俗字) 중, 상용되어 빼기 어려운 글자를 『운회』에서는 수록하지 않고 주석에서만 제시하였습니다. 그러나 지금 여기서는 부수 내의 올림자로 수록하고, 그 아래의 주석을 달아 '모(某) 글자의 주석에 보인다라고 밝혀 두었습니다. 예를 들어, 일(日)부수에 속하는 조(晁)자가 이에 해당됩니다. 만약 그 편방(偏旁)이 같다면, 본자(本字)의 아래에 세주로써 나열해 두었습니다. 예를 들어, 풍(風)부수의 수(颭)자와 수(飍)자가 이에 해당됩니다. 그러나 나열해야 될 글자가 많아질 수 있기에, 지금 다 수록하지는 않았습니다.(凡或作俗作之字, 常用而難闕者, 『韻會』不收而只於註內收著, 則今乃 收於部內爲大字, 其下分註曰某字註, 如日部內晁字是也. 若其偏旁同者, 則即 於本字下細書而著之, 如風部內颭飍字是也. 然可著之字多矣, 今不盡收也.)

⑥ 『운회』에는 반드시 널리 사용되는 글자들을 수록한다고는 하였으나 빠진 것도 많았습니다. 예를 들어, 층(蹭)과 등(蹬)에서 등(蹬)자만 수록되고, 층(蹭)는 수록되어 있지 않습니다. 또 예를 들어, 자(好)와 방(蚄)에서 자(好)는 수록하지 않았고, 로(鷺)와 사(鷥)에서 사(鷥)는 수록되지 않았습니다. 이러한 종류가 매우 많기에, 지금 보충하고자 하였습니다. 그러나 이 또한 감히 멋대로 하지는 않았습니다.(『韻會』必收廣用之字, 而又多遺漏. 如蹭蹬兩字, 只 著蹬字, 不著蹭字. 又如好蚄無好, 鷺鷥無鷥. 此類甚多, 今欲補遺, 又不敢專擅 爲之也.)

⑦ 지금 취한 글자를 반드시 평상거입(平上去入)의 사성을 사용하여 차례로 나열하였습니다. 이는 『운회』에 들어가 있는 글자의 순서에 따른 것입니다. 그리하여 사람들이 그 사성의 주된 운(韻)을 분명히 알게 하였습니다. 하나의 글자가 여러 운(韻)에 들어가 있다면, 이는 마땅히 먼저 기록한 것이 주(主)가 됩니다.(今取字必用平上去入四聲爲次者, 依『韻會』入字之次, 而又使人明 知其爲四聲的主之韻也. 一字而分入數韻, 則宜以先著者爲主也.)

이끄는 말[引]에서는 이렇게 말했다.

신(臣)은 이렇게 생각해 왔습니다. 음학(音學)은 밝히기 어려운 학문인지라, 옛 것을 진작시키는데 걱정이 많습니다. 여러 대가들이 운서를 지었지만, 오류가 많은데도, 그 잘못을 바로 고쳐서 하나로 귀속시킨 것이 없습니다. 우리 명 황조에 이르러 중원(中原)의 아음(雅音)으로써 독음을 바로잡아 고치고자 『홍무정운(洪武正韻)』을 간행하였습니다. 그런 연후에 글자의 형체가 바로잡아지기 시작하였으며, 음학(音學)도 분명해졌습니다.

그런데 사(詞)를 짓는 자들이 성률(聲律)을 사용할 때는 모두 『예부운략(禮部韻略)』을 중히 여기고, 『정운(正韻)』을 따르지 않는데, 이는 무엇 때문이겠습니까? 지금 보니 송(宋)나라의 황공소(黃公紹)는 모든 운(韻)의 잘못을 바로잡아 『운회(韻會)』를 지었고, 36자모를 따라 그것을 글자의 수록 차례로 삼았습니다. 또 이운동성(異韻同聲)에 속하는 글자들을 하나의 독음에 귀속시키고 더는 반절음을 더하지 않음으로써 독자들의 편리를 도모하였습니다. 그러나 글자들이 비록 정밀하기는 하나 지나치게 간략하고, 집해(集解)는 상당히 번잡하여 조절되지 않았습니다. 이는 훗날, 남겨진 구슬을 꿰지 않았다는 비난을 면하기 어려울 것입니다.

대저 글자는 반드시 그 독음에 따라 분류를 나눌 수 있는 법, 이에 근거하면 운서(韻書)가 됩니다. 그런즉 그 형체에 따라 분류함도 마땅할 것이니, 이를 따라 만든 것이 『옥편(玉篇)』입니다. 그런 다음에야 형체를 보고 글자를 찾기가 쉽고 그 운을 고찰할 수 있습니다. 그런데 지금 이 『운회』는 소리로 분류를 하였지만 형체로는 분류하지 않아서, 그 운만 남아있고 그 편(篇)은 빠져있습니다. 이는 분명 후학이 깊이 유감스러워하는 바이기도 합니다.

이런 까닭에 지금 고금의 운 모음집을 살펴보면서 편(篇)을 찾고자 하나, 이는 과보(夸父)가 동해(東海)로 가는 것과, 큰 가뭄에 비가 오기를 바라는 것과 같습니다. 신(臣)이 이미 그 폐해를 보았기도 하고, 또 대중의 요구를 쫓아, 『운회』에 수록된 글자만을 취하여 『옥편(玉篇)』을 만들었는데, 독음의 해석은 하지 않고 오로지 운모(韻母)만을 썼습니다. 이는 후학들로 하여금 운(韻)과 글자를 찾는 것이 손가락으로 손바닥을 가리키듯이 매우 쉽게 하고자 함이었으며, 끝내 어둠속을 다녀도 길을 찾게 될 것입니다.

신(臣)은 처음에 모든 운(韻)을 종류별로 모아서 하나의 책으로 합하고, 그 자음(字音)을 바로하고, 그 해석하는 의미를 요약하여 독자들에게 결단코 의혹이

생기지 않게 하고자 하였습니다. 다만 공력을 너무나 많이 들여야 하고, 나이
도 들고 힘도 빠져 있기에, 평생 동안 수고를 다한다 해도 시작해서 제대로 마
치기가 어려울 듯합니다. 그러므로 여기에 『운회』를 가지고 『옥편』으로 지었
을 뿐입니다. 신(臣)이 우둔함을 살피지 않고 감히 이 편(篇)을 저술하였기에,
진실로 이 글을 잘 아는 사람들에게 주제넘고 망령된 죄를 지었다 할 것입니
다. 그러나 운(韻)을 보고 글자를 찾는 방법에 있어서는 조그만 보탬이라도 있
지 않겠습니까?

가정(嘉靖) 15년 월 일 절충장군(折衝將軍) 첨지중추부사(僉知中樞府事) 겸 사
복장(司僕將) 신(臣) 최세진(崔世珍)이 삼가 글을 씁니다.[19]

(4) 가치

『운회옥편』은 최세진이 편찬한 『사성통해』에 근거하였기 때문에, 색인
유형의 공구서에 불과하다 해도, 『운회』의 부족한 부분을 크게 보충하였다.
『운회』는 운(韻)에 따라 배열되어 있고, 자형을 분류하지 않았기에 대조하여
확인하기가 쉽지 않았다. 게다가 집해(集解)는 지나치게 장황하고 수록자는

---

19) (역주) 臣竊惟音學難明, 振古所患. 諸家著韻, 槩多訛舛, 未有能正其失而歸於一
者也. 逮我皇明一以中原雅音釐正字音, 刊定『洪武正韻』, 然後字體始正, 而音學亦
明矣.
然而詞家聲律之用, 一皆歸重於『禮部韻略』, 而不從『正韻』者, 何哉? 今見宋朝黃公
紹始袪諸韻訛舛之襲, 乃作『韻會』一書, 循三十六字之母, 以爲入字之次. 又類異韻
同聲之字, 歸之一音, 不更加切, 覽者便之. 但其粹字雖精而過略, 集解頗繁而不節,
此未免後人有遺珠纇玉之嘆矣.
大抵凡字必類其聲, 而爲之韻書, 則亦宜必類其形, 而爲之『玉篇』. 然後乃可易於指
形尋字, 而得考其韻矣. 今此『韻會』旣類其聲, 不類其形, 是乃存其韻而缺其篇, 宜
乎後學之深有所憾者也.
是故今之觀韻會者, 其爲索篇, 如夸父之奔東海, 大旱之望雲霓也. 臣旣見其弊, 又
迫衆求, 只取『韻會』所收之字, 彙成『玉篇』, 不著音解, 獨係韻母. 使後學尋韻索字,
如指諸掌, 終不至於冥行而索途也.
臣初欲類聚諸韻, 合爲一書, 正其字音, 節其解義, 使覽者斷無他歧之惑矣. 第緣功
費浩繁, 年力衰邁, 雖竭私勞於窮年, 恐難成始而成終. 故今將『韻會』著其『玉篇』而
已. 以臣襪線, 敢著此篇, 固知必得僭妄之罪於斯文之明識者矣. 至於觀韻索字之
方, 豈無少補云?
爾時嘉靖十五年月日折衝將軍僉知中樞府事兼司僕將臣崔世珍謹題.

지나치게 간단하였다. 조선시대에 편찬하고 간행한 운서는 편찬체례 등의 문제로 인해 사용과 검색이 많이 불편했기 때문에, 운서를 편리하게 사용하기 위해 『운회옥편』이나 『삼운성휘보옥편(三韻聲彙補玉篇)』(1746) 등의 자전이 만들어졌다. 이러한 자전을 '옥편(玉篇)'이라고 부르고, 부수로 한자를 분류해놓았지만, 본질적인 면에서 이들은 운서(韻書)와 연결된 한자검색표에 지나지 않아 진정한 의미의 자전이라고 할 수 없다. 그렇지만 이 공구서들은 당시 운서의 운에 따른 배열, 자형의 미분류, 검색의 어려움 등과 같은 결점을 크게 보완하였기에, 당시의 한글과 서로 다른 현실에서 이러한 배열 방식은 매우 효과적이었다. 『운회옥편』은 검색할 수 있는 글자 표를 제공하면서, 조선시대 전기의 한자의 형체와 독음 등의 정보를 대량으로 정리하고 보존하였다. 이는 한국의 자전 편찬사 및 한국과 중국의 언어문자 및 문화 등 영역의 비교연구에 중요한 가치를 지닌다.

2. 『전운옥편(全韻玉篇)』

『전운옥편』은 운서에서 첨부된 것에서 독립해서 나온 한자자전이다. 이 책은 중국의 전통 자전을 계승하면서, 한국자전의 편찬을 이끌었다는 점에서, 한국과 중국의 언어문자 및 문화연구에서 그 가치가 뛰어나다 하겠다.

(1) 저자 및 편찬 목적

『전운옥편』의 저자는 알려져 있지 않다. 『강희자전』이 조선에 들어온 이후, 정조(正祖) 시기에 학자들이 이를 저본으로 삼고, 기타 자전들을 참고하여, 왕명으로 『전운옥편』을 편찬하였다. 정경일의 연구에 따르면, 이 책은 18세기 말에 출판되었다. 한국사서의 편찬사를 살펴보면, 글자를 편리하게 검색하기 위해, 운서(韻書)와 자전(字典)이 짝을 이뤄 편찬하는 경우가 있는데, 『전운옥편』이 바로 『규장전운(奎章全韻)』의 글자를 검색하기 위한 목적으로 편찬되었다. 또한 한자가 광범위하게 사용되면서 자음(字音)에도 변화가 생겼기에, 한자의 중국음과 한국음의 혼란을 없애기 위해 편찬한 것이 두 번째 목적이다. 마지막으로 한문과 한자에 대한 상식을 널리 알리고, 실용을 기본으로 하는 사상을 선도하는 게 세 번째 목적이다. 의례(義例)의 내용을 인용하면 다음과 같다.

의례[20]:

① 세상에 쓰이는 운서는 많지만, 독음과 의미가 서로 차이를 보이고, 상세함과 간략함도 달라, 어떤 것을 사용해야 할지 잘 알 수 없습니다. 바로 선대 임금 때 여러 자서들을 모아 번잡한 것을 버리고 요점을 모으고, 잘못됨과 오류를 바로 잡고, 상세하게 주석을 달도록 하여, 『규장전운(奎章全韻)』을 편찬하게 하였고, 이를 온 세상에 반포하였습니다. 그러나 글자 찾기가 어려워, 부록을 달아 『옥편(玉篇)』처럼의 기능을 갖추어 창졸간에도 검색할 수 있도록 해야만 했습니다. 그리하여 다시 『옥편』을 짓도록 명하셨는데, 독음과 운목과 의미를 함께 나열하여, 『규장전운』보다 다소 상세하게 만들었습니다. 원래는 『규장전운』과 함께 세상에 유통하도록 할 예정이었으나 그렇게 되질 못했습니다. 「규장전운의례」에서 "새로 정한 옥편이 있다."라고 했는데, 바로 이를 두고 한 말입니다. 이 책의 이름을 『전운옥편』이라 한 것도 대체로 이것에 바탕을 둔 것이 아니겠습니까?[21]

② 우리나라는 본디 자서를 인쇄 출판한 적이 없었습니다. 게다가 『강희자전』이나 『자휘(字彙)』나 『정자통(正字通)』 같은 것들은 권질이 아주 커 사람마다 가질 수 있는 것이 아닙니다. 또 수록한 독음과 의미가 드넓은 바다 같이 많아, 잘못된 글자를 한 가지 운서로만 살펴도 의문을 없애는데 어려움은 없을 것입니다. 그러나 글자 찾기의 어려움은 운서에서 피할 수 없는 부분이며, 부문으로 나누고 유형별로 모은 『자전』처럼 한 번 책을 펼쳐 명료하게 알 수 있는 것이 아닙니다. 이 책의 경우, 부수 분류는 『강희자전』에 의거했으나, 주석을 줄이고 그 편질을 간단히 하여 고람에 편리하도록 했습니다.[22]

---

20) (역주) 한국한자연구소, 『전운옥편』(부산: 도서출판3, 2017)의 의례부분을 인용함.

21) (역주) 韻書之刊行于世者多矣. 音義互異, 詳畧不同, 莫之適從. 昔在先朝, 命就諸字書, 刪繁撮要, 正其訛誤, 詳其注釋. 撰定『奎章全韻』, 印布中外. 猶以檢字之難, 必附以『玉篇』, 可備倉卒搜考. 又命撰定『玉篇』, 繫之以音韻義, 比韻書稍致詳, 將與原編並行而未果焉. 『奎章全韻』義例中, 又有新定『玉篇』者是也. 此書之名以『全韻玉篇』, 蓋亦權輿乎此.

③ 『규장전운』의 경우, 원래 운자와 보탠 운자는 13,066자입니다. 이외에도 경전에 나오는 글자들 중, 자전에 실린 글자들은 대략 다 수록하여 증가시켰으며, 동그라미를 쳐 구분해 두었습니다. 독음은 언문(한글)으로 풀었는데, 반절 방식을 사용하지 않은 것은 중국음[華音]과 우리음[東音] 간의 모순 때문입니다. 본음(本音)의 아래에다 속음[俗]이나 정음[正]을 표기해 두었는데, 이는 『화동정음통석운고』를 그대로 갖다 쓴 것입니다. 한 글자가 여러 운에서 나타나는 경우(一字之諸韻互見), 독음이 같으면서 운이 다른 경우(音同而韻異), 운이 같으면서 독음과 의미가 다른 경우(韻同而音義異), 독음과 의미가 같으나 글자가 다른 경우(音義同而字異), 글자는 같은데 독음과 의미가 다른 경우(字同而音義異), 주문(籀文)이나 속자(俗字) 혹은 동자(同字)나 통용자 등은 모두 『규장전운』의 예를 따랐으며, 『강희자전』과 『자휘』를 참고하여 증거삼고 바로잡았습니다.23)

④ 한글자이면서 독음, 운, 의미가 서로 달리 보이는 경우가 있습니다. 이에 대해 『규장전운』에서 이 글자는 수록하고 저 글자는 빠트린 경우, 이 또한 다 수록해 두었습니다. 예컨대, 평성(平聲)에는 들어 있으나 상성(上聲)과 거성(去聲)에는 들지 않았던 경우나, 상성과 거성에는 들었으나 입성(入聲)에는 넣지 않았던 것과 같은 경우입니다. 의미 해석은 『규장전운』보다 다소 상세하게 만들었습니다. 협음(叶音)은 『규장전운』에서도 이미 많이 채택하였기에, 여기서는 넣지 않았는데, 간략하게 줄이고자 한 의도에서였습니다.24)

(2) 판본

---

22) (역주) 我東素無字書印板, 若『字典』『字彙』『正字通』等書, 卷帙頗多, 有非人人所可有. 且其音義之浩汗, 魚魯之訛譌, 欲以一韻書, 考據無疑, 得無難乎? 檢字之難, 即韻書之所不免, 不若字書之門分類蒐, 一開卷瞭然. 此書部分一依『字典』, 節其註腳, 簡其編帙, 以便考覽.

23) (역주) 『奎韻』原增文一萬三千六十六, 外此字典所載之出於經典者, 略爲收入加增, 圈以別之. 音以諺析, 不用反切者, 華音・東音之相矛盾也. 本音下曰俗曰正, 用『華東正音』之舊也. 一字之諸韻互見者, 音同而韻異者, 韻同而音義異者, 音義同而字異者, 字同而音義異者, 籀文俗字或同或通, 皆倣『奎韻』, 參之『字典』『字彙』以證正.

24) (역주) 一字音韻義之互見, 而『奎韻』中此收而彼闕者, 亦加收入. 如隷於平聲而不隷於上聲, 隷於上去聲而不隷於入聲之類. 義釋則比『奎韻』稍加該博. 叶音旣多採入於『奎韻』, 故此則闕焉. 以存節約之意.

서울대학교 규장각(奎章閣)에서 소장하고 있는 5종의 『전운옥편』은 모두 목판본이지만, 안타깝게도 초간본이 아니다. 그중에서 순조(純祖) 19년의 판본이 가장 오래되었는데, 표제지에 '을묘 신간 춘방장판(己卯新刊春坊藏板)'이라는 글이 써져 있다. 이 책은 길이가 33.6cm, 너비가 22cm로, 사주쌍변(四周雙邊)에, 한 쪽 면은 10행 20자로 되어 있다. 판심은 상흑어미(上黑魚尾)로 되어 있으며, 광곽(匡郭)은 길이가 20.8cm, 너비가 15cm이다. 간기(刊記)에 '경술중추(庚戌 仲秋), 유동중간(由洞重刊)'이라고 적힌 판본은 철종(哲宗) 원년(1850)에 간행된 것이다. 이밖에, 확실한 연대와 간행시기를 추정할 수 없는 판본들도 판식(版式)이 똑같기 때문에, 동일한 체계의 판본으로 보인다.

(3) 내용 및 체제

『전운옥편』은 상하 두 권으로 나누어져 있고, 214부수로 배열되어 있다. 올림자는 11,088개로, 일상생활에서 사용하는 한자를 기본적으로 수록하였다. 그중에는 『규장전운』에서 수록하지 못한 178개의 글자가 포함되어 있다. 이 책은 부수에 따라 배열되어 있는데, 부수의 수와 순서가 『강희자전』과 완벽하게 일치한다. 같은 부수에 속하는 글자들은 부수를 제외한 필획의 수에 따라 적은 것에서부터 많은 것으로 배열되어 있다.

『전운옥편』에서는 언문(諺文)을 사용하여 음을 표시하였고, 『규장전운』에 수록된 규범음과 속음(俗音), 『화동정음통석운고(華東正音通釋韻考)』의 우리음[東音]을 수록하였다. 『규장전운』의 규범음을 기본으로 하고, 규범음의 아래에 다시 속음(俗音)과 정음(正音)으로 나누었다. '□'의 안에 쓴 언문은 한국 한자음 즉 동음(東音)을 나타낸다. 이 책은 106개의 운부(韻部)를 두고, 한자가 속한 운부를 한자로 'O' 속에 넣어 표기했다. 예를 보자.

> 인(人)은 囵으로 읽는다. 삼재(하늘·땅·사람) 중에, 만물의 으뜸이며, 오행의 뛰어난 기운이다. 圓(人, 囵, 三才之中, 萬物之靈, 五行秀氣. 圓)25)

---

25) (역주) 이 책에서는 네모를 【 】, 동그라미를 ( )로 하여 표시하였다.

한국은 조선시대부터 한문자전을 편찬하여 그 편찬시기가 늦은 편이나, 그 이전에 오랜 시간동안 중국의 고대 자전을 사용하였기에 해석체계는 이미 매우 성숙한 상태였다. 『전운옥편』의 편찬체제는 대체로 다음과 같다. 각각의 올림자 아래에 먼저 언문으로 독음을 표시하고, 그 뒤에 한자로 의미를 해석했다. 만약 한 글자에 여러 개의 음과 의미가 존재한다면, 각 의미의 아래에 이 글자가 속한 운부(韻部)를 밝혀둠으로써 구별하였다. 글자의 의미를 해석할 때, 대부분 올림자와 서로 다른 관계의 자형들을 나열하였으며, 개인의 의견도 덧붙여 놓았다.

(4) 가치

『전운옥편』은 한국과 중국의 언어문자와 문화연구에 그 어느 것과도 바꿀 수 없는 중요한 가치를 가지고 있는데, 그것은 아래와 같다.

첫째, 이 책에서부터 조선시대에 '옥편(玉篇)'류 자전이 편찬되기 시작했다. 한국한문자전의 편찬사를 종합해서 살펴보면, 대체로 갑오경장(1894) 이전, 갑오경장 이후부터 1945년 조선의 광복까지, 조선의 광복이후부터 지금까지라는 세 가지 시기로 나눌 수 있다. 『전운옥편』은 첫 번째 시기에 해당되어, 위로는 최세진(崔世珍)과 홍계희(洪啟禧)가 자전을 편찬한 성과를 계승하고, 아래로는 한국의 근현대 자전편찬의 시작을 열었다. 한국에서 첫 번째로 독립된 자전인 『전운옥편』의 출현은 한국한문자전을 운서(韻書)에서 분리시켰으며, 그와 동시에 '옥편(玉篇)' 역시 한문자전의 명실상부한 대명사가 되었다. 『전운옥편』은 성숙한 배열 체제, 간단명료한 의미해석, 뚜렷한 개인적 색채로, 후세의 한문자전 편찬에 모범이 되었다.

둘째, 문헌적 가치가 뛰어나다. 『전운옥편』은 『강희자전』을 저본으로 삼고, 중국의 전통자전 특히 『송본옥편』, 『자휘』, 『강희자전』의 정수를 흡수하였다. 수록한자는 시간적으로 중국의 자전과 어느 정도 계승관계에 있으며, 보존된 글자의 양과 형음의(形音義) 등 한자의 정보에 관해서도 그 의미가 크다. 이 자전은 한자의 동아시아 확장과 그 발전사, 한국의 자전문화 및 한중 문화 교류와 융합연구에 중요한 자료가 된다. 현재 한국학자들의 『전운옥편』에 대한 연구 성과는 주로 음운에 집중되어 있다. 한자의 형체와 의

미 영역에 대해서는 관심이 극히 적어, 연구해야 될 부분이 여전히 많다고
할 수 있다.

3. 『교정전운옥편(校訂全韻玉篇)』

지송욱(池松旭)이 편찬한 『교정전운옥편』은 광무(光武) 2년(1898)경에 출
판되었다.

(1) 저자 및 편찬 목적

지송욱의 생몰연대는 잘 알려져 있지 않다. 그가 이 책을 편찬한 것은
첫째, 새로 지은 『전운옥편』에 오류가 매우 많아, 독음과 뜻이 원서와 맞지
않는 부분이 있다고 여겼기 때문이며, 둘째, 지송욱의 언어문자 연구에 대
한 열정에 의한 것이다. 서문에서 이렇게 말했다.

> 우리나라의 자학(字學)의 경우 이전에는 『정음통석(正音通釋)』 및 『삼운성휘운
> (三韻聲彙韻)』과 같은 운서를 사용했지만, 『규장전운』을 반포하여 과거시험에
> 편리하도록 하였습니다. 글자 검색도 계획했지만, 초기에는 그런 책이 없었다
> 가 정조 시대에 처음으로 새로 지은 옥편이 만들어졌습니다. 목차는 『강희자
> 전』을 많이 모방하였고, 『규장전운』도 일부 따라, 처음 배우는 자에게 제공하
> 였습니다. 점점 변화되는 공이 지극하여, 크게 도움이 되었습니다. 그러나 세
> 상에 통용된 지가 오래되어 판이 닳고 글자가 빠진 부분이 생기게 되었습니다.
> 간혹 번각이라도 할 때면, 뜻과 독음이 어긋나서 오히려 잘못된 부분이 오히려
> 많았습니다. 무술(戊戌)년 겨울에 방인(坊人)이 새 판본을 새기기를 계획하고,
> 나에게 교정을 청하였는데, 내가 일찍이 『규장전운』을 바로잡은 적이 있기 때
> 문입니다. 사냥을 하고 싶기는 했지만 스스로 그러지는 못하고 있던 차였습니
> 다. 드디어 글자마다 조사하고 바로잡음으로써, 다시 진면목을 보게 되었습니
> 다. 올림자의 속음(俗音)을 묻고, 또 눈에 잘 띄게 하였습니다. 신촌자(慎村子)
> 씀.26)

---

26) (역주) 我東字學, 古以韻書, 若『正音通釋』『三韻聲彙韻』, 放『奎章全韻』, 皆爲取

(2) 판본

지금 우리가 알고 있는 『교정전운옥편』의 판본은 주로 대정(大正) 2년[27] 8월 15일에 신구서림(新舊書林)에서 인쇄한 것으로, 서울대학교 규장각(奎章閣)에서 소장하고 있다. 겉표지의 표지서명은 '교정전운옥편(校訂全韻玉篇)'이고, 사주쌍변(四周雙邊)에 한쪽 면은 11행 30자로 되어 있고, 판심은 단흑어미(單黑魚尾)로 이루어져 있다. 윗부분에는 '교정옥편(校訂玉篇)'이라 써져 있고, 중간부분에는 권수 및 필획과 부수가 써져 있으며, 아랫부분에는 쪽수가 표시되어 있다. 판권지에는 다음과 같은 내용이 기록되어 있다.

대정(大正) 2년 8월 15일 인쇄. 대정(大正) 2년 8월 20일 발행. 경성(京城) 남부 자암동(紫岩洞) 55통(統) 6호(戶). 발행자: 지송욱(池松旭). 인쇄자: 단태성(段泰聖). 인쇄 겸 발행소: 신구서림(新舊書林). 분배소[分發所]: 경향(京鄕)의 각 서점.[28]

이 책은 길이가 33.6cm, 너비가 22cm이며, 한 쪽 면의 광곽(匡郭)은 길이가 20.8cm, 너비가 15cm로, 『전운옥편』과 같다.

(3) 내용 및 체제

『교정전운옥편』은 『전운옥편』을 교정한 것이기 때문에, 체제가 『전운옥

便於科試. 計畫檢字, 初無其書, 至健陵晚際, 始有新訂玉篇. 目次仿『字典』多, 少依『奎韻』, 以授初學. 馴致極功, 大有裨益. 行世旣久, 板刓字缺. 間或翻刻, 義舛音乖, 反多滋誤. 戊戌冬, 坊人謀鋟新本, 請余校訂, 以其嘗有正於『奎韻』故也. 見獵之想, 不能自己. 逐字査正, 復見眞面. 問頭俗音, 且以醒目云. 愼村子書.

27) 대정(大正)은 일본의 대정(大正) 천황의 재위기간에 사용한 연호로, 1912년 7월 30일에서 1926년 12월 24일까지가 이에 해당된다. 대정(大正) 2년은 1913년을 말한다.

28) (역주) 大正二年八月十五日印刷, 大正二年八月二十日發行, 京城南部紫岩洞五十五統六戶, 編輯兼發行者; 池松旭; 印刷者, 段泰聖; 印刷兼發行所, 新舊書林; 分發所, 京鄕各書鋪.

편』과 비슷하다. 전체 상하 두 권으로 나누어져 있으며, 214부수를 채용하였다. 106개의 운(韻)으로 나누어져 있고, 모두 11,088개의 글자가 수록되어 있다. 일상생활에 사용되는 글자를 기본적으로 수록하였으며, 같은 부수에 속하는 글자들은 필획의 수에 따라 적은 것에서부터 많은 것으로 배열하였고, 순서는 『전운옥편』과 같다. 다만 두 자전에서 '귀부(龜部)'의 필획이 다른데, 『전운옥편』에서는 17획에 두었고, 『교정전운옥편』에서는 16획에 두었다. 『교정전운옥편』은 『전운옥편』의 127개 올림자에 대한 해석을 교열하였는데, 127개의 올림자의 목록은 다음과 같다.

정(丁), 계(稽), 학(涸), 칙(則), 수(簹), 돈(頓), 포(儤), 평(平), 변(匾), 시(施), 역(懌), 유(鍮), 인(咽), 감(邯), 십(什), 향(享), 돈(焞), 혜(嵆), 추(傲), 축(丑), 취(臭), 추(箒), 재(滓), 액(繶), 사(傞), 새(璽), 쇄(璧), 불(紱), 휼(邮), 구(緱), 효(酵), 훼(喙), 가(榎), 겹(郟), 학(郝), 상(晌), 함(緘), 간(赶), 간(趕), 병(並), 패(霸), 파(怕), 파(派), 투(套), 추(椎), 지(漬), 추(醜), 소(筲), 치(懥), 기(芰), 준(浚), 조(稠), 저(滁), 적(適), 저(這), 타(駄), 간(癎), 이(尒), 책(蚱), 익(鷁), 온(媼), 수(繡), 왜(倭), 괘(喎), 왜(媧), 괘(詿), 우(迂), 예(預), 예(豫), 태(蛻), 예(譽), 임(稔), 역(鷁), 합(呷), 갈(秸), 사(葸), 수(嫂), 수(嫂), 졸(倅), 쇄(刷), 쉬(淬), 담(郯), 붕(崩), 붕(栅), 분(畚), 박(迫), 홀(囫), 묵(墨), 묵(嘿), 무(畝), 무(毋), 모(牡), 무(拇), 녜(禰), 모(嫫), 루(累), 류(纍), 루(壘), 루(淚), 루(累), 뢰(賂), 뢰(牢), 뢰(磊), 라(懶), 두(兜), 탕(碭), 흘(吃), 휴(畦), 와(媒), 괴(槐), 쾌(儈), 광(獷), 고(郜), 고(叩), 구(扣), 교(窖), 거(苣), 거(筥), 책(磔), 검(芡), 김(金), 사(嘎), 북(北), 모(冒), 향(珦), 춘(椿), 관(串).

상술한 올림자의 해석에 대한 교열내용은 글자의 음과 형체 등의 영역을 포함하고 있다. 예를 들어, 속음(俗音)과 개별 글자의 형체에 대한 오류를 교정하였다. 교정의 내용은 각 페이지에서 이 올림자의 위쪽에 달리 한 란(欄)을 두어 쉽게 보도록 하였다. 이것이 본 자전에서 가장 두드러지는 특징이다.

(4) 가치

『교정전운옥편』의 가치는 다음과 같다.

첫째, 『전운옥편』에 대한 교열이다. 『전운옥편』은 한국의 첫 번째 독립적인 한문자전으로, 자전의 편찬사에서 전후를 연결해주는 위치에 있다. 이렇듯 한국자전의 발전사에서 없어서는 안 될 귀중한 자료로서, 후세의 한문자전 편찬의 모범이 되었다. 첫 번째 자전이 된다는 것은 그 독창성이 뛰어나다는 것 외에도 결함이나 부족한 부분도 꼭 필요하다는 것을 의미한다. 『교정전운옥편』에서는 이처럼 『전운옥편』의 오류를 제일 먼저 인식을 하고 잘못된 내용을 교열하여, 『전운옥편』을 더욱 정확하고 규범화시켜, 후세 자전들의 모범이 되게 하였다는 점에서 큰 의의를 가진다.

둘째, 문헌에 대한 교정이다. 『교정전운옥편』은 교정한 란을 첨가한 것 말고는 내용이나 체제가 모두 『전운옥편』과 동일하다. 『교정전운옥편』은 문헌자료를 교정하였다는 점에서 그 가치를 찾을 수 있다. 저자는 스스로 의문을 가지고 『전운옥편』의 오류를 교정하였다. 교정한 수량이 적다고 하지만, 거기에 기울인 심혈은 결코 적은 게 아니다. 후세 사람들이 『전운옥편』을 연구할 때, 상대적으로 정확한 저본을 제공해주는 것이기 때문에, 그 가치는 실로 중요하다 하겠다.

4. 『국한문신옥편(國漢文新玉篇)』

정익로(鄭益魯, 1863~1928)가 저술한 『국한문신옥편』은 1권으로 구성되어 있으며, 융희(隆熙) 2년(1908)에 출판되었다. 이는 한국근대사 최초의 한문자전이다.

(1) 저자 및 편찬 목적

『국한문신옥편』의 '국(國)'은 한글을 말하고, '한(漢)'은 한문을 말한다. 이 책은 한글로 한자의 훈독을 표기하고, 한문으로 글자의 의미를 해석하였다. 편찬자인 정익로는 독립 운동가이자 기독교 장로로서, 기독교 서원사업에 힘을 기울여 수천 부의 기독교서적을 널리 보급하였다. 『국한문신옥편』의 편찬 목적에 대해, 김원극(金源極)은 서문에서 다음과 같이 밝히고 있다.[29]

옥편을 편찬하는 목적은 한자의 독음과 의미를 폭넓게 고찰하는데 있다. 우리나라에 전해오는 옥편은 한자의 독음을 한글로 풀이하여 모든 사람들이 쉽게 이해할 수 있는데 반해 한자의 의미는 유독 한자로 풀었다. 예를 들면, 무(無)자는 유(有)자의 반대 의미이고, 유(有)자는 무(無)자의 반대 의미라고 풀이하여 한 글자로 다른 글자의 의미를 헤아리게 하였다. 개념 풀이 자체가 어려운 형식을 취하고 있어 어떤 자를 가리켜 어떤 자라고 하면서 단지 입으로 전해진 말만 따를 분 근거할 문헌이 전혀 없다.

아! 이것은 무슨 까닭인가? 나라가 생긴 지 수 천 년이 지났지만 스스로 아무런 연구도 없이 습관적으로 중국인의 찌꺼기를 받아들이기만 하여, 일반적인 한자의 훈이 확고하게 정해진 것이 없어, 한 나라 안에서 같은 자를 풀이하면서도 각기 큰 차이가 있는 상황을 이미 오랫동안 개탄하였다.

올 여름 일본을 여행하던 중에 하루는 평양의 지식인 정익로 씨가 머무르는 여관을 방문하였는데 서로 인사말을 나누고 나자 책자 한 권을 보여주며, "이 새 옥편은 작업을 시작한 지 6년이 되었는데 그대께서 한번 보아 주십시오."라고 말하였다.

드디어 한참 동안 읽어보고 길게 탄식하며 말하기를, "아! 최근 우리나라의 뜻 있는 지식인들은 교육계를 이끌려는 책임감으로 새로운 저술을 다양하게 편찬하는 등 고심하고 있지만, 식견이 있거나 없는 일반 남녀로 하여금 한번 보고서 문자의 정확한 표준을 삼을 수 있는 것으로는 이 책만 한 것이 없습니다."라고 하였다.

내가 가만히 이 책을 살펴보니 한자의 주요 의미를 풀이할 때는 한글만 사용하고 무릇 여러 설명을 덧붙일 때는 한자로 풀이했는데 쉬우면서도 간단명료했다. 의심나는 것에 대해 근거를 밝혀 그 풀이가 대쪽 자른 것과 같았으며, 권말에 동음자를 유형별로 모아두어 한자 검색을 더욱 명확하게 하였다. 장차 이 책이 우리 동포에게 간행되는 날에는 학계는 새로운 모습으로 쇄신될 것이니 이보다 더 훌륭한 업적이 또 어디 있겠는가! 아! 이 책을 보는 사람은 정씨의 큰 취지를 알 게 될 것이다. 이에 일본 동경 지구 여관에 체류하고 있는 송남(松南) 김원극(金源極)이 서를 쓴다.

---

29) (역주) 한국한자연구소, 『국한문신옥편』(부산: 도서출판3, 2017)의 서문을 인용함.

융희 2년(1908) 7월 22일[30]

(2) 판본

이전에 3종의 판본이 존재했다.

① 평양(平壤) 야소교서원(耶穌敎書院)의 융희(隆熙) 2년(1908)본. 이 판본은 융희(隆熙) 2년 11월 6일에 초판 되고, 융희 3년(1909) 3월 25일에 정정하여 재판하였으며, 메이지[明治] 44년(1911) 8월 15일에 142쪽을 늘리고, 수정하여 제3판을 증보하였다. 사주쌍변(四周雙邊)에, 한 쪽 면은 10행 28자로 되어 있다. 판심은 백구(白口)로 되어 있고, 윗부분에는 서명이 써져 있고, 중간부분에는 부수와 필획수가 써져 있으며, 아랫부분에는 쪽수가 표시되어 있다. 권말에 '국한문음운자휘(國漢文音韻字彙)'가 첨부되어 있다.

판권지에는 다음과 같은 내용이 기록되어 있다.

융희(隆熙) 2년 11월 1일 인쇄. 융희(隆熙) 2년 11월 6일 발행. 융희(隆熙) 3년 25일 교정 재판. 정가: 금 1원(圓) 20전(錢). 발행 겸 편집: 정익로(鄭益魯). 인쇄자: 촌강평길(村岡平吉). 발행소: 야소교서원(耶穌敎書院). 인쇄소: 복음인쇄합자회사(福音印刷合資會社).[31]

---

30) (역주) 夫玉篇之作, 爲其通考漢字音訓意義矣. 我國傳來玉篇, 字音則雖以國文解之, 人人易曉. 至於釋義, 且以漢字解之. 若釋無字曰有之對, 釋有字曰無之對, 以此考彼. 名詞難形, 惟其指某字曰某字, 從出於口頭傳誦, 一無眞詮文憑.
嗚呼! 茲曷故焉? 有國幾千年來, 收拾漢人唾沫爲事, 不能自究. 一般文字上訓讀, 靡有定屆. 一國之內, 同字之釋, 各有殊差, 是用慨然者久矣.
今夏來遊東瀛, 一日訪箕城紳士鄭益魯氏旅館, 寒暄纔畢, 示以一冊子曰此新證玉篇而開業六年於茲矣, 子其賜覽.
遂披閱良久, 悠然而歎曰: 嗚呼! 近國之志紳士, 自負敎育界倡導, 義務敎科書之許多新著, 已所苦心, 然至使一般男女有無識, 一覽而爲文字之指南, 則無有如此者也.
竊觀此篇, 釋其字義大要, 純用國文. 凡諸附會則, 比仿漢字, 簡易且明. 疑者對案, 解部如竹, 且於卷尾類合同音, 文字尋繹, 尤是暸然明晰, 其將此篇刊布, 我同胞之日, 可見文學界一新面目矣. 其魏勳偉績孰大於是! 嗚呼! 覽此篇者, 其知鄭公之注意也. 夫日本東京芝區旅館僑居松南金源極序.
隆熙二年七月二十二日.
31) (역주) 隆熙二年十一月一日印刷, 隆熙二年十一月六日發行, 隆熙三年廿五日訂

② 세창서관(世昌書館)의 1951년 본.
③ 덕흥서림(德興書林)의 1953년 본.

(3) 내용 및 체제

이 자전은 1권으로 이루어져 있고, 214부수 분류법을 따르고 있는데, 부수는 필획에 따라 순서대로 배열되었다. 권말에 첨부된 『국한문음운자휘』로 편리하게 검색하도록 하였다. 『국한문신옥편』은 『전운옥편』을 저본으로 삼고, 실용자를 증보하여 한글로 독음을 달아 의미를 해석하였다.

내용의 배열순서는 서문 2쪽, 목록 6쪽, 본문 288쪽, 부록 『국한문음운자휘』 103쪽, 판권지 1쪽으로 이루어져 있다.

이 자전은 해서로 된 올림자 11,000개를 수록하고 있고, 올림자는 필획에 따라 배열하였다. 올림자의 아래에는 두 줄로 글자의 음과 뜻을 작게 표기하였다. 먼저 한음(韓音)을 해석하고 다시 의미를 해석했으며 마지막에 운부(韻部)를 나타내었는데, 중괄호를 사용하여 표시하였다. 예를 들면 다음과 같다.

> 일(一): 【일】숫자의 처음이자 획의 시작이다. 균등하다[均]. 같다[同]. 만약[誠].
> 순수하다[純]. 하늘과 땅이 구분되지 않았을 때, 원기가 하나임을 말한다. 질
> (質)운이다. 일(壹)과 통한다.(一, 【일】數之始, 畫之初. 均也, 同也, 誠也, 純也.
> 天地未分, 元氣泰一. (質). 壹通.)

부록인 『국한문음운자휘』는 음에 따라 배열되어 있으며, 해서로 된 올림자 아래에 한음(韓音)을 표시하여 편리하게 검색하도록 하였다.

(4) 가치

正再版. 定價: 金一圓二十錢. 發行兼編輯: 鄭益魯, 印刷者: 村岡平吉. 發行所: 耶穌教書院. 印刷所: 福音印刷合資會社.

『국한문신옥편』은 한국의 근대사에서 최초로 한글로 독음을 표시하고 의미를 해석한 한문자전으로, 그 지위와 가치는 아래의 두 부분으로 나타낼 수 있다.

첫째, 처음으로 한글로 의미를 해석하여, 근대로 전환되는 시기에 일반 백성들이 한자와 한문을 정확하게 학습하고 이해할 수 있도록 함으로써, 사회문화 발전에 큰 역할을 하였다.

둘째, 실용성이 강하고 용량이 방대하며 명확한 주석을 갖추고 있다. 체제 면에서도 한글로 의미를 해석하였고 운부(韻部)를 표기해 두었다. 권말에는 검색의 편리를 위해 『국한문음운자휘』를 첨부하여, 독창성과 실용성을 더욱 두드러지게 하였다.

5. 『한선문신옥편(漢鮮文新玉篇)』

대정(大正) 2년(1913)에 출판된 『한선문신옥편』은 한글과 중국어로 구성된 자전으로, 한국의 언어문자학사에서 중요한 지위를 차지하고 있다.

(1) 저자 및 편찬 목적

저자 현공렴(玄公廉, 1876~?)은 배재학당(培材學堂)을 졸업하고, 일찍이 일본 구마모토로 유학을 갔다. 귀국 후, 1904년에 대창서원(大昌書院)을 설립하고, 1906년에 한성사범학교(漢城師範學校)에 교관으로 재직하였다. 1907년에 황성서적업항회(皇城書籍業行會)를 결성하고, 1912년에 대창서원의 분점을 개설하였으며, 1920년에 대창서원과 보급서원(普及書院)을 함께 운영했다. 현공렴(玄公廉)은 조선후기의 정치가, 번역가, 학자, 교육자, 출판업자로서, 저명한 번역가 천녕(川甯) 현씨의 후손이다. 1898년, 자발적 애국시민 대회인 '만민공동회(萬民共同會)'에 참가하여, 이 회의에서 협성회 회장으로 임명되었다. 1908년, 일본의 유명한 근대시기 정치소설인 『경국미담(經國美談)』을 한글로 번역하고, 이를 다시 『신소설경국미담(新小說經國美談)』으로 이름 지었다. 또한 『신편가정학(新編家庭學)』 등의 교재가 포함된 수십 종의 서적을 출판했다.

현공렴은 서문에 "근세 이래로 옥편이라고 세상에 쓰이는 것이 오직 한 가지 종류이고, 또 그 뜻을 조선말로 풀어놓지 않았다. 그런 까닭에 보는 사람 중 그 요령을 알지 못하는 경우가 많다."라고 설명했다. 그는 근세 이후의 『옥편』에는 수록된 한자의 의미를 한글로 상세히 해석하지 않았다고 보고, 『한선문신옥편』을 편찬함으로써 『옥편(玉篇)』류 자전들의 부족함을 메워 대중들이 편리하게 사용하게 하였다.

서문에서 이렇게 말했다.[32]

근세 이래로 옥편이라고 세상에 쓰이는 것이 오직 한 가지 종류이고, 또 그 뜻을 조선말로 풀어놓지 않았다. 그런 까닭에 보는 사람 중 그 요령을 알지 못하는 경우가 많으니, 그 원위를 따져보면 전해져 오는 습관에 자연스레 응했던 때문이었다. 그러나 오늘날 처지에서 옛것을 헤아리면 한스럽지 않을 바도 없을 수 없다. 그리하여 편자는 제 아둔함은 생각지도 않은 채 또다시 그것을 편집하게 되었다. 옛 『전운옥편』을 가지고 조선말로 그것을 풀이하고, 또 빠졌거나 중요한 글자는 『강희자전』과 대조하여 더 채웠다. 또 근래 각 학문계에서 만들어진 새로운 발명자를 널리 모아 증보하였으며, 이상의 자의에 대해 구절 구절마다 그것을 풀이하였다. 또 주석이 길어지는 곳에는 구절 아래에 권점을 더하여 분별이 편하도록 하였으니, 부녀자나 아이들이나 촌민도 이 책을 보면 미망에 빠지지 않을 것이리라. 게다가 문인 학사들도 찾아보게 할 것이니, 옛 책보다는 조금 낫다고 스스로 말할 수 있을 따름이로다. 그러나 취하고 본뗬을 뿐인데 어찌 지극한 경지에 이르렀다고 할 수 있겠는가? 뜻있는 분들께서는 나의 우매함을 용서하시고 모자란 부분을 고쳐주신다면 크나큰 다행이라 하겠다.

대정 2년(1913) 2월 일 편자 씀.[33]

---

32) (역주) 한국한자연구소, 『한선문신옥편』(부산: 도서출판3, 2017)의 서문을 인용함.

33) (역주) 近世以來로 玉篇之行於世者ㅣ惟有一種이오, 又其語義를 不以鮮文解釋이라 故로 覽者ㅣ多有不得其要領ᄒ니, 究其原委컨Ⓐ 風氣所使에 似應其然이로다. 然이나 若以今揆古ᄒ면 不能無憾焉者ㅣ存焉, 故로, 編者ㅣ不揣愚昧ᄒ고 又另新以編輯之ᄒ식, 乃將舊日玉篇ᄒ야, 以鮮文解譯之ᄒ며, 且其股漏處及緊要字는 對照參互於康熙字典而添入之ᄒ고, 又博採近來各科學問界之新發名字ᄒ야 增補之ᄒ며, 又將以上字義ᄒ야 節節而譯解之ᄒ고, 且其註釋衍長處則其句節下에

(2) 판본

『한선문신옥편』은 대정(大正) 2년(1913)의 대창서원판(大昌書院版), 대정(大正) 7년(1918)의 회동서관(匯東書館) 연활자본(鉛活字本), 대정(大正) 13년(1924) 번각본 등 3종의 판본이 남아있다. 우리가 수집한 것은 대정(大正) 13년에 발행한 번각본으로, 속표지는 능형화변(菱形花邊)에, 삼광(三框)으로 되어 있다. 좌광(左框)에는 '대정(大正) 13년 12월 일'이라고 써져 있고, 중광(中框)에는 '한선문신옥편(全)'이라고 써져 있다. 윗부분에는 두 줄에 작은 글자로 '부음고(附音考)'라고 써져 있으며, 우광(右框)의 아랫부분에는 '경성(京城) 회동서관(匯東書館) 발행'이라고 써져 있다. 앞부분에는 편집자의 서문이 실려 있다. 이 책은 상하 두 권으로 이루어져 있고, 세로로 조판되었으며, 판형은 가로가 13cm, 세로가 19cm이다. 단란쌍변(單欄雙邊)에, 서이(書耳)에는 '한선문신옥편 상/하권' 및 필획의 순서, 부수, 쪽수가 기재되어 있으며, 속표지에는 서명이 기재되어 있다.

판권지에는 다음과 같은 내용이 기록되어 있다.

> 대정(大正) 7년 9월 23일 초판 발행. 대정(大正) 13년 12월 25일, 대정(大正) 13년 12월 30일 5판 인쇄 발행. 정가: 1원(圓) 20전(錢). 저자 겸 발행자: 현공렴(玄公廉). 발행소: 회동서관(匯東書館). 인쇄자: 박인환(朴仁煥). 인쇄소: 융문관(隆文館) 인쇄소.[34]

(3) 내용 및 체제

加以圈標ᄒᆞ야 以便分別ᄒᆞ니, 乃然後에 可使婦孺村氓으로 臨卷而不至迷茫이오, 並可邀文人學士之顧覽일ᄉᆡ, 庶可自謂曰稍有勝於舊本이로다. 然이나 何取擬以爲臻其極境也리오. 惟望有志諸公이 恕其愚而匡不逮하면, 幸甚幸甚이로이다. 大正二年二月 日 編者識

34) (역주) 大正七年九月二十三日初版發行, 大正十三年十二月二十五日、大正十三年十二月三十日五版印刷發行, 定價一圓二十錢, 著作兼發行者, 玄公廉; 發行所: 匯東書館; 印刷者, 朴仁煥; 印刷所, 隆文館印刷所.

『한선문신옥편』은 214부수로 배열되어 있으며, 16,739자의 올림자를 수록하였다. 한글로 한자의 형음의(形音義)를 해석하는 체제로써, 모든 올림자의 아래에 두 줄로 작은 주석을 달았다. 먼저 한글로 뜻을 해석하고, 다시 동그라미 안에 한글 독음을 달고 나서, 그 아래에 한문으로 해석해 놓았다. 하나의 올림자에 여러 의미가 있다면, 전부 나열하고 각각의 의미 앞에 이 의미와 서로 대응되는 한글 독음을 주석으로 달았다. 권말에 첨부된 '음고(音考)'는 '음부(音部)'라고도 부르는데, 한글자모의 순서대로 상하 두 권에 수록된 한자를 배열하였다. 또 근세 『옥편(玉篇)』에서의 일부 탈자와 누락자를 교열하였다. 저자는 '근래 각 학문계에서 새로 발명한 글자들을 널리 취하여' 새로운 글자를 많이 증보함으로써, 실용성과 시대성을 더욱 갖춰, 기억하기 쉬운 한자 학습에 대한 대중들의 욕구를 만족시켰다.

(4) 가치

『한선문신옥편』은 표준어와 속어를 모두 정리하고, 옛 『옥편』류 자전의 부족한 점을 보충했으며, 한글로 한자의 훈독을 표기하였다. 또 한글과 중국어의 두 언어로 한자의 형음의(形音義)를 해석하여, 일반 민중들이 편하게 글자를 익히고 사용하게 하였다. 이는 한글 및 한자에 대한 지식, 확장, 규범을 보급시켜, 조선시대의 언어문자 영역에 중요한 역할을 하였으므로, 한국사에서 가장 실용적인 자전이라고 말할 수 있다.

그밖에, 이 책은 한국의 근대사에서 상대적으로 이른 시기의 권위 있는 한자 자전으로, 대중문화를 보급시켜 그 당시 사회의 과도기와 변화를 이끌어 냄으로써 한국 문명의 발전에 커다란 역할을 하였다.

6. 『자림보주(字林補註)』

『자림보주』는 실제 『자림보주』와 『자림척기(字林摭奇)』라는 두 부분으로 구성되어 있는데, 『자림척기』는 『자림보주』의 뒤에 첨부되어 있는 것을 말한다. 『자림척기』는 한문자전에서 형체가 비슷한 글자들을 독특한 체제로 배열하였다는 점이 특징적이다.

(1) 저자 및 편찬 목적

『자림보주』와 『자림척기』의 편찬자인 유한익(劉漢翼, 1844~1923)은 자(字)가 붕거(鵬居)이고, 호(號)가 해관(海觀)이며, 기계(杞溪) 사람이다. 헌종(憲宗) 10년(1844)에 태어나, 대정(大正) 12년(1923)에 죽었다. 서예가이자 전각가(篆刻家)로, 『자림보주』의 서명을 본인이 직접 쓰고 도장을 찍었다. 철종(鐵宗) 12년(1861)에 음양과시험[陰陽科考試][35]을 거쳐 경무청 경무국장(警務廳 警務局長), 칙임관(敕任官), 중추원의관(中樞院議官) 및 덕원감리(德源監理) 겸 덕원부윤(德源府尹)을 역임했다. 1904년에 덕수궁(德壽宮)의 앞문인 '대안문(大安門)'이 불타 없어지자, 1906년에 다시 짓고, 이를 '대한문(大漢門)'이라고 명명했다. 이 편액을 쓴 이가 유한익으로, 이때 그의 관직은 정이품(正二品)에 해당되는 한성판윤(漢城判尹)이었다. 그는 해서와 전서 및 금석문에 정통하여, 정학교(丁學敎), 강진희(姜璡熙), 오세창(吳世昌), 김대석(金臺錫)과 함께 5대 전각가(篆刻家)로 불렸다. 고종(高宗) 시기에, 그들은 헌종(憲宗) 때의 인보(印譜)인 『보소당인존(寶蘇唐印存)』을 새롭게 번각하였다. 『동추공(김상용)묘갈명(同樞公(金商容)墓碣銘)』, 『전법사체(篆法四體) 천자전(千字篆)』 등은 유한익이 세상에 남긴 서예작품들이다.[36]

발문에서 이렇게 말했다.

어느 날 해관(海觀) 유군(劉君)이 『자림보주(字林補註)』 2권과 『척기(摭奇)』 1권을 가지고 와서 보여주었는데 완비된 자서(字書)이면서 교묘하게 쓴 것이었다. 대개 『이아(爾雅)』나 『설문(說文)』 등의 책들은 오래 되었고 가장 정교하면서 방대한 책은 『강희자전』이다. 『전운옥편』과 같은 책은 그것의 간략함을 취했고 최근의 『신옥편(新玉篇)』은 비록 한글로 풀이를 하였으나 주석이 너무 간략하였다. 이 책은 옛날 서적을 참조하여 그 풀이를 보완하고 아울러 한글로 풀이를 하였다. 게다가 (척기의) 상하(上下)·좌우(左右)·반변(反變)·단쌍(單

---

35) 조선의 잡과(雜科) 시험의 일종으로, 천문학(天文學), 지리학(地理學), 명과학(命科學: 사주학) 등을 포함한다. 일반 백성이나 백정, 천민은 이 시험을 거쳐 기술관이 되어, 중인(中人)으로 신분상승을 할 수 있었다.

36) 崔智博, 『『字林摭奇』文字研究』(華東師範大學 碩士學位論文, 2016).

雙) 등은 서예를 연습할 때 없어서는 안 되는 것이다. 유군은 전서(篆書)와 예서(隸書)로 유명하며, 약관의 나이부터 여든에 이르기까지 정력을 쏟아 앞사람이 저술하지 못한 책을 저술하였다.

병진(丙辰, 1916) 2월 상순에 하정(荷汀) 민영휘(閔泳徽)가 발문을 씀.37)

이 책의 편찬목적에 관해서, 범례에서는 "오로지 훈몽을 위해 지었다.", "부녀자나 어린아이들도 한번 보면 알기 쉽도록 하고 잘못 쓰는 오류를 범해 웃음거리가 되지 않도록 하기에 충분하므로 이 책의 이름을 『자림보주』라고 하였다."라고 밝히고 있다. 『자림보주』와 『자림척기』의 관계는 범례에서 "'보주(補註)'의 상하 편에 있는 누락자들을 '척기(摭奇)'의 목록과 깊게 연구해서 서로 참고하라."라고 밝히고 있다. 『자림보주』는 상용자를 깨우치게 하는데 치중을 한 반면, 『자림척기』는 형체가 비슷한 글자의 구분에 중점을 두고 있다. 이 두 책을 서로 참고하고 보충하여, 처음 한자를 배우는 이들이 사용하도록 하였다.38)

(2) 판본

『자림보주』는 상하 두 권으로 나누어져 있고, 『자림척기』는 『자림보주』의 마지막 부분에 첨부되어 있다. 이 책은 김윤식(金允植)이 교열과 서문을 작성하였고, 민영휘(閔泳徽)가 발문을 작성하였다. 1915년에 편집을 하여, 1921년에 간행되었다. 『자림보주』는 현재 3종류의 판본이 존재한다.

① 석각판. 저작자는 유한익(劉漢翼)이고, 중국 상해 이마로(二馬路) 천경당서국(千頃堂書局)에서 인쇄하였다. 1921년 조선 경성부(京城府)의 박경소(朴敬沼)가 발행하고 출판하였다. 이 판본은 현재 동국대학교 중앙도서관에서 소

---

37) (역주) 一日劉海觀君持『字林補註』二卷與『摭奇』一卷来視之, 乃字書之儉而巧者也. 蓋『爾雅』『說文』等書則古矣, 而最精博者, 『康熙字典』也. 若『全韻玉篇』則取其簡, 而近時『新玉篇』雖以『訓民正音』釋之, 註脚太略矣. 此書則糸之於古, 補其註脚, 兼之以『訓民正音』之詳. 且如上下、左右、反變、單雙, 是在臨池, 尤不可無者也. 君以篆隸聞, 自弱冠至隆耋, 精力所到, 乃能述前人之未述也. 丙辰二月上旬荷汀閔泳徽跋.

38) 崔智博, 『『字林摭奇』文字研究』(華東師範大學 碩士學位論文, 2016).

장하고 있다. 이 책은 사주쌍변(四周雙邊)에, 한 쪽 면은 12행 18자이며, 판심은 단흑어미(單黑魚尾)로 되어 있다. 윗부분에는 서명이 써져 있고, 중간부분에는 권수의 편목(篇目), 필획색인이 써져 있으며, 아랫부분에는 쪽수가 표기되어 있다. 책의 끝에는 크게 서명과 권수 및 '해관(海觀) 유한익(劉漢翼) 편집(海觀劉漢翼輯), 운양(雲養) 김윤식(金允植) 교열(雲養金允植校)'이라고 써져 있다. 겉표지에는 서명이 써져 있고, 속표지에는 '백운심(白雲深) 소장. 자림보주(字林補註). 해관(海觀)이 제목을 씀(白雲深處藏 字林補註 海觀題簽)'이라고 써져 있으며, '인수인(仁壽印)'과 '자손이 보존함(子孫保之)'이라고 날인이 찍혀 있다.

② 중인판(重印版). 저작자는 유한익으로, 중국 상해 이마로 천경당서국에서 인쇄하였다. 대정(大正) 11년(1922)에 조선 경성부의 박경소가 발행하고 출판하였다. 이 판본은 현재 국립중앙도서관, 서울대학교 중앙도서관, 계명대학교 동산도서관에서 소장하고 있다.

③ 중인판. 1924년에 재판을 할 때, 서명을 『무쌍 자전 대해 부 자림척기(無雙字典大海附字林摭奇)』라고 고쳤다. 원저자는 유한익이고, 여기에서의 저작자는 유영상(劉永相)으로 되어 있다. 중국 상해 이마로 천경당서국에서 인쇄를 하고, 경성부 종로(鐘路) 3정목(丁目) 65호의 대광서림(大廣書林)에서 발행하고 출판하였으며, 발행자는 박건회(朴健會)이다. 이 판본은 현재 박형익 교수가 소장하고 있다.39)

상술한 세 개의 판본은 내용, 배열, 체제 면에서 기본적으로 차이점이 존재하지 않는다.

(3) 내용 및 체제

저자의 소개를 하면서 밝힌 바와 같이, 『자림보주』는 상용자를 깨우치게 하는데 치중한 반면, 『자림척기』는 형체가 비슷한 글자의 구분에 중점을 두고 있어, 이 두 책을 서로 참고하고 보충하여 처음 한자를 배우는 이들이 사용하도록 하였다. 범례에는 "자형이 비슷하다고 말하나 상하가 서로 반대

---

39) 박형익, 『한국 자전의 역사』(도서출판 역락, 2012), 453쪽.

인 모양, 상하가 짝을 이룬 모양, 위와 아래가 똑같은 모양, 두 한자의 좌우가 서로 반대인 모양, 좌우 모두 쌍을 이룬 모양, 좌우가 중간 형태를 보필한 모양, 좌우가 같은 모양, 같은 세 부분이 가로로 놓인 모양, 상하좌우의 형태가 모두 같은 모양, 글자를 이루는 형태의 위치를 바꾸어도 같은 모양, 한글의 자모 글자와 한자가 비슷한 모양, 한글의 자음 글자와 모음 글자가 결합된 모양 등 많은 유형의 글자를 모아 학식이 높으신 여러분들께 놀이 삼아 볼 수 있도록 한 편으로 엮어서 『자림척기』라고 이름 붙였다."라고 언급하였다.

범례에서 이렇게 말했다.

① 이 책은 훈몽을 위해서만 지어졌다. 자형의 변환, 독음과 의미의 차이, 동자(同字)의 분류는 『강희자전』에서 해석한 요지를 따랐다.[40]

② 자형이 오로지 경전자사(經典子史)에만 나오는 글자는 옥편의 형식을 빌어 원부(原部) 형식으로 수록하였으며, 원주(原註) 이외에 한 글자에 여러 의미가 있는 글자는 모두 우리말로 풀이하였고, 또 동문자(同文字)로 원부에 실려 있는 것은 번잡함을 줄이기 위해 원부 아래에 첨가하였으므로 이를 『자림보주』라고 명명하였다.[41]

③ 속자(俗字)가 자전에 실려 있지 않은 것은 원부(原部)의 끝에 게재하였으며, 둥근 모양으로 한 일본·한국·중국의 독음은 이 소리법에 따라 정하였다.[42]

④ 동자(同字)는 주문(籒文)·설문(說文)·종정문(鐘鼎文)·석고문(石鼓文)에서 나왔거나 고문(古文)·동문(同文)·속문(俗文)·통문(通文)이라고 불리는 한자는 주(籒)·설(說)·종고(鐘鼓)·고(古)·동(仝)·속(俗)·통(通)이라는 낱개의 글자로 줄여서 찾아보기 편하도록 뒷부분에 수록하였다.[43]

⑤ 해서[楷字]는 예서[隸字]에서 나왔고, 예서[隸字]는 전서[篆字]에서 나왔다.

---

40) (역주) 此書專爲訓蒙而作也. 字形之變幻, 音義之殊異, 同字之分派, 一遵『康熙字典』所解之要義.

41) (역주) 字形純全見於經典子史者, 仿『玉篇』式以原部載之. 而原註之外或有一字而含數義者, 皆以方言解之. 又有同文字載之原部者, 省其繁冗, 添入于原部下, 命之曰『字林補註』.

42) (역주) 俗字不載於字典者, 載於原部之末而圈註. 日鮮華音則依該聲法而定之.

43) (역주) 同字出於籒文、說文、鐘鼎文、石鼓文,又有古文、同文、俗文、通文之稱者, 竝省冗以籒說、鐘鼓、古、仝、俗、通單字懸註於下, 俾便考覽.

근래에 자학(字學)이 점점 쇠미하여 본래의 뜻을 많이 상실하였기에,『강희자전』과『고문사성운(古文四聲韻)』의 자학을 따랐다.44)

⑥ 한글 자모 반절은 그 의미를 취하기가 정교하고 세밀하여 신중하지 않으면 안 된다. 이 책은 훈몽만을 위한 것이기에 한글로 주석을 달고 풀이를 하였다. 그러므로 끝에 한글로 따로 주석을 달았다.45)

⑦ 자형이 비슷하다고 말하나 상하가 서로 반대인 모양[上下相反], 상하가 짝을 이룬 모양[上雙下雙], 위와 아래가 똑같은 모양[上和下睦], 두 한자의 좌우가 서로 반대인 모양[左右反對], 좌우 모두 쌍을 이룬 모양[左雙右雙], 좌우가 중간 형태를 보필한 모양[左輔右弼], 좌우가 같은 모양[夫唱婦隨], 같은 세 부분이 가로로 놓인 모양[三橫雁行], 상하좌우의 형태가 모두 같은 모양[四方平安], 글자를 이루는 형태의 위치를 바꾸어도 같은 모양[顚沛匪虧], 한글의 자모 글자와 한자가 비슷한 모양[諺文相似], 한글의 자음 글자와 모음 글자가 결합된 모양[諺文合編] 등 많은 유형의 글자를 모아 학식이 높으신 여러분들이 놀이삼아 볼 수 있도록 한 편으로 엮어서 자림척기(字林撫奇)라고 이름 붙였다.46)

⑧ 보주(補註)'의 상하 편에 있는 누락자들을 '척기(撫奇)'의 목록과 깊게 연구해서 서로 참고하라.47)

이 책의 출판 목적은 수록대상과 배열방식의 특수성을 결정하는 것이다.『자림척기』에서는 형체가 비슷한 글자를 58개의 부류로 귀납하였으니, 유한익의 대담한 시도를 엿볼 수 있다. 게다가 그는 한 평생 동안 공을 들여 이 책을 완성하였으므로, 결코 '학식이 높으신 여러분들이 놀이삼아 볼 수 있도록'과 같이 의미가 그렇게 단순하지 않다.

『자림척기』는 형체가 비슷한 글자를 구분한다는 목적에서 출발하여, '참

---

44) (역주) 楷字出於隷字, 隷字出於篆字. 而邇來字學漸微, 多失本旨, 故一遵『康熙字典』『古文四聲韻』『字學』.

45) (역주) 諺文子母反切, 其取義精微, 非造次可究. 而此書專爲訓蒙, 以諺文註觧, 故另附諺文于末.

46) (역주) 字形雖云相似, 然有上下相反·上雙下雙·上和下睦·左右反對·左雙右雙·左輔右弼·夫唱婦隨·三橫雁行·四方平安·顚沛非虧·諺文相似·諺文合編等諸類, 彙作一遍, 以供博雅君子之玩賞, 命之曰『字林撫奇』.

47) (역주)『補註』上下編有遺漏字, 與『撫奇』篇目錄과 探究허와 互相參考허시옵.

(昆)-총(昝)', '선(譱)-농(盬)-농(齒)-농(嚳)', '운(嬏)-운(胹)', '요(㜰)-요(㵤)-강(㵏)' 등과 같이 전문적으로 그런 한자들만을 수록하였다. 또 수록한자의 자형의 구조적 특징에 근거하여, 이들 한자를 58부류로 나누었다. 58부류의 용어는 스스로 체계를 이뤄, 간결한 구로 한자의 형체를 구성하는 특징을 요약하거나, 중국어에 이미 있는 구를 차용하여 새로운 의미를 부여하기도 했다. 이러한 방법으로 한자의 구조적 특징을 정리한 것은 사람들이 쉽게 한자를 기억할 수 있게 하기 위함이다. 또한 이는 조선시대의 한자에 대한 이해를 간접적으로 반영해낸 것이기도 하다. 『자림척기』의 체제는 전통을 따르면서도 창의성이 드러나 있다. 글자에 대한 해석과 배열 및 같은 부수로 구성된 성분의 사용 등은 전통자전에 대한 계승과 발전을 반영하고 있다.[48]

(4) 가치

『자림보주』와 『자림척기』는 한국에서 처음으로 형체가 비슷한 글자들을 모은 자전으로, 중국자전에 있는 형체가 비슷한 글자들을 대량으로 수록하였다. 편찬자는 58개의 영역에 수록자들을 새롭게 배열하고, 그 독특한 배열 방식에 내재된 규칙을 명시하였다. 『자림보주』와 『자림척기』는 한자학과 자전학을 연구할 때 사용할 수 있는 새로운 자료가 될 것이며, 또한 이를 통해 사고의 전환도 이루어질 수 있을 것이다.

서문에서 이렇게 말했다.[49]

무릇 글이란 온갖 일과 모든 사물을 통괄하는 기준이다. 서계(書契)가 있은 이후로 수 천 년을 지나는 동안 사람·사물·기예·직분들이 복잡하게 되었다. 언어와 문자 사이에 형용할 것이 나날이 불어나고 안개나 구름처럼 퍼져나갔다. 또한 방언(方言)이 각기 다르고 고금도 다르기에 하나로 써서 정리해보고자 하나 매우 어렵다. 그러므로 『자휘(字彙)』의 간략함과 『정자통(正字通)』의 번다함은 앞사람들의 비난을 면치 못했으니 자학을 어찌 쉽다고 말할 수 있겠는가. 우리나라 문자는 중국에서 전해 들어왔다. 지난 삼국시대에는 해마다 자제들을 당

---

48) 崔智博, 『『字林摭奇』文字研究』(華東師範大學 碩士學位論文, 2016).
49) (역주) 한국한자연구소, 『자림보주』(부산: 도서출판3, 2017)의 서문의 내용을 참조함.

나라로 보내어 태학에서 공부하게 했는데, 간혹 과거에 합격하여 관직에 있다가 돌아오기도 했다. 그 사람들은 대체로 문아(文雅)함이 많아서 편장(篇章)이 간결하여 편벽되거나 고루한 병폐는 없었다. 조선 초기에 질정관(質正官)을 요동(遼東)에 보내어 글자의 뜻이나 사물의 명칭을 자세히 물어 그 잘못을 바로잡았다. 이후에는 왕래가 점점 드물어져서 외교적 관계가 겨우 통역관의 입에 의지하게 되고 문자의 의미를 다시는 연구하지 않아서 갈수록 착오가 생기고 오류가 답습되어 그 본래의 의미를 잃은 것이 많았다.

해관(海觀) 유한익의 집안은 대대로 금석학을 전수하여 평소 삼분오전(三墳五典)을 숭상하였다. 근세에 과학이 날로 번성하여 한문이 거의 쓰이지 않게 되고 심지어 육서(六書)의 관계에 이르러서는 더욱 심한데 마치 변모와 같이 쓸데없는 것으로 여기니, 이는 배우는 사람들의 큰 병폐임을 안타깝게 생각하였다.

『강희자전(康熙字典)』은 자학(字學)을 집대성한 것으로 책의 분량이 많아서 초학자들이 참고하기에 불편하다. 또 우리나라에서 간행된 『신옥편(新玉篇)』 등의 책은 왕왕 풀이가 너무 간략하여 사물의 뜻을 다 나타내지 못하였다. 그러므로 제가들의 자서를 참고하여 번잡한 것은 줄이고 간략한 것은 보충하여 모두 한글로 주해를 달아 부녀자나 어린아이들도 한번 보면 알기 쉽도록 하고 잘못 쓰는 오류를 범해 웃음거리가 되지 않도록 하기에 충분하므로 이 책의 이름을 『자림보주』라고 하였다. 또 첩문쌍자(疊文雙字)의 부류를 따로 한 편으로 엮어 권말에 부록으로 첨부하였다. 이 부록은 비록 글자를 유희하는 것에 가깝지만 역시 앞사람들이 편찬하지 않은 것으로 가치가 있는 것이다. 세심히 살펴보면 옛사람들이 글자를 만든 오묘함을 볼 수 있을 것이다. 예를 들면 병법가에게 정공(正攻)이 있고 기공(奇攻)이 있듯이 『보주』가 정(正)이 되고 이 편(編)이 기(奇)에 해당된다고 할 수 있으므로 이를 이름 붙여 『자림척기』라고 하였다.

책이 완성되자 나에게 서문을 써달라고 부탁해오니 무릇 알지 못하면서 창작하는 것은 우리 공자께서 경계하신 바이다. 나는 본래 육서의 학문에 어둡기도 하거니와 몸이 늙어 서문을 쓰기가 벅차지만 유군이 유학(儒學)에 힘쓰고 후학을 계도하는 그 고심을 저버릴 수 없어 재빨리 이 서문을 쓴다.

을묘(乙卯, 1915) 12월 상한(上澣)에 운양(雲養) 김윤식(金允植)이 서문을 씀.50)

---

50) (역주) 夫書者, 萬事百物之統紀也. 自有書契以来, 歷數千年人物芸職, 事爲複雜.

『이아』와 『설문』 등은 비교적 오래되어, 당시 사람들이 사용하기에 불편함이 있었고, 근세 들어 『강희자전』이 편찬되어 자학(字學)을 집대성한 것이라 해도, 책의 분량이 많아 이 역시 초학자들에게는 불편하였다. 이외에도 항간에는 『신옥편』 등 일련의 자전들이 있었는데, 예를 들어, 『전운옥편』은 『강희자전』과 『신옥편』을 선택하여 한글로 주석을 달았는데, 이러한 자전들은 종종 주석이 너무 간략하여 정확하지 않았다. 그래서 『자림보주』는 여러 자전들을 참고하여, 번잡한 것을 줄이고 간략한 것은 보충하였다. 또한 고자(古字), 동자(仝字), 속자(俗字), 통자(通字)들을 대량으로 수록하였는데, 모두 방언으로 주석을 달아 두 권의 책으로 엮어 내었다.

『자림보주』는 글자 간 관계를 풍부하게 포함하고 있어, 글자 간 관계에 대한 비교연구를 통해, 한자가 동아시아로 확장되는 과정에서 발생한 변화와 영향을 나타낼 수 있다. "문자의 확장과 문자의 발생, 성질, 발전은 같은 것이며, 문자학 연구에서 중요한 과제이기도 하다."[51]

『자림보주』는 조선시대 사람들의 한자에 대한 인식과 그를 연구한 상황을 반영한 것으로, 시대적 개성을 나타내고 있다. 그러므로 글자 간 관계에

其所以形容於言語筆墨之間者, 日益繁衍, 雲蒸霧渝. 且方言各殊, 古今不同, 欲晝一而整齊之, 爲功甚難. 故『字彙』之簡略, 『正字通』之汎濫, 不免前人之訾議. 字學豈可易言哉! 東國文字自中華傳來. 向在三國時, 歲遣子弟入唐, 肄業於太學, 或登第補官而歸. 其人率多文雅, 篇章簡潔, 無僻陋之疵. 國初遣質正官于遼東, 詳問字義物名, 以正訛誤. 嗣後交通浸疎, 玉帛樽俎僅憑象胥之口. 文字義意不復致究, 轉輾差誤, 訛謬相襲, 失其本旨者多矣.

海觀劉君, 家傳鍾鼎之學, 雅尙墳素. 慨念近世科學日盛, 漢文將廢, 至於六書之關係尤切者, 視如弁髦, 此學者之大病也.

『康熙字典』爲字學集大成, 而卷秩浩多, 不便於初學之考閱, 又有坊刻『新玉篇』等書, 徃徃疎畧, 未盡事物之義. 於是參閱諸家, 裁其繁而補其畧, 皆以方言註解, 使婦孺一見瞭然, 足免魚魯之譏, 名曰『字林補註』. 又取疊文雙字之類別爲一編, 以附於末. 此雖近於遊戲翰墨, 亦前人之所未有也. 細心玩索, 可見古人造字之妙如兵家之有正有奇, 補註爲正而此編爲奇, 故名曰『字林撼奇』.

書成, 属余爲弁文. 夫不知而作之者, 吾夫子之所戒也. 余素昧六書之學, 旣老且耄, 不堪下筆. 而劉君之羽翼斯文, 啓牖後人, 其苦心不可孤也. 遂力疾而爲之序.

乙卯十二月上澣雲養金允植序.

51) 王元鹿, 「關於文字橡筆的同義比較的意義與任務」, 『中國文字研究』 第十輯(2008), 217쪽.

대한 비교연구를 통해, 한자의 발전사를 실질적으로 증명할 수 있으며, 우리가 한자이론에 대해 전반적으로 사고하고 보충하는데 도움이 될 수 있다.

이영(李榮)은 『문자문제(文字問題)』에서 "우리의 문자학은 줄곧 옛 것에 편중되었고, 허신의 『설문해자』 및 그 이전의 문자에 치중하였다. 판각한 이후에 유행한 인쇄체나 현재 통용되는 문자에 대해서는 주의를 기울이지 않았다."[52]라고 제시하였는데, 이를 통해, 『자림보주』의 가치들이 제대로 인정을 못 받고 있다는 것을 알 수 있다. 예를 들어, 『자림보주』에 수록된 대량의 속자와 통자 등은 한자의 동아시아 확장과 교육을 연구하는 기초자료가 된다. 또한 기존의 자전들과 그 격식에 얽매이지 않고, 당시의 의향을 보충함으로서, 중국어의 확장사와 한국의 고대 문헌 연구에 중요한 참고 서적이 된다.

7. 『자전석요(字典釋要)』

1906년에 출판된 『자전석요』는 자전(字典)으로 명명된 최초의 한문 공구서로, 모두 2권으로 구성되어 있으며, 한국의 근대시기 자전을 대표하고 있다.

(1) 저자 및 편찬 목적

편찬자인 지석영(池錫永, 1855~1935)은 자(字)가 공윤(公胤)이고, 호(號)가 송촌(松村)이다. 저명한 의사이자 학자로서, 당시의 사회개혁을 촉진시키기 위해 중요한 역할을 하였다. 저서로는 『우두신설(牛痘新說)』 등이 있다.

『자전석요』은 일반 민중들의 한자와 한문학습을 위해 편찬되었다. 이는 아래 서문의 내용에 구체적으로 언급되어 있다.

(2) 판본

---

52) 李榮, 『文字問題』(商務印書館, 2012).

『자전석요』의 판본은 상당히 많다. 1900년에 회동서관(匯東書館)의 석인본(石印本)이 초판이며, 그 이후 40여 년간 재판을 하고 유통하는 과정에서 두 번의 중대한 변화가 있었다.

첫 번째는 대정(大正) 원년(1912) 10월 7일에 발행한 제7판이다. 이 판은 증보판으로, 범례와 목록 사이에 무려 12쪽에 해당되는 검자(檢字)를 증보하였다. 게다가 권말의 발문을 없애고 초판 서두 부분에 있던 어휘자(御諱字: 임금의 이름자)의 해석을 제거하고, 본문의 수록자에 대응되는 전자(篆字)로 대신했으며, 본문의 올림자의 오른쪽 상단에 검정색 점을 찍어 표시해두었다. 그리고는 서명을 『증보자전석요(增補字典釋要)』라고 바꾸었다. 표지에는 서명이 적혀있고, 책의 앞부분에는 저자의 초상과 서문, 범례가 들어 있으며, 뒷부분에는 민준호(閔濬鎬)의 발문이 들어있다. 이 책의 판식은 사주쌍변(四周雙邊)에, 한 쪽 면은 10행 20자로 되어 있고, 판심은 단사판화문 흑어미(單四瓣花紋黑魚尾)로 되어 있다. 윗부분에는 서명이 써져 있고, 중간부분에는 권수가 써져 있으며, 아랫부분에는 쪽수가 써져 있다.

두 번째는 대정(大正) 9년(1920)에 발행한 제15판이다. 이 판은 부도판(附圖版)으로, 증보판의 내용을 유지하면서 본문의 말미에 삽화 590폭과 대응되는 수록자 626자를 더했다. 범례에는 새로 1조를 더해, "사물의 명칭은 도형으로 상세히 알 수 있으므로, 책의 말미에 따로 삽화를 더하였다. 원자(原字)의 왼쪽에 동그라미를 더해 쉽게 알아보도록 하였다."라고 밝혔다. 그리고는 서명을 『증정부도 자전석요(增正附圖字典釋要)』라고 바꾸었다.

이 책에서는 메이지[明治] 43년(1910)의 10월 1일에 회동서관이 발행한 제3판을 채택하였다.

판권지에는 다음과 같은 내용이 기록되어 있다.

> 융희(隆熙) 3년 7월 30일 발행. 융희(隆熙) 4년 3월 10일 재판 발행. 메이지 43년 10월 1일 3판 발행. 저작자: 지석영(池錫永). 발행자: 고유상(高裕相). 인쇄자: 교경산방 유자석(校經山房 俞子錫). 인쇄소: 주월기서국(周月記書局). 발행소: 회동서국(匯東書局).[53]

---

53) (역주) 隆熙三年七月三十日發行, 隆熙四年三月十日再版發行, 明治四十三年十月一日三版發行. 著作者, 池錫永, 發行者, 高裕相, 印刷者, 校經山房俞子錫, 印刷所, 周月記書局, 發行所, 匯東書局.

(3) 내용 및 체제

『자전석요』는 모두 1책으로 상하 2권으로 나누어져 있다. 상권에는 일 (一)부수에서 견(犬)부수의 글자들을 수록했고, 하권에는 옥(玉)부수에서 약 (龠)부수까지의 글자들을 수록했다. 이 책은 앞표지, 저자의 초상, 서문, 범 례, 목록, 본문, 발문, 판권 페이지, 뒤표지 순서로 배열되어 있다. 또한 부수 분류법을 채용하여, 16,298개의 올림자를 수록하였다. 이들 올림자들은 해서 자로 통일하여, 아래에는 두 줄로 올림자의 한글 독음 및 중국어와 한국어 로 의미해석을 작게 써 놓았다. 예를 들어, "一,【일】數之始, 하나【일】, (質). 壹通."이라고 되어 있다. 아래에는 『자전석요』의 서문, 범례, 발문을 차 례대로 나열하였다.

서문에서는 이렇게 말했다.54)

> 우리나라의 훈몽자서를 한글로 풀이해 놓은 것은 『천자문』, 『유합』, 『훈몽자회 』 등에 불과하다. 우리말로 풀이하는 방법에서도 그 고저를 밝히지를 못했다. 그래서 눈[雪]과 눈[目]의 뜻이 혼동되고, 동(東)과 동(動)의 음은 같으니, 진실 로 한문에 근거하지 않으면 변별할 방법이 없다.
>
> 나는 이것을 한탄하여 『강희자전』을 읽고, 그 글자들에서 정수를 모으고 그 뜻의 간결한 의미를 취해, 한글로 해석하였다. 글자의 독음의 상성과 거성은 『 소학언해·범례』에 의거하여, 방점으로 구별하였다. 이에 이전의 혼동이 일목요 연해지고 분명해졌다.
>
> 비록 부녀자나 어린 아이, 나무꾼과 목동이라 할지라도 며칠만 노력하면 한글 을 깨우칠 수 있다. 스승의 가르침을 굳이 기다리지 않아도 능히 이 만 여개의 글자의 의미를 알 수 있다. 진실로 이와 같으니 그 학문을 밝혀 나아가는데 도 움이 없지 않을 것이다. 그러나 만약 사물의 이름과 부합하지 않는 바가 있다 면 널리 훌륭한 학자의 고침을 바라는 바이다.
>
> 광무(光武) 10년 중추(仲秋) 송촌거사(松村居士) 지석영 씀.55)

---

54) (역주) 한국한자연구소, 『자전석요』(부산: 도서출판 3, 2017) 서문의 내용에 박 형익의 『한국 자전의 역사』(서울: 도서출판 역락, 2012), 415쪽을 참조하여, 일 부 오역 부분을 수정하였음.

범례에서는 이렇게 말했다.56)

① 이 책은 오로지 훈몽만을 위해 만들어졌다. 글자의 의미에 담긴 심오함을 다 해석할 겨를이 없었기에, 『규장전운』에서 해석한 요지를 따랐다.57)

② 규장전운에 기록되어 있지 않은 글자를 첨가할 때, 그 운을 분류하는 법은 『강희자전』의 반절에 의거하여 정하였다. 원본에 '음미상(音未詳)'이라고 써져 있는 것은 옛 주석의 '음미상(音未詳)'을 따른 것이다.58)

③ 글자의 음은 『전운옥편』을 따랐다. 속음이 있는 글자는 속음을 따랐는데, 예를 들면, '핍(乏)'자는 본음이 【법】이지만 속음이 【핍】이다. 정음(正音)이 있는 글자는 정음(正音)을 따랐는데, 예를 들면, '쌍(雙)'자는 본음(本音)이 【상】이지만 정음이 【쌍】이다. 만약 '차(劄)'자와 같은 것은 '흡(洽)'운에 속하므로, 그 속음인 【차】를 없애고 원음인 【잡】을 따랐다.59)

④ 두 글자의 독음과 의미가 모두 같은 경우, 두 글자의 아래에 각각 어떤 글자와 같다고 썼다. 그리고 독음과 의미는 한 글자에만 주석함으로써 간단하게 요약하였다. 예를 들면, '여(與)'와 '여(与)', '소(所)'와 '소(𢀖)'가 그렇다.60)

⑤ 두 글자의 독음과 의미에 갑은 을에 통하지만 을은 갑과 통하지 않을 경우,

<hr>

55) (역주) 我東訓蒙字書之以國文釋義者, 不過『千字文』『類合』『訓蒙字會』之類. 而國文之譯法, 亦未明其高低. 是以雪目混義, 東、動同音. 苟非原於漢文, 無從卞別. 余慨於此, 閱『康熙字典』, 撮其字之精要, 取其義之簡易, 釋以國文. 而字音之上去聲, 依『小學諺解·凡例』遺式, 傍點以別之. 於是乎, 曩之混同, 瞭然而分矣.
雖婦孺樵牧, 費了幾日之工, 解得國文. 則不待師教, 能曉此萬餘字字義. 誠如是也, 其於文明進步, 不無裨補. 而至若名物之未盡該洽, 庸竢高明君子之玫正焉.
光武十年仲秋松村居士池錫永書.
56) (역주) 한국한자연구소, 『자전석요』(부산: 도서출판 3, 2017)의 범례의 내용을 인용함.
57) (역주) 此書專爲訓蒙而作, 字義之深奧, 不暇盡釋, 一遵『奎章全韻』所釋之要義.
58) (역주) 『奎韻』所載外添入字, 其分韻之法一依『字典』反切而正之. 原本稱'音未詳'者依舊註'音未詳'.
59) (역주) 字音從『全韻玉篇』而有俗音者從俗音, 如'乏'字本音법, 而俗音핍之類. 有正音者從正音, 如'雙'字本音상, 而正音쌍之類. 至若'劄'字拘於韻洽, 廢其俗音차, 從原音잡.
60) (역주) 兩字音義俱同者, 兩字下各書與某字仝. 而音義則註于一字, 以從簡要. 如與与、所𢀖之類.

<hr>

갑의 아래에 '을과 통한다'고 주석하고, 을의 아래에는 '갑을 참조'라고 주석
하였다. 예를 들면, '일(一)'과 '일(壹)', '이(二)'와 '이(貳)' 등이 그렇다.61)

⑥ 한 글자에 여러 독음과 의미가 있어, 다른 글자와 같거나 통할 경우에는 우
선 그 의미를 먼저 쓰고 어떤 글자와 같다거나 혹은 어떤 글자와 통한다고
명시하였다. 그리고 동그라미로 사이를 띄워 서로 혼동되지 않게 하였다. 예
를 들면, 승(乘)과 승(椉), 불(不)과 불(弗) 등이 그렇다.62)

⑦ 속자 중에서『강희자전』에 기재되어 있지 않은 것은, 원래 획의 끝에 기록
하고 네모 칸으로 한국[韓], 일본[日], 중국[華]이라고 주석하였다. 독음은 해
성법(諧聲法)에 따라 정하였다. 예를 들면, 답(畓), 채(俫), 조(錭), 십(辻), 약
(鰯)이 그렇다. 글자 중에서『강희자전』에 기재되어 있지만 원래의 주석 외
에 속의(俗義)가 관행되고 있는 것은 마지막 행에 네모 칸으로 주석하였다.
예를 들면, 이(頄), 분(俵), 표(俵)가 그렇다.63)

⑧ 한 글자가 평성(平聲)·상성(上聲)·거성(去聲)의 세 운을 따르지만, 독음과 의
미가 모두 같은 경우에는, 평운을 먼저 쓰고 다음으로 상성과 거성을 기재
하였으니, 독자는 잘 살피기 바란다.64)

⑨ 우리나라의 자학(字學)은『규장전운』을 기준으로 삼지만 또『자휘』나『강희
자전』도 참고로 하기 때문에, 혹 차이가 생기기도 한다. 그러므로 지금 이
책은 한결같이『강희자전』의 자양을 따랐다.65)

⑩ 幟幟仝, 惻怯仝, 楣槳仝, 歐毆仝, 摠總仝, 櫃襦仝, 橐轂仝, 趚迸仝, 霂小雨
등의 글자는『옥편』과『규장전운』에는 기재되어 있지만『자휘』와『강희자
전』에는 없으므로, 여기서는 없애버렸다. 다만 '겁(惻)'자는 널리 사용되고
있으므로 폐기하기 어려워 한국의 '겁(怯)'자의 속자라고 주석하였다.66)

---

61) (역주) 兩字音義有甲通於乙, 而乙不通於甲者, 甲下註與乙通, 乙下註見于甲. 如
一壹、二貳之類.

62) (역주) 一字中有數種音義, 而與他字仝, 他字通者, 先書其義, 註明與某字仝, 某
字通, 而圈隔之, 以避混同. 如乘、椉、不、弗之類.

63) (역주) 俗字之不載於『字典』者, 書于原畵之末而匡註韓、日、華. 音則依諧聲法
而定之, 如畓、岾、俫、錭、辻、鰯之類. 字載於『字典』而原註外別有俗義之慣行
者, 尾行匡註, 如頄俵俵之類.

64) (역주) 一字隸平、上、去三韻, 而音義俱同者, 先圈平韻, 次圈上、去韻, 覽者詳
之.

65) (역주) 我東字學, 以『奎章全韻』爲准, 然參考『字彙』『字典』則或有差爽, 故今於此
書一從『字典』字樣.

⑪ ‘녕(寧)’자는『자휘』에서 묘휘(廟諱)를 피해 ‘녕(甯)’으로 줄여 쓰고, ‘면(宀)’부수의 11획에 예속시켰다.『강희자전』에는 ‘녕(寧)’으로 써져 있고, 역시 ‘면(宀)’부수의 11획에 예속되어 있다. 무릇 ‘녕(寧)’자를 편방으로 한 것은 ‘녕(㝠)’, ‘녕(㝮)’, ‘녕(檸)’이 되며, 이 부수의 14획에 예속시켰다. ‘녕(寧)’자의 생략된 형태가 ‘녕(寧)’이라는 것은 의심할 여지가 없으므로, 감히 ‘녕(甯)’을 ‘녕(寧)’으로 고쳤다.67)

⑫ 어휘자(御諱字)는『화동정음』의 용례를 따라서, 본자(本字)에 네모 칸을 둘러 표시하고, 대두법을 사용하여 조(祖)와 종(宗)의 어휘(御諱)를 적음으로서 경의와 삼가의 의미를 나타내었다.68)

⑬ 한글로 음을 해석할 때는『소학언해』의 범례를 참작하였다.(영조 갑자본(甲子本)에서 다음과 같이 말했다. 무릇 글자의 음의 고저를 모두 방점으로써 기준으로 삼았다. 점이 없는 것은 평평하면서 낮고, 점이 두 개인 것은 빠르게 들어올리고, 점이 한 개인 것은 곧고 높다.『훈몽자회』에서 평성은 점이 없고, 상성은 점이 두 개이며, 거성과 입성은 점이 하나이다. 그런데 지금의 풍속에서 사용하는 음은 상성과 거성이 서로 뒤섞여 있기 때문에 갑자기 변하기는 어렵다. 만약 옛 음을 사용하면 세속에서 듣고 놀랄 것이다. 그러므로 무인본(戊寅本)에서는 상성과 거성을 속세에 따라 점을 찍었다. 지금 이 예에 따름으로써 독자들을 편하게 하노라.) 상성과 거성에는 한 점을 더하였는데 반해, 평성과 입성은 사람들이 쉽게 알 수가 있어 생략함으로써 간편하게 하였다. 무릇 말에서 길게 끄는 소리가 있는 곳에도 역시 한 점을 더하였다.69)

⑭ 한글을 가까이 끌어 당겨 훈몽을 하였다. 자모(子母)를 합쳐 읽어도 음이 될 수 없지만, 글자를 이루고 난 뒤에 음을 뒤섞어 읽어 잘 못 전해졌다. ‘천(天)’의 음은 본래【텬】이지만【천】으로 읽고, ‘정(丁)’의 음은 본래【뎡】인데

---

66) (역주) 幰幰仝、㤧㤜仝、橷槳仝、歐毆仝、㷟總仝、樻褉仝、韎轂仝、趡迸仝、霡小雨等字載於『玉篇』及『奎韻』, 而皆『字彙』『字典』之所無, 故并廢焉. 至若㤧字, 慣於通行, 有難抛棄, 仍注韓怯俗字.

67) (역주) 寧字『字彙』避廟諱省作甯, 而隸於宀部十一畫.『字典』作寧而亦隸於宀部十一畫, 凡寧字傍邊皆作㝠㝮檸, 而隸於該部十四畫, 寧字之省作爲寧無疑, 故敢釐甯爲寧.

68) (역주) 御諱字依『華東正音』例, 匡標于本字, 擡頭書祖宗御諱, 以表敬愼之義.

69) (역주) 國文釋音參酌『小學諺解』凡例(按: 英廟甲子日: 凡字音高低를 皆以傍點爲準이니, 無點은 平而低ᄒ고, 二點은 厲而舉ᄒ고, 一點은 直而高ᄒ니라,『訓蒙字會』여平聲은 無點이오, 上聲은 二點이오. 去聲入聲은 一點而近世時俗之音이니, 上François相混ᄒ야, 難以卒變ᄒ야, 若盡用古音이면, 有駭俗聽, 故戊寅本上去二聲을 從俗爲點일식, 今從此例ᄒ야, 以便讀者ᄒ니라), 上聲去聲字傍加一點, 而平入兩聲, 人所易曉, 故闕之以從簡便, 凡係做語之曳聲處亦加一點.

【정】으로 읽는다. '사샤서셔소쇼수슈' 8개의 글자가 합쳐지면 '沙', '沙', '書', '書', '踈', '踈', '叟', '叟'의 네 가지 음으로 읽힌다. '자차' 이하의 여덟 글자도 마찬가지이다. 심지어 '댜뎌됴듀디'와 '자저조쥬지'도 같이 읽고, '탸텨툐튜티'와 '차처초추치'도 같이 읽는다. 이러한 관습이 이미 오래되어 갑자기 바뀌기는 어렵다. 지금 이 책에서는 원음(原音)을 그 글자의 아래에 먼저 쓰고, 그 다음 현행하는 속음(俗音)을 써서, 독자들의 편리를 도모하였다. 예를 들면, 天【텬】하날천, 丁【뎡】장졍졍이 그렇다.70)

⑮ 현행하는 글자의 음은 '天【텬】'을 【천】이라 하고, '丁【뎡】'을 【정】이라고 한다. 【뎡】과 【텬】은 그 글자는 있지만 그 음은 없다. 다른 '댜뎌됴듀디', '탸텨툐튜티', '샤셔쇼슈', '쟈져죠쥬', '챠쳐쵸츄'도 그 글자는 있으나 음은 없다. 그러므로 지금 그 음을 폐지하여 세속에서 사용하는 음과 조화를 이루고자 하였다.71)

⑯ 한글의 각 행 말미에 있는 'ㄱㄴㄷㄹㅁㅂㅅㅇㅈㅊㅋㅌㅍㅎ' 등의 글자는 각각 본음(本音)이 있지만, 지금은 매 행의 올림자가 '가나다라마바사아자차카타파하'로 읽는 것으로 통용되고 있다. 특히 증명할 수 없는 것들은 폐지하고 올림자를 직접 사용하였다. 그러나 그 글자의 원래의 음도 여전히 써 놓음으로써 옛것을 중시한다는 의미를 나타내었다. 예를 들면, '艮근', '思ㅅ', '子ㅈ' '恒ᅙ'이 그렇다.72)

⑰ '을'자는 한자를 읽을 때 음과 뜻을 이어주는 단어이다. 따라서 喫먹을끽, 抱안을포, 受받을수, 黑검을흑, 執잡을집, 紅붉을홍, 烹삶을팽, 廣넓을광 등은 연결이 바로 되었다. 折꺽글절, 坐안즐좌, 無업슬무, 有잇슬유, 報갑홀보, 從조츨종, 迎마즐영, 脫버슬탈 등의 글자가 바른 규칙을 따른다면 折꺾을절, 坐앉을좌, 無없을무, 有있을유, 報갚을보, 從좇을종, 迎맞을

---

70) (역주) 挽近諺文之訓蒙也, 不能以子母合讀成音, 但以成字後音. 混淪讀去, 轉轉訛誤. 天音本텬讀若천, 丁音本뎡讀若정, 사샤서셔소쇼수슈八字合作沙沙書書踈踈叟叟四音讀; 자차一下八字亦同; 甚至於댜뎌됴듀디與자저조쥬지同讀; 탸텨툐튜티與차처초추치同讀. 習俗已久, 有難卒變, 今於此書, 先書原音於逐字之下, 次書現行俗音以便讀者. 如天【텬】하날천, 丁【뎡】장졍졍之類.

71) (역주) 現行字音以天【텬】爲【천】, 以丁【뎡】爲【정】, 則【뎡】【텬】爲有其字而爽其音也. 他如댜뎌됴듀디, 탸텨툐튜티, 샤셔쇼슈, 쟈져죠쥬, 챠쳐쵸츄亦爲有其字而爽其音, 今姑廢止以諧俗聽.

72) (역주) 國文每行尾末之ㄱㄴㄷㄹㅁㅂㅅㅇㅈㅊㅋㅌㅍㅎ等字各有本音, 而今并通用於每行頭字讀若가나다라마바사아자차카타파하. 尤屬無證并廢之而直用頭字, 但於逐字原音仍舊書之以示重古之義, 如艮ᄀ、思ㅅ、子ㅈ、恒ᅙ之類.

_{영,} 脫_{벗을탈}이 되어야 한다. 넓을 광, 붉을 홍, 삶을 팽과 같은 부류는 통용된
지 이미 오래되었다. 그런데 사람들이 모두 잘 아는 '좌(坐)'나 '보(報)' 등
의 글자를 '앉을', '갚을'이라고 해석하면 사람들이 반드시 놀라고 괴이하게
생각할 것이니, 지금은 관습을 따르도록 한다.[73]

⑱ '수(受)'나 '직(直)' 등의 글자는 '받을과 '곧을로 해석해야 하지만, 'ㄷ'자 종
성과 'ㅅ'자 종성이 혼용된 지 오래되어, 발음에 차이가 없으므로 여기에서
도 관습에 따르도록 한다.[74]

⑲ 까, 따, 빠 등의 글자는 훈민정음에는 초성을 같이 썼으니, 예를 들어 보면
마땅히 까, 따, 빠, 짜 등으로 고치는 것이 맞으나 이렇게 쓰인지가 이미 오
래되어 말할 만한 것이 있으나 우선 둔다.[75]

⑳ 이 책은 훈몽을 위해서만 지어진 것이다. 그러므로 한글의 심오한 부분을
모두 다 서술하지는 못하였다. 훗날 한글사전이 편찬되면 다시 진술할 생각
이니 독자들은 이해해주길 바란다.[76]

발문에서는 이렇게 말했다.

무릇 인간세상에서 문자를 배우지 않을 수 없고, 문자를 배우는 처음에는 자전
이 없을 수 없다. 자전에서는 요점을 해석해놓았기 때문에, 요점의 공이 어찌
얕고 적을 수 있겠는가! 아아! 우리나라의 문자 배우는 자전은 모두 중국의 책
들을 사용해서, 『옥편(玉篇)』, 『전운(全韻)』이 세상에 출판되었다. 그 글자의 음
은 한글로만 썼고, 글자의 뜻을 나타낼 때는 한문(漢文)만을 사용하였다. 비록
뛰어난 학자나 선비라 해도 어떤 명칭 있는 곳을 상세히 설명할 수 없을 수 있

---

73) (역주) 乙字爲讀漢字時音義引接之詞, 而喫_{먹을끽}抱_{안을포}受_{받을수}黑_{검을흑}執_{잡을집}紅_{붉을홍}
烹_{삶을팽}廣_{넓을광}之類爲引接之正則也. 折_{꺾을절}坐_{안즐좌}無_{없을무}有_{있슬유}報_{갑흘보}從_{조츨종}迎_{마즐영}脫_{버슬탈}
等字, 如從正則當作折_{꺾을절}坐_{앉을좌}無_{없을무}有_{있을유}報_{갚을보}從_{좇을종}迎_{맞을영}脫_{벗을탈}. 而넓
을광, 붉을홍, 삶을팽之類行之已久, 人皆曉之坐報等字譯之以앉을갚을則人必驚異,、
故今姑從俗.

74) (역주) 受、直等字, 當以받을곧을譯之, ㄷ字終聲與ㅅ字終聲混用旣久, 且發音無
異, 故此亦從俗.

75) (역주) 까짜짜等字, 以訓民正音初聲幷書, 比例當以까따짜짜釐正, 行之旣久, 且
有可說, 姑仍之.

76) (역주) 此書專爲訓蒙, 故國文之深奧不能盡述, 第待國文詞典纂定, 更擬 条陳,
覽者恕焉.

거늘 하물며 초학자들이야 더 말할 필요가 있을까! 내가 학문에 들어온 이래로, 매번 스승과 벗들의 가르침을 받을 때마다, 자의(字義)의 모호함이 한탄스러웠으며, 사물의 이름에 이르러서도 분명히 아는 바가 적어 수없이 개탄스러웠다. 갑진(甲辰)년 겨울에 다행히 지송욱(池松旭) 선생이 엮은 『자전석요』를 구해 보았는데 선생이 혼쾌히 2책을 내보였으니, 무릇 16,300자였다. 그리하여 내가 처음부터 끝까지 검열하니 밤낮없이 2주를 꼬박 보냈다. 樂而不知□□善其意□□其釋□義, 항상 한글을 사용하였다. 땔나무 치는 아이와 짐승 치는 노인도 한 번 읽으면, 분명하게 분석할 수 있으니, 실로 칭찬하기에 충분하다. 아아! 선생이 이 책을 위해, 찌는 더위, 매서운 추위와 파도에 부딪치면서 바다를 건너는 노고를 꺼리지 않았다. 그것을 상자에 넣어두고 다닌 지, 지금 50년이 되어서야 편찬하여, 후학들의 어리석음을 깨우치니 그 공이 후세에 크도다. 내가 일찍이 스승에게 들으니 선학의 저술은 후학의 복이라고 하였으니, 저술은 선생에게 있고, 복은 후학에게 있노니, 어찌 후학을 위한 경사가 아니겠는가! 바야흐로 판각을 계획할 때, 선생이 나에게 글이 없을 수 없다고 한 까닭에, 졸렬함을 사양할 줄 모르고 삼가 쓰노라.

광무(光武) 10년 9월 여양(驪陽) 민준호(閔濬鎬) 발문.77)

(4) 가치

『자전석요』는 한국 근대 자전의 발전사를 대표하는 작품이며, 한국 근대사에서 가장 빠르고 가장 권위가 있는, 한글로 의미를 해석한 한자 자전

---

77) (역주) 夫人生世間不可無學文, 學文之初不可無字典, 字典之中不可不有釋要, 要之功豈淺尠也哉. 噫! 我東學文之字典皆用支那彙編等書, 有『玉篇』『全韻』之刊行于世. 其字音惟國文是依, 其字義惟漢文是用. 雖巨儒碩士猶有未詳其如何名稱處, 而況初學者乎. 余自入學來, 每受師友訓誥, 嘗恨字義之模糊而至於物名有欠曉明, 慨歎者多矣. 甲辰冬, 幸於池松旭先生, 要見其所編『字典釋要』, 先生欣然出示乃二巨冊, 凡一萬六千三百字. 余於是檢首閱尾, 夜而繼日, 費了二週光□□, 樂而不知□□善其意□□其釋□義, 輒用國文. 樵童牧叟一讀□, 昭然可析, 良足歎賞. 噫! 先生之於是書也, 蒸暑酷寒, 衝波渡海, 不憚勞苦. 携之箱篋, 今十五載, 始□此編. 以開後蒙, 其功於後世大矣. 余嘗聞諸師: "先學之著, 後學之福." 則著在先生, 福在後學, 寧不爲後學賀也. 方謀其鋟梓也, 先生以余謂不可無文之故, 不揆辭拙而謹書.
光武十年九月驪陽閔濬鎬跋.

의 하나이기도 하다. 내용이 풍부한데다 검색이 편리하며, 의미해석도 규범적이어서 특징이 분명하다. 이전의『규장전운』이나『전운옥편』등 한문으로 의미를 해석한 한자 자전과는 달리,『자전석요』는 한자의 한글 독음 및 의미해석을 수록하여, 편리하게 자전을 읽을 수 있었기에 한국의 문자학사에서 중요한 가치를 지닌다.

8.『신자전(新字典)』

『신자전』은『강희자전』의 영향을 받아 편찬된 한자자전이다. 1915년 11월 조선광문회(朝鮮光文會)에서 출판하여, 1928년 11월까지 모두 5차례 발행한 당시에 상당히 유행했던 자전이었다.

(1) 저자 및 편찬 목적

저자 최남선(崔南善, 1890~1957)은 현대 시인이자 역사학자이며, 당시의 유명한 계몽 운동가였다. 그런데『신자전』의 실제 집필자는 유근(柳瑾, 1861~1921)으로, 그 역시 조선광문회의 회원이자 계몽 운동가였다.

이 자전의 편찬 동기는 최남선이 서문에서 다음과 같이 밝혔다. "한국의 역대 전적들을 전부 내버릴 수 없으며, 한 평생의 나쁜 습관도 갑자기 변할 수 없다. 옛 문화도 계승하면서, 신문명도 이끌어야 한다."[78]『신자전』은 같은 시기의『자전석요』등의 자전과 함께 중요한 시대적 사명을 짊어지고 탄생되었다. 즉,『신자전』은 전통문화를 계승하고, 한자어를 보존하여, 외래문명의 침입을 억제함으로서 독립적인 민족정신을 발양시키기 위해서 편찬되었다. 그 내용은 유근이 지은 서문에 구체적으로 드러나 있다.[79]

한자는 중국의 문자이다. 그들의 글자 됨은 발음으로써 의미를 나타내고 이를

---

[78] (역주) 韓國的歷代典籍不可全棄, 一世習染不可猝變: 既要繼承舊文化, 又要宣導新文明.

[79] (역주) 한국한자연구소,『신자전』(부산: 도서출판 3, 2017)의 서문의 내용을 그대로 인용함.

연속하여 단어를 이루는 다른 나라 문자들과는 다르다. 그리하여 자음(字音)과 자의(字義)로 나뉘어 표리를 이루고, 사람의 일용 언어, 형용, 동작, 기명(器皿), 음식 및 천지간의 삼라만상에 각기 해당하는 글자가 존재한다. 그래서 비록 중국인(漢人)으로서 문자에 능숙한 사람이라 할지라도 그 전부를 이해하기는 어려울 것이다. 하물며 중국은 땅이 넓고 물산이 많아 이중 삼중으로 번역을 해야만 말이 소통될 수 있다. 글자 또한 지방에 따라 뜻은 같으나 형체가 다른 것도 있고, 같은 글자이면서 발음과 뜻이 다른 것도 있다. 그러니 중국어(漢語)에 능통하지 않은 외국인이 어찌 그 독음을 밝히고 그 뜻을 상세히 알 수 있겠는가?

우리 조선은 중국과 국토가 서로 이어져 있고 국교도 친밀하여, 한자가 수입된 지 삼천여 년 동안 성씨와 이름을 기록하는 것으로부터 상용문자와 수많은 경사자집(經史子集)에 이르기까지 헤아릴 수 없이 많은 문헌들 중 어느 하나 한자를 벗어난 것이 없다. 비록 우리나라의 글자가 간편하고 정교했음에도 오히려 비속한 문자로 취급되어 한자와 동등한 지위로 사용되지는 못했으니, 우리나라 사람들의 한자에 대한 병 또한 깊다 하겠다. 그러나 중국 사람들은 말과 문자 사이에 별 차이가 없어 입을 열어 발음하면 바로 문리가 이루어진다. 하지만 박학다식한 자라도 오히려 모두 갖추지 못했다는 의심이 많았기에,『설문해자(說文解字)』,『옥편(玉篇)』,『자휘(字彙)』,『강희자전(康熙字典)』등과 같은 사전을 통해 글자의 독음에 대한 설명과 뜻에 대한 해설을 정말이지 상세하게 갖추어 놓았다. 하물며 우리나라 사람은 말 따로 글자 따로 여서 비록 박학다식한 선비라도 점필(佔畢)의 탄식을 면하지 못한다. 그런데도 역대로 뜻밖에 우리의 글자와 말로써 그 글자의 뜻을 모아 둔 것이 없었다. 있다 해도 간략하게 요점만 추린『전운옥편(全韻玉篇)』과『규장전운(奎章全韻)』정도에 그쳤으니, 신진후생으로서 한자를 배우고자 하는 자는 무엇에 근거해 그 의심되고 어려운 것을 풀어낼 수 있겠는가!

광문회(光文會) 동인들이 이러한 점을 개탄하여 나에게『한문대자전(漢文大字典)』을 편찬해 달라고 부탁해 왔으며, 나는 사양하였지만 부득이 붓을 잡게 되었다. 실로 긍사(肯沙) 이인승(李寅承) 선생과 원천(圓泉) 남기원(南基元) 선생 두 분께서 많은 도움을 주셨다. 이 책은『강희자전(康熙字典)』의 수록자를 근본으로 삼고 우리나라 글과 우리나라 말로써 정확한 의미를 풀었다. 고심하며 강론하고 검토하기를 5년이 지난 지금에서야 비로소 완성하게 되었다. 그러나 책의 분량이 방대하여 제때 간행하기가 어려웠던 바, 이미 완성된 원고 중에서 간이(簡易)하고 긴요(緊要)한 것만 가려서 한 권으로 편성하여『신자전(新字典)』이라 이름 붙였다.

아! 한자의 근원은 아주 오래되고 먼지라 옛사람들도 십 수 년의 오랜 정성을 들여도 여전히 완벽함을 모면하기 어려웠다. 하물며 나처럼 식견도 모자라고 견문도 적은 사람으로 본디 자의학(字義學)을 익히지 않아 만분의 일도 주워 모으지 못한 사람에게서는 어떠하겠는가! 이 때문에 혹여 고아(古雅)한 것을 본받다가 도리어 비속해 지고, 정교하고자 하다가 도리어 졸렬해져서, 부처 머리에 똥을 끼얹는 격이 되어 대방가의 비웃음을 피하기 어렵지나 않을까 걱정될 뿐이다. 그러나 나를 옳다거나 나를 그르다 하는 것은 모두 이 자전에 있을 것이니, 어찌 감히 그 사이에서 변명을 늘어놓을 수 있겠는가! 다만 그 집대성(集大成)의 공을 이룰 날은 오직 훗날의 박아(博雅)한 군자를 기다려야만 할 것이다.

을묘(乙卯, 1915)년 중추(仲秋)에 전주(全州)에서 유근(柳瑾) 씀.80)

---

80) (역주) 漢字者, 漢土之文字也. 其爲字也, 非如各國文之以音行義, 連續成語者, 乃以字音字義分作表裏. 而人之日用言語、形容動作、器皿飮食及天地間森羅萬象, 各有其字. 雖漢人之嫻熟於文字者, 殆難領會其全部. 況漢土地大物衆, 至以三譯而通言語. 字亦隨方而有義同形殊者, 有一字而音義歧出者, 外人之不通漢語者, 安得以明其音而詳其義哉?
我朝鮮與漢土疆域相接, 交際密邇, 乃輸入漢字數三千年之間, 自姓名記註, 以至常用文字, 及經史子集之汗牛充棟者, 無一外於此.雖以邦字之簡便精要, 反歸於諺俗之文, 而不與並幷焉. 邦人之病於漢字者亦深矣. 然漢人言文別無差異, 開口發音便成文理, 博學之家猶多不備之感. 『說文』『玉篇』『字彙』『字典』等書之反切、註解, 丁寧詳複. 況邦人言自言, 字其字, 雖宏學博識之士, 未免佔畢之歎. 而歷代以來, 尚無以邦文邦語彙集其字義者, 只有簡略摘要之『全韻玉篇』『奎章全韻』而止, 新進後生之學漢字者, 從何以柝其疑難哉?
光文會同人庸是爲慨, 囑余艸漢文大字典, 余辭不得而把筆, 實李肯沙、南圓泉兩老師並助之力多矣. 是書也, 以『康熙字典』字作本位, 以邦文邦語解正義, 苦心講討, 五年于玆, 始乃停手. 而篇什浩大, 遽難付刊. 自旣艸中, 更選其簡易緊要者, 編成一卷, 名曰『新字典』.
噫! 漢字之源, 邃古廣遠. 古人有費精十數年之久, 而尚難免完璧之疵. 況余以昧識寡聞, 素不習於字義之學, 未能掇拾其萬一. 而或效古而反俗, 欲巧而反拙, 只添佛頭之糞, 難逃大方之笑也. 然是我非我, 俱是字典, 何敢有辭於其間哉? 但其完集大成之功, 惟俟後之博雅君子云爾.
乙卯仲秋全州柳瑾序.

(2) 판본

현존하는 『신자전』의 판본은 많은 편이다. 1915년 11월에 초판이 인쇄되고 나서, 1928년 11월까지 모두 5판이 발행되었는데, 조선광문회(朝鮮光文會), 박문서관(博文書館), 신문관(新文館), 신구서림(新舊書林), 신문사(新文社) 등의 기구에서 출판하였다. 1947년에서 1997년까지 계속해서 6판이 발행되었는데, 동명사(東明社), 민중서관(民衆書館), 현암사(玄岩社) 등에서 출판하였다. 이들 판본은 모두 영인본이다. 이 책에서는 광문회판(光文會版)을 정리하였다. 이 책은 사주쌍변(四周雙邊)에, 한 쪽 면은 세 란(欄)으로 구성되어 있다. 매 란마다 14행 8자로 이루어져 있으며, 판심은 단흑어미(單黑魚尾)로 되어 있다. 가운데에 서명이 적혀 있고, 그 다음이 부수 및 필획 수가 적혀 있으며, 아랫부분에 권수가 적혀 있다. 속표지에는 '조선광문회 편찬 신자전 경성 신문관장판(朝鮮光文會編纂新字典京城新文館藏版)'이라고 적혀 있으며, '도고재(渡古齋)'라고 도장이 찍혀 있다. 책의 앞부분은 서문, 서(敍), 범례, 부수목록으로 구성되어 있다.

(3) 내용 및 체제

『신자전』은 4권으로 구성되어 있고, 13,345자가 수록되어 있다. 『강희자전』의 214부수의 배열방식을 따르고 있고, 필획 수에 따라 4권으로 나누어 기록하였다. 또 같은 부수에 속한 글자들은 부수를 제외한 필획 수에 따라 배열하였다. 『신자전』의 앞부분에는 유근(柳瑾)과 최남선(崔南善)이 각각 작성한 서문이 있으며, 범례, 부수목록 및 검자(檢字)도 있다. 검자(檢字)에는 부수가 쉽게 분별이 가지 않는 일부 글자들을 수록하여, 검색을 편리하게 하였다.

올림자는 해서(楷書)로 되어 있으며, 한글로 음을 먼저 써 놓았고, 그 뒤에 다시 의미를 해석하였다(중국어 주석과 한글 주석). 이때, 본의(本義)를 먼저 해석하였고, 그 다음에 가차의(假借義)와 통가의(通假義)를 해석해놓았다. 각각의 의미해석에는 '○'를 써서 사이를 띄어 놓았다. 모든 의항은 중국

경전을 인용하여 예문으로 삼았으며, 인용서적은 서목(書目)만을 기록해놓고, 구체적인 편명[篇目]은 표시하지 않았다. 의미 해석 뒤에는 운부(韻部)를 명시하였고, 운부(韻部)는 기본적으로 『전운옥편』을 따랐다. 운부 뒤에는 이체자(本字, 古字, 俗字류) 혹은 통가자(通假字)를 나타내었다. 의기(儀器)나 복식(服飾) 등과 같은 명물(名物)에 대해서는 대부분 그림을 첨부하여 의미를 명확하게 알도록 하였다.

본문의 4권 말미에는 '조선속자부(朝鮮俗字部)'(107자 수록), '일본속자부(日本俗字部)'(98자 수록), '신자신의부(新字新義部)'(59자 수록)가 첨부되어 있다. 이들은 대부분 『강희자전』에 수록되지 않은 글자들로 구성되어 있으며, 수록자의 순서는 필획 수에 따라 배열되어 있고, 지역 및 시대적 색채를 띠고 있다. 이 책의 범례에서는 "이 책은 『강희자전』을 대본으로 삼아, 그 번잡한 부분을 줄이고, 빠진 부분을 보완하며, 새로 만들어진 글자와 새로 더해진 뜻을 함께 수록하여, 새로운 시대의 쓰임에 맞도록 하였다. 그래서 이름을 『신자전』이라 하였다."라고 밝히고 있다. 아래는 『신자전』 범례의 내용이다.[81]

① 이 책은 『강희자전』을 대본으로 삼아, 그 번잡한 부분을 줄이고, 빠진 부분을 보완하며, 새로 만들어진 글자와 새로 더해진 뜻을 함께 수록하여, 새로운 시대의 쓰임에 맞도록 하였다. 그래서 이름을 『신자전』이라 하였다.[82]

② 이 책의 수록 글자 순서는 전적으로 『전운옥편』을 따랐다. 그러나 체재는 서구의 사전을 따랐다. 추가된 글자는 마찬가지로 『전운옥편』의 예를 따라, 운부를 나누어 넣었다.[83]

③ 조선의 한자학은 『전운옥편』을 표준으로 근거로 삼지만, 글자의 필획에 간혹 차이가 있기도 하므로, 고문을 널리 찾아 바로 잡았다.[84]

④ 예부터 독음을 기록하는데 사용되던 'ㄱㄴㄷㄹ' 등과 같은 발음의 운미는

---

81) (역주) 한국한자연구소, 『신자전』(부산: 도서출판 3, 2017)의 범례의 내용을 그 대로 인용함.

82) (역주) 此書用『康熙字典』爲臺本, 剪其繁衍, 補其闕漏, 兼收新製之字, 新增之義, 以應新時代之用, 故名曰『新字典』.

83) (역주) 此書字次一遵『全韻玉篇』, 而體例從泰西字書, 其添入字亦遵『宋本玉篇』 例分韻編定.

84) (역주) 朝鮮字學以『全韻玉篇』爲準, 而字劃或有差爽, 故博考古文釐正.

옛날에는 근거가 있었으나 지금은 증거가 없다. 그래서 단순히 그대로 가나 다라 등으로 사용하였다. 그러나 그 아래쪽에다 원래 독음을 부기하여 옛것을 중시한다는 의미를 드러내었다. 예컨대, 四ㅅ, 兒ㅇ, 懇ㄱ, 呑ㅌ, 箴ㅈ, 參 ㅊ, 代ㄷ, 來ㄹ 등이 그렇다.[85]

⑤ 이 책은 전적으로 간편함을 추구하는데 주력하였기에, 인용한 경전은 그 증명을 구하기 위한 것에 지나지 않는다. 그래서 책이름만 밝히고 편명 등은 밝히지 않았다.[86]

⑥ 글자 뜻[字義]의 해설은 보통 명사로부터 시작하여야 하지만, 방언에 차이가 있는 경우에는 중복을 피하지 않고 모두 수록하여, 여러 지역 사람들이 쉽게 알도록 하였다.[87]

⑦ 의기(儀器)나 복식(服飾) 등과 같은 명물(名物)에 대해서는 그림을 더함으로써 주해로 설명하지 못하는 부분을 보충하고자 하였다. 이 경우 모두 근거가 확실한 것만 채택하였으며, 제멋대로 더하지는 않았다.[88]

⑧ 조선(朝鮮)을 비롯해 일본(日本)에서 새로 만들어진 글자 중 문서 기록에 습관적으로 쓰이는 것들은 응용이라는 측면에서 버릴 수가 없는 것들이다. 그래서 따로 모아 부록으로 첨부해 두었다.[89]

⑨ 이 책의 초고가 만들어진 후, 『지나신자전(支那新字典)』이 나왔는데, 참고할 만한 체재나 주석이 있었기에, 원래 정한 의례(義例)를 벗어나지 않는 범위에서 간혹 갖다 넣어 보충 설명하는 도움 자료로 삼았다.[90]

⑩ 이 책이 간행된 다음에도 새로운 자의(字義)를 발견한 것이 많은 바, 재판(再版) 때 보충해 넣어야 할 것이다.[91]

---

85) (역주) 自來記音之用ㄱㄴㄷㄹ等反切尾字者, 古雖有據, 今屬無證, 故此書直用가 나다라等頭字. 但於其下附記原音以示重古之義. 如四ㅅ兒ㅇ懇ㄱ呑ㅌ箴ㅈ參ㅊ代 Ⓐ來ㄹ之類.

86) (역주) 此書專主簡便, 所引經籍, 不過求其證明, 故但載書名, 不載篇目.

87) (역주) 字義譯解, 務從普遍名物及方語之有異者, 不避重疊具收並載, 使多方人以便曉得.

88) (역주) 儀器服飾等名物, 多附圖畫, 以補註解之不逮, 皆取確有典據, 不敢妄加附會.

89) (역주) 朝鮮及日本新製字之慣用於文牒記註者, 亦應用上, 不可廢者也. 別附字類于下.

90) (역주) 此書初稿既成後, 支那『新字典』出, 體例注釋可合參考, 故不害原定之義例者, 間或參互以資解明之一助.

⑪ 이 책의 편집과 간행이 창졸간에 이루어지는 바람에 탈락되고 잘못된 자의 (字義)가 없다고 할 수 없을진대, 훌륭하신 군자들의 아낌없는 질정을 바라며, 이로써 더욱 완벽함이 이루어진다면 더없는 영광일 것이다.[92]

(4) 가치

첫째, 『신자전』은 편찬 당시의 시대를 배경으로 탄생하였다. 근대시기는 조선에 대한 중국의 영향력이 점차 감소하면서 한자와 한글을 병용하여 한자를 단독으로 사용하는 상황이 끝이 났으며, 심지어 한글만 사용하고 한자를 폐지하자는 소리로 시끄러울 때였다. 이러한 배경에서, 『신자전』이 출판되고 유행하게 되었는데, 이 시기의 한자사용을 크게 반영하였다. 이는 한자의 동아시아 확장사 연구의 공백을 메우는 데 있어, 홀대할 수 없는 가치를 지니고 있다.

둘째, 『신자전』의 부록인 '조선속자부(朝鮮俗字部)', '일본속자부(日本俗字部)', '신자신의부(新字新義部)'에 수록된 글자들은 중국의 자전에서는 쉽게 볼 수 있는 것이 아니다. 그것들은 서학(西學)의 영향을 받아 만든 새로운 한자이거나 조선이나 일본에서 창제했거나 바꿔 사용하는 고유의 한자들로서, 동아시아로의 한자 확장과 변이를 연구하는 데 귀중한 자료가 된다.

셋째, 『신자전』에서 인용한 책은 100종이 넘는데, 경(經)·사(史)·자(子)·집(集)의 모든 분류를 언급하였다. 특히 유가(儒家) 경전을 인용한 경우가 상당히 많았다. 이러한 인용문에는 대량의 문헌과 문화에 대한 정보가 들어 있어, 중요한 연구가치가 존재한다.

현재 한국과 중국학자들의 『신자전』에 대한 연구는 자음(字音)과 해석 부분에 편중되어 있어, 문자의 관점에서 진행한 연구는 상대적으로 적은 편이다. 『신자전』은 한국한자가 쇠락하는 시기에 탄생한 한자자전으로, 그 문자학적 연구 가치를 더 살펴볼 수 있을 것이다.

---

91) (역주) 此書付刊後, 字義之發見者亦多, 當俟再版補入.
92) (역주) 此書編刊都屬倉卒, 字義脫誤難保, 必無博雅君子不吝指教, 俾爲完璧幸甚.

9. '옥편'류 자전으로 본 한국자전의 발전

상술한 각종 자전에서 '옥편'류 자전이 대표적이다. 옥편류 자전은 형식이 다양하고 수량도 많기 때문에, 이들 자전의 특징을 연구하면, 한국한문자전을 편찬한 맥락을 정리해낼 수 있다.

(1) 한국한문자전의 대명사로서의 '옥편(玉篇)'

'옥편'으로 명명된 자전은 『송본옥편(宋本玉篇)』에서 시작되었다. 이는 허신(許愼)의 『설문』을 이어서 한자에 대해 또 한 번 정리를 한 것으로, 중고시기 한자의 발전과 변화를 연구할 때 꼭 필요한 귀중한 자료로서 중국문화사와 문자학사에서 이정표와 같은 저작이라고 말할 수 있다.

『송본옥편』이 한국과 일본에 미친 영향은 매우 광범위하다. "일본에서 『송본옥편』의 영향을 받아 제작된 저서로는 『전예만상명의(篆隷萬象名義)』(空海, 774~835), 『신찬자경(新撰字鏡)』(昌住, 900년 무렵), 『유취명의초(類聚名義抄)』(편찬자 미상, 1100년 무렵), 『왜옥편(倭玉篇)』(편찬자 미상) 등이 있다."[93] 필자의 조사에 따르면, 일본의 메이지 시대에 일본인이 편찬하고 '옥편'으로 명명된 자전은 54종에 달한다.[94] 한국도 근대시기 500년간, '옥편'으로 명명된 수많은 자전들이 있었다. '옥편'은 16세기부터 한국한문자전으로 사용되었는데, '자전(字典)', '사전(辭典)', '사전(事典)' 등의 어휘보다 더 일찍 사용되었다. 그밖에, 중국에서는 '옥편'을 서명으로만 사용하였지만, 한국에서는 보통명사로 사용하여, '한문자전(漢文字典)', '사전(辭典)' 등의 명사와 서로 교체하여 사용할 수 있었다. 현재까지 '옥편'은 한국에서 여전히 한문자전의 대명사로 사용된다.

(2) 운서에 첨부되었던 초기의 옥편류 자전

---

93) 박형익, 『한국 자전의 역사』(도서출판 역락, 2012), 39쪽.

94) 王平·李凡, 「明治時代玉篇類字典的版本與特點」, 『山東師範大學學報』第2期(2017), 人民大學語言文字學複印資料, 第7期(2017). 「明治時代漢文辭書的種類與特點」, 『古漢語研究』第3期(2017).

한국한문자전의 발전사에서, 옥편류 자전은 처음에 운서의 뒷부분에 첨부되어 있었다. 운서를 편리하게 사용하기 위해, 운서를 저본으로 하고, 부수법으로 한자를 배열한 '옥편'으로 명명된 자전들이 나타나기 시작했다. 그런데 '옥편'이라는 이름으로 명명되었다 해도, 실제로 "무릇 옥편이라는 것은 한자의 독음을 고찰하여 그 의미를 풀이한 것이다."[95]라는 의미와는 거리가 멀다. 그러나 이들의 출현은 한국한문자전에서 '옥편'으로 명명된 기본적인 유형을 정립시켰다.

(3) 한국한문자전의 탄생을 상징한 『옥편』의 독립적인 출판

옥편류 자전이 운서에서 분리된 때가 바로 한문자전이 탄생한 날이라고 할 수 있다. 『전운옥편』은 운서에서 독립되어 나온 최초의 한문자전으로, 편찬자는 214개의 부수로 한자를 배열하고 한글로 한자의 음을 주석하고, 중국어로 한자의 형체와 의미를 해석하였으므로, 이미 자전의 기능을 다 구비하고 있었다. 『전운옥편』은 한국한문자전 편찬의 시작을 열고, 초석을 다졌으며 한문자전의 체제를 형성하여, 후세 한국한문자전 편찬의 모범이 되었다.

(4) 한문 자전의 음서법(音序法)의 시작을 연 한글자모(字母) 검자(檢字) 사용법

『국한문신옥편』을 예로 들면, 이 책은 한글로 한자의 한국음과 의미를 표기한 최초의 자전이다. 이는 처음으로 한글자모를 한문자전에 도입하였으므로, 한문자전에서 음서검자법의 효시를 열었다고 말할 수 있다.

이 자전은 한글로 한자의 훈독을 표기했다. 예를 보자.

世　인간【세】
丙　남녁【병】

---

95) 『국한문신옥편』의 서문을 참조.

丘　언덕【구】

　　'세(世)'는 올림자이고, '인간'은 글자의 의미이며, 【세】 는 독음이다. 『국한문신옥편』은 특별히 한국음의 가, 나, 다 순서로 한자를 배열한 검자표 '음훈자회(音訓字匯)'를 첨부하였다. 앞에서 언급한 『전운옥편』은 한글로 한자의 음을 표시하였지만, 한글자모의 배열규칙을 사용하여, 한글로 이루어진 한자음서검자표를 만들지는 않았다.

　　한자는 표음문자가 아니라서, 『한어병음방안(漢語拼音方案)』[96]이 마련되기 이전 시기의 자전에서 과학적인 검자법이 형성되기란 결코 쉬운 일이 아니었다. 영어나 한글은 자모의 수량이 제한적이어서 자모의 결합에 따라 순서가 만들어지기 때문에, 자전에 수록된 올림자를 규칙적으로 배열하는 것은 어려운 일이 아니다. 그러므로 음서검자법(音序檢字法)을 표음문자에 사용하는 것은 매우 간단한 것이었다. 그런데 한자의 경우, 한 개의 한자를 일음절로 표시한다 해도, 음절의 전체 수가 제한적이라서 때로 같은 음절의 한자가 수 백자에 달하기도 했다. 따라서 한자는 표음문자와 완전히 다른 배열방법을 채택할 수밖에 없었다.

　　『훈민정음(訓民正音)』은 1443년에 창제되었고, 1446년에 반포되었다. 이는 주음자모(注音字母)[97]보다 450여년이나 빠르고, 『한어병음방안』보다 500여년이 빠르다. 다시 말해, 중국에서 직음(直音)과 반절(反切)로 한자의 음을 표시할 때, 한국에서는 이미 스스로 창제한 표음문자로 한자의 독음을 표기하고 있었다. 한글의 음서검자법(音序檢字法)을 제일 처음 사용한 자전이 『국한문신옥편』이다. 이 자전은 한글자모를 사용하여, 특히 한자의 독음을 표시하고 부류별로 모아, 순서가 없는 것처럼 보이는 한자를 각기 속한 바가 있게 만들었다. 이로 인해 생겨난 독특한 음서법(音序法)은 동아시아 한문자전의 음서법(音序法)과 검자법(檢字法)의 시작을 알려, 세계문화에 크나

---

96) 漢語拼音方案은 중화인민공화국의 법정 병음 방안이다. 1955년에서 1957년까지 제정하였고, 1958년 2월 11일에 공포하였다. 1982년 국제표준기구에서 이 방안을 승인하여 중국어를 병음자모로 쓰는 국제적 표준이 되었다. 『王力語言學詞典』(山東教育出版社, 1997), 266쪽 참조.

97) 注音字母는 注音符號라고 부르기도 한다. 한자의 음을 표시하기 위해 만든 부호로, 1913년 中國讀音統一會에서 제정하였고, 1918년 北洋政府教育部가 발표하였다.

큰 공헌을 하였다.

(5) 이미 성숙 단계에 이른 한국한문자전의 상징, 이중어 자전

『한선문신옥편』은 한국한문자전의 편찬체제가 이미 성숙한 단계에 이르렀다는 것을 상징하고 있으며, 자전편찬의 과학적인 체계도 여기에서 형성되었다. 『한선문신옥편』은 『국한문신옥편』을 저본으로 삼고, 한글로 수록한 자를 훈독하고 글자의 의미를 해석해 놓았다. 한국에서 중국어와 한글이라는 두 가지 언어로 글자의 의미를 해석한 것은 이 책이 최초이다. 이 자전에서는 부수검자법(部首檢字法) 이외에도 한글음서검자법(音序檢字法)도 사용하였다. 한자는 외래문자로서, 한글로 표현하기가 여러 면에서 불편했기 때문에, '이독문(吏讀文)'[98]이 생겨나게 되었다. 그러나 '이독문'은 일부가 한글의 음성체계 및 문법구조에 적합하지 않았기 때문에, 정확하게 한글로 표기하기가 어려웠다. 따라서 조선왕조에서는 한글의 음성체계에 적합하면서도 쉽게 배우고 기록할 수 있는 문자를 원했다.

다년간의 연구와 수많은 학자들이 공동으로 노력하여, 세종 25년(1443) 12월에 훈민정음을 창제하고, 세종 28년(1446)에 반포하였다. 훈민정음은 백성들에게 정확한 글자의 음을 가르친다는 뜻이다. 훈민정음의 창제는 한글 표기에 독창성과 과학성을 더해, 문화를 보급하고 발전시키는 훌륭한 조건이 되었다. 그러나 1910년대 이전의 한국에서는 결코 보편적으로 사용되지 않았다. 『한선문신옥편』을 지표로 한국한문자전은 20세기 말에 한글로 훈독하고 한문으로 뜻을 주석하는 질적 변화가 완성되었고, 한문자전이 이미 성숙한 단계에 이르렀기에, 진정한 의미의 이중언어로 구성된 자전은 여기에서부터 시작되었다.

(6) 조선시대 말기에 이미 형성된 여러 가지 한자 검자법(檢字法)

한자의 배열규칙을 일반적으로 '검자법(檢字法)'이라고 부르며, '배자법(排字法)', '사자법(査字法)' 등으로도 부른다. 주로 사용하는 한자검자법에는

---

98) '吏讀文'은 한자의 음과 의미를 한글로 기록한 것이다.

부수, 음서(音序), 필획 등이 있다. 『한어병음방안』이 만들어지기 이전에, 중국의 전통적인 자전에는 부수법을 많이 사용하였다. 한자의 214부수는 명대(明代) 매응조(梅膺祚)의 『자휘(字彙)』에서부터 만들어졌으며, 『강희자전』에서 확립되었다. 이후에 『강희자전』이 동아시아로 확장되면서 동아시아 각국에서 편찬하는 한문자전의 대부분이 214부수 검자법을 사용하는 특징이 나타나게 되었다. 『전운옥편』에서 『한선문신옥편』까지 하나도 예외 없이 모두 214부수 검자법을 사용하였다. 이를 통해 중국의 전통자전, 특히 『자휘』와 『강희자전』이 한국한문자전의 편찬에 미친 영향을 쉽게 알 수 있다. 그밖에 『한선문신옥편』(1908)을 시작으로, 한글자모검자법이 정식으로 한국한문자전에 도입되면서, 한국어 말소리의 특색을 지닌 한자음서검자법이 형성되었다. 한국에서는 100년 전에 부수, 필획, 음서(音序)를 사용한 검자법이 이미 광범위하게 한문자전에 사용되고 있었던 것이다.

(7) '자전'으로 명명된 한국 최초로 자전 『자전석요』

1906년에 출판된 지석영(池錫永)의 『자전석요』는 한국에서 처음으로 '자전'으로 명명된 한문 공구서이다. 두 권으로 구성된 이 자전은 한국의 근대 자전발전사를 대표한다.

동아시아 한자문화권의 국가들은 공통적으로 한문자전을 편찬한 역사를 가지고 있다. 이렇게 지속적인 학술의 교류는 풍부한 문화축적을 가져와 그 영향력이 상당했다. 우리의 조사에 따르면, 현존하는 한국의 전통적인 한문자전에는 대개 두 가지 상황이 존재한다. 첫째, 중국에서 자전을 도입하고 나서 한국에서 중간한 자전들이다. 예를 들어, 『용감수감(龍龕手鑒)』, 『대광익회옥편(大廣益會玉篇)』, 『옥편직언(玉篇直言)』, 『신간배자예부운략옥편(新刊排字禮部韻略玉篇)』 등이 있다. 둘째, 조선시대 학자들이 한자를 주된 저장매체로 삼고 직접 편찬한 자전들이다. 예를 들어, 『훈몽자회』, 『운회옥편』, 『자류주석』, 『전운옥편』 등이 있다. 조선시대부터 현대까지, 한국학자들이 직접 편찬한 사서(辭書)는 백여 종에 이르며, 그중에서 자전은 20여종이다.[99] 그러나 제대로 보관이 안되어 각각 흩어져 있으므로, 학자들이 사용하거나

---

99) 王平, 「論朝鮮時期漢字字典的整理與硏究價値」, 『中國文字硏究』第21輯(2015).

참고하기란 매우 어려운 실정이다. 상해인민출판사에서 2012년 말에 출판한 『역외한자전파서계(域外漢字傳播書系)·한국권(韓國卷)』[100]에서는 단지 6종의 사서(辭書)만을 대상으로 하여, 한국의 역대 자전들이 대부분 아직 중국에 소개되지 않았음을 알 수 있다. 어떤 국가에서는 "사서(辭書) 편찬은 언어문화현상의 일종으로, 사회의 발전과 과학적인 진보는 사서가 발전하는 동력이 된다. 사서는 문화전승의 중요한 저장매체로서, 하나의 사서는 언어문화의 한 제품이자 어느 시기의 사상, 과학, 문화, 언어상황을 증명하는 자료가 된다."라고 말하고 있다.[101] 역대 한국의 한문자전을 정리하고 연구하는 일은 중국의 한자 확장사와 근대 한자발전사 연구영역에서 시급히 처리해야 될 중대한 과제이다.

제3절 의미부류 자전[義類字典]

의미부류 자전은 한자의 의미에 따라 배열한 자전을 말한다. 중국 최초의 훈고사전인 『이아(爾雅)』는 문자의 내용과 성질에 따라 단어의 의미를 분류하고 해석한 체제를 처음으로 만들었다.[102] 한국한문자전에서는 『경사백가음훈자보』와 『자류주석』이 대표적이다.

1. 『경사백가음훈자보(經史百家音訓字譜)』

『경사백가음훈자보』는 한국에서 처음으로 한자의 부류(部類)와 부수를 서로 결합하여 편찬한 자전이며, 동아시아 한자문화권에서도 처음으로 '한자계보'라는 개념을 제시한 저작으로, 한국문화사 및 동아시아 한자 확장사에도 독특한 지위를 가지고 있다.

(1) 저자 및 편찬 목적

---

100) [중국]王平, [한국]하영삼 주편, 『域外漢字傳播書系·韓國卷』(上海人民出版社, 2012).
101) 徐時儀, 『漢語語文辭書發展史』(上海辭書出版社, 2016), 182쪽.
102) 張明華, 『中國字典詞典史話』(商務印書館, 1998), 9쪽 참조.

저자 이우형(李宇炯, 1731~1803)은 자(字)가 유평(幼平)이고, 전주(全州)사람이다. 그는 조선시대 후기의 문신으로, 증조부는 이송년(李松年)이고, 조부는 이성년(李聖年)이며, 부친은 이명하(李明夏)이고, 모친은 진천(鎭川) 임재춘(林再春)의 딸이다. 정조(正祖) 18년(1794)에 정시문과에 병과[廷試丙課]로 합격하였으며, 조좌랑(曹佐郎), 감찰(監察), 찰방(察訪), 통훈대부행사직서령(通訓大夫行社稷署令) 등의 관직을 역임하였다. 정조(正祖) 19년(1795)에 개량 수차의 사용방법을 널리 보급하자고 상소하였다. 순조(純祖) 1년(1800)에 왕릉의 택지 문제로 유배를 당하였고, 정미년(丁未年)에 사사되었다.

이우형(李宇炯)은 『경사백가음훈자보』의 서문103)에서 다음과 같이 밝혔다.

글자[字]라는 것은 '자(孶)와 같아 낳는다[孶]'는 것이니, 낳아 어루만져 기른다는 뜻입니다. 『역』에서는 "여자가 정도를 지켜서 생육하지 않다가 10년이 되어서야 생육을 한다."고 하니, 이것입니다. 글자는 연자(衍字)들이 서로 생겨나니, 예컨대 어미는 아들을 낳으니[字], 자(字)라는 글자가 아들[子]을 따르는 것은 대개 이런 이유입니다.104)

글자의 시작은 육서(六書)에 그 예가 있는데, 상형(象形)이 그 기본이 됩니다. 하늘에는 해와 달이 있고, 땅에는 산과 강이 있으며, 사람은 귀와 눈과 코와 입 그리고 손과 발이 있습니다. 이를 모두 본뜬 것입니다. 사물 역시 그러합니다. 주문[篆籀]을 관찰하면 알 수 있습니다. 이로써 자모(字母)로 삼는데, 어머니가 아이를 낳아 키우니, 대대로 이어지는 형상입니다.105)

회의(會意)와 처사(處事)도 있습니다. 해성(諧聲)에 이르러 극에 다다라, 그것이 몸체[體]가 되었고, 전주와 가차가 나와 응용[用]되었습니다. 예를 들어, 인간의

---

103) (역주) 일부 해석은 이해윤, 「조선후기 『경사백가음훈자보』 해제」, 『중어중문학』 제67집(2017)의 내용과 경성대학교 인문문화학부 정길연 선생님의 해석을 참조하였다.

104) (역주) 字之爲言孶也, 有乳化撫育之義. 『易』曰: 女子貞不字, 十年乃字. 是也. 字之所以衍字相生, 如母之字子, 字之爲字從子, 蓋有以也.

105) (역주) 字之始生也, 有六書之例, 而象形其本也. 在天爲日月, 在地爲山川, 在人爲耳目鼻口及手足, 皆倣此. 在物亦然, 觀乎篆籀可知也. 以此爲字母, 母以生子, 胎之孕之, 生生不窮.

씨족이 자자손손 세대를 거쳐 세대를 이어가는 것에 비유할 수 있습니다. 인간의 씨족에는 족보가 존재하는데, 글자 역시 계보가 없으면 분명히 알 수 없습니다.106)

글자의 쓰임은 해와 별이 사방을 비추는 것보다 밝습니다. 성인의 가르침을 서술하고 현인의 가르침을 깨닫게 해주는 것이 경(經)이며, 역대 난세를 다스린 기술이 사(史)입니다. 훌륭한 말을 소개한 이후에, 여러 학자들이 분연히 일어나, 간책(簡冊)에 분명히 드러내었는데, 글자마다 일리가 있었습니다. 게다가 인사(人事)에 관한 부분에서도 지극히 넓어 모두 다 갖추었고, 천지만물의 모든 물건에 대해서도 없는 바가 없는데, 모두 부류별로 나누어 밝혔습니다.107)

주(周)나라가 흥성할 시기에 세 가지 사물로 백성을 가르쳤으니 육예(六藝)의 가운데에 서(書)가 존재합니다. 서(書)라는 것은 육서(六書)를 일컫는 말입니다. 존엄하신 왕께서 자학(字學)을 중시하였음이 이 정도에 이르렀습니다. 뛰어난 문장과 깊은 학문, 그리고 뛰어난 재주와 덕을 갖추려면 반드시 글자를 아는 데서 시작되어야 합니다. 양자운(楊子雲)은 기자(奇字)를 알았고, 구양영숙(歐陽永叔)은 운서(韻書)를 보았으며, 왕개보(王介甫)는 『자설(字說)』을 지었으니, 대개 일을 기록하고 사물에 대해 썼는데, 편찬한 저술은 그 근본이 모두 여기에 있습니다. 아! 우리의 왕조는 처음으로 문화와 교육을 분명히 하고, 천하의 책들을 펼치어, 사고(四庫)의 창고가 가득하였습니다. 깊이 파고들어 연구를 하므로, 인문이 분명하게 밝아졌습니다. 궁벽한 지방의 배우지 못한 자들은 장구를 요약하고 가려낼 줄만 알뿐, 자학이 무슨 일인지조차 모릅니다.108)

자형[字體]은 고금의 차이가 있어서 번번이 잘 못 쓰는 경우가 많고, 자음(字音)은 정음(正音)과 속음(俗音)의 구별이 있어서 잘 못 읽는 경우가 많습니다. 그 의미도 매우 많고 용법도 각기 다르니 이것이 걷잡을 수 없이 지속되어 날

---

106) (역주) 有會意焉, 有處事焉, 至于諧聲而極矣, 而爲之體, 有轉注與假借而爲之用. 譬之人之氏族, 子子孫孫, 世次相承. 人之氏族有譜, 則字亦不可無譜也明矣.

107) (역주) 字之爲用, 炳乎若日星之照萬方, 述聖謨賢訓而爲經, 著歷代治亂而爲史. 立言詔後, 百家紛然, 昭布簡冊, 字字有理. 其在人事之宜, 極廣而該, 以至天地萬物之品, 無所不存, 而派分族下, 燦然有章.

108) (역주) 周之盛時, 以三物教民, 而中於六藝有書. 書者, 六書之謂也. 聖王之重字學, 可謂至矣. 雄詞碩學, 瑰器宿德, 必自識字始. 楊子雲識奇字, 歐陽永叔看韻書, 王介甫著『字說』, 蓋記事寫物, 發之撰述者, 其本皆在此故也. 猗歟! 我聖朝丕闡文教, 捿羅天下之書, 富有四庫之藏. 覻幽發微, 人文之昭著宣朗極矣. 顧窮鄕末學, 摘抉章句, 不知字學之爲何事.

이 갈수록 지리멸렬하게 되었습니다. 이것은 사람이 조상과 후손이 있음에도 불구하고 계보[譜學]가 명확하지 못하면 사방에 흩어진 족보를 통합할 도리가 없게 되며, 조상을 섬기고 존경한다는 의미도 아득하게 되는 것과 같습니다. 글자나 종족이나 그 근본은 하나이지 않겠습니까.109)

나는 이 『자보』라는 책을 편찬하는 데 있어서, 어미가 아들을 낳듯이 글자의 파생을 중심으로 글자를 분류하고 해석하였습니다. 천문(天文)·지리(地理)·인사(人事)·물산(物産)을 사보(四譜)로 삼고, 각 보례(譜例)는 사보(四譜)를 따라 일관성 있게 차례를 세웠습니다. 경사(經史)에 수록된 글자들은 한 글자도 빠뜨리지 않도록 하였으며, 그 의미를 힘써 밝혔습니다. 마치 아버지와 아들이 서로 이어지고, 형제가 나란한 항렬인 것처럼 위로 헤아리면 조상이 있고 아래로 헤아리면 손자와 증손이 있으니 천만의 종족과 후손이 있어도 뒤섞이지 않고 가지런할 수 있는 것입니다. 그리하여 『자보(字譜)』라 이름 짓고 상자에 넣어 두었으니 마치 사람의 족보를 보듯이 본다면 그 글자의 여러 갈래를 명확히 알 수 있을 것입니다.110)

나는 자학을 몇 년 간 관심 있게 살펴보며 많은 자서들을 탐구하였습니다. 『이아(爾雅)』의 체례를 사용하였고, 『설문』을 참고하였습니다. 『고금운회거요』처럼 소리의 평측(平仄)으로 나누지 않았고, 『자휘』처럼 자형의 편방대로 열거하지 않았습니다. 다만 자의(字義)의 의미 부류에 따라 편찬하고 특히 육서에 힘썼습니다. 이렇게 한 이유는 어떤 글자가 이러해서 상형이고, 어떤 글자가 이러해서 회의, 전주, 가차인지 알게 하려 함입니다. 형성과 지사에 이르기까지 해석하지 않은 것이 없습니다. 일점일획 어그러진 것은 바로 잡았으며, 각기 다른 자형은 구별하였으니 그 자족(字族)을 명확히 하고 파생을 고찰하여 자학가(字學家)의 계보를 만드는 것입니다. 무릇 하늘에서 난 것과 땅에서 이루어진 것, 동식물과 문물을 다 담았으며, 사람들이 일상생활에서 쓰는 언행도 담

---

109) (역주) 字體有古今之異, 而輒誤寫, 字音有正俗之分, 而多誤讀. 其訓義夥然, 用各不同, 一味滔滔, 滅裂日甚. 是亦人之有昭穆而譜學不明, 散處四方, 無所統紀, 尊祖敬宗之義寖遠矣. 惡在其爲一本耶.

110) (역주) 余之爲此譜也, 以母之字子爲要領, 類分其字, 而會通之. 以天文、地理、人事、物産作爲四譜. 譜例是倣而門目有條貫, 經史所載, 一字不遺, 務闡明其義. 若父子之相繼, 若兄弟之同列; 溯其本而有祖宗, 推其餘而有孫曾. 千彙萬裔, 井井不紊. 然後其究解制字之本意, 尤親切矣. 遂名以『字譜』, 藏之巾衍, 若考閱人之世譜, 而其族之內外本末, 派派可悉也.

지 않은 것이 없습니다. 경사(經史)를 연구하고, 사물과 명칭을 환히 깨닫는 데에 조그만 도움이라도 없지는 않을 것입니다.[111]

글자는 다르나 그 의미가 같은 것들은 같이 차례대로 나열하였습니다. 마치 족보에서 형제를 나란히 하는 것과 같습니다. 그 목록에 따라 여러 유형을 나누어 놓았으며, 동일한 유형의 글자들은 한 데 배열하였습니다. 이것이 『자보』를 편성하는 기본 틀입니다.[112]

(2) 판본

저자의 서문에 따르면, 『경사백가음훈자보』는 정조(正祖) 16년(1792)에 완성되었음을 알 수 있다. 이 책은 사주단변(四周單邊)에, 행을 구분하는 칸이 없다. 한 쪽 면은 6행 12자로 되어 있고, 백구(白口)로 이루어져 있다. 판심의 윗부분에는 서명과 권수가 적혀있고, 중간부분에는 부수가 표시되어 있으며, 아랫부분에는 쪽수가 적혀있다. 표지는 창호지로 꾸며져 있고, 서명인 '자보(字譜)'가 적혀 있다. 아울러 서문, 범례목록, 인용서적, 계획 등의 목차가 기록되어 있으며, '송씨춘추도서(朶氏春秋圖書)'라고 날인이 찍혀있다. 속표지에는 '천리도서관 소화 49년 10월 31일(天理圖書館 昭和四九年十月卅一日)', 서문의 아래에는 '북재문고(北齋文庫)'라고 각각 날인이 찍혀있으며, 달리 '육서연의(六書衍義)'를 첨부하기도 하였다. 책의 처음에는 크게 '경사백가음훈자보'와 권수가 적혀있다. 각권의 말미에는 '자보 1권 끝[字譜卷之一終]', '자보 2권 끝[字譜卷之二終]', '자보 3권 끝[字譜卷之三終]', '자보 4권 끝[字譜卷之四終]', '자보 5권 끝[字譜卷之五終]', '자보 6권 끝[字譜卷之六終]'이라고 적혀있다. 전체 책의 권말에 '정미중춘신간(丁未仲春新刊)'이 새겨져 있

---

111) (역주) 余之留意字學有年, 博究字書, 用『爾雅』之例, 而參考『說文』. 不以聲之平仄而品節之, 如『韻會』. 不以形之偏旁而次第之, 如『字彙』. 從其字義而類纂之別, 猶致力於六書, 之所以然者, 使之知某字如此而爲象形, 某字如此而爲會意, 又如此者爲轉注, 爲假借, 至於諧聲與處事, 無不解焉. 點點畫畫, 正其訛舛; 形形色色, 各有區別, 有以明其族而考其派, 便作字學家一譜. 凡於天之所生, 地之所成, 動植百物咸具, 人之日用云爲無攸不屆. 其在講究經史, 通曉名物之方, 不能無少助云爾.

112) (역주) 字雖不同而其義同者, 必一行列書之次次, 比肩猶譜家之敍兄弟也. 隨其問目, 而派派分排, 轉轉類集. 此『字譜』編次之本例也.

으며, '금서문고(今西文庫)'와 '소화 35년 3월 31일, 천리대학도서(昭和三五年三月卅一日, 天理大學圖書)'라는 두 개의 날인이 찍혀있다. 책의 마지막 표지에는 '자보권지약(字譜卷之礿) 평전수해서여후유삽자(平田水海書餘候留插子)'라고 적혀있다.

인용한 도서목록을 통해, 이 책에서 인용한 문헌 역시 중국의 4부 분류법으로 분류했다는 것을 알 수 있다. 예를 들어, 경부(經部)에는 『주역(周易)』, 『상서(尙書)』, 『모시(毛詩)』, 『주례(周禮)』, 『의례(儀禮)』, 『예기(禮記)』, 『이아(爾雅)』, 『사서(四書)』, 『공자가어(孔子家語)』가 있고, 사부(史部)에는 『춘추좌전(春秋左傳)』, 『춘추공양전(春秋公羊傳)』, 『춘추곡량전(春秋穀梁傳)』, 『국어(國語)』, 『전국책(戰國策)』, 『여씨춘추(呂氏春秋)』, 『사기(史記)』, 『한서(漢書)』, 『후한서(後漢書)』, 『삼국지(三國志)』, 『진서(晉書)』, 『남사(南史)』, 『북사(北史)』, 『수서(隋書)』, 『당서(唐書)』, 『오대사(五代史)』, 『송감(宋鑒)』, 『송명신언행록(宋名臣言行錄)』, 『명기편년(明紀編年)』이 있다. 백가(百家)에는 『노자도덕경(老子道德經)』, 『열자(列子)』, 『관자(管子)』, 『안자춘추(晏子春秋)』, 『장자남화경(莊子南華經)』, 『순자(荀子)』, 『초사(楚辭)』, 『회남자(淮南子)』, 『양자법언(揚子法言)』, 『설문해자(說文解字)』, 『두시(杜詩)』, 『이백집(李白集)』, 『한창려집(韓昌黎集)』, 『유주집(柳州集)』, 『백향산집(白香山集)』, 『소명문선(昭明文選)』, 『당시품휘(唐詩品彙)』, 『구양문충공집(歐陽文忠公集)』, 『동파집(東坡集)』, 『이정전서(二程全書)』, 『주자어류(朱子語類)』가 있다. 이 책은 필획 수에 따라 배열되어 있으므로 편리하게 검색할 수 있다.

(3) 내용 및 체제

『경사백가음훈자보』의 내용과 체제는 전체에서 부분까지, 엄격하고 체계적인 '계보'체제를 형성하고 있다. 이우형은 하늘·땅·사람·사물[天地人物]로 분류하고 배열하였다. 수록자를 모아서, 의도적으로 네 계절[四時], 사방(四方), 사지[四體], 사령(四靈), 하늘과 땅[兩儀], 오행(五行), 팔괘(八卦) 등의 사상과 이념에 합치시켰다. 각 분류 아래의 수록자들은 '어미를 중심으로 아이를 귀속(母以字子)'시키는 이념에 따라 편찬하였다. 육서(六書)이론을 따르고, 명대(明代)의 『해편(海篇)』과 같은 자전의 편찬체제를 결합시킨 것이, 이 책의 두드러진 특징이다. 『경사백가음훈자보』의 각 권의 내용은 다음과 같다.

○1권 천문문(天文門)
- 천문현상(천체, 태양, 달, 별, 바람, 비, 눈, 놀, 무지개, 천둥, 이슬, 서리, 우박)
- 천시(天時)(아침과 저녁, 초열흘과 초하루, 계절과 기후, 간지, 네 계절, 연대, 고금, 기후)[113]

○2권 지리문(地理門)
- 토지(토양, 언덕과 진펄, 티끌, 교외의 뜰, 골짜기, 사방)
- 밭(밭이랑, 밭 갈고 김맴, 논밭을 가는데 쓰이는 기구, 오곡, 절굿공이, 창고, 기근, 구휼)
- 산(산과 언덕, 산봉우리, 산이 높고 가파름, 국내명산, 쇠, 돌, 옥, 구슬)
- 물(우물샘, 내, 장마, 바다, 둑, 진창, 나루, 교량, 배)
- 고을 및 국가(도읍, 여러 나라, 도로, 수레)[114]

○3권에서 5권까지 인사문(人事門)
- 인륜(군신, 부자, 부부, 형제, 장유, 스승, 제자, 친구, 윤리와 도리, 성씨, 이름과 호, 신선, 스님, 오랑캐)
- 신체(머리와 낯, 귀와 눈, 코와 입, 목과 목덜미, 심장과 비장, 등, 어깨의 바깥쪽 상박(上膊)의 웃머리, 해골, 모발, 팔뚝과 팔꿈치, 손, 허리와 배, 넓적다리와 정강이, 발, 심장, 내장, 질병, 의약)
- 궁실(집, 기둥, 들보, 집의 마룻대와 추녀끝, 주춧돌, 기와, 문과 담장, 계체석, 섬돌의 아래, 포주, 평상과 돗자리, 휘장과 장막)
- 도구의 쓰임(그릇붙이, 술 마시는데 사용하는 그릇붙이, 가마솥, 장군과 동이, 접시, 대로 만든 그릇, 도끼와 자귀, 칼과 검, 행주, 대 지팡이, 쓰레받기와 빗자루, 목수(木手)가 쓰는 그림쇠, 자, 수준기, 먹줄 등, 공장(工匠), 도량형)
- 의복(옷깃, 소매, 치마, 비단, 천, 길쌈하는 일, 재봉, 띠, 품팔이, 버선, 신)

---

113) (역주) 天象(天體, 日, 月, 星辰, 風, 雨, 雪, 霞, 虹霓, 雷霆, 露, 霜, 雹, 雪), 天時(朝夕, 旬朔, 節候, 干支, 四時, 年代, 古今, 氣)
114) (역주) 土地(土壤, 原隰, 塵埃, 郊野, 洞壑, 四方), 田(田畝, 耕耘, 田器, 五穀, 春杵, 倉庫, 饑饉, 賙賑), 山(山阜, 峰巒, 高峻, 海內名山, 金, 石, 玉, 珠璣), 水(井泉, 川, 衆水, 海, 堤堰, 泥滓, 津渡, 橋樑, 舟), 郡國(都邑, 列國, 道路, 車)

- 음식(밥, 죽, 떡, 술, 반찬과 음식, 국, 포, 된장, 다섯 가지 맛)
- 문예(경서, 사기, 찬술, 어조, 응대하는 말, 붓과 벼루, 먹, 종이, 글씨와 그림)
- 군사 시설이나 장비(군대의 수, 칼싸움, 봉화, 용맹, 활과 화살, 사수, 투구, 방패, 창, 정기, 정벌, 사냥, 그물, 도박)
- 관직(품계, 관아, 도장, 녹봉, 정치상의 일, 송사, 죄과, 형벌, 감옥)
- 재물의 쓰임(재물과 이익, 돈, 장사, 가게, 매매, 저축, 부유, 탐냄, 청렴결백, 빈궁, 공헌, 산수)
- 전례(예절, 배알, 관, 혼, 상제, 제사, 귀신)
- 악률(노래, 춤, 팔음)115)

○ 6권 물산문(物産門)
- 풀(온갖 풀, 띠와 골풀, 갈대와 물억새, 쑥, 창포, 난초와 혜초, 동백나무, 질려, 삼, 칡, 이끼, 작약, 화훼, 푸성귀)
- 대나무(대나무의 명칭)
- 나무(수목, 가지와 잎, 뿌리, 소나무와 잣나무, 갈잎큰키나무, 소태나무와 가래나무, 뽕나무와 산뽕나무, 가시나무, 땔나무, 열매)
- 벌레(온갖 벌레)
- 물고기(물고기, 고기잡이에 쓰이는 도구, 용, 뱀)
- 거북이(개충, 거북과 자라, 민물조개)
- 새(조류, 봉황, 기러기, 비둘기, 꿩, 매, 까마귀와 까치, 닭, 거위와 오리, 제비, 꾀꼬리, 자규, 물새, 날개, 부리, 알)
- 짐승(기린, 무소, 코끼리, 곰, 큰곰, 호랑이, 표범, 원숭이, 여우와 삵, 사슴, 토끼, 쥐, 여섯 가지 가축)116)

---

115) (역주) 人倫(君臣, 父子, 夫婦, 兄弟, 長幼, 師, 弟子, 朋友, 倫彝, 姓氏, 名號, 仙, 僧尼, 夷狄), 身體(頭面, 耳目, 鼻口, 頸項, 胸膈, 背, 肩膊, 骸骨, 毛髮, 肱肘, 手, 腰腹, 股脛, 足, 心, 臟腑, 疾病, 醫藥), 宮室(家舍, 柱, 梁宋, 棟宇, 礎, 瓦甓, 門戶牆垣, 階砌, 庭除, 庖廚, 床席, 帷帳), 器用(器皿, 酒器, 釜鼎, 缶盎, 盤碟, 竹器, 斧斤, 刀劍, 扇, 笁杖, 箕帚, 規矩準繩, 工匠, 度量衡), 衣服(衣領, 袖袂, 裳, 繒帛, 布, 纖紝, 裁縫, 帶, 傭, 襪, 履鞋), 飮食(飯, 饘粥, 餅餌, 酒, 饌羞, 羹臛, 脯修, 豉醬, 五味), 文藝(經籍, 史記, 撰述, 語助, 辭令, 筆硯, 墨, 紙, 書畫), 武備(軍旅, 刁鬥, 烽燧, 勇猛, 弓矢, 射, 甲胄, 幹盾, 戈戟, 旌旗, 征伐, 田獵, 網罟, 博弈), 官職(品秩, 館廨, 印符, 祿料, 政事, 訟爭, 罪過, 刑罰, 獄), 財用(貨利, 錢, 商販, 市廛, 取予, 貯蓄, 富饒, 貪婪, 廉潔, 貧窮, 貢獻, 算數), 典禮(儀節, 拜謁, 冠, 婚, 喪葬, 祭祀, 鬼神), 樂律(歌, 舞, 八音)

그 구조는 하늘·땅·사람·사물이 중심이 되어, 각 영역의 아래에 네 계절, 오행, 팔괘 등 사상을 두어 세목을 구축하였으며, 세목의 아래에는 각 부문에 속하는 수록자를 두었다. 그리하여 '육서(六書)학', '어미를 중심으로 아이를 귀속시킴(母以字子)', '계보'와 같은 이념으로 연역하고, '분류별로 나누어 배열하고 유사부류끼리 모으는" 방법을 더하여, 조선왕조의 사서편찬에서 독특한 특색을 가진 형식을 이루었다.

이 책의 체제에 관해서, 범례에서는 아래와 같이 밝히고 있다.

① 이 계보는 하늘·땅·사람·사물이라는 네 가지를 가지고 나누어 배열하고 어휘를 모았습니다. 하늘의 네 계절, 땅의 사방, 인간의 사지, 사물의 사령(四靈)이 그것입니다.[117]

② 천문(天文)에는 천문현상과 천시(天時)의 내용이 들어 있어, 하늘과 땅을 본떴습니다. 지리에는 토지, 밭, 산, 물, 고을 및 국가의 내용이 들어 있어, 오행을 본떴습니다. 인사(人事)는 인륜(人倫)이 제일 먼저 나오고, 그 다음이 신체이며, 궁실, 도구의 쓰임, 의복, 음식의 내용이 있습니다. 그 다음에는 교육과 문무에서 갖춰야 할 것 등의 내용이 들어 있습니다. 벼슬에는 녹봉이 있고, 예(禮)는 악(樂)을 행하여 이루어집니다. 이와 같이 서술한 것은 1년이 12달로 구성되어 있고, 1월에서 생성하여 12월에 이르러 소멸하여 주기를 이루는 것과 같습니다. 물산(物産)에는 동물의 내용이 다섯, 식물의 내용이 셋이니, 합쳐서 팔괘의 수가 됩니다.[118]

③ 여기에 범례를 지었는데, 대체로 『이아(爾雅)』를 본떴습니다. 거기에는 하늘

---

116) (역주) 草(百草, 茅菅, 葦荻, 蓬蒿, 菖蒲, 蘭蕙, 茶, 蒺藜, 麻枲, 葛, 苔蘚, 藥, 花卉, 菜), 竹(竹名), 木(樹木, 枝葉, 根柢, 松柏, 楊柳, 杞梓, 桑柘, 荊棘, 樵柴, 果), 蟲(百蟲), 魚(魚, 漁具, 龍, 蛇), 龜(介蟲, 龜鱉, 蚌蛤), 鳥(羽族, 鳳凰, 鴻雁, 鳩, 雉, 鷹隼, 烏鵲, 雞, 鵝鴨, 燕, 鶯, 子規, 水鳥, 羽翼, 觜喙, 卵穀), 獸(麒麟, 犀, 象, 熊, 羆, 虎, 豹, 猿, 狐狸, 鹿, 兔, 鼠, 六畜)

117) (역주) 是譜也, 以天地人物四者分排而彙輯之, 在天象四時, 在地象四方, 在人象四體, 在物象四靈.

118) (역주) 天文之有天象·天時, 象兩儀; 地理之有土地, 有田, 有山, 有水, 有郡國, 象五行; 人事則人倫爲始, 身體次之, 有宮室, 有器用, 有衣, 有食, 而後有教, 文武備焉; 仕有俸祿, 禮行樂成, 故其敍如此, 象一歲十二月一元十二會; 物産之動物五, 植物三, 合爲八卦之數.

이라는 천문(天文)을 하나의 세목으로 삼고, 땅, 언덕, 산, 물이라는 지리(地理)를 하나의 세목으로 삼았습니다. 또 풀, 나무, 벌레, 물고기, 새, 짐승 및 여섯 가지 가축이라는 물산(物産)을 하나의 세목으로 삼았습니다. 인사(人事)에 관해서는 친척에 대해 설명하였습니다. 그런데 신체에 관해서는 궁실과 그릇을 설명해놓고 있으나 복식에서는 그것이 빠져 있습니다. 무(武)를 이야기하면서 문(文)에 대해서는 설명을 하지 않았고, 악(樂)을 해석하면서 예(禮)를 말하지 않았으므로, 여기에서 보충을 하였습니다. 관직과 재물의 쓰임에 대해서는 그 사이에 첨부하였습니다.119)

④ 무릇 글자가 경사백가(經史百家)에 게재되어 있지 않고, 드물고 괴상하다면, 일상생활에 쓰이는 문자로 사용되기에는 부적절한 것입니다. 비록 『운회(韻會)』나 『자휘(字彙)』에 게재되어 있지 않고, 오로지 『어정전운(御定全韻)』에 게재되어 있다면, 거의 누락된 것이 없습니다. 그밖에 자(子)와 사(史)에 있는 것은 약간의 글자를 더했습니다. 상형(象形)의 본래 의미를 보고자 한다면, 전주(篆籀)를 버리고 어찌 가능하겠습니까! 명(明)나라 때의 태상(太常)인 위교(魏校)가 편찬한 『육서정온(六書精蘊)』은 오직 고전(古篆)을 위주로 하였기에, 스스로 옛 사람들의 심법(心法)을 얻었다고 말했습니다. 여기에서는 비록 예서(隸書)로 썼지만, 그 본체는 자모(字母)가 되는 것이기에, 잠시 모방하여 대략적으로 기술하였는데 『설문』의 예문과 같습니다.120)

⑤ 먼저 올림자를 쓰고 평성(平聲)·상성(上聲)·거성(去聲)·입성(入聲)으로 주석을 달았으며, 그 다음 한글로 독음을 썼고, 그런 다음에 글자의 뜻을 첨부하였는데, 간략하게 하고자 노력하였습니다. 사람들이 쉽게 글자의 의미를 알게 하고자 경사백가(經史百家)에 있는 것은 간단히 한 구절을 첨부하여 그 출처를 분명히 하였습니다.121)

---

119) (역주) 此編凡例, 大抵倣『爾雅』. 其曰釋天者以天文爲目; 其曰釋地、釋丘、釋山、釋水者, 以地理爲目; 其曰釋草、釋木、釋蟲、釋魚、釋鳥、釋獸及六畜者, 以物産爲目. 以人事言之, 有釋親. 而關身體, 有釋宮、釋器, 而服食則缺之. 有講武而不言文, 有釋樂而不言禮, 故皆補之. 官職財用, 亦並附其間.

120) (역주) 凡字不見於經史百家, 隱僻古怪, 不適於日用文字之用者, 雖在『韻會』『字彙』不載, 而惟『御定全韻』所載, 殆無遺漏. 此外有見於子、史者, 添入若干字, 一欲見象形之本意者, 捨篆籀奚以哉! 皇明大常卿魏校所編『六書精蘊』, 專主古篆, 自謂得古人心法. 此編雖以隸書書之, 其本體之爲字母者, 姑依倣而略記之, 一如『說文』之例.

121) (역주) 大書元字而註以平上去入四聲各一字, 次以諺書書音, 然後附以字義, 務

⑥ 천하는 모두 같은 글인지라, 중국음도 역시 몰라서는 안 됩니다. 그러므로 『어정전운(御定全韻)』에 기재된 중국음 및 『정음통석(正音通釋)』에 따라 서로 비교하여 살펴보았습니다. 한글 독음보다 앞에 중국음을 기록하였습니다.122)

⑦ 무릇 글자는 표준음이 있는데, 속음(俗音)에는 잘못된 것이 많습니다. 예를 들면, 조(絛)는 도(縚)와 의미상 차이가 없지만, 읽기에 차이가 있습니다. 알(瀚)은 완(浣)과 실제로 같지만, 달리 읽힙니다. 유(歟)는 위(爲)와 수(需)의 반절이나 그 음이 유(俞)입니다. 무(膴)는 위(爲)와 호(胡)의 반절이나 그 음이 무(無)입니다. 연(椽)은 전해 내려오면서, 연(然)으로 읽힙니다. 초(綃)는 독음이 소(逍)이나 초(肖)로 읽힙니다. 감(酣)은 독음이 함(咸)이나 감(甘)으로 말하고, 겸(鎌)은 독음이 렴(廉)이나 겸(兼)으로 말합니다. 그러므로 이를 보존함으로써 참고하게 하였습니다.123)

⑧ 획수를 생략하고 반자(半字)를 사용한 것은 종종 잘못된 부분이 많았습니다. 소(所)는 소(笑)의 반자이지만 청(聽)이라 하고, 성(声)은 경(磬)의 반자이지만 성(聲)이라 합니다. 천(蚕)은 인(蚓)의 반자이지만 잠(蠶)이라 하고, 비(蜚)는 수(獸)의 반자이지만 비(飛)라고 합니다. 비(啚)는 비(鄙)의 반자이지만 고(圖)라고 합니다. 이런 것에 대해 여기에서 남김없이 변별하였습니다.124)

⑨ 경사백가(經史百家)의 용자(用字)들은 생략된 글자를 취하여 많이 통용되었습니다. 음과 뜻이 모두 같은 것으로는 여(女)와 여(汝), 경(竟)과 경(境), 여(與)와 여(歟), 혼(昏)과 혼(婚), 채(采)와 채(採), 려(厲)와 려(礪)가 있습니다. 음과 뜻이 모두 다른 것으로는 내(內)와 납(納), 형(亨)과 팽(烹), 존(尊)과 준(樽), 쇠(衰)와 최(縗), 벽(辟)과 비(譬)가 있습니다. 모두 그 아래에 기록해놓았습니다.125)

從簡略, 使人易知字義之現於經史百家者, 節略而附一句以明其出處.
122) (역주) 天下同文, 華音亦不可不知. 故依『御定全韻』所載華音及『正音通釋』參互考之. 先於東音而錄之.
123) (역주) 凡字自有正音, 而俗音多訛. 如絛之與縚無異, 而讀之有異; 瀚之與浣實同, 而讀之不同; 歟之爲需而其音俞, 膴之爲胡而其音無; 椽爲傳, 而讀作然; 綃爲逍而讀作肖; 酣爲咸而曰甘, 鎌爲廉而曰兼, 故並存之以備參考.
124) (역주) 省画而用半字者, 往往多誤処. 所之爲笑而謂之聽, 声之爲磬而謂之聲; 蚕之爲蚓而謂之蠶, 蜚之爲獸而謂之飛, 啚之爲鄙而謂之圖, 此編悉卞之.
125) (역주) 經史百家用字, 取其省文而多通用. 其音義皆同者, 如女之爲汝, 竟之爲境, 與之爲歟, 昏之爲婚, 采之爲採, 厲之爲礪是也. 音義皆不同者, 如內之爲納,

⑩ 글자의 의미가 같다 해도 그 형체가 다른 것으로는 창문[牕]의 창(囪)과 창(窓), 잔[杯]의 배(盃)와 배(桮), 재앙[災]의 재(灾)와 재(烖), 기쁨[欣]의 흔(忻)과 흔(訢), 지경[疆]의 강(畺)과 강(壃), 기운[氣]의 기(炁)와 기(气), 쟁반[盤]의 반(槃), 없음[無]의 무(无) 등은 매우 많습니다. 반드시 옛날에는 뭐라고 했는데 세속에서는 뭐라고 한다(古某俗某)고 말합니다. 『어정전운』에서 열거해서 써 놓았지만, 여기에서 첨부하여 기록해놓았습니다.126)

⑪ 점[主]은 곤(丨)이 되고, 고리는 ❸이 되고, 네모는 위(囗)가 되고, 동그라미 는 ○이 되고, 위는 상(丄)이 되고, 아래는 하(丅)가 되고, 오른 삐침[撇]은 불 (乀)이 되고, 왼 삐침[拂]은 별(丿)이 됩니다. 이를 통해, 상형(象形)으로 글자 를 만든 본래의 의미를 알 수 있으므로, 잠시 그 아래에 주석을 더하였습니 다.127)

⑫ 하나의 의미에 두 가지 의미나 세 가지 의미가 있는 것을 각처에 적을 수는 없습니다. 예를 들어, 찰(札)은 갑옷[甲]과 일찍죽다[夭]는 의미를 가지고 있 는데, 문[文]에만 기록하였습니다. 악(樂)은 즐거워하다[喜]와 좋아하다[好]는 의미를 가지고 있는데, 악[樂]에만 기록하였습니다. 승(乘)은 사기[史], 곱하 다[數], 수레[車], 타다[載]는 의미를 가지고 있는데, 수(獸)에만 기록하였습니 다. 비(椑)는 나무[木]와 그릇[器]의 의미를 가지고 있는데, 예(禮)에만 기록하 였습니다. 나머지도 모두 이와 같은 방법을 따랐습니다.128)

⑬ 글자가 비록 다르다 할지라도 그 의미가 같은 것은 반드시 한 줄에 기록하 였는데, 차차 그 관계가 대등해져 그것은 마치 같은 계보를 가진 집안의 형 제 같습니다. 그 문(門)과 목(目)을 따라 나누어서 배열하고, 부류별로 모았 습니다. 이는 자보에 나타난 순서의 본래 예입니다.129)

亨之爲烹, 尊之爲樽, 衰之爲縗, 辟之爲譬是也, 皆懸註其下.

126) (역주) 字義雖同而字體各不同者, 如牕之爲囪爲窓, 杯之爲盃爲桮, 災之爲灾爲 烖, 欣之爲忻爲訢, 疆之爲畺爲壃, 氣之爲炁爲气, 盤之爲槃, 無之爲无者甚多, 必 曰古某俗某. 『御定全韻』雖列書, 而此編皆註附.

127) (역주) 主之爲丨, 環之爲❸, 方之爲囗, 圓之爲○, 上之爲丄, 下之爲丅, 撇之爲 乀, 拂之爲丿, 可見象形制字之本意, 故姑附其下.

128) (역주) 一字有兩義三義者, 不可偏載于各處. 如札之爲甲爲夭, 而獨載于文; 樂 之爲喜爲好, 而獨載于樂; 乘之爲史爲數爲車爲載, 而獨載于獸; 椑之爲木爲器, 而 獨載于禮. 餘皆倣此.

129) (역주) 字雖不同, 而其義同者, 必一行列書之, 次次比肩, 猶譜家之敍兄弟也. 隨 其門目而派派分排, 轉轉類集, 此字譜編次之本例也.

⑭ 하나의 글자에 두 가지 쓰임이 있는 것을 가차(假借)라고 부릅니다. 오로지 『홍무정운(洪武正韻)』의 예문을 따랐습니다. 어떤 소리로 변하고 어떤 의미를 빌린 것을 하나하나 상세히 기록하였습니다.[130]

⑮ 일상생활에서 사용하는 알기 쉬운 글자는 그 의미를 간혹 생략하였습니다. 도구의 쓰임과 풀·나무·새·짐승의 이름은 더욱 상세히 서술하여 그 뜻을 밝혀놓았습니다.[131]

⑯ 무릇 천하의 산천(山川)과 고을과 나라[郡國]는 지지(地誌)에 속하는 상황에 따라 서술하였습니다. 산(山)은 어느 나라의 어느 고을에 있다고만 말했지, 산명(山名) 두 글자는 쓰지 않았습니다. 물[水]은 어느 땅에서 나와, 강(江)·하(河)·회(淮)·바다[海]로 들어간다고 적었습니다. 고을[郡]은 어느 땅 어느 경계에 있다고 적혀 있으며, 나라[國]는 어느 군주라고 밝혔는데 모두 간단명료합니다.[132]

⑰ 인륜(人倫)은 군신(君臣)·부자(父子)·장유(長幼)·부부(夫婦)의 순서로 되어 있으며, 신선과 부처[仙佛], 오랑캐[夷狄]를 그 아래에 두었습니다. 신체는 머리와 얼굴에서부터 발까지, 심장에서부터 하초(下焦)까지 열거하였는데, 하초(下焦)에 질병을 첨부해두었습니다. 궁실(宮室)과 의복(衣服)은 천자(天子)에서 사대부와 서인[士庶人]편에 모두 나누어 넣어놓았습니다.[133]

⑱ 나라를 세우고 육전(六典)을 만들자, 다스리는 방법이 다 갖추어지게 되었습니다. 천관(天官)은 관직(官職)편에 기록하였고, 지관(地官)은 밭[田] 및 재물의 쓰임[財用]편에 기록하였고, 춘관(春官)은 예전(禮典)편에 두었으며, 하관(夏官)은 군사시설과 장비[武備]편에 그 내용을 적었습니다. 오로지 추관[秋官]과 동관[冬官]이 속하는 바가 없습니다. 그러므로 형벌[刑]을 관직(官職)편에 두었고, 공장(工匠)을 도구의 쓰임[器用]편에 두었습니다.[134]

---

130) (역주) 一字有兩用者, 謂之假借. 一依大明『洪武正韻』之例. 其轉爲某聲, 借爲某義者, 一一詳記之.

131) (역주) 字之日用易知者, 其於訓義或略之, 器用與艸木鳥獸之名, 尤致詳者, 亦微顯闡幽之義也.

132) (역주) 凡天下之山川、郡國, 按地誌相屬而書之. 山曰在某國某郡, 不但書山名二字; 水曰出某地, 入江入河入淮入海; 郡曰在某地某界, 國曰某君, 都要簡而明.

133) (역주) 人倫以君臣、父子、長幼、夫婦爲序, 而仙佛、夷狄、附其下. 身體外自頭面至于足, 自心至下焦而列書之, 下焦附疾病. 宮室、衣服自天子至士庶人皆有分.

134) (역주) 建邦六典, 治道備矣. 天官載于官職, 地官屬田及財用, 春官在禮典, 夏官

⑲ 도량형을 정한 것은 성인(聖人)이 천하를 다스릴 때 꼭 필요한 것입니다. 명물(名物)의 도수를 분명하게 하지 않으면 안 되기에, 율(律)을 악률(樂律)편에 넣어두었습니다. 그런데 도량형은 도구의 쓰임[器用]에 넣어두었습니다.135)

⑳ 배[舟]와 수레[車]도 도구[器]이므로, 각기 맡은 바가 있습니다. 배[舟]에 관한 내용은 수[水]부분에 두었고, 수레[車]에 관한 내용은 고을 및 나라의 도로에 두었으며, 예기(禮器)는 예전(禮典)편에 두었고, 악기(樂器)는 악률(樂律)편에 두었는데, 모두 도구의 쓰임[器用]이 아닙니다.136)

㉑ 『이아』에는 석고(釋詁), 석훈(釋訓), 석언(釋言)편이 있는데, 이들은 응대하는 말로서, 달리 따로 문(門)이나 목(目)을 만들 수 없기에, 문예(文藝)편의 끝에 넣어두었습니다.137)

㉒ 『이아』에 있는 제명(祭名)에는 강무(講武)와 정기(旌旗)에 대해 설명하면서, 석천(釋天)편에 두었으나, 그 의미가 상세하지 않습니다. 그렇기에 제명(祭名)을 예전(禮典)편에 두고, 강무(講武)와 정기(旌旗)는 군사시설이나 장비[武備]편에 두었습니다.138)

㉓ 예(禮)는 관(冠)·혼(昏)·상(喪)·제(祭)의 순서로 되어 있으며, 음악(樂)은 가무(歌舞)가 먼저 서술되어 있고, 팔음(八音)은 그 다음으로 되어 있습니다.139)

(4) 가치

『경사백가음훈자보』는 육서(六書)학을 받아들이고 '한자 계보'라는 이념에 따라 편찬한 최초의 자전이다. 이전의 『유합(類合)』과 『훈몽자회』와 비교해봤을 때 질적으로 더욱 발전한 양상이라는 것을 알 수 있다.

在武備, 惟秋官、冬官無所統屬, 故刑附官職, 工附器用.

135) (역주) 律度量衡, 聖人治天下之大用也. 其名物度數, 不可不明, 故律則附樂律, 而度量衡附器用.

136) (역주) 舟車亦器也, 各有攸當. 舟則附之于水, 而車則附郡國之道路, 禮器附于禮典, 樂器附于樂律, 而皆不繫器用.

137) (역주) 『爾雅』有釋詁、釋訓、釋言, 是爲辭令, 不可別作門目, 而附于文藝之末.

138) (역주) 『爾雅』有祭名, 講武、旌旗, 附于釋天, 而其義不可詳. 故祭名附禮典, 講武、旌旗附武備.

139) (역주) 禮以冠、昏、喪、祭爲序, 樂以歌舞爲先, 八音次之.

『경사백가음훈자보·육서연의(六書衍義)』에서는 다음과 같이 밝히고 있다. 주자(朱子)가 말했다. "천상계에는 글자를 모르는 신선이 없고, 인간계에는 글자를 모르는 영웅이 없다. 사람이 태어나서 글자를 아는 것이 매우 귀했다. 진실로 글자를 아는 것에 뜻이 있다면, 반드시 육서(六書)가 우선되어야 한다."[140]

육서의 첫 번째는 상형(象形)이다. 옛날에는 포희씨(包犧氏)가 천하를 다스렸다. 서계(書契)를 만들어 결승을 대신하였으며, 마침내 오랜 세월동안 사용될 글이 만들어졌다. 그 형상[象]과 팔괘(八卦)는 서로 겉과 속을 이루게 된다. 일(一)은 양(陽)을 그린 것이고, 이(二)는 음(陰)을 그린 것이다. 대(大)자는 양이 음을 포함하고 있으며, 소(小)자는 음이 양을 포함하고 있다. 양인 대(大)와 음인 소(小)의 의미로 서로를 감추게 한 묘함이 있다. 일(日)은 태양(太陽)을 나타내며, 가운데에 양(陽)을 포함한다. 월(月)은 태음(太陰)을 나타내며, 가운데에 음(陰)을 포함한다. 이는 그 점을 그린 것을 보면 알 수 있다. 수(水)는 양을 잡고 그렸으나, 옆쪽의 두 가지가 음을 닮았다. 화(火)는 음을 띠며 그렸으나 끼고 있는 한 점이 양이 된다. 수(水)는 안이 밝고 밖이 어둡고, 화(火)는 안이 어둡고 밖이 밝다. 감리(坎離)의 형상이 들어 있는 것이다. 글자가 형상이 되는 것도 위대한 일이다. 천지의 삼재와 온갖 동식물 중 그 형상을 따라서 그리지 않은 것이 없다. 마치 화공(畫工)이 사물을 본 뜬 것과 같이, 형형색색 모두 그 형상을 취했다. 산(山)과 내[川]의 형상을 본뜬 것이 산천(山川)이라는 글자이며, 풀[艸]과 나무[木]의 형상을 본뜬 것이 초목(艸木)이라는 글자이다. 궁실(宮室)에서도, 도구의 쓰임[器用]에서도 종종 모습을 본 뜬 것이 있다. 새[鳥]·짐승[獸]·벌레[蟲]·물고기[魚]도 모두 그렇다. 전주(篆籀)의 본체를 살펴보면 말하는 바를 유추할 수 있어, 그 자모(字母)가 되는 것을 대략 알 수 있다. 이를 상형(象形)이라고 부른다.[141]

---

140) (역주) 朱子曰: 天上未有不識字神仙, 人間未有不識字英雄. 人之有生也, 識字 爲貴. 苟有志於識字, 必以六書爲先.

141) (역주) 六書一曰象形, 古者包犧氏之王天下也, 造書契以代繩, 遂啟萬世之人文. 其象與八卦相爲表裏. 一画陽, 二画陰. 大之爲字陽包陰, 小之爲字陰包陽. 以陽大 陰小之義, 有互藏之竗. 日爲太陽而中包陽, 月爲太陰而中包陰. 觀其點画而可知 矣. 水之秉陽画, 而其旁兩支象陰; 火之帶陰画, 而所夾一點爲陽. 水之内明外暗, 火之内暗外明, 自有坎離之象矣. 字之爲象亦大矣. 天地三才動植百物, 莫不即其形 而摹倣之, 如畫工之肖物, 形形色色, 皆取其象. 象山川之形而爲山川字, 象艸木之

두 번째는 회의(會意)이다. 글자에는 뜻이 있는데, 반드시 있어야 모일 수 있다. 전쟁[戈]을 그치게[止] 하는 것이 무력[武]이고, 사람[人]의 말[言]에 있어야 하는 것이 믿음[信]이다. 밭[田]이 합쳐[同]지면 부유[富]한 것이 되고, 재산[貝]이 떨어져나가게[分] 되면 가난[貧]한 것이 된다. 산(山)이 높은[高] 것을 숭(嵩)이라 하고, 물[水]이 모이면[會] 시내[澮]가 된다. 사람[人]이 나무[木]에 기대는 것을 쉰다[休]고 하고, 손[手]으로 눈[目]을 가려서 보는[看] 것 등, 의미가 모여 합해져서 자연히 글자가 된 것들이다. 글자[字]에는 기르다는 의미가 있기에, 끊임없이 변할 거라는 것을 알 수 있다. 이를 회의(會意)라고 부른다.142)

세 번째는 전주(轉注)이다. 글자가 사용되면서 다른 의미가 생겨난 경우를 말한다. 고(考)의 아버지[父]라는 뜻에서 늙다[老]는 단어가 생겼으며, 학(學)의 가르치다[教]는 뜻에서 깨닫다[覺]는 글자가 생겼다. 공손(恭遜)하다는 뜻의 손(遜)이 전(轉)하여 손(孫)이 되었고, 오래오래 사귀어 온 친구[故舊]라는 뜻의 구(舊)가 전(轉)하여 구(舅)가 되었다. 허리[腰]는 몸의 중심이 되는 곳으로, 전(轉)하여 간단하고 요긴하다는 뜻의 요(要)가 되었다. 태(胎)는 아이를 배다는 뜻에서 전(轉)하여 맨 처음이라는 뜻의 시(始)가 되었다. 한 가지 독음에 다른 부류의 의미가 들어 있고, 글자의 의미를 서로 주고받는 것, 즉 그 의미를 서로 돌려가며 주석해 놓은 것, 그것을 전주(轉注)라고 부른다.143)

네 번째는 가차(假借)이다. 한 글자에 두 가지 쓰임이 있는데, 뜻을 빌렸지 음을 빌린 게 아니다. 나아가고 그친다는 의미를 가진 행(行)자를 빌려 덕행(德行)이라는 글자가 생겼다. 나이많음과 적음의 의미를 가진 장(長)자를 빌려 단장(短長)이라는 글자가 생겼다. 옥의 결[玉理]을 빌려 도리(道理)의 리(理)를 만들었고, 여자(女)가 예쁜[妙] 것을 빌려 정묘(精妙)하는 뜻의 묘(妙)가 만들어졌다. 갑(甲)은 간명(干名)인데 병갑(兵甲)의 갑(甲)과 인갑(鱗甲)의 갑(甲)으로도

形而爲艸木字, 在乎宮室, 在乎器用, 往往象之. 至于鳥獸蟲魚, 莫不皆然. 觀乎篆籒之本體而推類言之, 其爲字母者, 大略可知. 此之謂象形也.

142) (역주) 二曰會意, 字之有意, 必有以會之. 止戈爲武, 人言爲信, 同田爲富, 分貝爲貧, 山高爲嵩, 水會爲澮, 人依木爲休, 手臀目爲看, 意所會合, 自然成字. 字之有字育之義, 而生生不窮可見矣. 此之謂會意也.

143) (역주) 三曰轉注, 字之爲用, 轉生他意. 考之爲父而轉而爲老, 學之爲教而轉而爲覺, 轉恭遜之遜而爲孫, 轉故舊之舊而爲舅, 腰之爲身中者轉而爲簡要之要, 胎之爲懷子者轉而爲本始之始. 一音連類, 文義相受, 即其所轉其義是註, 此之謂轉注也.

사용된다. 급(皂)은 흑색을 말하는데 급예(皂隸)의 급(皂)과 급력(皂櫪)의 급(皂)으로도 사용된다. 이를 가차(假借)라고 부른다.144)

다섯 번째는 처사(處事)이다. 사람이 섬기는 것에는 각기 그 마땅함이 있다. 사람이 일(一)의 아래에 있는 것이 하(下), 일(一)의 위에 있는 것이 상(上)이다. 『역(易)』에서 말하길 본디 하늘에 있는 것은 상(上)과 가깝고, 본디 땅에 있는 것은 하(下)와 가깝다. 글자의 처사(處事)는 각기 그 부류에 따라 이와 같다. 여자[女]가 빗자루[帚]를 들고 청소하는 것, 그 일이 부(婦)이다. 사람이 밭[田]에서 일하며 힘[力]을 쓰는 것, 그 일이 남(男)이다. 사슴[鹿]이 흙[土]을 날리는 것이 진(塵)이고, 말[馬]에게 꼴[芻]을 먹이는 것이 추(騶)이다. 두 사람[兩人]이 흙[土] 위에 서로 마주 앉은 것이 좌(坐)이고, 두 선비[兩士]가 함께 군사[軍]에서 있는 것이 투[鬪]이다. 좌(坐)가 두 사람[兩人]을 따른 것이 맞지만, 투(鬪)와 홍(閧)은 문(門)을 따른 게 아니다. 두 손[兩手]으로 대야[皿]의 물[水]을 받든 것이 관(盥)인데, 관(盥)이라는 것은 손을 씻는 일을 말한다. 두 손[兩手]으로 절구에서 절굿공이를 찧는 것이 용(舂)인데, 용(舂)이라는 것은 절굿공이로 찧는 일을 말한다. 용(舂)은 소전(小篆)에서는 용(舂)이라고 썼는데, 공(𠬞)과 구(臼)는 모두 두 손을 말한다. 이를 처사(處事)라고 부른다.145)

여섯 번째는 해성(諧聲)이다. 글자에는 형체가 있고 소리도 있는데, 반드시 합쳐지고 나서 그 이후에 문(文)이 되었다. 왼쪽이 형체이고 오른쪽이 소리인 것으로는 강(江)과 하(河)가 있다. 오른쪽이 형체이고 왼쪽이 소리인 것으로는 아(鵝)와 압(鴨)이 있다. 위가 형체이고 아래가 소리인 것으로는 초(草)와 조(藻)가 있다. 아래가 형체이고 위가 소리인 것으로는 파(婆)와 사(娑)가 있다. 바깥이 형체이고 안이 소리인 것으로는 국(國)과 위(圍)가 있다. 이를 해성(諧聲)이라고 부른다.146)

---

144) (역주) 四曰假借, 一字有兩用, 借義而不借音. 借行止之行而爲德行字, 借長幼之長而爲短長字, 借玉理而爲道理之理, 借女妙而爲精妙之妙, 甲爲干名而借爲兵甲之甲、鱗甲之甲, 皂爲黑色而借爲皂隸之皂、皂櫪之皂. 此之謂假借也.

145) (역주) 五曰處事, 人之有事, 各得其宜. 人在一下爲下, 一上爲上. 『易』曰: 本乎天者親上, 本乎地者親下. 字之處事, 各從其類如此矣. 女之執帚灑掃, 其事爲婦; 人之服田作力, 其事爲男. 鹿之揚土爲塵, 馬之飼芻爲騶, 兩人對坐土上爲坐, 兩士共立軍中爲鬪. 坐從兩人爲是, 鬪閧不從門. 兩手奉水于皿爲盥, 盥者, 盥洗之事也. 兩手築杵于臼爲舂, 舂者, 舂杵之事也. 舂在小篆作舂, 𠬞與臼皆兩手. 此之謂處事也.

146) (역주) 六曰諧聲, 字之有形有聲, 必和諧而後爲文. 左形右聲爲江河, 右形左聲

요약하면 상형(象形)을 시작으로 회의(會意)가 생긴다. 처사(處事)는 그 다음이다. 처사(處事)는 달리 지사(指事)라고도 부르는데, 지사(指事)가 가장 적다. 상형(象形) 이후로 회의(會意)도 아니고 처사(處事)도 아닌 것은 모두 해성(諧聲)이다. 전주(轉注)와 가차(假借)는 상형(象形)·회의(會意)·처사(處事)·해성(諧聲)의 사이에 전주(轉注)가 있고, 가차(假借)가 있다. 역시 상형(象形)이면서 회의(會意)를 겸하고, 해성(諧聲)이면서 전주(轉注)를 겸하는 것은 교대로 될 수 있으며, 여러 부분에서 서로 말미암는다.147)

이 여섯 가지는 자학(字學)의 시초이다. 반드시 그 의미를 먼저 밝혀야, 이후에 글자를 만든 본래의 의미를 알 수 있다. 사물의 부류에 근거하여 본뜬 것이 문(文)인데, 문(文)이란 상형(象形)을 말한다. 형체와 소리가 서로 도우는 것이 자[字]가 된다. 자[字]라는 것은 낳아서 기르며 변화를 거쳐 이루어진다. 회의(會意)·처사(處事)·해성(諧聲) 이후가 바야흐로 자[字]라고 말할 수 있다. 문(文)과 자(字)를 대나무나 비단에 적은 것을 글[書]이라고 부른다. 성현(聖賢)이 글을 쓰고 말을 하였는데, 대개 전주(轉注)와 가차(假借)의 글자[字]에 많이 사용되었다. 옛날의 군자(君子)는 여덟 가지 도(道)를 가지고 덕(德)을 이루고, 반드시 문자(文字)로서 사용하는 곳을 밝혔으니, 글을 읽지 않고 큰 도(道)에 통한 자가 없었다. 배움[學]이란 것은 마땅히 전력으로 힘을 다해야 하니, 그 모든 것이 여기에 있지 않겠는가?148)

지금 무릇 자(字)는 사람을 가지고 비유할 수 있는데, 점획(點劃)은 얼굴과 몸체이고, 음운(音韻)은 이름이고, 훈의(訓義)는 덕성(德性)과 재예(才藝)이다. 이 세 가지가 모두 구비되어야 자학(字學)을 시작할 수 있다고 할 수 있다. 자(字)는 몸체인데, 옛날과 지금에 차이가 있으니, 전서(篆書)와 예서(隷書)로 나누었다. 속서(俗書)는 잘못 쓴 게 많다. 필(筆)은 죽(竹)으로 구성되어야 비로소 문

爲鵝鴨, 上形下聲爲草藻, 下形上聲爲婆娑, 外形內聲爲國圍. 此之謂諧聲也.

147) (역주) 要之象形爲始而會意生焉, 處事次之. 處事一曰指事, 指事最少. 自有象形以後其不爲會意, 不爲処事者, 皆諧聲也. 轉注與假借就其象形、會意、處事、諧聲之中而有所轉注, 有所假借者也. 亦有象形而兼會意者, 諧聲而兼轉注者, 交互作之, 大小相因.

148) (역주) 此六者, 字學之權輿也. 必先明此義, 而後制字之本旨可識矣. 物之依類有象爲文, 文者, 象形之謂也. 形聲相益爲之字, 字者孶乳而生, 變化成焉. 至會意、處事、諧聲而後方可謂字也. 有文有字, 著於竹帛者謂之書. 聖賢之著書立言, 其用大抵多在於轉注、假借之字. 古之君子, 其八道成德, 必以文字爲發用処, 未有不讀書而能通大道者也. 學者所當十分致力, 其不在玆歟?

필(文筆)의 필(筆)이 되지, 초(艸)로 구성되면 풀, 나무, 꽃이 생기기 시작하는 것이 되는데, 독음은 율(聿)이다. 진(陳)은 동(東)으로 구성된 것이 맞다. 차(車)로 구성된다면 진을 치고 싸우는 곳[戰陣]의 진(陣)이 된다. 지(紙)가 씨(氏)로 구성되었다면 닥종이[楮紙]를 의미하고, 저(氐)로 구성되었다면 실 찌꺼기[絲滓]라는 뜻이 된다. 이들은 왕일소(王逸少: 왕희지)로부터 잘못된 것들이다. 옥(玉)이 점이 없다 해도 왕(王)과는 차이가 있다. 삼획은 모두 옥(玉)이 되는데, 왕(王)이라는 것은 천(天)을 본받고, 가운데 획은 상(上)에 가깝다. 부모(父母)의 모(母)자는 여자가 아이를 안고 있는 형상인데, 가운데에 두 점을 그렸다. 무(毋)는 금지(禁止)라는 의미인데, 비스듬하게 그려 물(勿)자와 같은 의미로 사용되는데, 속인들이 많이 혼용하였다. 같은 것 같으면서도 다른 것을 다 분류할 수는 없다. 과질(瓜瓞)의 과(瓜)의 아래에는 갈고리가 있으나, 조아(爪牙)의 조[爪]의 아래에는 갈고리가 없다. 정수(征戍)의 수(戍)에는 가운데에 점이 있으나, 유술(酉戌)의 술(戌)에는 가운데에 가로획이 그어져 있다. 갑옷과 투구[介胄]에서 주(胄)는 월(月)로 구성되었으나, 자손[胤胄]의 주(胄)는 육(肉)으로 구성되어 있다. 나체(裸體)의 나(裸)는 의(衣)로 구성되었으나, 관주(祼酒)의 관(祼)은 시(示)로 구성된 것이 그것이다. 노(魯)를 어(魚)로 쓰고, 해(亥)를 시(豕)로 쓰 듯 비슷한 글자를 잘 못 써서 변화가 많은 것이다. 단지 겉만을 바꾸고 내용은 똑같으나, 현혹되는 바가 끝이 없다. 두보(杜甫)의 시에도 '글자체의 변화가 떠다니는 구름과 같다.'라고 하였으니, 딱 이를 일컫는 말이다. 이렇게 글자의 획은 바르지 않으면 안 된다.149)

글자[字]에는 정음(正音)이 있으나 혹 속음(俗音)과 서로 엇갈려서, 잘못된 것을 받아들이니, 올바르게 될 수 없다. 편방을 따라 그것을 읽는 것은 견강부회한 일이다. 실제로 본음(本音)과 맞지 않으니, 두 개의 음이 혹 서로 사용될 수

---

149) (역주) 今夫字, 以人譬之: 點畵, 其容體也; 音韻, 其名號也; 訓義, 其德性才藝也. 三者具備而後字學始可語也. 字之爲體, 古今有異, 而篆隷分焉. 俗書多誤寫. 筆之從竹方爲文筆之筆, 而從艸爲艸木花始生者, 其音聿. 陳之從東爲是, 而每從車以爲戰陳之陳. 紙之從氏爲楮紙, 從氐爲絲滓, 此自王逸少而誤之矣. 玉雖無點, 與王有異. 三畵皆均爲玉, 王者法天, 中畵近上. 父母之母象女之包子, 而中作兩點. 毋爲禁止者, 斜抹若勿字, 而俗多混書. 至如似同而異者, 亦多不能分者. 瓜瓞之瓜下有鈎, 爪牙之爪下無鈎; 征戍之戍中作點, 酉戌之戌中作抹; 介胄從月, 胤胄從肉; 裸體從衣, 祼酒從示者是也. 魯魚亥豕, 變幻無常. 改頭換面, 眩惑多端. 杜甫詩有曰: 字體變化如浮雲, 正謂此也. 此字畵之不可不正也.

있기에 취하고 버리는 것을 정할 수 없다. 사성(四聲)이 서로 통하는 바가 있으니, 서로를 구별하기 어렵다. 이렇게 글자의 음은 분석하지 않으면 안 된다. 글자는 하나이지만 여러 가지 뜻이 있을 수 있고, 뜻은 동일하지만 여러 가지 글자가 존재할 수 있다. 서로 복잡하게 얽혀 있어, 알 수가 없으며, 중첩되는 부분도 있어 다른 뜻이 생기게 되었다. 전주(轉注)나 가차(假借)가 모두 이 경우에 해당된다.150)

한유(韓愈)가 말하기를 '무릇 문(文)이라는 것은 마땅히 약간이라도 글자를 알아야 한다. 글자가 학문이 되는 것은, 실제로 저술과 관련이 있다. 세상에 문학에 종사하는 자가 글자의 의미를 연구하는 것에 힘쓰지 않는다면, 친구를 사귀되 그 이름을 쓸 수 있고, 그 얼굴을 알지라도 그 마음을 알지 못한다면 그 사람을 안다고 말할 수 없는 것과 같다.' 이것이 소생이 이 글을 편찬하는 까닭으로, 오로지 글자의 의미만을 중요시하였다.151)

이 서체는 명대(明代)의 문자학 연구와 사서 편찬이 조선에 미친 영향을 보여주고 있는데, 오행(五行)과 팔괘(八卦)의 사상이 명백한 증거가 된다.

그밖에, 이 책의 부수와 한자부수를 서로 결합한 체제는 『자류주석』과 매우 비슷하다. 이는 『경사백가음훈자보』가 『해편(海篇)』류 자전의 영향을 받았을 뿐만 아니라 한국한문자전의 편찬체제와 풍격에도 영향을 미쳤다는 것을 알 수 있다.

2. 『자류주석(字類注釋)』

최초로 의미에 따라 분류한 『자류주석』은 수록자도 제일 많으며 훈석한 내용도 가장 풍부한 자전이다. 또한 조선시대에 가장 중요한 자전의 하나이

---

150) (역주) 字有正音而或與俗音相左, 承訛襲謬, 不能歸正. 有從旁偏而讀之牽強苟且, 實與本音不協, 兩音或互用, 而取捨靡定. 四聲有相通, 而彼此難卜. 此字音之不可不審也. 字則一也, 而有許多義. 義則同也, 而有許多字. 互相錯雜, 不能會通, 間見疊出, 轉生別義. 所謂轉注、假借皆是也.

151) (역주) 韓愈有言曰: 凡爲文者, 宜略識字, 字之爲學, 實有關於著述. 世之從事文學者, 若不以研究字義爲務, 則是猶朋友交, 雖記其名, 雖識其面, 若不知其心, 則不可謂知其人也. 此不佞之所以纂輯此書, 專以字義爲重者也.

기도 하다.152) 『자류주석』(2책)은 철종(哲宗) 7년(1856)에 출판되었으며, 한국의 언어학사에서 대표적인 자전이다.

(1) 저자 및 편찬 목적

정윤용(鄭允容, 1792~1865)은 자(字)가 경집(景執)이고, 호(號)가 수암(睡庵)이며, 원적이 동래(東萊)이다. 일찍이 의릉참봉(懿陵參奉)과 공조참의(工曹參議), 밀양부사(密陽府使), 공주판관(公州判官) 등을 역임하였다. 그는 경사(經史)에 능통하였으며, 『자류주석』외에도 『수암만록(睡庵漫錄)』, 『사문편종선록(思問編從先錄)』, 『동래가록고(東萊家錄稿)』 등 많은 저서를 남겼다.

『자류주석』은 『훈몽자회』를 증보한 것으로, 아이들의 한자학습에 취지를 두었다.

서문에서 이렇게 말했다.153)

『훈몽자회』가 가장 폭넓고 잘 구비 되었으며, 우리말로 풀이하고 주석도 달았다. 지금 그 의도를 본받고자 하지만 우리말로 풀이를 다는 일은 실로 어려운 일이다. 사물은 이미 너무 많고, 방언을 다 알지도 못하고, 또 다 알 수도 없다. 대략 알거나 혹 잘 아는 자가 있어 혹 많이 기록하더라도 두루 통할 수 없으면 정확한 고증이라 할 수는 없는 듯하다. 게다가 고어는 또 오늘날의 변화도 있고, 향음은 각각 그 지방의 사투리를 쓰는 바람에 속칭이 더러 본래 뜻과 다르기도 하고 비속한 것은 표준어에 마땅하지 않기도 한, 이런 것들이 참으로 어려운 일이다. 애써 구하여 대략 서술하니, 후대 사람들은 이것에 근거해 그릇된 것을 바로잡아 그 정밀하고 깊은 뜻을 구하기를 바랄 뿐이다. 『강희자전』으로 운서를 검토하고 교열하는 외에도 밝혀둘 만한 음과 뜻을 대략 수록하노니, 글자 수는 만 자를 넘었으며, 어린이들이 배울 적에는 일부를 뽑아서 읽고, 어른들은 상고하여 검토하는데 도움 되길 바란다.154)

---

152) 楊昭全, 『韓國文化史』(山東大學出版社, 2009) 참조.
153) (역주) 한국한자연구소, 『자류주석』(부산: 도서출판3, 2017)의 서문의 내용을 인용하였는데, 이 부분은 서문의 전체 내용이 아니라 일부에 해당된다.
154) (역주) 訓蒙字會(司譯正崔世珍編, 進中廟時)最博而備. 諺釋而註錄, 今倣其意, 而諺釋實難. 事物旣多, 不知方言, 亦有未悉. 雖其略知而或悉者, 亦多寫無以曲暢,

(2) 판본

『자류주석』은 현재 규장각본(奎章閣本)과 먹남본(覓南本)이라는 두 판본이 존재한다. 규장각본은 건곤(乾坤) 2책으로 나뉘고, 표지는 한지를 노랗게 결어서 만들었다. 겉표지에는 『자류주석(字類注釋) 건(乾)』과 『자류주석(字類注釋) 곤(坤)』이라고 표기되어 있다. 전체 책은 길이가 30.3cm, 너비가 21.3cm로, 사주쌍변(四周雙邊)에, 한 쪽 면은 10행 22자로 되어 있다. 책의 앞부분에는 서문, 목록, 총론 등이 있는데, 모두 30쪽에 해당된다. 건(乾)책은 96쪽, 곤(坤)책은 116쪽으로, 모두 242쪽에 달한다. 먹남본 역시 건곤(乾坤) 2책으로 나뉘고, 표지는 한지로 검게 결어서 만들었다. 크기는 너비 24.7cm, 길이 33.0cm이다. 좌우쌍변(左右雙邊)에, 한 쪽 면은 10행 20자로 되어 있다. 상권에는 서문과 목록이 모두 4쪽에 해당되고, 매 쪽마다 10열로 써져 있다. 총론은 8쪽에 해당되며, 매 쪽마다 12열로 되어 있다. 본문은 매 쪽마다 10열로 되어 있다. 하권의 87쪽부터 111쪽까지, 부록에서 운학(韻學)과 관련된 설명을 제외하고, 매 쪽마다 12열로 되어 있다.

이 책에서는 먹남본을 근거로 아래의 내용을 정리하였다.

(3) 내용 및 체제

『자류주석』은 상하 두 권으로 나누어져 있으며, 10,958개의 한자를 수록하였다. 5부로 나누어 배열하였는데, 상권은 천도부(天道部, 499)·지도부(地道部, 1,297)·인도부상(人道部·上, 4,397)으로 구성되어 있으며, 모두 6,193자가 수록되었다. 하권은 인도부하(人道部·下, 2,503)와 물류부(物類部, 2,262)로 구성되어 있으며 모두 4,765자가 수록되었다. 부록은 하권의 끝에 수록되어 있다. 5부의 아래에다 또 한자의 의미에 따라 다음과 같이 35개로 분류하였다.

疑未能的證. 古語又有今變, 鄕音各用土俚俗稱, 或殊本義, 鄙褻不宜雅言, 此其難也. 强求略記, 望後來者, 因此而正其訛舛, 求其精深者耳. 以字典考校韻書以外, 亦略收音義之可曉者, 字過萬數, 欲其幼斃抄讀, 長資攷檢也.

천문류(天文類), 천시류(天時類), 조화류(造化類), 토석류(土石類), 수화류(水火類), 산천류(山川類), 지형류(地形類), 방역류(方域類), 군국류(郡國類), 사이류(四夷類), 전리류(田裡類), 윤상류(倫常類), 신체류(身體類), 성정류(性情類), 선악류(善惡類), 학업류(學業類), 언어류(言語類), 사위류(事爲類), 농업류(農業類), 음식류(飲食類), 의관류(衣冠類), 거처류(居處類), 기용류(器用類), 보화류(寶貨類), 질병류(疾病類), 상제류(喪祭類), 정교류(政敎類), 법금류(法禁類), 병진류(兵陣類), 음악류(音樂類), 명수류(名數類), 초목류(草木類), 금수류(禽獸類), 어별류(魚鼈類), 충치류(蟲豸類).

각각의 분류들은 다시 더 세분화시켜, 그 분류의 의미 자질을 대표할 수 있는 글자를 우선적으로 나열해놓았다. 예를 들어, 천도부(天道部)·천문류(天文類)의 아래에 또 16가지의 소부류를 나누었다. 각 분류의 첫 번째 글자는 천(天), 일(日), 월(月), 성(星), 각(角), 정(井), 추(樞), 풍(風), 운(雲), 우(雨), 청(晴), 로(露), 설(雪), 무(霧), 뢰(雷), 홍(虹)으로, 이 16개의 글자는 16개의 의미범주를 대표하며, 그 아래에 또 거기에 속하는 한자가 들어가 있다. 예를 들어, 천(天)의 뒤에는 건(乾), 호(昊), 민(旻), 소(霄), 궁(穹), 륭(窿)이 있는데, 이 의미들은 모두 하늘[天]과 관련이 있다.

『자류주석』에서 글자를 해석하는 체제는 하나가 아닐뿐더러 형식도 다양하여, 기본형과 확대형으로 나눌 수 있다. 기본형은 '올림자—한글 뜻 해석—한글 음 해석—한자 뜻 해석'이고, 확대형은 '올림자—한글 뜻 해석—한글 음 해석—한자 뜻 해석—한글 뜻 해석 혹은 한글 음 해석'이다. 확대형은 또 복수의 한글 음 해석(두 개 또는 두 개 이상의 한글 음 해석)과 복수의 해석항(두 개 또는 두 개 이상의 한글 뜻 해석, 한자 뜻 해석 혹은 한글 음 해석)이라는 두 종류로 나눌 수 있다. 예를 보자.

란(爛): 빈날【란】빛나는 모양을 의미하며, 란란(爛爛)이라고 표현한다. 또 밝다는 뜻으로, 찬란(燦爛)이라고 표현한다. 너무 익다는 뜻으로, 미란(糜爛)이라고 표현한다. 또 꽃이 만발한 것을 뜻한다.(빈날【란】光皃, 爛爛. 又明也, 燦爛. 熟也, 糜爛. 又爛漫.)

표(杓): 쟈루【표】다섯 번째에서 일곱 번째까지의 북두칠성. 또 【쟉】이라는 독음이 있는데, 작(勺)과 같다. 마시는 도구이다.(쟈루【표】第五至第七斗柄. 又

【작】소勺, 飮器.)

로(露): 이슬【로】밤의 기운이며 음(陰)의 액체이다. 드라날【로】형체가 드러남을 말한다.(이슬【로】夜氣, 陰液 드라날【로】形現)

(4) 가치

『자류주석』은 백과사전과 같은 성질을 띤다.『강희자전』의 영향을 많이 받았지만, 그 형식과 내용을 이어받은 상태에서 변화를 주어, 새로운 특징을 보여준다. 한국의 언어학사에 중요한 의미를 지니는데, 첫째,『자류주석』은『훈몽자회』를 대량으로 증보하였다.『훈몽자회』는 총 3,360자를 수록하였으나,『자류주석』은 그 3배에 달하는 18,000여자를 수록하였다. 둘째,『자류주석』은 언어와 문화를 유기적으로 결합시켜, 언어문화의 기능과 민족 문화의 차이에 대한 사람들의 이해를 심화시켰다. 그러므로 언어와 문화의 내재적인 연결을 촉진시키는 연구에 중요한 가치를 지닌다.155)

자전의 모범, 체계, 엄격성, 실용성 등 과학적인 속성의 제약을 받아,『자류주석』에 보존되어 있는 정보는 한자문화의 확장연구에 중요한 문헌자료가 된다. 편찬자는 한글과 중국어 두 개의 언어로 수록자의 형음의(形音義)를 해석하였는데, 그중에서 중국어로 한자의 형음의를 분석한 것이 더욱 상세하다.『자류주석』의 의미해석은 주로『강희자전』과『전운옥편』을 근거로 삼았거나 근원을 두고 있어, 내용면에서 이들 세 자전은 일맥상통하는 부분이 많다. 그러면서 체제와 배열, 글자와 단어의 선택, 의미의 해석 등 부분에서『자류주석』은 또 다른 특징을 가지고 있다. 문헌을 확장하는 과정에서, 외재적인 문화 환경은 발전하는 단계마다 침투하거나 제약을 가할 수 있다. 그러므로『자류주석』에서 해석한 내용에는 중국문화의 영향과 조선시대 전통문화의 특징이 반영되어 있다.

---

155) [중국]王平, [한국]하영삼, 『域外漢字研究書系·韓國卷』에서의 『蒙求字書研究』 (上海人民出版社, 2012).

제4절 자원자전(字源字典)

자원자전의 편찬자는 한자의 형체를 분석하면서 한자의 의미를 찾고자 하였다. 자원자전은 『설문』에서부터 시작되는데, 허신(許慎)은 540개의 부수를 만들고 그에 따라 한자를 분류하고 귀납하였으며, 부수로 의미해석을 하는 원칙을 만들었다. 그리고 소전의 형체에 근거하여, 9천여 개 한자의 본의(本義) 및 형체·의미의 관계를 해석하였다.[156] 당대(唐代)부터 많은 사람들이 『설문』의 부수에 따라 한자의 자원을 연구하였지만 전체적인 성과가 많지 않았다. 그래서 청대(淸代)의 건가(乾嘉)시기 이후에는 더 이상 관심을 가지지 않게 되었다.[157] 한자가 한국으로 전해진 것은 한(漢)나라 때 일거라 추정되는데, 그 당시 중국의 글자체는 주로 예서(隸書)나 예해서(隸楷書)였다. 그러므로 고대의 한국인이 접한 한자의 글자체는 예서(隸書)의 다음인 해서(楷書)여야 한다. 다시 말해, 서체로 봤을 때, 한국으로 확장된 한자의 형식은 해서(楷書)가 정자체가 된다.

아래에 우리는 자원자전인 『제오유』와 『육서경위(六書經緯)』를 소개하였다. 전자는 소전(小篆)의 자형에 근거하여 한자의 형체와 의미 관계를 해석했으므로 『설문』의 영향을 받은 게 분명하다. 후자는 해서(楷書)에 근거하여, 회의(會意)의 방법으로 한자를 해석하였는데, 중국 송대(宋代) 왕안석(王安石)의 『자설(字說)』의 유풍이 남아있다.

1. 『제오유(第五游)』

18세기 말에 출판된 『제오유』는 미완성 필사본으로, 유일하게 소전으로 한자의 자원을 해석한 자전이다.

(1) 저자 및 편찬 목적[158]

---

156) 王平, 『說文研讀』(華東師範大學出版社, 2012).
157) 高明, 『中國古文字學通論』(北京大學出版社, 1996), 11쪽.

저자 심유진(沈有鎭)은 자(字)가 유지(有之)이고, 호(號)가 애려자(愛廬子)이며, 경상도의 청송(青松) 사람이다. 조선시대 경종(景宗) 3년(1723)에 태어났으며, 죽은 해는 알 수가 없다. 영조(英祖) 50년(1774)에 정시문과에 을과로 급제하였다. 정조(正祖) 1년(1776)에 조왜접위관(弔倭接慰官)을 역임하고, 이후에 수찬(修撰), 영광군수(靈光郡守), 승지(承旨) 등의 관직을 역임하였다. 정조(正祖) 6년(1782)과 7년(1783)에 대사간(大司諫)의 관직에 두 차례 임명되었고, 8년(1784)에 한성부좌윤(漢城府左尹)에 임명되었다. 이후에 나례도감(儺禮都監)의 과실로 인해 파면되었다가, 10년(1786)에 다시 대사간(大司諫)으로 임명되었다.

『제오유』의 편찬 목적은 한자의 필획, 구성, 의미, 소리의 근원에 대해 해석하는 것이다.

심내영(沈來永)은 발문에 "글자의 획은 이치에서 나오고, 글자는 획에서 나오며, 독음은 글자에서 나온다. 한 번 손을 들면 음양(陰陽), 기우(奇偶: 홀수와 짝수), 오행(五行), 상효(象爻)의 형체 등이 있고, 한 번 입을 열면 사성(四聲), 칠음(七音), 청탁(清濁), 높고 낮음[高下]의 구분이 있다."[159]고 말했다. 또 "위로는 허신의 『설문』에서부터 아래로는 『자통(字通)』과 『강희자전』의 십여 명의 학자에 이르기까지, 책이 두루 망라하고 증명하지 않은 바가 없으며, 10여 년 동안 여기에 몰두하였다."[160]라고 했다. 그러나 저자는 '병오(丙午)년 봄'에 이미 '병에 걸려 병세가 점점 심해졌으므로' 『제오유』를 완성할 수 없었기에, 결국 '속음(俗音)으로 널리 뜻을 풀이한다.'는 계획은 실현시킬 수 없었다.

(2) 판본

---

158) 河永三, 「18世紀 朝鮮字書 『第五游』의 體裁研究」, 『中國語文學』제60집(2012), 443-480쪽 참조.

159) (역주) 畫生於理, 字生於畫, 音生於字. 一舉手而有陰陽、奇偶、五行、象爻之體, 一開口而有四聲、七音、清濁、高下之分.

160) (역주) 上自許氏『說文』, 下至『字通』『字典』十數家, 編帙莫不旁羅博證, 沉潛玩賾者十餘季于兹矣.

『제오유』는 미완성 원고로써, 모두 1책 103쪽으로 구성되어 있다. 현재 연세대학교 도서관과 국립중앙도서관에서 소장하고 있다. 1978년 1월 5일부터 31일까지, 국립중앙도서관에서 주관한 고사전(古辭典) 전시회에서 『제오유』가 처음 선보이게 되었으나 주목하는 사람들이 없었다. 2008년에 연세대학교의 이규갑(李圭甲) 교수가 다시 학술계에 이 책을 소개하고 나서야 『제오유』에 대한 연구가 이루어졌다. 『제오유』의 현존하는 판본은 아래와 같다.

① 연세대학교 학술정보원 소장본. 필사본, 출판지, 출판자 및 출판년도 미상.
② 국립중앙도서관 소장본. 심내영(沈來永)의 부친 저술, 심내영 편집, 출판자 미상.

이상의 두 판본은 필사본이라 해도 내용에는 차이가 없다. 아래에 설명한 바는 국립중앙도서관 소장본을 근거로 하였다.

판식은 사주쌍변(四周雙邊)에, 반곽(半郭)의 길이는 22.3cm이고, 너비가 15.3cm이다. 경계가 있으며 6행으로 구성되어 있다. 글자의 수는 정해져 있지 않으며, 두 줄로 주석처리 되어 있다. 무어미(無魚尾)로, 30cm이다. 발문에는 '임금 재위 12년 무신(戊申, 1788)년 양복일(陽復日)에 심내영(沈來永)이 삼가 적습니다. 임자년(壬子年, 1792)의 가을, 한해주(瀚海州)에서 오재순(吳載純)이 발문을 적습니다.'라고 적혀 있다.

(3) 내용 및 체제

이 책은 목록, 본문, 발문의 세 부분으로 구성되어 있다. 전체 1,535자를 풀이하였으나, 13자가 중복되므로[161] 실제로는 1,522자이다. 올림자는 먼저 운모(韻母)에 따라 억음류(億音類), 인음류(人音類), 을음류(乙音類), 심음류(深音類), 입음류(入音類), 공음류(工音類), 우음류(于音類), 내음류(乃音類)와 같이 8항목으로 나뉜다. 각 항목에서 글자의 순서는 심내영이 『발문』에서 "『삼운통고(三韻通考)』의 글자 수를 따랐으며, 글자를 쫓아 의미를 해석하였

---

161) 중복되는 글자는 '丰, 他, 亶, 二, 乍, 牟, 秇, 曲, 服, 兀, 乃, 隶, 哉' 등이다.

다."고 했듯이, 바로『삼운통고』의 순서에 근거하여 글자를 배열하였다. 글자를 해석할 때,『제오유』에서는 더욱 '음석(音釋)'을 중시하여, "즉 이전의 학자들이 경솔하게 여겨 대거 생략하고서, 어떤 글자는 독음이 무엇이라고만 했을 뿐, 어떤 독음 때문에 어떤 의미가 된다고는 풀이하지 않았다. 그렇게 하는 것이 어찌 조자(造字)의 본의(本意)를 푼 것이라 할 수 있겠는가?"라고 여겼다. 따라서 글자마다 상세하게 독음의 어원에 대해 해석해놓았다. 자음(字音)의 근원을 추적하는 것은 그 실용성이 매우 뛰어나기 때문에, 한자의 독음을 아주 쉽게 인식하고 기억할 수 있게 되었다.

『제오유』에서 글자 해석의 기본적인 체제는 '올림자(해서)—소전체—자의해석[釋義]—자형해석[釋形]—독음해석[釋音]—의미파생[字義引申]—보충설명' 등의 순으로 되어 있다. 예를 보자.

> 적(赤): 森 남방의 색이다. 대(大)와 화(火)로 구성된 회의(會意)이다. 일반적으로 남방 주작(朱雀)의 색을 일컫는 말이기에 작(雀)이 독음이고, 치음(齒音)이다. 적자(赤子)나 적지(赤地)는 색을 가지고 말한 것이다. 적족(赤族)이나 적빈(赤貧)은 가난하여 여유가 없다는 뜻이다. 적지(赤地)라는 글자로 유추해보아, 척(尺)과 통한다.(億音類, 十八)(森 南方色. 從大, 從火. 會意. 而蓋是南方朱雀之色, 故雀音, 俱是齒音. 赤子、赤地以色而言; 赤族、赤貧皆貧乏無餘之意, 赤地之類推, 與尺通.(億音類, 十八))

그밖에,『제오유』는 '속음(俗音)'을 모든 글자의 아래에다 기록해놓았는데, 세상에서 문자학을 공부하는 자[操觚佔畢]들이 편리하게 고증'할 수 있도록 시도하였다. 그러나 심유진(沈有鎭)의 병세가 위독하여, 결국 이 목표는 실현되지 못했다.

(4) 가치

『제오유』는 한국에서 최초로 체계를 갖춘 자원자전(字源字典)이다. 『제오유』는 18세기 이후, 한국의『설문』학에 대한 성과를 총괄해냈을 뿐만 아니라, 박선수(朴瑄壽)의 『설문해자익징(說文解字翼徵)』, 허전(許傳)의 『자훈

(字訓)』, 권병훈(權丙勳)의 『육서심원(六書尋源)』, 이인호(李隣鎬)의 『설문고이 (說文考異)』 등 『설문』연구의 시작을 열었다. 조선시대에서 『제오유』의 출현 이전에 『설문』을 연구한 경우가 적었다는 것은 그만큼 『설문』이 중시를 받지 못했다는 것을 설명하는 것이다. 이후 『설문』의 글자 분석 이념과 방법을 준수한 『제오유』가 후세 학자들의 귀감이 되었기에, 『제오유』는 바로 『설문』을 널리 알린 이정표가 되는 작품이라고 할 수 있다. 특히 『제오유』에서 사용한 '글자해석의 응용방법[解字活法]'은 자의(字義)의 어원을 고증하려고 한 것이 아니라, 문화적 측면에서 해독을 한 것이다. 저자는 자신의 문화적 관념으로 한자부호를 저장매체로 삼아 표현하였기에, 지금의 문자학 이론 방법과 동일시할 수는 없다. 심유진은 한자의 본의(本義)와 서로 모순되는 것을 피하고자 '응용방법'을 사용하였는데, 이는 실제로 이학(理學)의 학자들이 연구를 할 때 자주 사용하는 방법이다. 즉 함축된 의미가 있는 형식을 억지로 갖다 붙여 사람들이 한자를 공부하고 해독할 때 쉽게 이해하도록 함으로써, 의식과 문화적 관념을 전수하고 계승하는 것이 심유진의 의도였다. 조선시대는 '주자소학(朱子小學)'과 '훈고소학(訓詁小學)'이 병행되어도 모순이 되지 않았으므로, 그의 '글자해석의 응용방법'도 이러한 배경에서 생겨난 것이다. 너무나도 뛰어난 작품의 흠은 문제가 되지 않듯이, 『제오유』는 한국의 역사에서 중요한 지위를 차지하고 있고, 한국의 한자발전과 연구에 긍정적인 작용과 영향을 미쳤다. 또한 오늘날의 한자교육에도 훌륭한 귀감이 되기에, 학자들이 중시하지 않을 수 없다.

그밖에, 『제오유』는 한자의 권력화를 관찰하고 정치에 이용될 수 있는 메커니즘을 내포하고 있다. 모든 문자는 정치권력에 이용될 수 있는 특성을 가지고 있는데, 표음문자와 비교해봤을 때, 이미지와 형상성이 풍부한 한자가 더욱 그런 성향이 강하다고 할 수 있다. 『제오유』는 글자의 형체구조, 의미의 해석, 한자의 계열화 등을 통해, 각종 사물들을 조직화하였다. 그리하여 이념적 의미가 없는 군신(君臣)·부자(父子)·부부[夫妻]·형제(兄弟)·남녀(男女)·처첩(妻妾)·선비와 관리[士吏] 등의 범주 아래에 있는 한자들을 모두 정치, 윤리, 질서라는 이념에 두었다. 게다가 음양(陰陽)의 이론으로 존비(尊卑) 등의 가치이념을 만들었다. 이렇게 개방형의 한자는 정치적 이념에 적극적으로 사용되고, 문자에 '권력'을 부여함으로써, 끝없이 계속해서 힘을 발휘할 수 있게 되었다.162)

2. 『육서경위(六書經緯)』

『육서경위』는 한국에서 해서(楷書)의 형체에 따라 한자의 의미를 해석한 자전으로, 헌종(憲宗) 9년(1843)에 간행하였고, 1777~1780년 사이에 출판하였다.[163]

(1) 저자 및 편찬 목적

저자 홍양호(洪良浩, 1724~1802)는 초명(初名)이 양한(良漢)이고, 자(字)는 한사(漢師)이며, 호(號)가 이계(耳溪)이다. 조선후기의 문신이자 학자인 그는 본관이 풍산(豊山)으로, 일찍이 사헌부(司憲府)의 지평(持平), 홍문관 수찬(弘文館 修撰), 교리(校理), 사간원 대사간(司諫院 大司諫), 사헌부 대사헌(司憲府 大司憲), 평안도 관찰사(平安道 觀察使), 이조판서(吏曹判書) 등의 관직을 역임하고, 아울러 홍문관(弘文館)과 예문관(藝文館)의 대제학(大提學)을 역임하였다. 그는 정조(正祖) 6년(1782)과 정조(正祖) 18년(1794), 두 차례 외교사절로 중국에 가서, 중국의 학자들과 광범위하게 교류하여, 당시 조선의 학계에서 고증학의 수용과 보급에 공헌을 하였다. 그는 『영조실록(英祖實錄)』, 『국조보감(國朝寶鑑)』, 『갱장록(羹牆錄)』, 『동문휘고(同文彙考)』 등 여러 서적을 편찬하였으며, 저서로는 『목민대방(牧民大方)』, 『이계집(耳溪集)』, 『육서경위(六書經緯)』, 『군서발배(群書發排)』 등이 있다.

『육서경위』의 편찬 목적은 서문에서 다음과 같이 밝혔다. "세상에서 자학(字學)을 하는 사람들이 오로지 해성(諧聲)으로 그것을 구한다. 그리하여 천하에 넘쳐 나는 것이 대저 삼운(三韻)과 사성(四聲)의 운보일 따름이다. 유독 『설문』만이 글자의 의미를 해석했다."[164], 『설문』이 "모(母)를 들어 자(子)

---

162) 河永三, 『<第五游>整理與硏究』(上海人民出版社, 2012), 「導讀硏究」 1~66쪽 참조.

163) 문준혜, 「『六書經緯』의 構成과 體裁」, 『中國語文論譯叢刊』제36집(2015), 295쪽.

164) (역주) 世之爲字學者, 惟從諧聲焉求之. 故盈天下者, 大抵三韻四聲之譜而已. 獨『說文』一書, 專解字義.

만을 남겼기에, 지나치게 간략하여 옛 성인의 오묘한 뜻을 오히려 다 볼 수 없게 되었다."165). 그러므로 『육서경위』를 편찬하여, "말은 간단하지만 뜻을 분명하게 하여 어리석은 일반 백성들도 모두 알 수 있게 했다."166)

(2) 판본

『육서경위』의 판본은 한 종류뿐이다. 현재 한국의 연세대학교 도서관, 경성대학교 도서관, 일본의 덴리[天理]대학교 도서관, 교토[京都]대학교 도서관, 미국의 콜롬비아 대학교 도서관 등지에서 소장하고 있다.

이 판본은 전사자(全史字)판으로, 크기는 길이가 22.0cm이고 너비가 15.8cm이다. 판식은 사주단변(四周單邊)에, 한 쪽 면은 10행 20자로 구성되어 있으며, 검은색 선으로 행의 간격을 구분했으며, 윗부분이 흑어미(黑魚尾)로 이루어져 있다. 겉표지에 『이계외집(耳溪外集)』이라고 써져 있으며, 책의 앞부분에는 저자의 서문이 적혀 있다. 중간부분이 본문인데, 모두 7편으로 각각 『앙관편(仰觀篇)』, 『부찰편(俯察篇)』, 『근취편(近取篇)』, 『원취편(遠取篇)』, 『잡물편(雜物篇)』, 『찬덕편(撰德篇)』, 『변명편(辨名篇)』으로 구성되어 있으며, 전체 1,700여자가 수록되어 있다. 책의 뒷부분에는 청(清)나라의 기윤(紀昀)과 대구형(戴衢亨)이 쓴 후기가 실려 있다.

(3) 내용 및 체제

『육서경위』는 『앙관편(仰觀篇)』(120), 『부찰편(俯察篇)』(156), 『근취편(近取篇)』(476), 『원취편(遠取篇)』(262), 『잡물편(雜物篇)』(226), 『찬덕편(撰德篇)』(131), 『변명편(辨名篇)』(454)과 같이 크게 7편의 내용으로 구성되어 있으며, 1,766개의 한자가 수록되어 있다.

『육서경위』는 『이아(爾雅)』와 『석명(釋名)』의 해석과 체제를 본떠, 그 서문에 "설명은 『이아』와 『석명』을 모방하였다.(立言則放乎『爾雅』『釋名』.)"라고 밝혀 놓았다. 따라서 1,766개의 해석은 형식적으로 『이아』와 『석명』과 일

---

165) (역주) 舉母遺子, 略而不備, 古聖人製作之精義奧旨, 猶不可見矣.
166) (역주) 要之辭約而意明, 使夫愚夫愚婦, 皆可與知.

치하며, 각각의 부류에 포함된 단어들을 나누어서 해석해놓았다. 『앙관편(仰觀篇)』의 내용을 예를 들어 보자.

> 하늘[天]은 유일하게 커서 그 위가 없는 것이다.(天者, 一大無上也.)
> 땅[地]은 흙 가운데 못을 포함하고 있는 것이다.(地者, 土中包池也.)
> 사람[人]은 천하의 가운데에 서서 음양을 갖춘 몸이다.(人者, 中天下而立, 具陰陽之體也.)
> 양(陽)은 해가 달 위에 있는 것이다.(陽者, 日在月上也.)
> 음(陰)은 구름이 하늘 아래 있는 것이다. 음양이 모두 방(防)으로 구성된 것은 두 기운이 서로 섞이지 않기 때문이다.(陰者, 雲在天下也. 陰陽皆從防者. 二氣不相雜也.)167)

『육서경위』의 가장 큰 특징은 해서를 가지고 대상들을 해석하였고, '회의(會意)'법으로 당시에 가장 많이 사용하는 1,766개의 한자들을 해석한 점이다. 홍양호(洪良浩)는 실용성이 있으며 쉽게 파악되고 연상될 수 있는 한자를 골라 수록하였다. 『부찰편(俯察篇)』의 내용을 예를 들어보자.

> 낙(洛)은 하(河)와 각각 흐르는 것을 말한다.(洛者, 與河各流也.)
> 위(渭)는 맑은 물을 밭에 대는 것을 말한다.(渭者, 清水灌田也.)
> 한(漢)은 아득히 멀어 타고 올라가기 어려운 곳을 말한다.(漢者, 邈難攀也.)
> 회(淮)는 물이 반쯤 모인 것을 말한다.(淮者, 水半彙也.)
> 제(濟)는 물이 가지런히 모인 것을 말한다.(濟者, 水齊會也.)
> 탑(㶟)은 물이 거듭 들어오는 것을 말한다.(㶟者, 水累入也.)

(4) 가치

『육서경위』는 의식적으로 한자만을 연구한 초기의 문헌으로, 한국의 문자학 연구사에서 중요한 지위를 차지하고 있다. 홍양호가 저술한 『육서경위

---

167) (역주) 이의 해석은 문준혜, 「『六書經緯』의 構成과 體裁」, 『中國語文論譯叢刊』제36집(2015), 298쪽을 재인용함.

』와 그의 서문을 살펴보면, 그가 그 시기의 한자연구를 촉진시킨 공헌을 했고, 한자가 자전의 편찬 도구에서 이론적 연구를 할 수 있는 중요한 발판으로의 역할로 격상되었다는 점은 의심의 여지가 없다. 그러므로 이 책은 한국의 문자학 연구사에 선도적인 지위를 차지하고 있으며, 그 내용과 방법도 학술적 가치가 있다.

조선시기에 당시의 상용한자를 두고, 회의(會意)의 관점에서 한자를 설명한 책이 있었다는 것은, 그 내용에 맞지 않는 부분이 많다고 하더라도 일반 백성들의 한자 학습에 큰 작용을 하였다. 한자교육의 보급과 촉진이라는 관점에서 봤을 때, 활용적 가치가 뛰어난, 매우 훌륭한 시도라고 볼 수 있다.

제5절 고문자전(古文字典)

1.『기자휘(奇字彙)』

한자는 대개 양한(兩漢) 시기에 한국으로 전해졌다. 그 시기에 중국에서 사용한 서적의 글자체는 대부분 예서(隸書)와 해서(楷書)였다. 그래서 글자체의 변천과 사용의 관점에서 봤을 때, 한자의 확장은 금문자(今文字)에서 시작되었다고 말할 수 있다. 전서(篆書) 이전의 문자를 한국학자들은 기자(奇字) 또는 고문(古文)이라고 부른다.『기자휘』는 고문자(古文字)의 자형을 전문적으로 수집하여 기록한 자전이다.

(1) 저자 및 편찬 목적

『기자휘』의 저자는 밝혀지지 않았다. 한국학자들의 1차적인 연구에 따르면, 이 책은 고종(高宗) 17년(1880) 이전에 출판되었고, 1880년에 간행되었다. 이 책은 한국사에서 매우 중요한 고문자(古文字) 자전이다. 이 책의 편찬목적은 그 당시 조선한자의 각종 형체를 수록하여, 일반 사람들에게 정자(正字)와 기자(奇字)의 관계를 이해시키는 데 있었다.

(2) 판본

『기자휘』는 한국학중앙연구원의 왕실도서관 장서각에만 소장되어 있다. 이는 1책으로 구성되어 있으며, 필사본으로 길이는 23.8cm, 너비는 14.7cm이다. '유성세가(留城世家)', '조희순인(趙羲純印)'의 날인이 찍혀 있는 것으로 보아, 소장에 출처가 있음을 알 수 있다. 이 책의 표지에는 서명이 적혀 있고, 지노로 장정하였다. 한 쪽 면은 8행 16자로 구성되어 있으며, 『강희자전』의 부수 순서에 따라 배열되어 있다. 부수의 아래에는 반절(反切)로 독음을 표시하였고, 각 글자의 아래에는 정자(正字)로 해석을 해 놓았다. 인장(印章)을 통해, 이 책은 조선시대의 수학자[算學家]인 조희순(趙羲純)이 소장하고 있었다는 것을 알 수 있다.

(3) 내용 및 체제

『기자휘』는 기자(奇字)를 2,122개 수록하였다. 기자(奇字)(1개 혹은 여러 개)를 먼저 배열하고, 다시 정자(正字)를 배열하였는데, 필획 수에 따라 나열하였다. 1차적인 연구에 따르면, 기자(奇字)는 거의 대부분이 이체자로 이루어져 있다고 한다. 자형의 구조로 봤을 때, 이체자의 유형은 주로 편방의 증감 및 대체, 필획의 증감 및 변형 등으로 이루어져 있다. 생성방법으로 봤을 때, 의미부의 변환 및 소리부의 변환, 자형의 유사성으로 인한 오류, 고자(古字)의 모방 등 4가지가 존재한다. 이 책은 『강희자전』의 214부수에 따라 나누었는데, 그중에서 부목(部目)은 있으나 귀속자가 없는 부수가 22개 있으며, 귀속자가 있는 부목은 192개 존재한다. 각각의 부목 아래에 독음을 달고 의미를 해석하였다. 독음은 주로 반절(反切)과 직음법(直音法)을 사용하여 표시하였다. 반절과 직음법은 『당운(唐韻)』, 『광운(廣韻)』, 『집운(集韻)』, 『정운(正韻)』, 『강희자전』, 『운회(韻會)』, 『정자통(正字通)』 등의 경전과 운서에서 취하였는데, 그중에서 『당운』을 가장 많이 취하였다. 의미해석은 『설문』, 『옥편(玉篇)』, 『자림(字林)』, 『이아(爾雅)』, 『석명(釋名)』, 『광운(廣韻)』, 『강희자전』 등 경전과 한자의 사서(辭書)에서 주로 취하였다.

(4) 가치

『기자휘』는 한국에서 현존하는 최초의 이체자 자전으로, 수록자가 많고 기자(奇字)의 어원도 풍부한데, 금문(金文), 『설문』의 고문기자(古文奇字), 주문(籒文), 소전(小篆) 등이 포함되어 있다. 체재가 분명하고 의미해석과 독음의 표시도 모두 중국의 자전을 본받았다. 이론적 근거가 충분하여, 이후의 이체자 자전 및 기타 유형의 자전 편찬에 참고자료로 사용되었다.

『기자휘』에는 조선시대 사람들이 학습하고 사용한 기자(奇字)가 대량으로 보존되어 있다. 당시의 대중들은 한자를 더욱 잘 기억하고 식별하기 위해 어떤 방법을 사용하여 기자(奇字)를 편집하였다. 그러므로 이 기자(奇字)에는 간편성, 자형의 균형성, 의미의 강화성, 소리부의 명확성 등의 특징들이 있다. 이러한 기자(奇字)의 특징을 통해, 한자가 조선시대에 확장된 상황을 엿볼 수 있으며, 또한 한자가 동아시아로 확장된 규칙을 연구하는데 실마리를 제공해줄 수 있다. 그밖에, 이 책의 의미해석과 독음의 표시는 모두 중국의 자전에서 취한 것이므로, 중국에서 실전된 자전을 집일하는 데 그 의미가 매우 크다.

2. 『금석운부(金石韻府)』

『금석운부』는 조선 시대에 허목(許穆)이 편찬하였으며, 모두 2책으로 구성되어 있다. 한국학자들은 이 책의 출판연대가 대개 17세기 중기라고 보고 있다.

(1) 저자 및 편찬 목적

저자 허목(許穆, 1595~1682)은 자(字)가 문보(文甫)·화보(和甫)이고, 호(號)는 미수(眉叟)·대령노인(臺嶺老人)이며, 시호(諡號)는 문정(文正)이다. 조선시대의 유명한 유학자인 이황(李滉)의 재전제자이며, 조선시대 후기의 탁월한 정치가, 사상가, 작가, 시인, 화가, 교육가이자, 예송(禮訟) 논쟁 때 남인(南

人)의 대표인물이다. 일찍이 이조판서(吏曹判書), 대사헌(大司憲), 우의정(右議政) 등을 역임하였다.

저자는 고문자(古文字)를 추앙하기 위해 이 책을 편찬하였는데, 주로 고문자 자체를 대상으로 하였으며, 이를 통해 한자의 기원을 탐구하고, 자형에 반영된 본의(本義)를 더욱 중시하였다.

(2) 판본

현존하는 『금석운부』의 판본에는 두 종류가 존재한다. 하나는 경성흥문당(京城興文堂) 서점에서 출판한 석인본(石印本)으로 1929년과 1936년에 인쇄되어, 현재 중앙도서관에서 소장하고 있다. 다른 하나는 1929년에 흥문당(興文堂) 서점에서 발행한 석판(石版) 영인본으로, 현재 부산대학교 도서관에서 소장하고 있다. 이 책에서 선택한 것은 후자로, 이 책은 영사본(影寫本)이며, 사주단변(四周單邊)에, 한 쪽 면은 7행 8자로 되어 있으며, 판심은 단사판화문흑어미(單四瓣花紋黑魚尾)이다. 중간부분에는 서명이 적혀 있고, 아랫부분에는 쪽수가 적혀 있다. 이 책에는 서문과 발문이 없다.

(3) 내용 및 체제

『금석운부』는 모두 2,672개의 항목이 수록되어 있으며, 각각의 항목은 해서로 올림자를 썼다. 앞부분에는 올림자의 고문(古文)의 자형이 써져 있으며, 뒷부분에는 고문자형의 이체(異體) 또는 그 주문(籀文)의 자형이 써져 있다. 이 책은 자형에 근거하여 상평성(上平聲), 하평성(下平聲), 상성(上聲), 거성(去聲), 입성(入聲) 등 사성으로 나누었으며, 각각의 성조 아래에 운(韻)에 따라 배열해놓았다.

상평성(上平聲): 1동(東), 2동(冬), 3강(江), 4지(支), 5지(脂), 6지(之), 7미(微), 8어(魚), 9우(虞), 10모(摸), 11제(齊), 12가(佳), 13개(皆), 14회(灰), 15진(眞), 16순(諄), 17진(臻), 18문(文), 19은(殷), 20원(元), 21혼(渾), 22흔(痕), 23한(寒), 24환(桓), 25관(關), 26산(山).

여기에 수록된 올림자는 모두 606개이다.

　하평성(下平聲): 1선(先), 2전(煎), 3선(宣), 4소(蕭), 5초(超), 6효(崤), 7호(豪), 8가(歌), 9과(戈), 10마(麻), 11양(陽), 12당(唐), 13경(庚), 14경(耕), 15청(淸), 16청(靑), 17증(蒸), 18등(登), 19우(尤), 20후(侯).

여기에 수록된 올림자는 모두 443개이다.

　상성(上聲): 1동(董), 2종(腫), 3강(講), 4지(紙), 5지(旨), 6시(市), 7미(尾), 8어(語), 9우(麌), 10모(姥), 11례(禮), 12해(解), 13해(駭), 14회(賄), 15해(海), 16진(軫), 17준(準), 18문(吻), 19은(隱), 20원(遠), 21혼(混), 22흔(很), 23단(旦), 24완(緩), 25관(綰), 26산(産), 27선(銑), 28선(獮), 29소(篠), 30소(小), 31교(巧), 32호(昊), 33타(嚲), 34과(果), 35마(馬), 36양(養), 37탕(蕩), 38방(榜), 39정(靜), 40정(頂), 41증(拯), 42유(有), 43후(厚), 44유(黝), 45침(寢), 46감(坎), 47감(敢), 48람(檻), 49첨(忝), 50담(澉).

여기에 수록된 올림자는 모두 537개이다.

　거성(去聲): 1지(至), 2치(値), 3미(未), 4어(御), 5우(遇), 6모(暮), 7태(泰), 8제(霽), 9제(祭), 10해(解), 11화(畵), 12쾌(夬), 13대(隊), 14매(沬), 15대(代), 16폐(廢), 17진(震), 18준(俊), 19문(問), 20흔(焮), 21손(巽), 22원(願), 23한(翰), 24관(貫), 25간(諫), 26간(襉), 27산(霰), 28선(線), 29소(嘯), 30소(笑), 31효(效), 32호(號), 33개(箇), 34과(過), 35마(禡), 36양(漾), 37랑(浪), 38경(敬), 39병(迸), 40정(政), 41경(徑), 42잉(媵), 43등(嶝), 44유(囿), 45무(戊), 46유(幼), 47침(浸), 48감(蝛).

여기에 수록된 올림자는 모두 599개이다.

　입성(入聲): 1옥(屋), 2옥(沃), 3촉(燭), 4각(覺), 5질(質), 6술(述), 7즐(櫛), 8물(勿), 9흘(迄), 10월(月), 11몰(歿), 12갈(曷), 13말(末), 14발(拔), 15설(屑), 16졸(拙), 17약(藥), 18착(毛), 19막(莫), 20맥(麥), 21석(昔), 22석(錫), 23직(職), 24덕(德), 25십(十), 26합(合), 27, 28엽(葉), 29섭(鑷), 30섭(囁), 31업(業), 32흡(洽), 33합(柙), 34법(法).

여기에 수록된 올림자는 모두 487개이다.

(4) 가치

『금석운부』는 고문(古文)과 주문(籒文)의 형체를 대량으로 수집하고 정리한 자전으로, 한국의 문자학 역사에서는 매우 드문 것이라 할 수 있다. 필자가 조사한 바에 따르면, 이 책은 중국 명대(明代) 주운(朱雲)의 『금석운부(金石韻府)』(대략 1531)의 영향을 받아, 운부(韻部)의 배열이 중국판과 기본적으로 동일하다.

그밖에, 『금석운부』는 한국의 언어문자 체계에서도 중요한 가치를 지니고 있다. 첫째, 대량의 고문(古文)과 주문(籒文)의 자형을 수집하고 정리하여, 고문자(古文字)의 서법 체계를 많이 보존하고 있기 때문에, 문자의 조자 어원 및 그 변천 규칙을 탐색하는 데 도움이 된다. 둘째, 고문자의 속자(俗字) 자형을 대량으로 수록하고 있어, 고문자와 그 변천과정을 고증하는 데 중요한 의미를 지닌다. 셋째, 중국의 『금석운부』의 음운체계의 영향을 받았으므로, 한자의 자음(字音)과 관련된 내용은 음운학 연구에 참고할 수 있는 가치가 크다.

3. 『설문해자익징(說文解字翼徵)』

『설문』이 언제 한국으로 전해졌는지 현재로서는 정확한 연대를 알 수가 없다. 일반적으로 『설문』은 진대(晉代)에, 『송본옥편』은 송(宋)나라 초에, 『광운(廣韻)』은 송대(宋代)에 이미 한국으로 전해졌으며, 『홍무정운(洪武正韻)』은 『광운(廣韻)』과 거의 같은 시기에 전해졌다고 추측된다.[168] 하영삼(河永三)의 연구에 따르면, 적어도 12세기 이전에 『설문』은 이미 한국으로 전해졌으며, 고려시대 때 과거시험의 필수교재로 정해졌었다. 고려(高麗)의 인종(仁宗, 1122~1146) 시기에 『설문』은 관리들의 필독서로 상당한 중시를 받고

---

168) 陳榴,「<康熙字典>對韓國近代字典編纂的影響」,『中華字典研究(第二輯)』(北京: 中國社會科學出版社, 2010).

있었다. 18세기에 이르러 『설문』을 연구한 논문과 저서들이 나타나기 시작했다. 조선후기의 실학자인 이익(李瀷, 1681~1763)이 저술한 『성호사설(星湖僿說)·설문(說文)』(『經史門』第18卷)이 최초이다. 이 글은 조선 시대에 『설문』을 연구한 논문으로, 『설문』의 가치와 한계에 대해 소개하였다.169)

『설문해자익징』은 박선수(朴瑄壽)가 저술하여, 대략 고종 9년(1872)에 완성된, 금문(金文)으로 『설문』을 수정하고 보충한 자전이다.

(1) 저자 및 편찬 목적

저자 박선수(朴瑄壽, 1821~1899)는 자(字)가 온경(溫卿)이고, 호(號)가 온재(溫齋)이며, 본적이 반남(潘南)이다. 실학자 박지원(朴趾源)의 손자이자, 현령(縣令) 박종채(朴宗采)의 아들이다. 그의 형인 박규수(朴珪壽)는 우의정(右議政)을 역임하였고, 그의 모친은 유영(柳詠)의 딸이다. 박선수(朴瑄壽)는 고종(高宗) 1년(1864)의 증광별시문과(增廣別試文科)에 장원급제를 하고, 사간원 대사간(司諫院 大司諫)(1865), 암행어사(暗行御史)(1867), 참찬관(參贊官)(1873), 대사간(大司諫)(1873), 이조참의(吏曹參議)(1874), 예방승지(禮房承旨)(1878), 성균관 대사성(成均館 大司成)(1883), 공조판서(工曹判書)(1884), 형조판서(刑曹判書)(1894) 등의 관직을 역임했다. 그의 일생과 학술사상에 대한 기록은 매우 적지만, 그의 조부와 형의 '실사구시(實事求是)'라는 학술적인 성향으로 인해, 박선수도 이러한 태도를 계승했을 거라 짐작된다.

『설문해자익징』의 편찬 목적은 『설문』을 교정하기 위함이다. 박선수는 『설문』이 자전의 시조이지만, 체제가 엄정하지 못하고, 교감을 덜 끝내 적지 않은 오류가 있다고 여겼다. 완벽하지 못한 체제는 『설문』의 부수설정과 글자를 분류함에 있어 오류를 만들었으며, 덜 끝낸 교감은 한자분석에 오류를 만들었다. 이러한 오류가 생긴 이유를 살펴보면, 『설문』에서는 이미 형체변화를 거친 소전(小篆)을 한자를 분석하는 근거로 삼았기 때문이다. 그러므로 박선수는 소전보다 더욱 빠른 시기의 금문(金文)을 근거로 하여, 『설문』의 오류를 보충하고 수정하였다.

---

169) 河永三, 「韓國歷代<說文>研究綜述」, 『中國文字研究』第17輯(2010).

(2) 판본

현재 우리가 보는 『설문해자익징』의 판본은 한 가지 뿐으로, 국립중앙
도서관에서 소장하고 있다. 이 책은 사주단변(四周單邊)에, 한 쪽 면은 11행
22자로 되어 있다. 반곽(半郭)의 길이는 21.6cm, 너비는 15cm이며, 행을 나누
는 구분선이 없다. 어떤 글자는 책의 위쪽에 본문의 내용을 정리하거나 근
거를 보충하는 내용을 적은 김만식(金晩植)의 두주(頭註)가 있으나, 일부는
김윤식(金允植)이 보충하였다. 책의 앞부분에는 김윤식의 서문이 있으며, 뒷
부분에 『설문』의 서문을 첨부하였다. 앞부분에 '조선학술원(朝鮮學術院)'의
날인이 찍혀 있으며, 아울러 '청풍(淸風)', '김윤식 인(金允植 印)'이 찍혀 있
다. 책의 시작부분에는 서명, 권수, '반남(潘南) 박선수(朴瑄壽) 온경(溫卿) 치
(治: 짓다), 청풍(淸風) 김만식(金晩植) 기경(器卿) 습(習: 보충하다)'이 써져 있
고, 책의 끝부분에는 '이 책은 500권 발행하였다[是書印行見五百]'와 '백수 사
내정의[170) 장판[伯壽寺內正毅藏版]'이라는 날인이 찍혀 있다. 책의 부록에는
허신이 작성한 『설문』의 서(敍)가 있는데, '동한(東漢) 허신(許慎)의 원서[原
序]'라고 써져 있다.

(3) 내용 및 체제

『설문해자익징』의 구조는 『설문』과 기본적으로 동일하다. 『설문해자』의
540부수에 따라 배열하였고, 14권으로 구성되어 있다. 각 부수의 시작부분에
부수와 부수의 순서, 그 부수에 속해 있는 글자와 중문(重文)의 수량, 자신
이 증명한 글자의 수량을 표시해놓았다. 대서본(大徐本) 『설문해자』는 각 권
마다 부수와 그 부수에 속해 있는 글자, 중문(重文)과 새로 첨부한 글자의
수량을 통계 내었는데, 『설문해자익징』도 부수에 따라 통계를 내었다. 각각
의 글자 아래에 『설문해자』의 해석을 먼저 인용하고, 다시 이 글자의 금문
(金文) 자형을 덧붙였다. 책 전체의 구성은 아래와 같다.[171]

---

170) (역주) 한일 합방 때인 1910년~1916년까지 조선 3대 통감과 초대 조선통독
을 지낸 인물인 데라우치 마사타케를 말한다.

171) (역주) 원 저자의 서술식 나열을 문준혜의 「朴瑄壽와 『說文解字翼徵』」, 『규
장각』제32집(2008), 165쪽의 표로 대체함.

책수	내용	부수	수록자수
제1책	서문		
	제1권	제1부 '一' ~ 제14부 '艸'	50
	제2권	제15부 '小' ~ 제44부 '冊'	119
제2책	제3권	제45부 '㬎' ~ 제97부 '㸚'	143
	제4권	제98부 '㸚' ~ 제142부 '角'	106
제3책	제5권	제143부 '竹' ~ 제205부 '桀'	144
	제6권	제206부 '目' ~ 제230부 '䶃'	84
제4책	제7권	제231부 '日' ~ 제286부 '㡬'	132
	제8권	제287부 '人' ~ 제323부 '無'	88
제5책	제9권	제324부 '頁' ~ 제369부 '象'	81
	제10권	제370부 '馬' ~ 제409부 '㑜'	91
	제11권	제410부 '水' ~ 제430부 '㔾'	68
제6책	제12권	제431부 '乙' ~ 제466부 '系'	103
	제13권	제467부 '糸' ~ 제489부 '劦'	63
	제14권	제490부 '金' ~ 제540부 '亥'	105
		김윤식과 김만식의 『부기(附記)』	
		『설문해자』 서문	
계	14부	540부	1,377자

『설문해자익징』은 『설문해자』중에서 1,377개의 한자를 선별하여 편찬한 것이다. 이는 글자의 의미 해석-구조 분석-발음 설명-중문(重文)제시-문헌 인용-반절음(反切音)의 순서로 한자를 해석하였으며, 서현(徐鉉) 또는 서개(徐鍇)의 주석을 '서현이 말하기를[徐鉉曰]' '서개가 말하기를[徐鍇曰]'의 형식으로 반절음 뒤에 나열하였다.

(4) 가치

『설문해자익징』은 최초로 금문(金文)의 체계에 근거하여 『설문』을 연구한 저서이다. 일반적으로 금문 자료에 근거하여 『설문』을 연구한 최초의 저서는 청(淸)나라 말의 오대징(吳大澂)의 『설문고주보(說文古籒補)』라고 여기지만, 『설문해자익징』의 초본이 1912년에 간행되었으므로, 『설문고주보』보다 앞선다고 판단된다. 그중에서 정확한 견해와 창의적인 의견은 오대징의 연구 성과보다 앞서며, 그 당시 조선시대 학자들의 『설문』을 연구하는 수준을 대표하고 있다. 예로, '천(千)'과 '필(畢)' 등 글자의 해석을 들 수 있다.

『설문해자익징』은 문자의 구조적 이론을 새롭게 창조하였다. 청대(淸代)에 『설문』을 연구한 학자들의 성과는 이전 사람들을 훨씬 앞섰지만, 대부분 『설문』의 이론적 범위에서 벗어나지 못했다. 그런데 박선수의 『설문해자익징』은 『설문』을 저본으로 하였으나, 『설문』에 구애받지 않고 자신의 이론을 수립하고, 그에 따라 한자를 연구하였다.

『설문해자익징』은 상당히 엄격한 고증방식을 개척했다. 먼저 금문에 근거하였으며, 그 다음 역대 전적들로 글자체를 고증하였다. 만약 금문을 찾을 수 없다면 유추를 하거나 혹은 다른 금문에서 필요한 부분을 추출하여 조합해서 연구하였다.

물론 이 책에도 여전히 문제점들이 존재하고 있다. 예컨대, 청말(淸末)의 학자인 이자명(李慈銘)은 이렇게 지적했다. "박선수는 편방(偏旁)에 대한 지식이 풍부하다. 경전에 대한 주석과 석문(釋文)을 절충하고, 체제가 정연하니 더욱 취할 만하다. 그런데 이기(彝器: 청동기)는 본디 가짜가 많은데도, 송대(宋代) 이후로 고문(古文)과 기자(奇字)를 말하는 사람들은 대개 견강부회하거나 알지 못하는 것도 억지로 안다고 하였다. 이러한 유행은 근세에까지 전해졌고 그 모호함이 영향을 미쳐 견강부회하게 되었으니, 더더욱 따져 묻지 않을 수가 없게 되었다. 박선수는……직접 눈으로 종정(鐘鼎)의 관지(즉 명문)를 보지는 않았다. 그가 나열한 문자는 모두 『박고도(博古圖)』, 『설씨관지(薛氏款識)』, 『완씨관지(阮氏款識)』 등에서 취했는데, 이들 책은 쓰고 판각하는 과정에서 잘못 전해져 근거가 많이 부족한 것들이다. 게다가 『설문해자』도 잘못된 판본을 계승하고 있다."[172]

---

172) (역주) 朴君頗識偏旁, 折衷經註及釋文, 體例秩然, 甚爲可取. 惟彝器之屬, 本多贋作, 自宋以來, 言古文奇字者, 大率皮傅肊決, 强不知爲知. 流及近世, 模糊影響, 郢書燕說, 更不可問. 朴君……目不見鐘鼎眞款, 所列文字, 皆采目『博古圖』『薛氏款識』『阮氏款識』三書, 寫刻傳譌, 滋不足據. 而『說文』亦僅相沿誤本.

3

한국한문자전의 자의(字義) 해석

자의(字義) 해석은 자전의 핵심부분이다. 자전의 질적인 면은 의미해석의 수준에서 크게 결정이 난다.[1] 한국한문자전은 처음 탄생하는 날부터 중국자전을 참고하였기에, 글자의 의미를 해석할 때 이미 그 표현법이 비교적 성숙되어 있었다. 의항의 선택에 있어서는 『송본옥편』의 영향을 많이 받았고, 의항의 배열에 있어서는 종종 한국에서 한자가 사용되는 상황에 근거하여 본의(本義), 파생의(引申義) 또는 가차의(假借義)의 순서대로 배열하였다. 그런데 드물게 사용되거나 생소한 의항이라면 거의 배열하지 않았다. 본장에서는 자의 해석의 방식, 의항 유형, 자의 해석의 용어, 자의 해석의 특징 등으로 한국한문자전의 자의 해석 상황을 소개하였다.

제1절 자의 해석의 방식

한문자전에서 자의 해석 방식은 편찬자가 한자의 의미를 해석할 때 사용하는 방법을 말한다. 중국의 전통자전들은 자의를 해석할 때 훈고의 영향을 많이 받았으므로, 형훈(形訓), 성훈(聲訓), 의훈(義訓)으로 나누어져 있다.

---

1) 趙振鐸, 『字典論』(上海辭書出版社, 2011), 6쪽.

한국한문자전이 대량으로 출판된 시기는 중국의 명청(明清) 시기에 해당된다. 중국 역대 자전들의 편찬 방식을 학습하고 참고하였기 때문에, 한국한문자전은 탄생하는 날부터 이미 성숙했었다고 말할 수 있다. 우리가 중국의 전통적인 방식만으로 자의 해석을 분석했다면, 그 내용은 개괄적일 수밖에 없었을 것이다. 왕력(王力)은 『이상적인 자전[理想的字典]』[2]에서, 자전의 합리적인 자의 해석 방법을 '자연에 관한 정의, 같은 종류에서 다름을 구함, 부정어를 사용해서 글자의 뜻을 해석, 묘사, 비유'와 같은 5가지로 결론지었다. 우리는 한국한문자전의 자의 해석 방법을 아래의 중국식과 한국식으로 개괄하였다.

1. 중국식 자의 해석

(1) 자연적 정의

수량, 도량형, 천문지리, 친족호칭, 금수 등과 같은 것들이 '자연에 관한 정의'에 속한다.[3] 예로, '촌(寸)'자의 해석을 살펴보자.

『훈몽자회』: 촌(寸)은 10분(十分)이 1촌(一寸)이 된다.(寸, 十分爲一寸.)

『제오유』: 촌(寸)은 10분(十分)이다. 즉, 우(又)는 손[手]을 말한다. 우(又)와 일(一)로 구성되어 있으며 손으로 물건을 잡고 있는 모습이다. 손에서의 촌맥(寸脈)은 손목 아래 1치 되는 자리에 있다. 물건을 쥐고 있는 형상이기에, 이것이 마디를 재는 처음이 되었다. 그 길고 짧음은 생각하기에 쉽게 혼란이 올 수 있으므로, 혼(混)으로 읽힌다.(寸, 十分也. 即又, 手也. 從又, 從一, 手持物也. 手上寸脈在腕下一寸, 而有靮物之形, 此量寸之始也. 其長至短, 慮其易混, 故混音.)

『전운옥편』: 촌(寸)은 10분(十分)이고, 헤아리다[忖]는 뜻이다. 원(願)운이다.(寸, 十分, 忖也. (願).)

『자류주석』: 촌(寸)은 10분(十分)이다. 사람의 손목 안쪽으로 1치 되는 곳의 동

---

2) 王力, 『龍沖冰雕齋文集(一)』(中華書局, 2015), 329-330쪽.
3) 王力, 『龍沖冰雕齋文集(一)』(中華書局, 2015), 329-330쪽.

맥(動脈)을 촌구(寸口)라고 부른다. 또 헤아리다[忖]는 뜻이다.(寸, 十分也. 人手卻一寸, 動脈謂寸口. 又忖也.)

『신자전』: 촌(寸)은 길이를 재는 명칭이다. 10분(十分)이다. ○헤아리다[忖]는 뜻이다. 원(願).(寸, 度名, 十分. ○忖也. (願).)

(2) 같은 종류에서 다름을 구함

의미를 해석할 때, 큰 분류의 아래에 다시 수식성분을 더해 차이점을 표시하였다.4) 예로, '장(匠)'자의 해석을 살펴보자.

『제오유』: 장(匠)은 공(工)과 같이 부른다. 근(斤)으로 구성되어 있으며, 도구를 만들 수 있다. 방(匚)이 독음이면서 뜻도 겸하고 있다. 대체로 곱자 같은 도구를 말하기 때문일 것이다.(匠, 工通稱. 從斤, 所以作器. 匚音, 兼意. 蓋其爲榘之器也.)

『전운옥편』: 장(匠)은 도구를 만들 수 있다. 공장(工匠)을 의미한다. 양(漾)운이다.(匠, 所以作器, 工匠. (漾).)

『자류주석』: 장(匠)은 도구를 만들 수 있다. 공장(工匠)이나 목공(木工)을 의미한다.(匠, 所以作器, 工匠, 木工也.)

『신자전』: 장(匠)은 도구를 만들 수 있다.『맹자』에는 "목공과 수레 만드는 장인(梓匠輪輿)"이라는 구절이 있다. 양(漾)운이다.(匠, 所以作器.『孟子』: 梓匠輪輿. (漾).)

(3) 동의어로 해석

자의를 해석하는 글자와 해석되는 글자가 같은 의미이거나 비슷한 의미로 이루어져 있다. 아래의 예문은 『전운옥편』에서 발췌하였다.

중(中): 【중】바르다[正]. 마음[心]. 안[內]. 절반[半]. 이루다[成]. 가득차다[滿]. 뚫다[穿]. 계산기[盛算器]. 동(東)운이다. 충(衷)과 통한다. 당하다[當]. 응하다[應].

---

4) 王力,『龍沖冰雕齋文集(一)』(中華書局, 2015), 329-330쪽.

맞히다[矢至的]. 적중하다[要]. 중흥(中興)과 중풍(中風)에 사용된다. 송(送)운이다. 중(仲)과 통한다.(中, 【중】正也, 心也, 內也, 半也, 成也, 滿也, 穿也, 盛算器. (東). 衷通. 又當也, 應也, 矢至的, 要也. 中興, 中風. (送). 仲通.)

공(公): 【공】바르다[正]. 한가지[共]. 공평하다[無私]. 공작[五爵首]. 존칭(尊稱). 마을[官所]. 동(東)운이다. 공(功)과 통한다.(公, 【공】正也, 共也, 無私, 五爵首, 尊稱, 官所. (東). 功通.)

평(平): 【평】바르다[正]. 평탄하다[坦]. 화목하다[和]. 다스리다[治]. 고르다[均]. 쉽다[易]. 이루어지다[成]. 풍년들다[歲再登]. 경(庚)운이다. 물건값을 정하다[定物價].(平, 【평】正也, 坦也, 和也, 治也, 均也, 易也, 成也, 歲再登. (庚). 定物價.)

단(端): 【단】바르다[正]. 머리[首]. 싹[萌]. 비로소[始]. 실마리[緒]. 살피다[審]. 오로지[專]. 제복(齊服)으로, 현단[玄端]을 말한다. 한(寒)운이다.(端, 【단】正也, 首也, 萌也, 始也, 緒也, 審也, 專也. 齊服, 玄端. (寒).)

아(雅): 【아】바르다[正]. 평상[常]. 우아하다[儀]. 한아(閒雅)와 유아(儒雅)에 사용된다. 평소[素]. 악기(樂器)의 이름이다. 마(馬)운이다.(雅, 【아】正也, 常也. 儀也, 閒雅, 儒雅. 素也, 樂器. (馬).)

(4) 반의어로 해석

'모지대(某之對)', '모지반(某之反)'으로 자의를 해석하였다. 아래의 예문은 『자류주석』에서 발췌하였다.

> 영(榮)은 욕(辱)의 반대이다.(榮, 辱之反.)
> 열(劣)은 우(優)의 반대이다.(劣, 優之反.)
> 실(失)은 득(得)의 반대이다.(失, 得之反.)
> 담(淡)은 농(濃)과 대응된다.(淡, 濃之對.)
> 상(上)은 하(下)에 대응된다.(上, 下之對.)
> 하(下)는 상(上)에 대응된다.(下, 上之對.)
> 좌(左)는 우(右)에 대응된다.(左, 右之對.)
> 우(右)는 좌(左)에 대응된다.(右, 左之對.)
> 전(前)은 후(後)에 대응된다.(前, 後之對.)
> 후(後)는 전(前)에 대응된다.(後, 前之對.)

내(內)는 외(外)에 대응된다.(內, 外之對.)
외(外)는 내(內)에 대응된다.(外, 內之對.)

(5) 부정어를 사용한 해석

부정어를 사용하여 글자를 해석하였다.[5] 아래의 예문은 『전운옥편』에서 발췌하였다.

소(少): 【쇼】적다[不多]. 적게 여기다[短]. 소(篠)운이다. 젊다[幼]. 소(嘯)운이다.(少, 【쇼】不多, 短也. (篠). 幼也. (嘯).)

암(暗): 【암】어둡다[不明]. 깊다[深]. 감(勘)운이다. 암(闇)과 같다.(暗, 【암】不明, 深也. (勘). 闇同.)

근(近): 【근】가깝다[不遠]. 거의[幾]. 문(吻)운이다. 친근하다[附]. 가까이 하다[親]. 문(問)운이다.(近, 【근】不遠, 幾也. (吻). 附也, 親也. (問).)

사(邪): 【샤】비뚤어지다[不正]. 간사(姦思)하다. 부정하고 남에게 아첨하다[邪佞]. 사(衺)와 같다. 축축한 땅[下地]으로, 오야(汙邪)를 말한다. 흉노족의 왕 이름으로 혼야(渾邪)를 말한다. 칼의 이름으로, 막야(莫邪)를 말한다. 지명으로, 낭야(瑯邪)를 말한다. 어조사로, 의문을 나타낸다. 마(麻)운이다. 야(耶)와 같다.(邪, 【샤】不正, 姦思, 邪佞也. 衺同. 下地, 汙邪. 名王號, 渾邪. 劒名, 莫邪. 地名, 瑯邪. 語助, 疑辭. (麻). 耶同.)

난(難): 【난】어렵다[不易]. 간난(艱難)과 중난(重難)에 사용된다. 구슬의 이름으로, 목난(木難)이라고 한다. 한(寒)운이다. 재앙[患]. 막다[阻]. 꾸짖다[責]. 근심하다[憂]. 나무라다[詰辨]. 한(翰)운이다.(難, 【난】不易. 艱難, 重難. 珠名, 木難. (寒). 患也, 阻也, 責也, 憂也, 詰辨. (翰).

파(頗): 【파】바르지 못하다[不正]. 편파(偏頗)에 사용된다. 가(歌)운이다. 뜻이 같다. 겨우 가능하다[僅可]. 가(哿)운이다.(頗, 【파】不正, 偏頗. (歌). 義同. 僅可. (哿).)

(6) 묘사를 사용한 해석

---

5) 王力, 『龍沖冰雕齋文集(一)』(中華書局, 2015), 329-330쪽.

실물에 속하는 것들은 모두 묘사를 할 수 있다.6) 예를 보자.

『훈몽자회』: 산(傘)은 해[日]와 비[雨]를 가려준다.(傘, 遮日及雨.)

『제오유』: 산(傘)은 덮개[蓋]이다. 상형(象形)이다. 산(繖)이라고도 쓴다. 사(絲)로
구성되어 있다. 아마도 번잡하게 장식을 했기 때문일 것이다. 독음은 산(散)
이다.(傘, 蓋也. 象形. 通作繖. 從絲, 蓋其繁飾也. 散音.)

『전운옥편』: 산(傘)은 해[日]를 가리고, 비[雨]를 가려준다. 한(旱)운이다. 산(繖)
과 통한다.(傘, 蔽日, 雨盖. (旱). 繖通)

『자류주석』: 산(傘)은 비[雨]를 막고 해[日]를 가려주는데, 접었다 폈다 할 수 있
다. 산(繖)과 통한다. 역시 산(幰)이라고도 쓴다.(傘, 禦雨蔽日, 可以卷舒. 繖
通. 亦作幰.)

『신자전』: 산(傘)은 비[雨]를 막고 해[日]를 가려주는데, 접었다 폈다 할 수 있다.
한(旱)운이다. 산(繖)과 같다.(傘, 禦雨蔽日, 可以卷舒. (旱). 繖同.)

『훈몽자회』: 만(鰻)은 뱀장어[鱺]를 말한다. 비늘과 껍데기가 없고, 푸른색을 띠
며, 배 부분이 하얗다. 수컷만 있고 암컷이 없는데, 만례(漫鱧: 가물치)에 붙
여서 새끼를 낳는다. 그래서 만(鰻)이라 부른다.7) 한(寒)운이다.(鰻, 鱺也, 無
鱗甲, 色靑, 腹白, 有雄無雌, 以影漫鱧而生子, 故鰻. (寒).)

『훈몽자회』: 방(魴)은 방어[鯿魚]를 말한다. 머리는 작고 목은 오그라들 수 있으
며, 배 부분이 넓고 비늘은 가늘다. 양(陽)운이다.(魴, 鯿魚, 小頭縮項, 闊腹細
鱗. (陽).)

(7) 비유를 사용한 해석

묘사할 수 없는 사물에 대해서는 예를 들어 설명하였다. 아래의 예문은
『훈몽자회』에서 발췌하였다.

---

6) 王力, 『龍沖冰雕齋文集(一)』(中華書局, 2015), 329-330쪽.

7) (역주) 『澧州方物志』(2)에 이런 기록이 보인다. 鰻鱺魚: 『埤雅』: 鰻鱺魚無鱗甲,
白腹, 似鱔而大, 青色. 焚其煙氣辟毒驅蚊. 有雄無雌, 以影漫鯉而有子. 子附鱧鰭
而生, 故謂之鰻鱺. 背有白點無鰓者, 不可食; 四目者殺人. 今曰白鱔, 別於黃鱔也.

장(嶂): 형상이 병풍[屏障]과 같다.(形如屏障.)

아(砑): 형상이 반마(半磨)와 같은데, 비단처럼 빛이 나는 것을 말한다.(形如半磨, 以光繒者.)

용(鱅): 전어[鰱]를 말한다. 연어[鰱]와 비슷하지만 검다. 동(冬)운이다.(鰱也, 似鰱而黑. (冬).)

(8) '속호(俗呼)' 또는 '속칭(俗稱)'이라는 용어를 사용한 해석

이음절로 단음절을 해석할 때, '속칭(俗稱)' 또는 '속호(俗呼)'를 사용해서 해석한다. 여기에서 '속호(俗呼)'나 '속칭(俗稱)'은 구어로 서면어를 해석한 것이다. 아래의 예문은 『훈몽자회』에서 발췌하였다.

석(席): 세속에서는 량석(涼席)이라고 부른다.(席, 俗稱涼席.)

지(芝): 세속에서는 영지초(靈芝草)라고 부른다.(芝, 俗稱靈芝草.)

부(父): 세속에서는 노자(老子)라고 부른다. 또 부친(父親)이라고도 부른다.(父, 俗稱老子. 又稱父親)

만(娩): 세속에서는 만와(娩卧)라고 부른다.(娩, 俗稱娩卧.)

맥(脉): 세속에서는 맥식(脉息)이라고 부른다. 왼손과 오른손에 각각 촌맥(寸脉), 관맥(關脉), 척맥(尺脉)이 있어, 9가지 맥[九候脉]을 보다.(脉, 俗稱脉息. 左右手各有寸關尺三部, 診九候脉)

閭: 세속에서는 가방(街坊)이라고 부른다.(閭, 俗呼街坊.)

개(疥): 세속에서는 개창(疥瘡)이라고 부른다.(疥, 俗呼疥瘡.)

객(客): 세속에서는 객인(客人)이라고 부른다.(客, 俗呼客人.)

거(鋸): 세속에서는 거아(鋸兒)라고 부른다.(鋸, 俗呼鋸兒)

탁(祏): 세속에서는 탁견(祏肩)이라고 부른다.(祏, 俗呼祏肩.)

두(蚪): 세속에서는 과두충(蝌蚪虫)이라고 부른다.(蚪, 俗呼蝌蚪虫.)

사(司): 세속에서는 관사(官司)라고 부른다.(司, 俗呼官司.)

기(機): 세속에서는 기장(機張)이라고 부른다.(機, 俗呼機張.)

⑼ 별칭을 사용한 의미 해석

이음절로 단음절을 해석할 때, '일명(一名)', '우명(又名)', '우호(又呼)', '혹호(或呼)' 등을 사용해서 해석한다. 아래의 예문은 『훈몽자회』에서 발췌하였다.

> 앵(櫻): 바로 앵두[櫻桃]를 말한다. 일명 함도(含桃)라고 한다.(櫻, 即櫻桃. 一名含桃.)
> 항(肛): 항문(肛門)을 말한다. 일명 광장(廣腸)이라고 한다.(肛, 肛門. 一名廣腸.)
> 동(蝀): 올챙이[蛞蝀]를 말한다. 일명 활사(活師)라고 한다.(蝀, 蛞蝀. 一名活師.)
> 시(鳲): 뻐꾸기[鳲鳩]를 말한다. 일명 재승(載勝)이라도 하고, 박서(搏黍)라고도 한다.(鳲, 鳲鳩, 一名載勝, 一名搏黍.)
> 고(蛄): 세속에서는 루고(螻蛄)라고 부른다. 또 강고(江蛄), 토구(土狗), 납고(臘蛄)라고 부른다.(蛄, 俗呼螻蛄. 又江蛄. 又呼土狗. 又名臘蛄.)
> 연(檽): 다래[獼猴桃]를 말한다. 중국에서는 연조(檽棗)라고 부른다. 연(軟)이라고 쓰기도 한다. 또 등리(藤梨)라고 부른다.(檽, 即獼猴桃, 漢呼檽棗. 通作軟. 又名藤梨.)
> 환(宦): 혹 내관(內官)이라고 부른다. 또 선비[仕]나 관리[官]의 뜻이 있다.(宦, 或呼內官. 又仕也, 官也.)

⑽ 형체에 따른 해석

자형에 대한 분석을 그 본자(本字) 및 본의(本義)로 판정하는 것을 말한다. 이는 훈고학의 전통적인 해석방법으로, 후세의 훈고학자들은 이를 성훈(聲訓)과 대응시켜 형훈(形訓)이라고 불렀다. 한국한문자전에서 형체에 따라 의미를 해석한 자전으로는 『제오유』와 『육서경위』가 있다. 『제오유』는 소전을 의미의 근거로 삼고 육서(六書)를 더해 한자의 조자의미를 분석하였다. 『육서경위』는 해서의 구조를 근거로 삼고 회의의 방법으로 한자의 의미를 해석하였다. 아래의 예문은 『제오유』에서 발췌하였다.

인(人): ![人], 하늘과 땅의 심장이다. 머리를 숙이고 두 손을 모으고 있는 형상으로, 상형(象形)이다. 사람은 인(寅)에서 생겨나 모이므로, 독음이 인(寅)이다. 인(人)이 글자의 위에 있으면 동(仝)이 되고, 오른쪽에 있으면 이(以)가 되며, 아래에 있으면 측(仄)이 되므로, 반드시 왼쪽에 자리하는 것만은 아니다. 그러나 많은 글자들이 왼쪽에 있는 편방으로 쓰이기에 다른 글자들도 모두 이를 본떴다. 인심(人心), 인사(人事), 인륜(人倫) 등의 글자들이 모두 인(人)으로 구성되어 있다. 수를 세는 것도 사람의 일이기에, 천(仟)이나 억(億) 등과 같은 글자도 모두 인(人)으로 구성되어 있다. 물건(物件)의 건(件)도 사람이 하는 일이라서, 인(人)으로 구성되어 있다. 그런데 쇠[牛]는 덩치가 큰 짐승이라 잡아서 죽이는데 혼자서는 할 수 없다. 그래서 사람[人]들이 나누어서 해야 하는 일이라, 몇 건[幾件]이라 할 때의 건(件)이 되었다.(![人], 天地之心也. 俯首拱揖形, 象形也. 生於寅會, 故寅音. 人之於在字上爲仝, 在右爲以, 在下爲仄, 不必在左, 而從衆屬之左邊, 他皆倣此. 人心、人事、人倫等字多從人; 至於計數, 亦是人之事, 故仟、億等字皆從人; 物件之件亦是人爲, 故從人, 而牛大物也, 其宰殺也, 不可獨取, 與人分之, 故爲幾件之件.)

관(串): 물건이 서로 연달아 꿰어져 있는 모습이다. 상형(象形)이자 지사(指事)이다. 독음이 관(貫)이다.(串, 物相連貫. 象形. 指事. 貫音.)

건(巾): 머리장식[首飾]으로, 하나의 천으로 머리를 싸매는 것을 말한다. 상형(象形)이다. 그 형상이 길기 때문에 독음이 인(引)이다.(巾, 首餙. 以一幅裹頭, 象形. 其形長, 引音.)

오(吾): 나를 스스로 일컫는 말이다. 한 사람과 한 입으로 구성되어 있어, 회의(會意)이다. 독음은 오(五)이다.(吾, 我自稱. 一人, 一口, 會意. 五音.)

아래의 예문은 『육서경위』에서 발췌하였다.

성(星): 성(星)은 태양에서 빛이 생긴다.(日生光也.)

춘(春): 춘(春)은 태양이 하늘 아래에 있다.(日在天下也.)

하(夏): 하(夏)는 태양이 하늘의 중간에 있다.(日在天中也.)

모(暮): 태양이 풀 밑으로 들어가면 모(暮)가 된다.(日入草底爲暮.)

답(沓): 태양이 물속으로 들어가면 답(沓)이 된다.(日入水中爲沓.)

청(晴): 청(晴)은 태양이 맑다는 것이다.(日之淸也.)

암(闇): 암(闇)은 태양이 문에 들어간 것이다.(日入門也.)
고(杲): 태양이 나무 위에 있으면 고(杲)가 된다.(日在木上爲杲.)
묘(杳): 태양이 나무 아래에 있으면 묘(杳)가 된다.(日在木下爲杳.)

2. 한국식 자의 해석

(1) 음석(音釋)

음석은 『제오유』에서 한자를 해석한 특수한 방법이다. 우리는 음석을 사용하여 '성훈(聲訓)'이나 '소리로 의미를 구하지(因聲求義)' 않는 것을 범주로 삼을 것이다. 『제오유』에서 어떤 글자의 독음과 의미 간의 관계를 해석할 때 전통문자학이론에서 말하는 '성훈(聲訓)'과는 차이가 나기 때문이다. 학자들의 '성훈(聲訓)'에 대한 정의는 완전히 일치하는 건 아니지만 기본적인 방향은 같다고 할 수 있다. 하구영(何九盈)은 『중국고대언어학사[中國古代語言學史]』에서 "성훈(聲訓)을 고대 사람들은 '해성훈고(諧聲訓詁)'라고도 불렀다. 이는 음이 같거나 비슷한 단어를 사용하여 단어의 어원을 설명하는 것이며, 단어의 언어형식(소리의 조화)이 선결조건이 되어 두 단어 사이의 어원관계를 설명하는 것이다. 이렇게 단어의 어원을 탐구하는 방식은 선진(先秦)시기부터 시작되었고, 양한(兩漢)시기에 성행하여, 『석명(釋名)』에서 집대성되었다."[8]라고 말했다. 왕력(王力)은 『동원자전(同源字典)』에서 "성훈(聲訓)은 음이 같거나 비슷한 글자를 가지고 훈고(訓詁)하는 것을 말한다. 이는 고대 사람들이 어원을 찾는 방법이다."[9]라고 말했다. 즉 이들은 성훈(聲訓)을 모두 훈고의 한 방법이며, 자의 해석과 어원을 탐구하는 데 그 목적이 있다고 설명하였다. 그런데 『제오유』에서는 해석되는 글자의 음과 뜻을 해석할 때, 단어의 의미를 해석하거나 어원을 탐구하는 것처럼 보이지 않는다. 예를 보자.

곤(|): 위아래로 통하다는 뜻이다. 끌어다가 위로 올릴 때에는 신(凶)자와 같이

---

8) 何九盈, 『中國古代語言學史』(廣東教育出版社, 1995), 73쪽.
9) 王力, 『同源字典』(商務印書館, 1982), 10쪽.

읽고, 끌어다가 아래로 갈 때에는 퇴(辵)자와 같이 읽는다. 대개 일(一)이라는 것은 만물을 다스리는 근본이기에 변화를 일으키기 마련이다. 그래서 세로로 세워 곤(丨)이 되었다. 곤(丨)은 일(一)의 활용이라 하겠다. 정수리[囟]는 인체에서 가장 위에 있는 부분이기 때문에, 아래에서부터 위로 올리면 독임이 신(囟)이 된다. 위에서부터 아래로 내리면 퇴각하다는 의미를 가지고 있으므로, 독음이 퇴(辵)가 된다. 개(个)나 아(丫) 등의 글자가 이 부수에 속한다. 지사(指事)이다.(上下通也. 引而上行讀若囟, 引而下行讀若辵. 盖一者, 萬理之體, 而將變化, 故縱而爲丨. 丨者, 一之用也. 囟在人體最上, 故自下而上爲囟音. 自上而下有辵卻之義, 故爲辵音. 个、丫等字屬於此部. 指事也.)

류(充): 고대의 육(育)자이다. 아이가 뒤집어져 나오는 모습이다. 아이가 처음 태어날 때, 머리부터부터 거꾸로 나옴을 말한다. 키울 수 있으므로, 독음이 양(養)이 된다. 그래서 어머니[母]에 비유하기도 한다. 후세 사람들은 육(肉)이나 수(水)를 더해 파생자를 만들었는데, 아래 부분을 머리로 삼았다. 류(流)자는 이것으로 구성되어 있다. 류(充)자의 주석을 참조하면 된다.(古育字. 子之倒也. 子初生, 倒首而生. 可養, 故養音, 俱以喻爲母. 後人加肉、水, 以下爲頭, 流字從此, 見充註.)

책에서는 '곤(丨)'자의 독음과 뜻의 관계를 "위에서부터 아래로 내리면 퇴각하다는 의미를 가지고 있으므로, 독음이 퇴(退)가 된다."라고 해석했으며, '류(充)'자의 독음과 뜻의 관계를 "키울 수 있으므로 독음이 양(養)이 된다. 그래서 어머니[母]에 비유하기도 한다."라고 해석하였다. 형식적인 면에서 봤을 때, 그 목적이 단어의 의미에서 글자의 독음을 유추하는 데 있었다. 단어의 의미를 논리적으로 봤을 때, 여기에서의 '의미[義]'는 해석되는 글자와 진정한 의미로 엄밀하게 유추할 수 있는 논리적 관계가 없다. 그러므로 하영삼(河永三)은 "주의해야 할 부분은 여기에서는 독음의 근거라고 말했지만, 실제로는 한국인들이 한자의 독음을 쉽게 기억하게 하고자 채택한 조치일 뿐, 이 글자의 독음이 유래하게 된 근거라고는 볼 수 없다."[10]라고 말했다.

음석(音釋)은 『제오유』에서 중요한 부분을 차지하고 있다. 심유진의 아

---

10) 河永三, 「朝鮮時代字書<第五遊>所反映的釋字特徵」, 『中國文字研究』第16輯(2012), 198쪽.

들인 심래영(沈來永)은 발문에서 "음석으로 말하자면, 즉 이전의 학자들이 경솔하게 여겨 대거 생략하고서, 어떤 글자는 독음이 무엇이라고만 했을 뿐, 어떤 독음 때문에 어떤 의미가 된다고는 풀이하지 않았다. 그렇게 하는 것이 어찌 조자(造字)의 본의(本意)를 푼 것이라 할 수 있겠는가?"[11]라고 했다. 본문의 내용으로 봤을 때, '어떤 독음 때문에 어떤 의미가 된다'는 것을 해석하려는 목표에는 도달하지 못했지만, 저자의 이러한 공로는 결코 홀시할 수 없는 일이다. 『제오유』에서 음석(音釋)은 주로 독음을 기억할 때 그 기능을 발휘한다. 사람들에게 자형, 자의, 자음을 대응시켜 한자를 기억시키기 위해, 저자는 형음의(形音義)를 간단하고 알기 쉬운 방식으로 연관시킬 필요가 있었으므로, 연관이라는 관점에서 충분하고도 다양하게 설명하였다.

(2) 한글로 한자의 의미를 보조적으로 해석함

『훈몽자회』로 봤을 때, 16세기부터 한국학자들이 편찬한 한문자전에는 한글로 한자의 뜻과 독음을 보조적으로 해석하는 현상이 있었다. 예를 들어, 『훈몽자회』에 "조(藻)는 바다에서 나는 말[海藻]을 말한다. 또 수초(水草)를 의미하기도 한다. 『문종어석(文宗御釋)』에서, '말:왑【:조】'라고 했는데, 『초학자회(初學字會)』와 같다.(藻, 海藻. 又水草. 文宗御釋, 말:왑【:조】, 『初學字會』同.)"라는 구절이 있다.

이상의 분석을 통해, 한국한문자전의 자의 해석은 그 방식이 풍부하고 다채로울 뿐만 아니라, 그 문화적 특징까지도 담고 있다는 것을 알 수 있다.

한자를 사용하게 되면서, 점차 복잡한 내용을 하나하나 대응시키기 어려워졌다. 표현하는 의미가 서로 비슷한 글자들은 '근의자(近義字)'라고 부르고, 상반되는 의미를 지닌 글자들은 '반의자(反義字)'라고 부르는데, 이것만으로는 제대로 표현할 수 없게 되었다. 그래서 자연히 두 글자나 여러 개의 글자를 합성하여 만든 전문적인 의미를 가진 단어나 구가 만들어졌다. 단어는 글자를 더욱 깊이 이해하고자 할 때 사용되는데, 단어나 구로 단음절인

---

11) (역주) 至于音釋, 則前輩率多略之, 只言某字之爲某音, 不解某音之爲某義. 則是豈造字之本意也哉?

글자의 의미를 해석하면 더욱 쉽게 이해될 수 있다. 한국한문자전에서는 단어나 구를 가지고 자의를 해석하는 방법을 사용하여, 한자의 뜻을 쉽게 기억할 수 있는 수단으로 삼았다.

제2절 의항의 유형

자전은 올림자를 단위로 하는데, 올림자의 아래에 포함된 의미들의 수량은 각기 다르다. 어떤 올림자는 하나의 의미만을 가지지만, 그 이상의 의미를 가지는 올림자도 있다. 자전에 기록된 한자의 각각의 의미가 바로 한 개의 의항이 된다. 올림자의 의항을 분류하고, 서로 다른 유형을 개괄하기 위해서는 한자의 형음의(形音義)의 발전에 대한 연구와 한문자전의 편찬이 매우 중요하다.12) 자의의 유형에 근거해서 역사적 순서에 따라 의항을 나열하는 것은 다음의 순서로 이루어진다. 첫째, 한 개의 올림자 아래에 먼저 이 글자의 최초의 의미를 나열하고, 둘째, 본의(本義), 파생의[引申義]의 순서로 나열하며, 셋째, 가차의(假借義)와 통가의(通假義)를 나열한다. 나라 이름, 민족명, 지명, 성씨와 같은 것들은 일반적으로 제일 마지막에 둔다. 자전의 의항들은 독자들이 글자가 나타내는 여러 의미 간의 관계와 연관성을 알게 하는데 도움이 된다. 하나의 글자에 포함된 여러 의미들이 한 곳에 나열되어 있지 않고, 자의의 역사를 드러낼 수 없으며, 여러 의미 간의 관계를 이해할 수 없다면, 독자들은 그 요점을 알 수 없게 된다.13)

한국한문자전에 나열된 의항의 유형은 대체로 본의(本義), 파생의[引申義], 가차의(假借義)라는 3가지로 개괄할 수 있다. 의항의 배열순서는 상용의미가 앞에 나열되고, 드물게 사용되거나 생소한 의미는 뒤에 첨부하였다.

1. 본의(本義)

"한자 최초의 의미. 한자는 자형이 의미를 나타낼 수 있다는 특징을 가

---

12) 趙振鐸, 『字典論』(上海辭書出版社, 2011), 115쪽.
13) 趙振鐸, 『字典論』(上海辭書出版社, 2011), 121쪽.

지고 있다. 본의(本義)는 최초의 자형과 서로 관련이 있다. 예를 들어, '섭(涉)'의 본의는 '걸어서 강을 건너다'이다. ……또 '명(鳴)'은 조(鳥)와 구(口)로 구성된 회의자인데, 새의 입에서 소리가 나오는 것을 '명(鳴)'이라고 부른다."14). 중국어가 처음 만들어진 단계에서, 한 글자의 자형의 구조는 이 글자가 말 속에 나타내는 의미와 서로 일치한다. 자형이 직접적으로 나타낼 수 있는 의미는 그 글자의 최초의 의미로서 '자본의(字本義)'라고도 부른다. 한국한문자전에 수록된 한자는 기본적으로 중국자전의 해석을 따랐지만, 저자의 관점까지도 더한 경우가 있다. 예를 보자.

> 『제오유』: 향(香)은 향기[芳]를 말한다. 벼(禾)의 위에 해[日]가 따뜻하게 내리쬐면, 그 기운으로 꽃다운 향내를 온데 풍긴다는 의미이다. 회의(會意)이다. 해[日]는 양기(陽氣)이므로, 독음이 양(陽)이 된다. 사람의 좋은 명성이나 명예를 일러 향(香)이라 하는데, 문인의 아름다운 문장도 향(香)이라고 부르니, 모두 유추할 수 있는 내용이다.15)

이에 대해, 『설문』에는 "향(香)은 향기[芳]를 말한다. 서(黍)와 감(甘)으로 구성되어 있다. 『춘추전(春秋傳)』에 "기장의 좋은 향기(黍稷馨香)"라는 구절이 있다. 무릇 향(香)에 속하는 것들은 모두 향(香)으로 구성되었다."라고 했다. 단옥재는 "향(香)은 향기[芳]를 말한다. 초(艸)부수에서 '방(芳)은 풀[艸]의 향기를 말한다. 방(芳)을 초(艸)라고 부른다. 향(香)은 즉 그것을 폭넓게 일컫는 것이다.'라고 했다. 대아(大雅)에서는 '그 향내음이 비로소 올라가니(其香始升)'라고 했다. 서(黍)와 감(甘)으로 구성되어 있으며, 회의(會意)이다. 허(許)와 량(良)의 반절이다. 고운(古韻) 제10부에 속한다." 『춘추전(春秋傳)』의 "기장의 좋은 향기(黍稷馨香)"라는 구절은 『좌전(左傳)』 희공(僖公) 5년의 문장을 예로 든 것이다. 이는 향(香)을 증명한 것이 아니라, 향(香)은 반드시 기장(黍)의 의미를 따른다는 것을 말한 것이다. 무릇 향(香)에 속하는 것들은 모두 향(香)으로 구성되어 있다."라고 주석했다.16)

---

14) 王力, 『語言學詞典』(山東敎育出版社, 1997), 24쪽.
15) (역주) 香, 芳也. 禾上日暖, 則其氣芬芳, 會意. 日是陽氣, 故陽音. 人之令名謂之香, 文之佳句亦謂之香, 皆可類推.
16) (역주) 按, 『說文』: "香, 芳也. 从黍从甘. 『春秋傳』曰: "黍稷馨香." 凡香之屬皆

『제오유』: 천(天)은 지(地)와 위로 짝을 이루는 것을 말한다. 일(一)과 대(大)로 구성되어 있고, 회의(會意)이다. 고전(古篆)에서는 ▨이라고 썼는데, 위쪽으로 덮은 모습이다. 그보다 더 높은 것이 없으므로, 전(顚)으로 읽히게 되었다. 애려자(愛廬子: 심유진의 호)는 대신(臺臣)의 자격으로 선대왕조에서 강학을 할 때 '원형리정(元亨利貞)'의 '원(元)'자를 두고 다음과 같이 말했다. "천(天)은 이(二)와 인(人)으로 구성되어 있고, 원(元)과 인(仁)도 역시 이(二)와 인(人)으로 구성되어 있습니다. 이(二)는 겸애(兼愛)라는 뜻이고, 인(人)은 만물(萬物)의 주인이라는 뜻입니다. 천(天)이 이(二)와 인(人)으로 구성된 것은 천지만물을 함께 사랑한다는 뜻입니다. 원(元)은 기운의 흐름을 말하며, 인(仁)은 사람이 이러한 기운을 받았음을 말합니다. 그래서 서로 사랑하며 끊임없이 생성하다는 뜻이 됩니다. 이 세 글자는 원래 한 글자였는데, 시간이 흐르면서 분화한 것들입니다. 아랫부분이 덮은 모습이면 천(天)이 되고, 기가 흐르면 모습을 형상하여 다리가 굽혀진 모습이면 원(元)이 되며, 이것이 사람에게 내려지면 사람보다 앞서서 인(仁)이 만들어집니다. 이들 글자의 종성(終聲)은 지금도 차이가 없습니다. 전하께서 인(仁)에 담긴 겸애(兼愛)의 뜻을 다 실천하신다면, 성인의 미덕이 하늘 가득할 것이요, 일도 항상 때에 알맞아질 것입니다. 그래서 이렇게 풀었던 것입니다." 그러자 임금께서 "처음 듣는 해석이로고!"라고 하셨다. 그리고서는 "그대의 나이 올해 얼마인가?"라고 물으셨다. 이에 대답하여 아뢰었다. (이하 생략) 일(一)과 대(大)로 구성된 것이 본래 뜻이긴 하지만, 이(二)와 인(人)으로 의미를 해석해도, 구조상으로도 문제가 되지 않고, 이치에도 벗어나지 않으니, 이것이 바로 문자를 활용하는 방법이다.17)

從香." 『段注』: "(香)芳也. 艸部曰. 芳、艸香也. 芳謂艸. 香則汎言之. 大雅曰. 其香始升. 從黍. 從甘. 會意. 許良切. 十部. 春秋傳曰. 黍稷馨香. 約擧左傳僖五年文. 此非爲香證. 說香必从黍之意也. 凡香之屬皆从香.

17) (역주) 天, 地之上配也. 從一、大. 會意. 古篆作▨, 上覆之形也. 其高無上, 故顚音. 愛廬子以臺臣先大王朝講'元亨利貞'之'元'字曰: 天從二、人, 元、仁亦皆從二、人. 二, 兼愛之義; 人, 萬物之主. 天從二、人, 兼愛萬物之義; 元是氣之流行也; 仁, 人之稟是氣也, 其兼愛生生之義. 三字自是一字, 而隨時變化者也. 象其下覆則爲天, 象其流行則其脚曲而爲元, 稟於人則先人作仁. 其終聲則尙今無異. 殿下盡仁字, 兼愛之義, 則是所謂浩浩其天、其時, 適有事故, 演義如此. ㅣ, 上曰新聞之語也, 又曰爾秊, 幾何? 對曰: 云云. 一、大, 雖是本義, 以二、人解義, 無害於畫, 不違於理, 此字學之活法也. 하영삼, 「문화적 관념이 한자 해석에 미치는 원리-『第五游』의

이에 대해, 『설문』에서는 "천(天)은 전(顚)을 말한다. 더할 수 없이 높기에, 일(一)과 대(大)로 구성되어 있다. 타(他)와 전(前)의 반절이다."라고 했다. 단옥재는 "천(天)은 전(顚)을 말한다. 이는 같은 부수에 속하는 첩운(疊韻)으로 뜻을 나타낸 것이다. 무릇 '문(門)은 문(聞)이다', '호(戶)는 호(護)이다', '미(尾)는 미(微)이다', '발(髮)은 발(拔)이다'가 모두 이 예에 속한다. 무릇 '원(元)은 시(始)이다', '천(天)은 전(顚)이다', '비(丕)는 대(大)이다', '리(吏)는 사람을 다스리는[治] 자를 말한다'는 모두 육서(六書)에서 전주(轉注)에 해당되는 것으로 약간의 차이가 있다. 원(元)과 시(始)는 서로 호환하여 말할 수 있다. 천(天)과 전(顚)은 반대로 말할 수 없다. 의미를 구한다(求義)는 것이 바로 전이(轉移)라고 하는 것은 모두 옳다. 구체적 물상을 거론하면 이름이 정해져 빌리기가 어렵기 때문이다. 그렇다면 이 또한 훈고(訓詁)의 한 방법이다. 전(顚)은 사람의 정수리이기에, 높다는 의미로 여겼다. 시(始)는 여자의 처음이기에 일어나다는 의미로 여겼다. 그런데 천(天)도 전(顚)으로 부를 수 있다. 신하[臣]가 임금[君]에게, 자식[子]이 아비[父]에게, 아내[妻]가 남편[夫]에게, 백성[民]이 음식[食]에게 모두 하늘[天]이라고 부르는 것도 이 때문이다. 더없이 높아, 일(一)과 대(大)로 구성되어 있다. 더없이 높다는 것은 그 큼이 두 개가 있을 수 없다는 말이다. 그러므로 일(一)과 대(大)로 구성되어 있다.……"라고 주석했다.18)

2. 파생의[引申義]

"단어의 원래의 의미에서 나온 의미. 중국의 문자훈고학에서 파생의[引

字釋을 통해 본 沈有鎭의 政治意識-」,『中國學』제40집(2011), 95쪽.

18) (역주) 按, 『說文』: "天, 顚也. 至高無上, 從一大. 他前切." 『段注』: "(天)顚也. 此以同部疊韵爲訓也. 凡門聞也、戶護也、尾微也、髮拔也皆此例. 凡言元始也、天顚也、丕大也、吏治人者也皆於六書爲轉注而微有差別. 元始可互言之. 天顚不可倒言之. 蓋求義則轉移皆是. 擧物則定名難假. 然其爲訓詁則一也. 顚者人之頂也. 以爲凡高之偁. 始者女之初也. 以爲凡起之偁. 然則天亦可爲凡顚之偁. 臣於君、子於父、妻於夫、民於食皆曰天是也. 至高無上. 從一大. 至高無上. 是其大無有二也. 故從一大.……

申義]는 대부분의 상황이 '본의(本義)'에 대해 말한 것이다. 글자의 '본의(本義)'에서 나온 모든 의미들이 파생의[引申義]인 것이다. 예를 들어, '섭(涉)'의 본의는 걸어서 강을 건너다'인데, 일반적인 의미의 '강을 건너다'로 파생되었으며, 이후에 또 '관련되다', '섭렵하다'는 의미로 파생되었다."[19] 한자를 사용할 때 한 개의 글자로 여러 가지 의미를 나타내는 경우는 하나의 의미에서 여러 가지 의미가 파생된 것이다.

한국한문자전에서는 한자의 의미를 해석할 때, 한자의 본의(혹은 상용의)를 먼저 나열하고, 다시 그 파생의미를 나열하였다. 예를 보자.

『전운옥편』
　　견(畎):【견】밭도랑[田中溝. 또 막힘없이 흐른다는 뜻을 가지고 있는데, 산골짜기에 있는 물줄기를 말한다. 선(銑)운이다. 견(甽)과 같다.(畎,【견】田中溝. 又疏通流注, 山谷水道. (銑). 甽同.)

　　천(阡):【천】밭둑길[田間道]. 천맥(阡陌)에 사용된다. 또 무덤길[墓道]을 뜻한다. 선(先)운이다.(阡,【천】田間道, 阡陌. 又墓道. (先).)

　　수(隧):【슈】무덤길[墓道]. 또 길[道]을 뜻한다. 문수(門隧)와 정수(亭隧)에 사용된다. 치(寘)운이다.(隧,【슈】墓道. 又道也. 門隧, 亭隧 (寘).)

　　경(徑):【경】수레가 다닐 수 없는 길[道不容車]로, 보행길[步路]을 말한다. 지름길[徯徑]. 빠르다[疾]는 뜻으로, 첩경(捷徑)에 사용된다. 지나다[行過]. 곧다[直]. 경(徑)운이다. 경(逕)·경(俓)과 통한다.(徑,【경】道不容車, 步路, 徯徑. 疾也, 捷徑. 又行過, 直也. (徑). 逕俓通)

　　련(輦):【련】사람이 타고 다니는 것으로, 옥련(玉輦)을 말한다. 궁중의 길[宮中道]. 천자의 수레가 통하는 길[輦道]. 또 끌다[輓運]는 뜻이 있다. 선(銑)운이다.(輦,【련】駕人以行, 玉輦. 宮中道, 輦道. 又輓運. (銑).)

『신자전』
　　불(佛):【불】불교의 개조인 석가모니(釋迦牟尼). 부처. 무릇 불교에서 성불하고 득도한 사람을 모두 불(佛)이라고 부른다. 『정자통(正字通)』에 "한(漢)나라의 명제(明帝) 때, 서역(西域)의 불법이 처음으로 중국(中國)에 통했다."라는 구절이 있다. ○깨우치다[覺]. 『범서(梵書)』에 "불법으로 중생을 깨우치다."라는

---

19) 王力, 『語言學詞典』(山東教育出版社, 1997), 649쪽.

구절이 있다. ○어그러지다[戾]. 어기어질.『예(禮)』에 "가르침을 구해도 어그러지게 된다."라는 구절이 있다. ○비슷하거나 또는 아는 것이 자세하지 않아 의심스러운 상태. 비슷을할. 물(物)운이다. 불(髴), 불(拂)과 통한다.【필】크다[大]. 클. ○돕다[輔]. 도을.『시(詩)』에 "책임진 신하들은 나를 도와(佛時仔肩)[20]"라는 구절이 있다. 질(質)운이다. 필(弼)과 같다.(佛,【불】釋敎之祖釋迦牟尼. 부처. 凡釋敎之成道者皆曰佛.『正字通』: 漢明帝時, 西域佛法始通中國. ○覺也.『梵書』: 佛以覺悟衆生. ○戾也. 어기어질.『禮』: 其求之也佛. ○仿佛見, 不審貌. 비슷을할. (物). 髴拂通.【필】大也. 클. ○輔也. 도을.『詩』: 佛時仔肩. (質). 弼同.)

3. 가차의(假借義)

허신(許慎)은『설문』의 서(敍)에서 "가차라는 것은 본래 그에 해당되는 글자가 없어 소리에 의탁하여 개념을 빌린 것이다.(假借者, 本無其字, 依聲托事.)"[21]라고 정의했다. 이는 가차(假借)라는 현상의 본질적인 특징을 개괄한 것이다. 한국한문자전에서는 가차의를 특별히 언급하지 않았지만,『제오유』에서 편찬자가 이 언어현상에 대해 주목하였다. 예를 보자.

혁(革): 변하다[變]는 뜻이다. 대개 한 세대가 30년이면 길도 바뀌기 마련이기 때문에, 삼(三)과 십(十)으로 구성되어 있으며, 또 구(臼)로 구성되어 있어, 독음이 구(臼)이다. 변혁(變革)의 혁(革)으로도 사용되고, 괘(卦)의 이름으로도 사용된다. 짐승의 가죽에서 털을 제거한 것을 혁(革)이라 부른다. 대개 가죽에서 털을 제거한 것이 혁(革)인데, 사람이 다니는 길이 한 번 변하는 것과 같기 때문이다. 혹자는 야위어빠진 양의 가죽은 털이 제거하면 갈빗대가 보이기 때문이라고 해석하는데, 설득력이 없어 통하기 어렵다. 이제까지 사용하는 피혁(皮革)의 혁(革)은 가차(假借)이다.(革, 變也. 蓋一世三十季而道更, 故從三十, 又從臼, 臼音. 爲變革之革, 而爲卦名. 獸皮之去毛亦曰革. 蓋皮之去

---

20) (역주) 김학주 역저,『새로 옮긴 시경』(서울: 명문당, 2010), 881쪽.
21) (역주) 오효수 저, 하영삼 역,『허신과 설문해자』(부산: 도서출판3, 2013), 113쪽 참조.

毛而爲革, 如人道之一變故也. 或曰瘦羊之皮去毛而肋見, 迂泥難通. 從前則皮革之革, 假借也.)

근(斤): 경중(輕重)을 저울질하는 도구이다. 상형(象形)이다. 16량(兩)이 근(斤)이 되는 것은 사시(四時)와 사방(四方)을 곱한 의미에서 기인한다. 경중(輕重)을 알 수 있기 때문에, 밝다[明]와 살피다[察]는 의미도 미루어 짐작할 수 있다. 경중(輕重)으로 나누기 때문에, 독음이 분(分)이다. 근(釿)과 통한다. 도끼[斧斤]의 근(斤)은 가차(假借)이다.(斤, 權輕重之器. 象形. 十六兩爲斤者, 因四時乘四方之義也. 知輕重, 故明也、察也之義皆類推. 分輕重, 故分音. 與釿通. 斧斤之斤, 假借也.)

율(聿): 발어사이다. 대개 고대의 필(筆)자이다. 우(又)로 구성되었는데, 수갑으로 손을 채운 모습이다. 그것으로 저술을 할 수 있었기 때문에 독음이 술(述)이다. 소리를 낼 때, 그 소리가 마치 율(聿)과 같아서 어기사가 되었는데, 이는 가차(假借)이다. 발어사에는 그래서 그 글자 스스로의 의미가 들어 있다.(聿, 發語聲. 蓋古之筆字. 從又, 手靮之形. 以之著述, 故述音. 發語之際, 其聲如聿, 仍爲語辭, 假借也. 發語之聲, 故有自字之義.)

재(才): 사람에게는 사용할 수 있는 능력이 있다. 대개 나무를 깎고 가지를 제거한 재(才)이다. 사용할 수 있는 것이, 마치 사람이 재(才)가 있어 사용할 수 있는 것과 같다. 재능(才能)의 재(才)로 빌려진 것은 가차(假借)이다. 목재(木才)는 나무[木]를 더하여 구별하였다. 나무가 깎여지는 것이 재앙[灾]이므로, 독음이 재(灾)이다. 또 재(才)는 초목(草木)이 시작되는 형상이라고 말한다. 그래서 참(讒)자의 의미가 있고, 참(讒)과 통한다.(才, 人有可用之能也. 蓋削木去枝則爲才, 可用, 如人之有才可用. 借爲才能之才, 假借也. 木才則加木以別之. 木以見削爲灾, 故灾音. 又曰才是草木始生之形, 故有讒字義, 與讒通.)

씨(氏): 씨족을 말한다. 씨(氏)는 산에 기대고 있는데 산의 언덕이 무너지려는 모습을 그렸다. 언덕이 무너지면 산(山)은 분리되어 두 개의 물체가 된다. 본이 같은데 분족(分族)한 사람은 언덕이 산에서 무너져 분리되는 것과 같다. 성씨(姓氏)로 부르는 것이 여기서부터 시작되었다. 안붕(岸崩)이라는 뜻의 씨(氏)는 부(阜)를 더해 시(阺)로 썼다. 아마도 씨족(氏族)의 씨(氏)가 가차(假借)된 것일 것이다. 언덕이 무너지기 '시작하면 씨(氏)가 된다. 그래서 시(始)로 읽힌다. 시(阺)와 통용된다.(氏, 氏族. 氏蓋側山山岸欲墮者之形. 墮則與山爲二物, 人之同本而分族者, 猶岸氏之分於山. 姓氏之稱始此. 岸崩之氏, 加阜.

作阺, 蓋氏族之氏假借也. 岸之始墮者爲氏, 始音. 與阺通.)22)

어쩌면 『제오유』에서 관심을 가진 것은 한자의 자원(字源)인데, 편찬자가 『설문』을 존중하고 숭배하였기에, 『설문』에서의 '육서(六書)'에 해당되는 용어를 계속해서 사용한 것일 수도 있다. 그러나 기타 자전에서는 편찬자가 '가차(假借)'라는 용어로 자의(字意)를 해석한 경우가 매우 드물다. '자(自)'를 예로 들어보자.

> 『훈몽자회』: 자(自)는 또 '~로부터[從]'라는 뜻이다.(自, 又從也.)
> 『제오유』: 자(自)는 '~로부터[從]'라는 뜻이다. 비(鼻)의 고자이다. 자(自)는 비(鼻)의 전서체의 모습이다. 사람의 몸이 형성될 때 코에서부터 생긴다. '~로부터[從]'의 의미가 생긴 것은 대개 이 때문이다. '~로부터[從]'라는 의미로 사용되자, 코(鼻)라는 뜻은 비(畀)를 더해 구별하였다. 자(自)자는 대개 가차(假借)이다. 자(自)자는 시(始)를 독음으로 삼지만, 비(鼻)는 독음이 비(畀)이다.(自, 從也. 古作鼻. 自, 鼻篆形. 人之成體, 從鼻而生, 有從義, 蓋以是也. 以從之義行于世, 鼻字加畀而別之, 自字蓋假借也. 自字以始爲音, 鼻字畀音.)
> 『전운옥편』: 자(自): 말미암다[由]. ~로부터[從]. 스스로[躬親]. 자연히[自然]. 치(眞)운이다.(自, 由也, 從也, 躬親, 自然. 眞.)
> 『자류주석』: 자(自): 몸[己]. 스스로[躬親]. 좇다[由]. ~로부터[從]. 쓰다[率]. 사용하다[用]. 저절로[自然].(自, 己也, 躬親也, 由也, 從也, 率也, 用也, 自然.)
> 『신자전』: 자(自): 【자、즈】좇다[由], ~로부터[從], 붓흘.『시(詩)』: 관청으로부터 퇴근하는데(退食自公).23) ○몸[己]. 몸○몸소. ○스스로[躬親]. 스스로 『역(易)』: 스스로 굳세어 쉬지 않는다.(自彊不息.) ○自然, 無勉强 저절로. 치(眞)운이다.(自, 【자、즈】由也, 從也.『詩』: 退食自公. ○己也. 몸○몸소. ○躬親 스스로.『易』: 自彊不息. ○自然, 無勉强 저절로. (眞).)

한자의 확장이라는 관점에서 봤을 때, 한국한문자전은 한자 및 중국문화에 대한 계승과 융합을 매우 잘 반영하고 있다. 대부분의 한국한문자전들

---

22) (역주) 河永三, 「문화적 관념이 한자 해석에 미치는 원리-『第五游』의 字釋을 통해 본 沈有鎭의 政治意識-」, 『中國學』제40집(2011), 103쪽.
23) (역주) 김학주 역저, 『새로 옮긴 시경』(서울: 명문당, 2010), 126쪽.

의 내용은 중국의 전통적인 문자학 서적과 일맥상통하지만, 일부 글자는 한국식으로 그 해석이 바뀌었다. 이 시기의 한자는 이미 원래의 모습을 상실했기 때문에 독자가 자전의 내용을 쉽게 이해하도록 하기 위해 저자는 당시 조선의 문화적 요소에 맞춰 글자들을 해석하였다. 그러므로 한자가 동아시아로 확장된 과정과 확장의 특징연구를 할 때 한국한문자전은 매우 중요한 참고자료가 된다. 문화적인 가치를 제외하고, 문자 자체로만 말하면, 한국한문자전의 자형은 『설문』 및 후세의 자서와 많은 차이점이 존재한다. 이러한 차이점이 어떻게 생겨났으며, 어떤 규칙이 있는 것인지 등의 문제는 한자의 확장연구에서도 중요한 의미를 가진다.

제3절 자의 해석의 용어

한자를 일정한 방식에 따라 배열하고, 독음을 달고, 의미를 해석하며, 형체를 분석한 것이 바로 자전이다. 고대의 한문 자전에는 한자의 독음 표시, 한자의 의미 해석, 한자의 형체나 구조 또는 기원과 발전의 분석이라는 3가지 요소가 있다.

고대에 한문자전을 편찬하는 과정에서, 편찬자가 한자에 독음을 달고, 의미를 해석하며, 형체를 분석하기 위해 사용한 단어가 바로 우리가 말하는 고대 한문자전의 편찬 용어이다. 이 용어들은 중국 최초의 한문자전에서부터 계승되어 내려와, 역대 자전들에 사용되면서 일반화된 것이다. 자전편찬의 용어는 전통학문의 발전을 수반하면서 점차 분명해졌다. 이렇게 고대 한문자전의 편찬 용어는 내용이 지칭하는 바에 따라 주음 용어, 자의 해석 용어, 자형 해석 용어, 체제 용어라는 4종류로 나눌 수 있다. 자의 해석 용어는 한자의 의항을 개괄적으로 해석하는 전문적인 단어를 말한다.

자전의 편찬용어는 사용자가 자전의 체제, 내용, 사용방법을 이해하는 데 도움을 준다. 자전의 체제는 자전의 프레임이며, 편찬 용어는 자전의 분류저장소이다. 프레임이 분명하고 저장소의 분류가 명확하다면, 귀납한 한자의 성질도 일목요연해진다. 그러나 고대에 형성된 한문자전은 그 사회의 발전 수준과 과학 기술의 한계로 인해, 편찬자들이 용어를 통일해서 사용하기가 매우 어려웠으므로 정확성에서 많이 뒤떨어진다. 그렇기에 편찬자들이 그들이 사용한 용어의 정의와 기능에 대해 제시하지 않은 점이 오늘날 고대 한문자전을 정리하고 연구하는데 문제가 되고 있다. 이러한 문제를 처리하지 못한다면, 즉 우리가 자전에 있는 용어의 기능과 기원을 이해하지 못한다면, 동아시아 국가에서 한문자전을 편찬한 전통과 체제 등에 관한 연구도 깊이 있게 나아갈 수 없을 것이다.

1. 용어의 종류

한국한문자전에서 사용한 자의 해석의 용어들은 기본적으로 일치한다. 아래에는 『훈몽자회』를 예로 들어 귀납하고 분석하였다.

(1) 기본의미의 해석

한자의 기본의미를 해석할 때 '왈(曰)', '위(爲)', '위(謂)', '위지(謂之)', '운(云)' 등의 용어를 사용하였다. 예를 보자.

① 왈(曰)
죽(粥): 묽은[稀] 것을 죽(粥)이라 부른다.(粥, 稀曰粥.)
전(饘): 진한[厚] 것을 전(饘)이라 부른다.(饘, 厚曰饘.)
첨(諂): 아첨하는 말을 첨(諂)이라 부른다.(諂, 佞言曰諂)
비(簠): 네모난 것을 광(筐)이라고 부르고, 둥근 것을 비(簠)라고 부른다.(簠, 方曰筐, 圓曰簠.)
삼(糝): 무릇 쌀알[米粒]과 국[羹]을 모두 삼(糝)이라고 부른다.(糝, 凡米粒和羹皆曰糝.)
기(耆): 나이 60을 기(耆)라고 부른다. 범칭(汎稱)이다.(耆, 年六十曰耆. 又汎稱.)
로(老): 나이 70을 로(老)라고 부른다. 범칭(汎稱)이다.(老, 年七十曰老. 又汎稱.)
로(滷): 세속에서는 로수(滷水)라고 말한다. 천연소금을 노(滷)라고 한다.(滷, 俗呼滷水. 天生曰滷)
염(鹽): 바닷물을 삼아서 소금을 만든다. 인생(人生)을 염(鹽)이라고 부른다. 또 좋다[好]는 뜻이다.(鹽, 煮海爲鹽. 人生曰鹽. 又好也.)

관(冠): 거성(去聲)이다. 머리[首]에 갓[冠]을 쓴 것을 관(冠)이라고 부른다.(冠, 又去聲. 加冠於首曰冠.)

손(飧): 물을 만 밥을 말한다. 또 저녁밥[夕食]을 뜻한다. 하북 지역에서는 먹다(食)는 말을 식(食)이라 한다.(飧, 水和飯. 又夕食. 又河北呼食曰食.)

두(餖): 세속에서는 만두(饅頭)를 말한다. 두(頭)라고 쓰기도 한다. 세속에서는 작은 것을 박박(餺餺)이라고 부른다.(餖, 俗呼饅頭. 通作頭. 俗呼小者曰餺餺.)

② 위(爲)

천(川): 여러 물줄기가 바다로 주입되는 것이 천(川)이다.(衆流注海爲川.)

피(陂): 물을 모은 것이 방죽[陂]이다. 또 독음이 파(坡)로, 비탈지다는 뜻을 나타낸다.(蓄水爲陂. 又音坡, 不平也.)

원(園): 과일을 심은 것이 원(園)이다. 세속에서는 과원(果園)이라고 부른다. 또 울타리[樊籬]라는 뜻이 있다.(種果爲園. 俗稱果園. 又樊籬也.)

포(圃): 야채를 심은 것이 포(圃)이다. 세속에서는 채원(菜園)이라고 부른다.(種菜爲圃. 俗稱菜園.)

묘(畝): 6척(尺)이 보(步)가 되고, 백보(步)가 묘(畝)가 되며, 백묘(畝)가 경(頃)이 된다.(六尺爲步, 步百爲畝, 百畝爲頃.)

실(室): 뒤[後]가 실(室)이다.(後爲室.)

호(戶): 안에 있는 것이 호(戶)이고, 밖에 있는 것이 문(門)이다.(在內爲戶, 在外爲門.)

세(世): 당시(當時)가 세(世)이다. 또 부자(父子)가 서로 이어지는 것이 세(世)이다. 또 일대(一代)가 세(世)이다. 또 30년이 세(世)이다.(當時爲世. 又父子相繼爲世. 又一代爲世. 又三十年爲世.)

청(淸): 가볍고(輕) 맑은(淸) 것이 하늘[天]이다.(輕淸爲天.)

탁(濁): 무겁고(重) 탁한(濁) 것이 땅[地]이다.(重濁爲地.)

난(暖): 온난한 것이 봄[春]이다.(暄暖爲春.)

욱(燠): 더운 것이 여름[夏]이다.(炎燠爲夏.)

송(訟): 재물을 다투는 것이 송(訟)이다.(爭財爲訟.)

분(分): 나누다[判]. 반(半). 또 10수(銖)가 1분(分)이다.(判也, 半也. 又十銖爲一分.)

량(兩): 10분(分)이 1량(兩)이다.(十分爲一兩.)

촌(寸): 10분(分)이 1촌(寸)이다.(十分爲一寸.)

근(斤): 또 도끼와 자귀[斧斤]를 말한다. 또 16량(兩)이 1근(斤)이 된다.(又斧斤. 又十六兩爲一斤.)

단(担): 10두(斗)가 1곡(斛)이 되는데, 즉 1단(担)을 말한다. 담(擔)으로도 쓴다.(十斗爲一斛, 即一担也. 通作擔.)

희(姬): 황제(黃帝)는 성이 희(姬)이다. 또 아름다운 여자를 희(姬)라 부른다. 또 왕비(王妃)를 달리 부르는 말이다.(黃帝姓姬. 又美女爲姬. 又王妃別號)

강(姜): 염제(炎帝)는 성이 강(姜)이다. 황제[姬]와 염제[姜]의 후손들에는 아름다운 여자들이 매우 많았기에 결국 아름다움을 칭하는 단어가 되었다.(炎帝姓姜. 姬姜後裔, 美女尤多, 遂爲美稱.)

③ 위(謂)

력(曆): 역법을 관장하는 자를 말한다.(謂主曆者.)

탈(奪): 또 이문(吏文)으로 쓰인 말이다. 정탈(定奪)은 옳고 그름을 판단한다[裁決]는 의미를 말한다.(又吏語. 定奪, 謂裁決之意.)

탈(梲): 대들보 위의 짧은 기둥, 즉 동자기둥[侏儒柱]을 말한다. 지금은 옥산(屋山)을 말한다.(梁上短柱, 即侏儒柱, 今謂屋山.)

농(農): 세속에서는 전호(佃戶)라고 말하는데, 사람이 밭을 다스리는 것을 일컫는다.(俗稱佃戶, 謂治人之田者.)

정(廷): 임금을 알현하는 곳을 말한다. 또 조정(朝廷)은 국가(國家)를 일컫는다.(朝君之所. 又朝廷, 謂國家也.)

④ 위지(謂之)

호(豪): 지력이 백 사람을 넘는 걸 일러 호(豪)라고 한다.(智過百人謂之豪.)

걸(傑): 만 사람을 넘는 걸 일러 걸(傑)이라고 한다.(過萬人謂之傑)

준(俊): 천 사람을 넘는 걸 일러 준(俊)이라고 한다.(過千人謂之俊.)

삭(朔): 1월을 일러 삭(朔)이라 한다.(一月謂之朔.)

선(扇): 함곡관 서쪽 지역을 일러 선(扇)이라 부른다. 지금은 도읍 이외 지역을 부르는 통칭이다.(關而西謂之扇. 今京外通稱.)

삽(篁): 함곡관 동쪽 지역을 일러 삽(篁)이라 부른다. 지금은 듣지 못했다.(關而東謂之篁. 今未聞.)

혼(魂): 신(神)이 왕래하는 것을 일러 혼(魂)이라 한다. 혼(魂)은 신명(神明)의 보필이다. 간(肝)에 혼(魂)이 깃든다.(神往來謂之魂. 魂者, 神明之輔弼也. 肝藏魂)

백(魄): 정(精)이 출입하는 것을 일러 백(魄)이라 한다. 백(魄)은 정기(精氣)의 보좌이다. 폐(肺)에 백(魄)이 깃든다.(精出入謂之魄. 魄者, 精氣之匡佐也. 肺藏魄)

⑤ 운(云)

치(瘛): 약방문에는 강치(強瘛)라고 부른다.(瘛, 方文云強瘛.)

침(梣): 약방문에는 진피(秦皮)라고 부른다. 세속에서는 고리목(苦裏木)이라고 부른다.(方文云秦皮. 俗呼苦裏木.)

(2) 파생의미의 해석

『훈몽자회』에서는 항상 '우(又)'로 한자의 파생의미를 해석하였다. 예를 보자.

양(洋): 세속에서는 해양(海洋)이라고 말한다. 무릇 사물이 성대한 것을 일러 양(洋)이라고 한다. 또 양양(洋洋)이라고 하여, 성대한 모양을 나타낸다.(俗呼海洋. 凡物盛多皆曰洋. 又洋洋, 盛貌)

문(文): 한 글자가 문(文)이 된다. 또 동전(銅錢)을 뜻하는데, 1개가 1문(一文)이 된다. 또 빛나다[華], 법[法]이라는 뜻이 있다.(一字爲文. 又銅錢, 一箇爲一文. 又華也, 法也.)

유(游): 또 놓다[放]는 뜻이다. 또 유유자적한 모양을 나타낸다.(又放也. 又優游自如貌)

당(堂): 앞[前]이 당(堂)이 된다. 또 처마 밑에 있는 계단[簷階]의 안을 당(堂)이라 한다.(前爲堂. 又簷階内曰堂.)

정(亭): 중요한 역참[遞鋪]에는 우정(郵亭)이 있다. 또 정정(亭亭)은 우뚝 솟은 모양을 말한다.(急遞鋪有郵亭. 又亭亭, 聳立貌)

궤(几): 말을 타는 받침대. 또 높은 모양을 나타낸다.(上馬臺. 又高貌)

앙(盎): 또 성한 모양을 나타낸다. 『맹자(孟子)』에는 "등에 가득하고(盎於背)"라고 했다.(又盛貌. 『孟子』盎於背.)

파(葩): 또 꽃의 모양을 나타낸다.(又花貌)

비(沸): 끓다는 뜻이다. 또 샘솟는 모양을 나타낸다.(湯涌. 又泉涌出貌)

분(坌): 또 매우 많은 모양을 나타낸다.(又衆多貌)

건(謇): 또 건악(謇諤)이라고 하여, 직언하는 모습을 나타낸다.(又謇諤, 直言貌)

(3) 가차의미의 해석

『제오유』에서 '가차(假借)'라는 용어를 사용하여 한자의 가차의미를 해석한 예를 살펴보자.

이(而): 접속사이다. 턱수염이 위에서 아래로 이어진 형상을 그렸을 것이다. 얼굴을 뜻하는 면(面)자의 절반을 가져와 글자를 만들었다. 문장을 연결할 때, 이 글자를 빌려 앞 문장과 뒷 문장을 잇는 단어로 사용하였다. 구불구불[透迤]하게 이어져 나므로 독음이 이(迤)이다. 접속사는 대개 가차이다.(語辭. 蓋象頰毛連上接下之形. 從半面成字. 綴文之際, 借此字爲連上接下之辭. 透迤而生, 故迤音. 語辭蓋假借也.)

이(耳): 신후(腎侯). 상형(象形)이다. 외형은 바퀴의 모습이고, 한 점은 귀걸이를 상징한다. 이이(耳耳: 쭉 뻗은 모양)의 이(耳)는 그 형상이 긴 것을 말하는데, 유추가 가능하다. 이손(耳孫)의 이(耳)는 세대가 먼 자손[遠孫]을 말한다. 그러므로 귀는 듣는 기관일 뿐인데도, 귀를 잡는 것은 회맹(會盟)을 하면서 피를 마실 때, 맹주가 그것을 잡던 풍속을 반영하였다. 이른바 소이(牛耳)라는 것은, 소는 우둔한 가축인데다가 말을 잘 듣지 않기 때문이다. 소에 있는 구멍을 귀라고 하지만 귀가 아니다. 용의 귀도 마찬가지다. 이(已)와 통하며, 어기사[語辭]이다. 이때는 가차이다. 눈으로 본다는 것[視]은 눈[目]에 스스로 들어와[內] 사물에 기탁하는 것이다 귀[耳]로 듣는다는 것[聲]은 소리[聲]가 바깥[外]에서부터 귀로 들어는 것이다. 그래서 독음이 입(入)이다. 반치음(半齒音)이다.(腎侯. 象形. 外象輪鄙, 一點, 耳珠也. 耳耳之耳, 其形長, 類推; 耳孫之耳, 遠孫. 故但耳聞, 執耳者, 會盟歃血之際, 盟主朝之俚. 所謂牛耳, 牛鈍畜且無耳, 竅雖耳而非耳, 龍之耳亦然. 與已通, 爲語辭, 此則假借也. 目之視, 目自內而寓於物; 耳之聲, 聲自外而入於耳. 故入音, 俱是半齒音也.)

(4) 반의어의 해석

'모지반(某之反)'과 '모지대(某之對)'라는 용어를 보편적으로 사용하여, 반의어 또는 대응어를 해석하였다. 아래의 예문은 『자류주석』에서 발췌하였다.

구(久)는 잠(暫)의 반대이다.(久, 暫之反.)
교(巧)는 졸(拙)의 반대이다.(巧, 拙之反.)
요(殀)는 수(壽)의 반대이다.(殀, 壽之反.)
주(主)는 빈(賓)에 대응된다.(主, 賓之對.)
안(安)은 위(危)에 대응된다.(安, 危之對.)
중(重)은 경(輕)에 대응된다.(重, 輕之對.)
대(大)는 소(小)에 대응된다.(大, 小之對.)
차(此)는 피(彼)에 대응된다.(此, 彼之對.)
출(出)은 입(入)에 대응된다.(出, 入之對.)
입(入)은 출(出)에 대응된다.(入, 出之對.)
농(濃)은 담(淡)에 대응된다.(濃, 淡之對.)
종(縱)은 횡(橫)에 대응된다.(縱, 橫之對.)
횡(橫)은 종(縱)에 대응된다.(橫, 縱之對.)
벌(罰)은 상(賞)에 대응된다.(罰, 賞之對.)
승(勝)은 부(負)에 대응된다.(勝, 負之對.)

"반의어는 고대중국어 어휘체계에서 중요한 어휘현상 중의 하나이다. 이는 단어의 반의, 동의, 다의 등 여러 연합적인 관계와 연결되어 있고, 고대중국어의 어휘체계, 의미체계 및 상용어 변천 등 수많은 문제들을 언급하고 있기에, 어휘학, 의미학, 사서학에서 공통으로 관심을 가지는 화제이다. 상고(上古)시대에 중국어의 반의어는 그 시대 어휘체계의 중요한 구성성분으로, 이에 대한 연구는 고대중국어의 반의어를 연구하는 기초가 되며, 그 이론과 실무에 매우 큰 의미를 지닌다."24) 한국한문자전에 써진 반의어 용어와 실례는 동아시아 한자를 알 수 있는 자료로서, 고대 중국어의 반의어

연구에서 부족한 부분을 보충할 수 있다.

(5) 한자의 성질이나 상태의 해석

『훈몽자회』에서는 한자의 성질 또는 상태를 해석할 때, 항상 '모(貌)', '유(猶)', '유언(猶言)' 등의 용어를 사용하였다. 예를 보자.

> 돈(暾): 해가 떠오르기 시작하는 모습이다.(暾, 日始出貌)
> 욱(旭): 해가 떠오르면서 밝아지기 시작하는 모습이다.(旭, 日始出著明貌)
> 두(飻): 정두(飣飻)로서, 음식을 늘어놓은 모습이다.(飻, 飣飻, 盛食之貌)
> 요(夭): 젊은 나이에 죽는 것을 말한다. 또 평성(平聲)으로 요요(夭夭)는 젊어서
> 　　아름다운 모습을 나타낸다.(夭, 少殀 又平聲, 夭夭, 少好貌)
> 만(漫): 물이 가득 찬 것을 말하는데, 큰물의 모습이다.(漫, 瀰漫, 大水貌)
> 외(濊): 물이 깊고 넓은 것을 말하는데, 큰물의 모습이다.(濊, 汪濊, 大水貌)
> 경(景): 밝다[明]는 뜻이다. 광경(光景)은 광음(光陰)과 같다. 크다[大]. 사모하다
> 　　[慕].(景, 明也. 光景, 猶光陰也. 大也, 慕也.)
> 임(恁): 또 임지(恁地)라고 하여, 여차(如此)라고 말하는 것과 같다.(恁, 又恁地,
> 　　猶言如此)

(6) 고금의 호칭 차이의 해석

『훈몽자회』에서는 고금한자의 호칭 차이를 해석할 때, 항상 '속칭(俗稱)', '속호(俗呼)', '우호(又呼)' 등의 용어를 사용하였다. 예를 보자.

> 명(名): 세속에서는 명자(名字)라고 부른다.(名, 俗稱名字.)
> 모(貌): 세속에서는 모양(模樣)이라고 부른다. 또 양범(樣范)이라고 부른다.(貌,
> 　　俗稱模樣. 又曰樣范)
> 모(母): 세속에서는 모친(母親)이라고 부른다. 또 양(孃)이라고 부른다.(母, 俗稱
> 　　母親. 又曰孃)

---

24) 賈芹, 『上古漢語反義詞研究』(浙江大學出版社, 2016).

루(蓏): 세속에서는 괄루(栝蓏)라고 부른다. 또 천과(天瓜)라고 부른다.(蓏, 俗呼
栝蓏 又呼天瓜.)

가(哥): 세속에서는 가가(哥哥), 대가(大哥), 이가(二哥)라고 부른다.(哥, 俗呼哥
哥、大哥、二哥.)

가(家): 세속에서는 가당(家當)이라고 부른다. 스스로를 한가(寒家)나 한거(寒居)
라고 칭한다.(家, 俗呼家當. 自稱寒家、寒居.)

(7) 한 글자에 존재하는 여러 호칭의 해석

『훈몽자회』에서는 하나의 한자에 존재하는 여러 가지 호칭을 해석할
때, '일운(一云)', '혹운(或云)', '우왈(又曰)', '혹왈(或曰)' 등의 용어를 사용하였
다. 예를 보자.

① 일운(一云)

빈(玭): 진주(珍珠)를 말한다. 달리 주모(珠母)라고도 부른다. 빈(蠙)이라고도 쓴
다. 우음(又音)이 빈(頻)이다.(玭, 珍珠. 一云珠母, 亦作蠙. 又音頻.)

파(帕): 달리 수식(首飾)이라고도 부른다. 즉 머리띠[幧頭]를 말한다.(帕, 一云首
飾, 即幧頭也.)

서(犀): 물소와 비슷하다. 달리 사시(似豕)라고도 부른다. 발굽에 세 개의 딱지
가 있다. 머리는 말과 같다. 물소는 세 개의 뿔이 있고, 코뿔소는 두 개의 뿔
이 있다.(犀, 似水牛. 一云似豕, 蹄有三甲, 頭如馬, 水犀三角, 山犀二角.)

노(臑): 달리 비절(臂節), 비골(臂骨)이라고도 부른다.(臑, 一云臂節. 一云臂骨.)

한(骭): 달리 협(脅)이라고도 부른다.(骭, 一云脅也.)

혁(弈): 달리 위기(圍棊)라고도 부른다.(弈, 一云圍棊.)

② 혹운(或云)

직(稷): 세속에서는 패자(穄子: 피)라고 부른다. 곡식의 이삭은 갈대[蘆]와 닮았
다. 혹 선서(秈黍)나 즉제(即穄)라고 부른다.(稷, 俗呼穄子, 苗穗似蘆. 或云秈
黍也. 或云即穄也.)

우(腢): 달리 견두(肩頭)라고도 부른다. 혹은 견골(肩骨)이라고 부른다.(腢, 一云
肩頭. 或云肩骨.)

③ 역왈(亦曰)

사(寺): 붓다[浮屠]가 있는 곳이다. 또 마을[官司]도 사(寺)라고 부른다.(寺, 浮屠
所居. 又官司亦曰寺.)

서(絮): 또 버들개지[柳花]를 뜻하여, 류서(柳絮)라고도 부른다.(絮, 又柳花, 亦曰
柳絮.)

항(項): 총칭이다. 령(領)이라고도 부른다.(項, 總稱. 亦曰領.)

저(邸): 나라의 조정대신이 머무는 집. 수도에는 반드시 외화(外貨)가 있기 마련
이고, 이들이 모이는 곳이 시장(市)이다. 그래서 시장을 저점(邸店)이라고도
부른다.(邸, 郡國朝宿之舍, 在京者必有外貨, 叢集爲市亦曰邸店.)

휼(鷸): 세속에서는 수찰자(水札子)라고 부른다. 또 물총새[翠鳥]를 의미하기도
한다. 휼(鷸)이라고도 부른다.(鷸, 俗呼水札子. 又翠鳥. 亦曰鷸.)

참(站): 세속에서는 수참(水站)이라고 부른다. 말이 있는 역을 또 참(站)이라고
부른다. 또 세속에서는 서 있는 것을 일러 참(站)이라고 하는데, 참(竚)이라
고 쓰기도 한다.(站, 俗呼水站. 馬驛亦曰站. 又俗謂立曰站, 亦作竚.)

재(梓): 매끄러운 나뭇결은 재(梓)이고, 싹이 하얀 것은 추(楸)인데, 의(椅)라고도
부른다.(梓, 膩理者梓, 茸白者楸, 亦曰椅.)

고(羔): 세속에서는 고아(羔兒: 새끼 양)라고 부른다. 또 노루[獐]의 새끼를 장고
(獐羔)라고 부른다.(羔, 俗呼羔兒. 又獐之子亦曰獐羔.)

서(書): 『상서(尙書)』이다. 세속에서는 『서경(書經)』이라고도 부른다. 또 글자를
쓰는 것을 서자(書字)라고도 부른다.(書, 『尙書』. 俗稱『書經』. 又寫字亦曰書
字.)

혼(閽): 또 문을 지키는 자라는 뜻이다. 혼인(閽人)이라고도 부른다.(閽, 又守門
者, 亦曰閽人.)

렬(蛚): 귀뚜라미[蟋蟀]를 말한다. 청렬(蜻蛚)이라고도 부른다.(蛚, 蟋蟀. 亦曰蜻
蛚.)

④ 우왈(又曰)

동(涷): 세속에서는 취우(驟雨)라고 부른다. 또 과로우(過路雨)라고도 한다.(涷,
俗稱驟雨. 又曰過路雨.)

암(巖): 세속에서는 암두(巖頭)라고 부른다. 또 석락(石硌)이라고도 한다.(巖, 俗

稱巖頭. 又曰石硞.)

저(樗): 세속에서는 호목수(虎目樹)라고 부른다. 또 취춘(臭椿)이라고도 한다.(樗,
俗呼虎目樹. 又曰臭椿.)

모(貌): 세속에서는 모양(模樣)이라고 부른다. 또 양범(樣范)이라고도 한다.(貌,
俗稱模樣. 又曰樣范.)

려(鱺): 세속에서는 황선(黃鱔)이라고 부른다. 또 만려어(鰻鱺魚)라고도 한다.(鱺,
俗呼黃鱔. 又曰鰻鱺魚.)

도(纛): 천자(天子)를 보도(寶纛)라고 부른다. 포괄하여 괘도(掛纛)라고 부른다.
또 괘자(掛子)라고도 한다.(纛, 天子曰寶纛. 汎稱掛纛. 又曰掛子.)

시(絁): 세속에서는 저마포(苧麻布)라고 부른다. 또 목사포(木絲布)라고도 한다.
(絁, 俗呼苧麻布. 又曰木絲布.)

포(布): 피륙[布子]을 뜻한다. 또 하포(夏布)라고 한다.(布, 布子. 又曰夏布.)

전(氈): 세속에서는 전조(氈條)라고 부른다. 또 조자(條子)라고도 한다.(氈, 俗呼
氈條. 又曰條子.)

담(毯): 세속에서는 화담(花毯)이라고 부른다. 또 담자(毯子)라고도 한다.(毯, 俗
呼花毯. 又曰毯子.)

광(狂): 세속에서는 풍자(風子)라고 부른다. 또 풍한(風漢)이라고도 한다.(狂, 俗
呼風子. 又曰風漢.)

시(撕): 세속에서는 시쇄(撕碎)라고 부른다. 또 시개(撕開)라고도 한다.(撕, 俗稱
撕碎. 又曰撕開.)

두(痘): 세속에서는 두창(痘瘡)이라고 부른다. 또 완두창(豌豆瘡)이나 반자(斑子)
라고도 한다.(痘, 俗稱痘瘡. 又曰豌豆瘡. 又曰斑子.)

2. 용어의 기원

(1) 중국 훈고학 용어의 계승

중국에서 훈고학의 역사는 굉장히 오래되었다. 『설문』에서 "훈(訓)은 설
교(說敎)이다.(訓, 說敎也.)"라고 했는데, 단옥재는 "설교(說敎)라는 것은 해석
을 하고 가르친다는 말이다.(說敎者, 說釋而敎之.)"라고 주석했다. 명(明)나라

의 매응조(梅膺祚)는 『자휘(字彙)』에서 "훈(訓)은 해석하다[釋]는 뜻이다. 예를 들어, 어떤 글자는 어떤 뜻으로 해석되는데, 그 뜻을 따라서 그 글자를 해석하는 것을 말한다.(訓, 釋也. 如某字釋作某義, 順其義以訓之.)"라고 말했다. 『설문』에서 "고(詁)는 옛 말을 훈(訓)하는 것이다. 언(言)이 의미부이고, 고(古)가 소리부이다.(詁, 訓故言也. 从言, 古聲.)"라고 했는데, 단옥재는 "옛말을 뜻풀이한다는 것은 옛 말을 풀어서 해석하여 사람들에게 가르치는 것이며, 그것을 고(詁)라고 한다.(訓故言者, 說釋故言以教人, 是之謂詁.)"라고 주석했다. 위(魏)나라의 장읍(張揖)은 『잡자(雜字)』에서 "고(詁)라는 것은 고금(古今)의 말이 다른 것을 말한다. 훈(訓)이라는 것은 글자에 의미가 있는 것을 말한다.(詁者, 古今之異言; 訓者, 謂字有意義也.)"라고 했다.

훈고(訓詁)가 생긴 까닭은 고금의 언어에 변화가 발생하여, 사람들이 고서를 읽고 모르는 부분이 생기자 해석을 할 필요가 있었기 때문이다. 고대의 전적(典籍)은 학자들이 그 당시의 언어로 기록하여 편찬한 것으로, 사회가 발전함에 따라, 언어적 요소들이 끊임없이 변하면서 시대가 달라서 다른 것도 있고, 방언과 속어의 차이에 따라 다른 것도 있게 되었다. 더욱이 고대에는 말로 전수하고 귀로 들으면서 옮겨 적었기 때문에 그로 인해 갖가지 오류가 생겨나게 되었는데, 후세 사람들이 앞 시대 사람들의 서적을 읽을 때 그 뜻을 알 수 없는 부분이 생기게 되었다. 그래서 고대의 언어를 해석하여 사람들이 언어의 장벽을 극복하고 고대의 전적들을 이해하게 하였다. 고대 중국에서 사용한 의미를 해석하는 훈고용어의 종류와 그 기능은 아래와 같다.

① 왈(曰), 위(爲), 위지(謂之)

'왈(曰)', '위(爲)', '위지(謂之)'는 자의(字義)를 해석할 때 사용되는데, 대체로 현대 중국어의 '매주(~라고 부른다)'와 같으며, 일반적으로 의미의 경계를 직접적으로 해석하거나 또는 나타낼 때 사용된다. 때로 동의자(同義字)를 분석하고 식별할 때 사용되는데, '해석하는 글자+왈(曰)/위(爲)/위(謂)+해석되는 글자'의 형식을 취한다. 이 용어들의 특징은 4가지로 귀납시킬 수 있다. 첫째, 글자의 함의를 해석하는 데 사용된다. 둘째, 해석되는 글자는 모두 용어의 뒤에 위치한다. 셋째, 해석되는 글자의 특징을 강조한다. 넷째, 동의자(同義字)를 분석하고 식별하는 데 사용할 수 있다. 예를 보자.

『시경·소남(召南)·은기뢰(殷其雷)』에 "우르릉 천둥소리, 남산 남녘에 울리네.(殷其雷, 在南山之陽.)"25)라는 구절이 있는데, 모전(毛傳)에서는 "산의 남쪽을 양(陽)이라고 부른다.(山南曰陽.)"라고 주석했다.

『시경·패풍(邶風)·녹의(綠衣)』에 "녹색 옷이라니! 녹색 저고리에 황색 치마네.(綠兮衣兮, 綠衣黃裳.)"26)라는 구절이 있는데, 모전에서는 "위에 입는 옷을 의(衣)라고 부르고, 아래에 입는 옷을 상(裳)이라 부른다.(上曰衣, 下曰裳.)"라고 주석했다.

『시경·빈풍(豳風)·칠월(七月)』에 "메기장, 차기장과 늦 곡식, 이른 곡식, 벼, 삼, 콩, 보리라네.(黍稷重穋, 禾麻菽麥.)"27)라는 구절이 있는데, 모전에서는 "뒤에 익는 것을 중(重)이라고 하고, 먼저 익는 것을 륙(穋)이라 한다.(後熟曰重, 先熟曰穋.)"라고 주석했다.

『논어(論語)·선진(先進)』에 "군사적인 위협이 가중되고, 게다가 기근을 이유로.(加之以師旅, 因之以饑饉.)28)"라는 구절이 있는데, 주희집주(朱熹集注)에서는 "곡식이 익지 않은 것을 기(饑)라고 하고, 채소가 익지 않은 것을 근(饉)이라 한다.(穀不熟曰饑, 菜不熟曰饉.)"라고 주석했다.

『시경·위풍(魏風)·벌단(伐檀)』에 "어째서 그대 집 뜰엔 걸려 있는 큰 짐승이 보이는가?(胡瞻爾庭有懸特兮?)"29)라는 구절이 있는데, 모전에서는 "세 살 된 짐승을 특(特)이라고 부른다.(獸三歲曰特.)"라고 주석했다.

『시경·주남(周南)·한광(漢廣)』에 "한수는 넓어서 헤엄쳐 갈 수 없다.(漢之廣矣, 不可泳思.)"30)라는 구절이 있는데, 모전에서는 "물속에 잠기어 가는 것이 영(泳)이다.(潛行爲泳.)"라고 주석했다.

『시경·위풍(魏風)·벌단(伐檀)』에 "어째서 수백 창고의 곡식을 거두어들이며.(胡取禾三百囷兮.)"31)라는 구절이 있는데, 모전에서는 "둥글게 지은 창고를 균(囷)이라 한다.(圓者爲囷.)"라고 주석했다.

---

25) (역주) 김학주 역저, 『새로 옮긴 시경』(서울: 명문당, 2010), 127쪽.
26) (역주) 위의 글, 145쪽.
27) (역주) 위의 글, 420쪽.
28) (역주) 임동석 역주, 『논어』(서울: 동서문화사, 2009), 962쪽.
29) (역주) 김학주 역저, 『새로 옮긴 시경』(서울: 명문당, 2010), 330쪽.
30) (역주) 위의 글, 106쪽.
31) (역주) 위의 글, 330쪽.

『초사(楚辭)·이소(離騷)』에 "각자 마음속에 일어나는 것이 질투(嫉妬)이다.(各興心而嫉妬.)"라는 구절이 있는데, 왕일(王逸)은 "어진 사람을 시기하는 것을 질(嫉)이라 하고, 색(色)을 시기하는 것을 투(妬)라 한다.(害賢爲嫉, 害色爲妬.)"라고 주석했다.

『시경·대아(大雅)·억(抑)』에 "그대가 방 안에서 반성할 적에, 방 어두운 모퉁이에 대하여도 부끄러움 없어야만 하네.(相在爾實, 尙不愧於屋漏.)"[32]라는 구절이 있는데, 모전에서는 "서북쪽 모퉁이를 옥루(屋漏)라고 부른다.(西北隅謂之屋漏.)"라고 주석했다.

『시경·소아(小雅)·교언(巧言)』에 "저들은 어떤 자들인가? 황하 가 습지에 살고.(彼何人斯? 居河之麋.)"[33]라는 구절이 있는데, 모전에서는 "수초가 교차하는 곳을 일러 미(麋)라고 부른다.(水草交謂之麋.)"라고 주석했다.

『곡량전(谷梁傳)·양공24년(襄公二十四年)』에 "두 번 곡식이 익지 않은 것을 일러 기(饑)라 하고, 세 번 곡식이 익지 않은 것을 일러 근(饉)이라 한다.(二穀不熟謂之饑, 三穀不熟謂之饉.)"라는 구절이 있다.

매승(枚乘)의 『상서중간오왕(上書重諫吳王)』에 "비유컨대 파리가 소 무리에 붙어있는 것과 같다.(譬猶蠅蚋之附群牛.)"라는 구절이 있는데, 이선(李善)은 "『설문』에서는 '진(秦)을 예(蚋)라고 부르고, 초(楚)를 문(蚊)이라 부른다.'라고 했다.(『說文』曰: 秦謂之蚋, 楚謂之蚊.)"고 주석했다.

② 위(謂)

'위(謂)'는 자의(字義)의 범위를 설명하고, 특정 물건을 지칭하는 데 사용되는데, '지모이언(指某而言: ~를 지칭하여 ~라고 말한다)'와 같다.

『시경·노송(魯頌)·비궁(閟宮)』에 "주공(周公)의 손자며, 장공(莊公)의 아들.(周公之孫, 莊公之子.)"[34]이라는 구절이 있는데, 모전에서는 "주공(周公)의 손자며, 장공(莊公)의 아들을 희공(僖公)이라 일컫는다.(周公之孫, 莊公之子, 謂僖公也.)"라고 주석했다.

『시경·위풍(魏風)·벌단(伐檀)』에 "저 군자여. 일하지 않고는 먹지 않는구나.(彼

---

32) (역주) 위의 글, 786쪽.
33) (역주) 위의 글, 581쪽.
34) (역주) 김학주 역저, 『새로 옮긴 시경』(서울: 명문당, 2010), 907쪽.

君子兮, 不素餐兮.)"라는 구절이 있는데, 모전에서는 "피군자혜(彼君子兮)는 박달나무를 베는 사람을 말한다.(彼君子兮, 斥伐檀之人.)"라고 주석했다.

『순자(荀子)·권학(勸學)』에 "선왕이 남긴 말씀을 듣지 못하면, 학문의 위대함을 알지 못하리라.(不聞先王之遺言, 不知學問之大也.)"라는 구절이 있는데, 양경(楊倞)은 "대(大)는 사람에게 유익함을 말한다.(大謂有益於人.)"라고 주석했다.

'위(謂)'에는 '叫做……(~라고 부른다)'와 같은 용법이 있다. '위갑을(謂甲乙)'의 형식으로 구성되어, '갑(甲)을 을(乙)이라고 부른다.'라는 의미를 나타낸다. 이 형식은 『좌전(左傳)·선공4년(宣公四年)』의 "초(楚)나라 사람들은 젖을 곡(穀)이라고 하고, 호랑이를 오도(於菟)라고 부른다.(楚人謂乳穀, 謂虎於菟.)"에 보인다. 후세 사람들은 이 형식의 의미를 이해하지 못해, 글자를 더해 다른 형식으로 바꾸었다. 예를 보자.

> 『시경·주남(周南)·갈담(葛覃)』에 "보모께 아뢰고, 근친을 가려고 하네.(言告師氏, 言告言歸.)"[35]라는 구절이 있는데, 모전에서는 "아녀자가 시집가는 것을 일러 귀(歸)라고 불렀다.(婦人謂嫁曰歸.)"라고 주석하였다. 육덕명(陸德明)은 『경전석문(經典釋文)』에서 "본디 '왈(曰)'자는 없었다.(陸德明『經典釋文』: 本亦無'曰'字.)"라고 말하였다.

'위(謂)'는 문장의 의미를 개괄할 때도 사용한다.

> 『시경·소아(小雅)·소변(小弁)』에 "사슴이 뛰어가는데 다리가 휘청휘청 하네.(鹿斯之奔, 維足伎伎.)"[36]라는 구절이 있는데, 모전에서는 "사슴이 뛰어가는데, 발의 움직임이 느린 모양을 말한다.(謂鹿之奔走, 其足伎伎然舒也.)"라고 주석했다.
>
> 『맹자(孟子)·등문공상(滕文公上)』에 "오곡(五穀)을 심고 가꾼다.(樹藝五穀.)"라는 구절이 있는데, 조기(趙岐)는 "오곡(五穀)은 벼(稻), 기장(黍), 조(稷), 보리(麥), 콩(菽)을 말한다.(五穀謂稻黍稷麥菽也.)"라고 주석했다.

---

35) (역주) 김학주 역저, 『새로 옮긴 시경』(서울: 명문당, 2010), 94쪽.
36) (역주) 김학주 역저, 『새로 옮긴 시경』(서울: 명문당, 2010), 574쪽.

『초사(楚辭)·이소(離騷)』에 "고운님이 늙는 게 두렵구나.(恐美人之遲暮.)"라는 구절이 있는데, 왕일(王逸)은 "미인(美人)은 회왕(懷王)을 말한다.(美人謂懷王也.)"라고 주석했다.

『초사(楚辭)·섭강(涉江)』에 "음양(陰陽)이 자리를 바꾸어, 시대가 마땅하지 않구나.(陰陽易位, 時不當兮.)"라는 구절이 있는데, 주희(朱熹)는 "음(陰)은 소인(小人)을 말하고, 양(陽)은 군자(君子)를 말한다.(陰謂小人, 陽謂君子.)"라고 주석했다.

③ 모(貌), 지모(之貌)

동사나 형용사를 해석하여, 해석되는 글자의 어떤 성질이나 상태를 설명한다. 항상 문미에 위치하며, "갑(甲), 을모(乙貌)/지모(之貌)/의(意)."가 기본적인 형식으로, 현대 중국어로는 '~의 모습'이라는 뜻인 '……的樣子'라고 해석할 수 있다. 예를 보자.

『초사·애영(哀郢)』에 "무리들이 바쁘게 오가며 날로 벼슬길에 나아가는데.(眾蹀蹀而日進兮.)"라는 구절이 있는데, 홍흥조(洪興祖)는 "첩접(蹀蹀)은 오가는 모습이다.(蹀蹀, 行貌)"라고 주석했다.

『시경·위풍(衛風)·맹(氓)』에 "인정이 많은 한 남자가 돈 갖고 실을 사러 왔었는데.(氓之蚩蚩, 抱布貿絲.)"라는 구절이 있는데, 모전에서는 "치치(蚩蚩)는 인정이 많은 모습이다.(蚩蚩, 敦厚之貌.)"라고 주석했다.

『장자(莊子)·소요유(逍遙遊)』에 "무릇 열자(列子)는 바람을 타고 가볍고 경쾌하게 돌아다니니.(夫列子禦風而行, 泠然善也.)"라는 구절이 있는데, 곽상(郭象)은 "령연(泠然)은 가볍고 경쾌한 모습이다(泠然, 輕妙之貌)"라고 주석했다.

매승(枚乘)의 『칠발(七發)』에 "엉기고 뒤섞여 있는 모습이 달리는 말과 같다.(沌沌渾渾, 狀如奔馬.)"라는 구절이 있는데, 이선(李善)은 "돈돈혼혼(沌沌渾渾)은 파도가 서로 따르는 모습이다.(沌沌渾渾, 波相隨之貌也.)"라고 주석했다.

④ 유(猶)

'유(猶)'를 사용해서 해석하는 글자와 해석되는 글자는 그 뜻이 완전히 같은 게 아니다. 어떤 언어 환경에서만 그 의미가 서로 통한다. '유(猶)'에는 단옥재(段玉裁)가 『설문해자주(說文解字注)』에서 말한 "모르는 의미를 서로 통하게 하는 것[義隔而通之]"과 "고금의 언어를 풀이하여 사람들에게 알려주는 것[通古今語以示人]"이라는 2가지 기본적인 기능이 존재한다. 현대 중국어로는 '~와 같다'는 뜻인 '相當於'나 '等於是'와 같이 해석할 수 있다.

앞서 말했듯이 '유(猶)'의 첫 번째 기능은 '모르는 의미를 서로 통하게 하는 것[義隔而通之]'이다. 예를 보자.

> 『시경·위풍(魏風)·갈구(葛屨)』에 "갓 시집온 고운 손으로 바지라도 깁게 하겠네.(摻摻女手, 可以縫裳.)"[37]라는 구절이 있는데, 모전에서는 "섬섬(摻摻)은 섬섬(纖纖)과 같다.(摻摻, 猶纖纖也.)"라고 주석했다.
> 『맹자·양혜왕상(梁惠王上)』에 "내 어르신을 공경함이 남의 어르신에게까지 미치며, 내 아이를 사랑함이 남의 아이에게도 미친다면(老吾老以及人之老, 幼吾幼以及人之幼.)"이라는 구절이 있는데, 조기(趙岐)는 "로(老)는 공경하다[敬]와 같고, 유(幼)는 사랑하다[愛]와 같다.(老, 猶敬也; 幼, 猶愛也.)"라고 주석했다.

'유(猶)'의 두 번째 기능인 '고금의 언어를 풀이하여 사람들에게 알려주는 것[通古今語以示人]'은 후세에 통용되는 단어로 앞 시대의 알기 어려운 단어를 풀이하는 것인데, 고금의 두 단어는 어원관계가 아닐 수도 있다. 예를 보자.

> 『순자(荀子)·권학(勸學)』에 "눈은 옳은 것이 아니면 보려 하지 않으며, 귀는 옳은 것이 아니면 들으려 하지 않으며(使目非是無欲見也, 使耳非是無欲聞也 …….)"라는 구절이 있는데, 양경(楊倞)은 "시(是)는 차(此)와 같다.(是猶此也.)"라고 주석했다.

'시(是)'는 상고(上古)시대에 지시대명사였으나, 전국(戰國)시대 후기에 들어 동사로 바뀌기 시작했고, 중고(中古)시기에 완전히 바뀌게 되었다. 양경(楊倞)은 당시의 언어로 고대의 언어를 해석했기 때문에 '유(猶)'자를 사용한 것이다.

---

37) (역주) 김학주 역저, 『새로 옮긴 시경』(서울: 명문당, 2010), 320쪽.

(2) 중국의 자전에 있는 용어를 모방

중국 최초의 전서(篆書) 자전인 『설문』, 최초의 해서(楷書) 자전인 『송본옥편』, 역대 사서들을 집대성한 『강희자전』 등은 한국고대자전의 편찬에 큰 영향을 미쳤다. 『설문』과 『송본옥편』에서는 글자의 파생의미를 해석할 때 '일왈(一曰)', '혹왈(或曰)', '우왈(又曰)', '일설(一說)', '일운(一云)', '혹운(或云)' 등의 용어를 사용하였다.

① 일왈(一曰)

『설문』

인(禋): '몸을 정갈하게 하여 제사를 지내다(潔祀)'라는 뜻이다. 달리 정성스런 마음으로 제수 품을 올려 제사를 지내는 것을 말한다고도 한다. 시(示)가 의미부이고 인(亞)이 소리부이다.(禋, 潔祀也. 一曰精意, 以享爲禋. 从示亞聲)

석(祏): '종묘에 모셔진 신주(宗廟主)'를 말한다. 주나라 때의 예제에 의하면, 교외에서 지내는 제사인 교(郊), 종묘에서 지내는 제사인 종(宗), 석실에 모셔진 신에게 지내는 제사(石室)가 있었다. 일설에는, '대부는 돌로 신주를 만들[기' 때문에 석(石)으로 구성되었다고도 한다. 시(示)가 의미부이고 석(石)도 의미부인데, 석(石)은 소리부도 겸한다.(祏, 宗廟主也. 『周禮』有郊宗石室. 一曰大夫以石爲主. 从示从石, 石亦聲.)

『송본옥편』

인(禋): 어(於)와 신(神)의 반절이다. 공경하다(敬)는 뜻이다. 『설문』에 "정결히 제사를 지내다는 뜻이다. 달리 정의(精意)라고 말하는데, 향(亨)으로 인(禋)을 삼았다."라는 구절이 있다. 인(䄄)은 위의 글자와 같다.(禋, 於神切. 敬也. 『說文』: 絜祀也. 一曰精意, 以享爲禋. 䄄, 同上.)

조(琱): 다(多)와 요(幺)의 반절이다. 옥을 새기는 것을 말한다. 달리 옥같이 생긴 돌을 말하기도 한다.(琱, 多幺切. 治玉也. 一曰石似玉者.)

방(玤): 포(布)와 공(孔) 및 보(步)와 강(講)의 반절이다. 『설문』에서는 "옥에 버금가는 돌로, 매달 수 있는 벽옥이라고 여겼으며, 달리 합방(蛤蚌)과 같다고

읽는다고도 했다."(珡, 布孔、步講二切.『說文』云: 石之次玉, 以爲系璧. 一曰
若蛤蚌.)

민(玟): 막(莫)과 배(杯)의 반절이다. 화제주(火齊珠)를 말한다. 달리 돌이 아름다
운 것을 말하기도 한다.(玟, 莫杯切. 火齊珠. 一曰石之美者.)

② 혹왈(或曰)

『설문』

번(𪕮): 쥐[鼠]를 말한다. 서(鼠)가 의미부이고 번(番)이 소리부이다. 번(樊)과 같
이 읽는다. 혹은 쥐며느리[鼠婦]를 말하기도 한다.(𪕮, 鼠也. 从鼠番聲. 讀若
樊. 或曰鼠婦)

서(卥): 놀란 소리를 말한다. 내(乃)의 생략된 형태가 의미부이고, 서(西)가 소리
부이다. 주문(籀文)에서 서(卥)는 생략되지 않았다. 혹은 잉(卥)이라고 하여,
가다[徃]는 뜻을 나타낸다. 잉(仍)과 같이 읽는다.(卥, 驚聲也. 从乃省, 西聲.
籀文卥不省. 或曰卥, 往也. 讀若仍.)

귀(賏): 재물[資]을 말한다. 패(貝)가 의미부이고 위(爲)가 소리부이다. 혹 이는
고대의 화(貨)자를 말하기도 한다. 귀(貴)와 같이 읽는다.(賏, 資也. 从貝爲聲.
或曰此古貨字. 讀若貴)

필(畢): 사냥의 그물을 말한다. 그물[𦥑]의 모습으로, 필(畢)의 형태가 어렴풋하
게 그려져 있다. 혹은 신(由)이 소리부라고도 한다.(畢, 田罔也. 从𦥑, 象畢形
微也. 或曰由聲.)

『송본옥편』

봉(封): 보(甫)와 룡(龍)의 반절이다. 크다[大]. 후하게 하다[厚]. 정현(鄭玄)은 "흙
을 일으켜 경계를 삼는다는 뜻이다.『대대례(大戴禮)』에서는 '50리가 봉(封)이
된다.'라고 했다.『백호통(白虎通)』에서는 '왕이라는 것은 성(姓)을 바꾸어 일
어난 자를 말한다. 천하가 태평하면, 그 공로를 산천에 제사지냄으로써 태평
(太平)을 알렸다. 봉(封)이라는 것은 누런 진흙과 은색 밧줄을 말한다. 혹은
돌 진흙과 누런 밧줄이라고도 한다. 눌러 도장을 찍음으로써 봉했다. 공자
(孔子)가 태산(太山)에 올라, 성(姓)이 바뀌어 왕 된 자를 관찰하였는데, 그
수를 세어보니 70여개가 봉해져 있더라고 했다. 봉(坶)은 봉(封)의 옛 글자이

다. 혹은 봉(圭)이라고도 쓴다. 봉(圭)은 봉(封)의 옛 글자이다.'라고 했다.『설
문』에서는 '초목(草木)이 제멋대로 자라나는 것을 말한다. 지(之)가 흙[土] 위
에 놓인 모습이다. 호(尸)와 광(光)의 반절이다.'라고 했다."라고 주석했다.(封,
甫龍切. 大也, 厚也. 鄭玄曰: 起土界也.『大戴禮』: 五十里爲封.『白虎通』曰: 王
者易姓而起, 天下太平, 功成封禪, 以告太平. 封者金泥銀繩, 或曰石泥金繩, 封
之以印璽. 孔子升太山, 觀易姓而王, 可得而數者, 七十餘封是也. 杜, 古文封.
或作圭. 圭, 古文封字.『說文』云 : 草木妄生也. 从之, 在土上. 尸光切.)

해(薢): 고(古)와 해(諧), 경(庚)과 매(買)의 반절이다.『이아(爾雅)』에 "해(薢),
구(茩), 결(英)은 밝다[光는 뜻이다."라는 구절이 있는데, 곽박(郭璞)은 "결명자
[英明]를 말한다. 잎은 누렇고 날카로우며, 붉은 꽃을 피우는데 실제로는 산
수유와 같다. 혹은 릉(陵)이라고도 한다. 함곡관 서쪽 지역에는 이를 해구(薢
茩)라고 말했다."라고 주석했다.(薢, 古諧, 庚買切.『爾雅』: 薢茩英光. 郭璞注
云: 英明也. 葉黃銳赤華, 實如山茱萸. 或曰陵也. 關西謂之薢茩.)

③ 우왈(又曰)

『설문』
독(櫝): 함을 말한다. 목(木)이 의미부이고 독(賣)이 소리부이다. 달리 나무의 이
름을 말하기도 한다. 또 큰 도마[大梡]를 말한다.(櫝, 匵也. 从木賣聲. 一曰木
名. 又曰大梡也.)

『송본옥편』
탐(醓): 토(吐)와 감(感)의 반절이다.『주례(周禮)』에 "해인(醢人)이 첫 새벽에 지
내는 제사 때 두(豆)에 육장을 채운다."라는 구절이 있는데, 탐(醓)은 육즙이
다. 또 두텁게 썬 포나 육장을 말하기도 한다. 탐(脓)은 위의 글자와 같다.(醓,
吐感切.『周禮』: 醢人掌朝事之豆, 其實醓醢. 醓, 肉汁也. 又曰深蒲醓醢. 脓, 同
上.)
력(蔮): 량(良)과 격(激)의 반절이다. 산 마늘을 말한다. 또 부들꽃[蒲蔮]이라는
뜻이 있다. 부들의 꼭대기에 받침대가 있고, 받침대 위에 중대(重臺)가 있고,
가운데에 노란 것이 나오는 것을 일컫는데, 즉 부들의 꽃가루[蒲黃]를 나타
낸다. 또 쑥을 말하기도 한다.(蔮, 良激切. 山蒜. 又蒲蔮, 謂今蒲頭有臺, 臺上

有重臺, 中出黃, 即蒲黃. 又曰山蒿也.)

④ 일운(一云)

『설문』
상(祥): 복을 말한다. 시(示)가 의미부이고 양(羊)이 소리부이다. 달리 착하다[善]
는 뜻이 있다.(祥, 福也. 从示羊聲. 一云善.)

『송본옥편』
가(珂): 구(丘)와 하(何)의 반절이다. 옥돌을 말한다. 또 마노[碼碯]가 눈과 같이
하얀 것을 말한다. 달리 조개를 말하기도 하는데, 바다에서 난다.(珂, 丘何切.
石次玉也. 亦碼碯絜白如雪者. 一云螺屬也, 生海中.)
합(玲): 호(胡)와 갑(甲)의 반절이다. 대합을 말한다. 달리 대합의 생식기를 말하
기도 한다.(玲, 胡甲切. 玉玲. 一云蜃器.)
술(珬): 사(思)와 율(聿)의 반절이다. 옥(玉)의 이름이다. 달리 가술(珂珬)을 말하
기도 한다. 술(珧)과 같다.(珬, 思聿切. 玉名. 一云珂珬 與珧同.)
길(郆): 거(居)와 일(一)의 반절이다. 땅의 이름이다. 달리 길성산을 말하기도 한
다.(郆, 居一切. 地名. 一云郆成山.)

⑤ 혹운(或云)

『설문』
리(螭): 용 같이 생겼으며 노란 색이다. 북방에서는 이를 지루(地螻)라고 부른
다. 충(虫)이 의미부이고, 리(离)가 소리부이다. 혹 뿔이 없는 것을 리(螭)라고
하기도 한다.(螭, 若龍而黃, 北方謂之地螻. 从虫离聲. 或云無角曰螭.)

『송본옥편』
령(薴): 래(來)와 정(丁)의 반절이다. 감초를 말한다. 혹 령(薴)이라고 부르기도
하는데, 지황(地黃)처럼 생겼다.(薴, 來丁切. 大苦菜. 或云薴, 似地黃.)

『훈몽자회』에서 사용한 상술한 용어는 어떤 한자의 또 다른 명칭을 설

명하는 데 사용하였는데, 일반적으로 한자의 파생의미를 나타내었다.

　고금 한자의 의미변화는 분명하여 쉽게 알 수 있다. 자의(字義)를 설명하는 용어는 『설문』에서부터 『강희자전』까지 일맥상통한다. 그뿐만 아니라, 동아시아로 한자가 확장되는 과정에서 자의를 설명하는 용어들이 중국에서의 원래의 모습과 의미를 유지했다는 것은 용어들이 이미 그 용법이 굳어져 사용되었다는 것을 의미한다.

제4절 자의 해석의 특징

1. 핵심의미의 해석과 한자의 화용에 대한 관심

　한자의 동아시아 확장을 제약하는 요소는 '실용'이다. 중국어가 발전하면서 한자의 의미도 계속해서 풍부해졌다. 그러나 한자가 동아시아로 확장되면서, 중국에서 한자가 발전되는 양상 및 사용과는 다른 면모를 보여주었다. 한국한문자전의 주된 편찬목적은 중국경전의 이해와 한문고시의 응시에 도움을 주기 위해서이다. 한자의 기본의미나 상용의미에 대한 해석이 한문자전에서 자의(字義) 해석의 핵심부분이 된다. 한자의 기본의미는 모든 관련의항을 관통하는 부분으로, 말뜻의 영혼에 해당되며, 그 당시 조선시대 사람들이 중국어를 읽고 사용할 때 가장 자주 사용하는 의미이기도 하다. 아래에 몇 개의 상용한자를 예로 들어, 중국의 역대 자전에서의 해석과 한국한문자전에서의 해석을 서로 비교함으로써, 두 나라의 자의(字義)해석의 특징을 살펴보고자 한다. 예를 보자.

　○방(傍)

　　『전운옥편』: 【방】넓다[廣]. 두 갈래길[岐道]. 혼(混)과 같다. 뒤섞이다[旁礴]. 또 왕래하는 사람이 많아서 붐비고 수선스럽다[旁午]는 뜻을 나타낸다. 양(陽)운이다. 구(口)와 같다. 방오(旁午). 양(漾)운이다. 【펑】말이나 수레를 몰아 빨리 달린다[驅馳]는 뜻으로, 방방(旁旁)이라고 한다. 경(庚)운이다.【방】廣也, 岐道. 混同, 旁礴. 又旁午. (陽). 口同. 旁午. (漾). 【펑】驅馳, 旁旁. (庚).

　　『신자전』: 【방】넓다[廣]. 넓을. ○크다[大]. 클. ○두 갈래길[岐道]. 두갈애길. ○뒤

섞이다[旁礴. 혼(混)과 같다. 덩어리. ○왕래하는 사람이 많아서 붐비고 수선
스럽다[旁午]. 뒤엉키다[交橫]. 오락가락할. 『한서(漢書)에 "사자가 많아서 붐
빈다.(使者旁午.)"라는 구절이 있다. 양(陽)운이다. 방(傍)과 같다. ○방오(旁
午)는 위의 내용과 같다. 양(漾)운이다. 【팽、 펑】방방(旁旁)은 말이나 수레를
몰아 빨리 달리는 모습이다. 휘몰아갈. 『시(詩)』에 "갑옷 걸친 네 말이 버젓
이 수레를 끄네.(駟介旁旁.)"[38]라는 구절이 있다. 경(庚)운이다. 방(菊)과 같
다.【방】廣也. 넓을. ○大也. 클. ○歧道. 두갈애길. ○旁礴, 混同. 덩어리. ○旁
午, 交橫. 오락가락할. 『漢書』: 使者旁午. (陽). 傍同. ○旁午, 上同. (漾). 【팽、
펑】旁旁, 驅馳不息貌 휘몰아갈. 『詩』: 駟介旁旁. (庚). 菊同.)

『설문』: 가깝다[近]는 뜻이다. 인(人)이 의미부이고, 방(菊)이 소리부이다. 보(步)
와 광(光)의 반절이다.(近也. 从人菊聲. 步光切.)

『송본옥편』: 포(蒲)와 당(當)의 반절이다. 가깝다[近]는 뜻이다.(蒲當切. 近也.)

『강희자전』: 『광운(唐韻)』에서는 "보(步)와 광(光)의 반절이다."라고 하였다. 『집
운(集韻)』과 『운회(韻會)』에서는 "포(蒲)와 광(光)의 반절이다. 방(旁)과 통한
다."라고 설명하였다. 『설문』에서는 "가깝다[近]는 뜻이다."라고 했다. 『광운
(廣韻)』에서는 "곁[側]이라는 뜻이다."라고 했다.

또 성(姓)을 나타낸다. 당(唐)나라 북쪽 지역의 강(羌)족 호족에 방기본(傍企
本)이라는 사람이 있었다.

또 『집운(集韻)』에서는 "보(補)와 랑(朗)의 반절로, 독음이 방(綺)이다. 좌우를
뜻한다."라고 하였다. 『가자(賈子)・보부편(保傳篇)』에서는 "성왕(成王)이 태어
나자, 어진 자가 그를 키우고, 효성스런 자가 그를 강하게 하고, 사성(四聖)
이 그를 따른다."라고 하였다. 또 『광운(廣韻)』・『집운(集韻)』・『운회(韻會)』・『
정운(正韻)』에서는 "또한 포(蒲)와 랑(浪)의 반절이다. 독음은 방(牓)이다."라
고 하였다. 『정운(正韻)』은 "의지하다[倚]는 뜻이다."라고 설명하였다. 『집운
(集韻)』에서는 "역시 가깝다[近]는 뜻이다."라고 했다. 혹 병(並)이나 방(隋)으
로도 쓴다. 또 『정운(正韻)』에서는 "보(補)와 경(耕)의 반절로, 독음이 붕(綳)
이다."라고 하였다. 『시경・소아(小雅)』에는 "수레 끄는 네 마리 말 튼튼하고,
나랏일은 많기도 하네.(四牡彭彭, 王事傍傍.)"[39]라는 구절이 있는데, 주자(朱

38) (역주) 김학주 역저, 『새로 옮긴 시경』(서울: 명문당, 2010), 271쪽.
39) (역주) 김학주 역저, 『새로 옮긴 시경』(서울: 명문당, 2010), 607쪽.

子)는 "방방연(傍傍然)은 그만둘 수 없는 것을 말한다.(傍傍然不得已也.)"라고 해석했다.[40]

○련(憐)

『전운옥편』:【련】사랑하다[愛]. 불쌍히 여기다[哀]. 선(先)운이다.(憐,【련】愛也, 哀也. (先).)

『자류주석』: 에엽쁠【련】사랑하다[愛]. 불쌍히 여기다[哀].(憐, 에엽쁠【련】愛也, 哀也.)

『신자전』:【련】사랑하다[愛]. 귀돌○어엿비역일.『사기(史記)』에 "대장부도 어린 자식을 사랑하는가?"라는 구절이 있다. ○불쌍히 여기다[哀]. 불 상이역일.『오월춘추(吳越春秋)』에 "같은 병자끼리 가엾게 여긴다.(同病相憐.)"라는 구절이 있다. 선(先)운이다.(憐,【련】愛也. 귀돌○어엿비역일.『史記』: "丈夫亦愛憐少子乎." ○哀也. 불상이역일.『吳越春秋』: "同病相憐." (先).)

『설문』: 불쌍히 여기다[哀]는 뜻이다. 심(心)이 의미부이고 린(粦)이 소리부이다. 락(落)과 현(賢)의 반절이다.(哀也. 从心粦聲. 落賢切.)

『송본옥편』: 력(力)과 전(田)의 반절이다. 불쌍히 여기다. 사랑하다[撫].(力田切. 矜之也, 撫也.)

『강희자전』: [고문]의 련(恣)으로,『광운(唐韻)』에서는 "락(落)과 현(賢)의 반절이다."라고 했다. 『집운(集韻)』·『운회(韻會)』·『정운(正韻)』에서는 "령(靈)과 년(年)의 반절이며, 독음은 련(蓮)이다."라고 했다.『설문』에서는 "불쌍히 여기다[哀]라는 뜻이다."라고 했다. 『오월춘추(吳越春秋)·하상가(河上歌)』에서는 "같은 병자끼리 가엾게 여긴다.(同病相憐)"라는 구절이 있다.

또『광운(廣韻)』에서는 "사랑한다(愛)는 뜻이다."라고 했다. 노(魯)나라 연자(連子)는 옛날 속담인 "마음으로 진실로 사랑한다면 백발도 검어질 것이다.(心誠憐, 白髮元)"를 인용하였다.

---

40)『唐韻』步光切.『集韻』『韻會』蒲光切. 並通旁.『説文』: 近也.『廣韻』: 側也. 又姓. 唐北地羌豪傍企本. 又『集韻』補朗切. 音綯. 左右也.『賈子·保傅篇』: 成王之生, 仁者養之, 孝者強之, 四聖傍之. 又『廣韻』『集韻』『韻會』『正韻』並蒲浪切. 音傍『正韻』: 倚也.『集韻』: 亦近也. 或作並、隣. 又『正韻』補耕切. 音綳.『詩·小雅』: 四牡彭彭, 王事傍傍. 朱傳: 傍傍然不得已也.

또 『집운(集韻)』에서는 "리(離)와 진(珍)의 반절이다. 독음이 린(鄰)이다. 뜻이 같다."라고 했다. 『초사(楚辭)·구변(九辯)』에서는 "나그네 신세 벗조차 없고, 마음은 괴로워 스스로 이 가슴 아프니.(羈旅而無友生, 惆悵兮而私自憐)"[41] 라는 구절이 있다. 윗구절의 생(生)과 협운했다. 세속에서는 령(怜)이라고 쓴다.[42]

○우(偶)

『제오유』: 우(偶)는 짝짓다[合]는 의미이다. 인(人)이 의미부이고, 우(禺)가 소리부이다. 나무로 만든 것을 우(偶)라 하고, 우연한 일을 말한다.(偶, 合也. 人義 禺音. 木之爲偶, 適然之事.)

『전운옥편』: 【우】쌍수(雙數). 짝짓다[合]. 짝[匹]. 마침[適然]. 무리[儕輩]. 허수아비[俑]로, 나무로 만든 사람[木偶]을 말한다. 유(有)운이다. 우연[適然]. 유(宥)운이다.(偶, 【우】雙數, 合也, 匹也, 適然, 儕輩 俑也, 木偶. (有). 適然. (宥).)

『자류주석』: 쪽【우】짝짓다[合]. 짝[匹]이라는 뜻이다. 쌍을 우(偶)라고 하고, 하나를 기(奇)라고 한다. 무리[儕輩]. 우연【우】적연(適然)이다. 또 허수아비[俑] 를 나타내는데, 나무로 만든 사람[木偶]을 말한다.(쪽【우】合也, 匹也, 雙曰偶, 隻曰奇. 儕輩. 우연【우】適然. 又俑也, 木偶.)

『신자전』: 【우】쌍수(雙數). 짝셈○쌍셈. 『예(禮)』에 "정[鼎]과 적대[俎]는 홀수이고, 변(籩)과 두(豆)는 짝수이니, 음양의 의미를 담고 있다.(鼎俎奇而籩豆偶, 陰陽之義)"라는 구절이 있다. ○짝짓다[合]. 짝[匹]. 짝질. 『가어(家語)』에 "성인은 때에 의지함으로서, 남녀가 짝을 짓는다.(聖人因時, 以合偶男女.)"라는 구절이 있다. ○동배[儕輩]. 무리라는 뜻이다. 『한서(漢書)』에 "그 무리들을 이끌고 양자강으로 도망쳤다.(率其曹偶, 亡之江中.)"라는 구절이 있다. ○우연[適然]이라는 뜻이다. 마침○우연. 『열자(列子)』에 "등석(鄧析)이 자산(子産)을 일러 말했다. '정(鄭)나라가 잘 다스려진 것은 우연일 뿐, 선생의 공로가 아니었군요.'(國之治偶耳, 非子之功.)"라는 구절이 있다. ○허수아비[俑]라는

41) (역주) 류성준 역해, 『초사』(서울: 혜원출판사, 1999), 146쪽.
42) [古文]㥄『唐韻』落賢切.『集韻』『韻會』『正韻』靈年切. 並音蓮.『説文』: 哀也.『吳越春秋·河上歌』: 同病相憐. 又『廣韻』: 愛也. 魯連子引古諺: 心誠憐, 白髮元. 又『集韻』離珍切. 音鄰. 義同.『楚辭·九辯』: 羈旅而無友生, 惆悵兮而私自憐. 叶上生. 俗作怜.

뜻이다. 헤울아비○정아비.『사기(史記)』에 "나무인형과 흙 인형의 말(木偶
人與土偶人語)"이라는 구절이 있다. 유(有)운이다. ○적연(適然)은 마침이라
는 뜻이다. 유(宥)운이다.(【우】雙數. 짝셈○쌍셈.『禮』: 鼎俎奇而籩豆偶, 陰陽
之義. ○合也, 匹也. 짝질.『家語』: 聖人因時, 以合偶男女. ○儕輩. 무리.『漢書
』: 率其曹偶, 亡之江中. ○適然. 마침○우연.『列子』: 鄧析謂子産曰: 鄭國之治
偶耳, 非子之功. ○俑也. 헤울아비○정아비.『史記』: 木偶人與土偶人語. (有).
○適然. 마침. (宥).)

『설문』: 나무로 만든 사람이다. 인(人)이 의미부이고, 우(禺)가 소리부이다. 오
(五)와 구(口)의 반절이다.(桐人也. 从人禺聲. 五口切.)

『송본옥편』: 오(吾)와 구(苟)의 반절이다.『이아』에서는 "짝짓다(合)"라고 했고,
『설문』에서는 '나무로 만든 사람[桐人]'이라고 했다.(吾苟切.『爾雅』曰: 合也.
『説文』云: 桐人也.)

『강희자전』:『광운(唐韻)』에서는 "오(五)와 구(口)의 반절이다."고 했고,『운회
(韻會)』에서는 "어(語)와 구(口)의 반절이다. 독음이 우(耦)이며, 짝수를 우(偶)
라고 부르고, 홀수를 기(奇)라고 부른다."고 하였다.『예(禮)·교특생(郊特牲)』
에서는 "정[鼎]과 적대[俎]는 홀수이고, 변(籩)과 두(豆)는 짝수이니, 음양의
의미를 담고 있다.(鼎俎奇而籩豆偶, 陰陽之義也.)"라는 구절이 있다.

또『이아(爾雅)·석고(釋詁)』에 "합야(合也)"라는 구절이 있는데, "맞추다는 것
을 일컫는다."라고 주석했다.

또 나누고 합하다는 뜻이 있다. 가의(賈誼)의『오이(五餌)』에 "사람을 만나는
것은 때가 없다.(言偶人無時.)"라는 구절이 있고,『한시(韓詩)』에는 "때를 잃
지 않은 것은 짝 있어 나누어 진 것을 합해 주기 때문이다.(言不失時, 以偶
爲胖合也.)"라는 구절이 있다.

또『가어(家語)』에서는 "성인은 때에 의지해서 남녀가 짝을 이룬다.(聖人因
時以合偶男女.)"라는 구절이 있다.

또 무리를 우(偶)라고 한다.『전한(前漢)·경포전(黥布傳)』에서는 "그 무리들을
이끌고 양자강으로 도망쳤다.(率其曹偶, 亡之江中.)"라는 구절이 있다.

또 우연[適然]을 나타낸다.『열자(列子)·양주편(楊朱篇)』에 "등석(鄧析)이 자
산(子産)을 일러 말했다. '정(鄭)나라가 잘 다스려진 것은 우연일 뿐, 선생의
공로가 아니었군요.'(鄧析謂子産曰: 鄭國之治偶耳, 非子之功也.)"라는 구절이

있다.

또 허수아비[俑]를 나타낸다. 사람처럼 생긴 것을 우(偶)라고 하고, 나무나 흙의 형상 또한 우(偶)라고 한다. 『사기(史記)·맹상군전(孟嘗君傳)』에서는 "나무로 만든 인형을 흙으로 만든 인형이라고 하네.(木偶人謂土偶人.)"라는 구절이 있다. 달리 우(寓)나 우(禺)라고 쓰기도 한다. 『전한(前漢)·교사지(郊祀志)』에 "나무로 만든 용[木寓龍]"이라는 구절이 있고, 『사기(史記)·봉선서(封禪書)』에도 "나무로 만든 용[木禺龍]"이라는 구절이 있다. 이 둘은 모두 우(偶)와 같다. 달리 우(樀)라고 쓰기도 하는데, 틀렸다.

또 성(姓)을 나타낸다. 명(明)나라 홍무(洪武) 년간에 우환(偶桓)이라는 사람이 있는데, 벽천(임금의 추천)으로 안현(崇安縣)에서 종사하였다.

또 오(五)와 거(擧)의 반절과 협음하여, 독음이 어(語)이다. 광무(光武)의 「사후패서(賜侯霸書)」에서는 "높은 산과 험준한 령이 있는 수려하고 깊은 성도는 아름답기가 짝을 찾을 수가 없고, 금으로 장식한 도끼도 거처할 곳이 없구나.(崇山幽都何可偶, 黃鉞一下無處所.)"라고 하였다.43)

○투(偸)

『훈몽자회』: 또 경박하다[薄]는 의미이다.(偸, 又薄也.)

『제오유』: 훔치다[盜]는 뜻이다. 인(人)이 의미부이고, 유(俞)가 소리부이다.(偸, 盜也. 人義. 俞音.)

『전운옥편』: 【우】훔치다[盜]. 경박하다[薄]. 구차하다[苟且]는 뜻이다. 우(尤)운이다.(偸, 【우】盜也, 薄也, 苟且. (尤).)

『송본옥편』: 투(偸)는 토(吐)와 후(侯)의 반절이다. 훔치다[盜]는 뜻이다. 『이아』에는 "조(佻)는 투(偸)를 말하는데, 구차하다[苟且]는 의미를 나타낸다."라는

---

43) (역주) 『唐韻』五口切. 『韻會』語口切. 並音耦. 凡數雙曰偶, 隻曰奇. 『禮·郊特牲』: 鼎俎奇而籩豆偶, 陰陽之義也. 又『爾雅·釋詁』: 合也. 註: 謂對合也. 又胖合也. 賈誼 『五餌』: 言偶人無時. 『韓詩』: 言不失時, 以偶爲胖合也. 又『家語』: 聖人因時以合偶男女. 又儕輩曰偶. 『前漢·黥布傳』: 率其曹偶, 亡之江中. 又適然也. 『列子·楊朱篇』: 鄧析謂子産曰: 鄭國之治, 偶耳, 非子之功也. 又俑也. 象人曰偶, 木土像亦曰偶. 『史記·孟嘗君傳』: 木偶人謂土偶人. 一作寓、禺. 『前漢·郊祀志』: 木寓龍. 『史記·封禪書』: 木禺龍. 並同偶. 別作樀, 非. 又姓. 明洪武中偶桓, 以辟薦爲崇安縣從事. 又叶五擧切. 音語. 光武『賜侯霸書』: 崇山幽都何可偶, 黃鉞一下無處所.

구절이 있다.(偸, 吐侯切. 盜也.『爾雅』曰: 佻, 偸也. 謂苟且也.)

『강희자전』:『광운(廣韻)』에서는 "탁(託)과 후(侯)의 반절이다."고 했다.『집운
(集韻)』·『운회(韻會)』·『정운(正韻)』에서는 "타(他)와 후(侯)의 반절이며, 평성
(平聲)이다."라고 했다.『설문』에서는 "구차하다[苟且]는 뜻이다."라고 했다.
『좌전(左傳)·소공13년(昭公十三年)』에는 "자산(子産)이 말했다. '진(晉)나라의
국정은 여러 집안에서 나와, 일치되지 않고 구차하여 한가할 겨를이 없다.
(晉政多門, 貳偸之不暇)'"라는 구절이 있으며, 또『예(禮)·표기(表記)』에서는
"안일하고 방자하면 날로 게을러진다.(安肆日偸.)"라고 했다.

또『이아·석언(釋言)』에서는 "훔치다[佻]."라고 했고,『광운(廣韻)』에서도 "훔
치다[盜]."라고 했다.『관자(管子)·형세해(形勢解)』에서는 "이익을 훔친 이후
에 해가 있게 되고, 즐거움을 훔친 이후에 근심이 있게 되는 법, 이는 성인
이 하는 바가 아니다.(偸得利而後有害, 偸得樂而後有憂者, 聖人不爲也)"라는
구절이 있다.

또 야박하다는 뜻이다.『좌전(左傳)·양공31년(襄公三十一年)』에는 "조맹(趙孟)
의 말은 야박하다.(趙孟之語偸.)"라는 구절이 있다.

또 용(容)과 주(朱)의 반절과 협음한다. 독음이 여(余)이다. 장형(張衡)의『서
경부(西京賦)』에서는 "삼가하고 거동에 위엄을 내보임으로 백성들이 훔치지
않게 한다. 나에게 아름다운 손님이 있어, 그 즐겁기 그지없네. 교화의 소리
가 널리 퍼져, 온 하늘 아래 가득하네.(敬愼威儀, 示民不偸. 我有嘉賓, 其樂愉
愉. 聲敎布濩, 盈溢天區.)"라는 구절이 있다.44)

○창(彰)

『전운옥편』:【장】정음【창】드러나다[著]. 밝다[明]. 양(陽)운이다. 장(章)과 같다.
(彰,【장】正.【창】著也, 明也.(陽). 章同.)

『자류주석』: 나타날【장】바르다[正].【창】드러나다[著]. 밝다[明]. 문장(文章), 꾸
미다[飾]. 장(章)과 같다.(나타날【장】正.【창】著也, 明也. 文章, 飾也. 章仝.)

---

44) (역주)『廣韻』託侯切.『集韻』『韻會』『正韻』他侯切. 並透平聲.『說文』: 苟且也.『
左傳·昭十三年』: 子産曰: 晉政多門, 貳偸之不暇. 又『禮·表記』: 安肆日偸. 又『爾
雅·釋言』: 佻也.『廣韻』: 盜也.『管子·形勢解』: 偸得利而後有害, 偸得樂而後有憂
者, 聖人不爲也. 又薄也.『左傳·襄三十一年』: 趙孟之語偸. 又叶容朱切. 音余. 張
衡『西京賦』: 敬愼威儀, 示民不偸. 我有嘉賓, 其樂愉愉. 聲敎布濩, 盈溢天區.

『신자전』: 【장】정음【챵】드러나다[著]. 나타날.『서(書)』: 훌륭한 말씀을 크게 밝히다.(嘉言孔彰). ○드러나서 밝다[著明]. 드러낼.『서(書)』: 그것을 드러내고 항상함이 있다.(彰厥有常.) ○밝다[明]. 밝을. 양(陽)운이다. 장(章)과 같다.(彰, 【장】正【챵】著也. 나타날.『書』: 嘉言孔彰. ○著明之. 드러낼.『書』: 彰厥有常. ○明也. 밝을. (陽). 章同.)

『설문』: 무늬가 빛나다는 뜻이다. 삼(彡)과 장(章)으로 구성되어 있는데, 장(章)은 역시 소리부의 역할을 한다. 제(諸)와 량(良)의 반절이다.(文彰也. 从彡从章, 章亦聲. 諸良切.)

『송본옥편』: 제(諸)와 양(楊)의 반절이다.『설문』에서는 "무늬가 빛나다는 뜻이다."라고 했다.(諸楊切.『説文』云: 文彰也.)

『강희자전』:『당운(唐韻)』・『집운(集韻)』・『운회(韻會)』・『정운(正韻)』에서는 "제(諸)와 량(良)의 반절이다. 독음은 장(樟)이다"라고 했다.『설문』에서는 "무늬가 빛나다는 뜻이다."라고 했다.『운회(韻會)』에서는 "장식을 말한다. 장(章)과 삼(彡)으로 구성되어 있으며, 털의 모양으로, 새의 날개와 짐승 털의 무늬를 말한다.(文章飾也. 从章从彡, 毛髮貌, 謂鳥獸羽毛之文.)"라고 했다.

또『집운(集韻)』에서는 "장(章)과 같이 쓴다."라고 했다.『시(詩)・소아(小雅)』에서는 "얼룩덜룩 새매 무늬 깃발 세우고(織文鳥章)"45)라는 구절이 있다.

또『광운(廣韻)』에서는 "밝다[明]는 뜻이다."라고 했다.『정운(正韻)』에서는 "드러나다[著]는 뜻이다."라고 했다.『서(書)・이훈(伊訓)』에서는 "훌륭한 말씀을 크게 밝히다.(嘉言孔彰.)"라고 했다. 또『정운(正韻)』에서는 "드러나서 밝다[著明]는 뜻이다."라고 했다.『서(書)・고도모(皐陶謨)』에서는 "그것을 드러내고 항상함이 있다.(彰厥有常.)"라는 구절이 있다.

또 지(之)와 융(戎)의 반절과 협음한다. 독음이 종(終)이다. 설종(薛綜)의 「추우송(騶虞頌)」에서는 "위엄을 떨치고 덕을 드러내는 것이 어찌 나의 기세이겠는가. 성스러운 덕이 지극히 성대하니, 추우(騶虞)조차도 드러나는구나."라는 구절이 있다.46)

---

45) (역주) 김학주 역저,『새로 옮긴 시경』(서울: 명문당, 2010), 495쪽.
46) (역주)『唐韻』『集韻』『韻會』『正韻』並諸良切. 音樟.『説文』: 文彰也.『韻會』: 文章飾也. 从章从彡, 毛髮貌, 謂鳥獸羽毛之文. 又『集韻』: 通作章.『詩・小雅』: 織文鳥章. 又『廣韻』: 明也.『正韻』著也.『書・伊訓』: 嘉言孔彰. 又『正韻』: 著明之

그 외에도 한국한문자전에서는 자의를 해석할 때, 그 글자의 화용적 특징에 대해서도 관심을 가졌다. 아래의 예문은 『전운옥편』에서 발췌하였다.

차(且): 【져】어조사. 많은 모습을 나타낸다. 파초(芭蕉)를 파차(巴且)라고도 쓴다. 어(魚)운이다. 저(趄)와 같다. 또 공경하는 모습을 나타낸다. 어(語)운이다. 【챠】또[又]. 이[此]. 구차하다[苟且]. 발어사. 마(馬)운이다.(且, 【져】語辭, 多貌 芭蕉, 巴且. (魚). 趄同. 又恭敬貌. (語). 【챠】又也, 此也. 苟且, 借曰辭. (馬).)

내(乃): 【내】어조사. 내금(乃今)·내자(乃者)·이내(而乃)·하내(何乃)·~하지 않은가 [無乃] 등에 사용된다. 또 너나 당신을 지칭한다. 회(賄)운이다. 내(廼)와 같다.(乃, 【내】語辭. 乃今, 乃者, 而乃, 何乃, 無乃. 又爾汝稱. (賄). 廼同.)

지(之): 【지】나가다[出]. 맞다[適]. 가다[往]. 이르다[至]. 이[是]. ~에[於]. 끼치다 [遺]. 어조사. 지(支)운이다.(之, 【지】出也, 適也, 往也, 至也, 是也, 於也, 遺也, 語辭. (支).)

야(也): 【야】어기사. 발어사. (마)운이다.(也, 【야】語之餘, 發語辭. (馬).)

우(于): 【우】가다[往]. 하다[爲]. 말하다[曰]. ~에서[於]. 어조사. 감탄사. 종(鐘)의 양쪽 아가리 사이를 말한다. 든든한 모양을 나타내는데, 우우(于于)라고 표현한다. 우(虞)운이다. 어(於)·우(迂)·우(吁)와 통한다.(于, 【우】往也, 爲也, 曰也, 於也, 語辭, 歎辭, 鐘兩口間. 自足貌, 于于. (虞). 於迂吁通.)

사(些): 【샤】적다[少]. 마(麻)운이다. 【사】어조사. 개(箇)운이다. 사(娑)와 같다.(些, 【샤】少也. (麻). 【사】語辭. (箇). 娑同.)

이(伊): 【이】저[彼]. 오직[維]. 발어사. 답답하다[不舒]를 울이(鬱伊)라고 한다. 글 읽는 소리를 오이(吾伊)라고 한다. 지(支)운이다.(【이】彼也, 維也, 發語辭. 不舒, 鬱伊. 書聲, 吾伊. (支).)

단(但): 【단】다만[徒]. 부질없다[空]. 어조사. 특별하다[特]. 대체[第]. 거짓[詐]. 한(旱)운과 한(翰)운이다. 단(亶)·탄(誕)과 통한다.(【단】徒也, 空也, 語辭, 特也, 第也, 詐也. (旱). (翰). 亶誕通.)

궐(厥): 【궐】그[其]. 짧다[短]. 조아리다[頓]. 어조사. 월(月)운이다. 궐(瘚)·궤(撅)와 통한다. 【굴】돌궐(突厥). 물(物)운이다.(【궐】其也, 短也, 頓也, 語辭. (月). 瘚撅

也. 『書·皋陶謨』: 彰厥有常. 又叶之戎切. 音終. 薛綜『騶虞頌』: 奮威揚德, 豈弟之風. 聖德極盛, 騶虞乃彰.

通.【굴】突厥. (物).)

식(式): 【식】법[法]. 사용하다[用]. 제도[制]. 양식[品式]. 수레 앞 가로막대[車前木]. 발어사. 제후의 관직명. 직(職)운이다. 식(杖)과 통한다.(【식】法也, 用也. 制也, 品式. 車前木, 發語辭, 僕官名. (職). 杖通)

여(如): 【여】만일[若]. 가다[往]. 이르다[至]. 그러하다[然]. 어조사. 어(魚)운이다. 이(而)와 통한다.(【여】若也, 往也, 至也, 然也. 語辭. (魚). 而通)

즘(怎): 【즘】어조사. 하(何)와 같다. 침(寢)운이다.(【즘】語辭, 猶何也. (寢).)

왈(曰): 【월】정음【왈】말하다[語]. 일컫다[謂]. 칭하다[稱]. 에서[扵]. ~의[之]. 발어사. 월(月)운이다. 월(粤)과 통한다.(【월】正. 【왈】語也, 謂也, 稱也, 扵也, 之也, 發語辭. (月). 粤通)

유(惟): 【유】꾀하다[謀]. 생각하다[思]. 어조사. 지(支)운이다. 유(唯)와 같다.(【유】謀也, 思也, 語辭. (支). 唯同.)

경(慶): 【경】복(福). 착하다[善]. 축하하다[賀]. 발어사. 경(敬)운이다. 【강】복(福). 이에[乃]. 양(陽)운이다.(【경】福也, 善也, 賀也, 發語辭. (敬). 【강】福也, 乃也. (陽).)

은(憖): 【은】묻다[問]. 또[且]. 원하다[願]. 근심하다[傷]. 공경하고 삼가다[敬謹]. 발어사. 진(震)운이다.(【은】問也, 且也, 願也, 傷也, 敬謹也, 發語辭. (震).)

소(所): 【소】곳[處]. 어조사. 어(語)운이다.(【소】處也, 語辭. (語).)

어(於): 【어】어조사. 살다[居]. 가다[往]. 대신하다[代]. 어(魚)운이다. 【오】감탄사. 어희(於戲)·어목(於穆)·어호(於乎)·어변(於變) 등에 사용된다. 우(虞)운이다. 오(烏)·오(嗚)·우(于)와 통한다.(【어】語辭, 居也, 往也, 代也. (魚). 【오】歎辭. 於戲, 於穆, 於乎, 於變. (虞). 烏嗚于通)

지(止): 【지】그치다[已]. 머무르다[停]. 이르다[至]. 고요하다[靜]. 쉬다[息]. 머무르다[置]. 살다[居]. 마음이 편안하다. 용지(容止)·거지(舉止)·행지(行止)에 사용된다. 또 어기사이다. 지(紙)운이다.(【지】已也, 停也, 至也, 靜也, 息也, 置也, 居也, 心之所安. 容止, 舉止, 行止. 又語辭. (紙).)

증(烝): 【증】불길[薰]. 찌다[炊]. 불기운이 위로 올라가다. 겨울 제사 이름. 임금[君]이라는 뜻으로, 증재(烝哉)에 사용된다. 무리[衆]라는 뜻으로, 증민(烝民)에 사용된다. 두텁다[厚]. 나아가다[進]. 증증(烝烝)은 어기사이다. 음탕하다[婬]. 증(蒸)운이다. 증(蒸)과 통한다.(【증】薰也, 炊也, 火氣上行, 冬祭名. 君也, 烝哉. 衆也, 烝民. 厚也, 進也. 烝烝. 語辭, 婬也. (蒸). 蒸通)

이(爾): 【이】너[汝]라는 뜻으로, 이(尒)와 같다. 가깝다[近]는 뜻으로, 이(邇)와 같다. 어조사로, 이(耳)와 같다. 지(紙)운이다. 본래 이(㸁)라고 쓴다.(【이】汝也, 同尒. 近也, 同邇. 語辭, 同耳. (紙). 本作㸁.)

월(粤): 【월】이에[于]. 이에[於]. 조사로, 말을 하는 처음에 쓰인다. 또 곰곰이 생각하다는 뜻이다. 월(月)운이다. 왈(曰)·월(越)과 통한다.(【월】于也, 於也, 語辭, 發端. 又審慎詞. (月). 曰越通.)

유(維): 【유】매다[係]. 그물[綱]. 홀로[獨]. 맺다[連結]. 발어사. 모퉁이[方隅]. 예(禮)·의(義)·렴(廉)·치(恥)를 나타내는 사유(四維). 지(支)운이다. 유(惟)·유(唯)와 통한다.(【유】係也, 綱也, 獨也, 連結也, 發語辭, 方隅. 禮, 義, 廉, 恥, 四維. (支). 惟唯通.)

이(繄): 【예】검은 비단[黑繒]. 어조사. 제(齊)운이다. 탄식하는 소리. 제(霽)운이다.(【예】黑繒, 語辭. (齊). 歎聲. (霽).)

예(翳): 【예】어조사. 제(齊)운이다. 깃 일산[羽葆]. 숨다[隱]. 그늘[蔭]. 가리다[掩]. 가리다[蔽]. 새의 이름으로, 봉황[鳳]과 비슷하다. 제(霽)운이다.(【예】語辭. (齊). 羽葆, 隱也, 蔭也, 掩也, 蔽也. 鳥名, 似鳳. (霽).)

서(胥): 【셔】모두[皆]. 서로[相]. 돕다[助]. 나비[蝴蝶]. 게젓[蟹醢]. 어조사. 도둑을 잡다[捕盜]. 추종하다[追胥]. 서로 끌리다[相牽引]는 뜻으로, 륜서[淪胥]라고 말한다. 나라 이름으로, 화서(華胥)를 말한다. 어(魚)운이다. 서로[相]. 서리의 무리[胥徒]. 어(語)운이다.(【셔】皆也, 相也, 助也, 蝴蝶, 蟹醢, 語辭. 捕盜, 追胥. 相牽引, 淪胥. 國名, 華胥. (魚). 相也, 胥徒. (語).)

여(與): 【여】어조사. 무성한 모습을[蕃廡] 여여(與與)라고 한다. 어(魚)운이다. 여(歟)와 통한다. 또 좋아하다[善]는 뜻이 있다. 허락하다[許]. 미치다[及]. 같다[如]. 기다리다[待]. 화하다[和]. 세다[數]. 무리[黨與]. 베풀어주다[施予]. 한적한 모양을 용여(容與)라고 말한다. 어(語)운이다. 참여하다[干]는 뜻으로, 참여(參與)라고 말한다. 어(御)운이다. 예(預)와 같다.(【여】語辭. 蕃廡, 與與. (魚). 歟通. 又善也, 許也, 及也, 如也, 待也, 和也, 數也, 黨與, 施予. 閑適, 容與. (語). 干也, 參與. (御). 預同.)

언(言): 【언】말씀[言語]. 문장[辭章]. 또 어조사이다. 높고 큰 모양을 언언(言言)이라고 한다. 원(元)운이다.(【언】言語, 辭章. 又語辭. 高大貌, 言言. (元).)

수(誰): 【슈】누구[孰]. 무엇[何]. 발어사. 누구냐고 힐문할 때, 수하[誰何]라고 쓴다. 지(支)운이다.(【슈】孰也, 何也, 發語辭. 詰問, 誰何. (支).)

제(諸): 【져】여럿[衆]. 말을 잘하는 것을 제제(諸諸)라고 한다. 어조사. 옷의 이름으로, 저우(諸于)를 말한다. 어(魚)운이다.(【져】衆也. 辯給, 諸諸. 語辭. 衣名, 諸于. (魚).)

내(迺): 【내】내(乃)와 같다. 또 어조사이다. 너[汝]. 회(賄)운이다.(【내】同乃. 又語辭, 汝也. (賄).)

휼(遹): 【율】정음【휼】스스로[自]. 따르다[循]. 진술하다[述]. 발어사. 요사스럽다[回邪]. 질(質)운이다.(【율】正. 【휼】自也, 循也, 述也, 發語辭, 回邪. (質).)

고(顧): 【고】돌아보다[回首]. 둘러보다[旋視]. 돌봐주다[眷]. 도리어[反]. 발어사. 우(遇)운이다. 세속에서는 고(頋)라고 쓰지만, 틀렸다.(【고】回首, 旋視, 眷也, 反也, 發語辭. (遇). 俗作頋, 非.)

형(馨): 【형】향기가 멀리 미치다[香遠聞]. 또 어조사로써, 녕형(寧馨)에 쓰인다. 청(靑)운이다.(【형】香遠聞. 又語辭, 寧馨. (靑).)

2. 중국자전의 자의 해석 스타일을 모방

한국한문자전의 자의를 해석하는 스타일은 중국자전의 영향, 특히 『설문』, 『송본옥편』, 『강희자전』의 영향을 많이 받았다. 한국한문자전에는 직접적으로 『옥편(玉篇)』이라고 명명한 자전이 있을 뿐만 아니라, 의항의 배열과 취사선택 등 자의를 해석할 때 중국자전의 스타일을 계승하였다. 위(偉)를 예로 들어보자.

○위(偉)

『설문』: 기특하다[奇]. 인(人)이 의미부이고, 위(韋)가 소리부이다. 우(于)와 귀(鬼)의 반절이다.(偉, 奇也. 从人韋聲. 于鬼切.)

『송본옥편』: 우(于)와 귀(鬼)의 반절이다. 크다[大]는 뜻이다. 『설문』에서는 "기특하다[奇]는 뜻이다."라고 했다.(偉, 于鬼切. 大也. 『說文』云: 奇也.)

『강희자전』: 『당운(唐韻)』에서는 "우(于)와 귀(鬼)의 반절이다."라고 했다. 『집운(集韻)』과 『운회(韻會)』에서는 "우(羽)와 귀(鬼)의 반절이다. 또 독음이 위(韙)이다."라고 했다. 『설문』에서는 "기특하다[奇]는 뜻이다."라고 했다. 서개는 "재주가 많고 훌륭한 사람을 말한다."라고 말했다. 『증운(增韻)』에서는 "크다[大]는 뜻이다."라고 했다. 『사기(史記)·진평세가(陳平世家)』에는 "장부(張

負)가 상가에서 유독 뛰어난 진평을 보았다.(張負既見之喪所, 獨視偉平.)"라는 구절이 있다. 『한시외전(韓詩外傳)』에는 "어진 사람은 위엄을 갖추기를 좋아하고, 화(和)한 자는 꾸미는 것을 좋아한다.(仁者好偉, 和者好粉.)"라는 구절이 있다.

또 성(姓)을 나타낸다. 한(漢)나라에 광록훈(光祿勳)이라는 관직을 가진 위장(偉璋)이라는 사람이 있었다.

또 『정운(正韻)』에서는 "우(于)와 귀(貴)의 반절이다. 독음이 위(胃)이다."라고 했다. 육기(陸機)는 『문부(文賦)』에서 "저 개암나무를 자르지 않는 것은 역시 물총새를 모이게 하는 영화를 입게 함이다. 『하리(下里)』의 천한 곡조에 『백설(白雪)』의 고귀한 곡조를 같이 있게 함은, 역시 아름답고 추함이 어울리게 함으로써 절묘함을 더욱 살리기 위함이다.(彼榛楛之勿翦, 亦蒙榮於集翠. 綴下里於白雪, 吾亦濟夫所偉.)[47]"라고 했다.[48]

『제오유』: 훌륭하다[傀偉는 뜻이다. 인(人)이 의미부이고, 위(韋)가 소리부이다.(偉, 傀偉. 人義. 韋音.)

『전운옥편』: 【위】크다[大]. 기특하다[奇]. 사람이 재주가 많은 것을 괴위(傀偉)라고 한다. 미(尾)운이다.(偉, 【위】大也, 奇也. 人才, 傀偉. (尾).)

『자류주석』: 클【위】크다[大]. 기특하다[奇]. 사람이 재주가 많다[傀偉는 뜻이다.(偉, 클【위】大也. 奇也, 傀偉.)

『신자전』: 【위】크다[大]. 넉넉할○콜○거특할. ○기특하다[奇]. 긔특할. 괴위(傀偉)·수위(秀偉)·위이(偉異)·위안(偉岸)과 같이 말한다. 미(尾)운이다.(偉, 【위】大也. 넉넉할○콜○거특할. ○奇也. 긔특할. 如言傀偉、秀偉、偉異、偉岸之類. (尾).)

중국초기의 사유방식은 '음양오행설(陰陽五行說)'의 영향을 받아, 독특한 특징을 가지고 있다. 즉, 형상적이고 직관적인 사유를 중시하고, 사람이 근본이라는 철학정신을 강조한다. 그와 동시에 성숙한 우주론을 확립하고, 이

47) (역주) 송행근, 「陸機 「文賦」 硏究」, 『中國人文科學』(1991), 679쪽.
48) (역주) 偉, 『唐韻』于鬼切. 『集韻』『韻會』羽鬼切. 並音韙. 『説文』: 奇也. 徐曰: 人才傀偉. 『增韻』: 大也. 『史記·陳平世家』: 張負既見之喪所, 獨視偉平. 『韓詩外傳』: 仁者好偉, 和者好粉. 又姓. 漢光祿勳偉璋. 又『正韻』于貴切. 音胃. 陸機『文賦』: 彼榛楛之勿翦, 亦蒙榮於集翠. 綴下里於白雪, 吾亦濟夫所偉.

우주에서의 사람의 위치와 자연과의 관계에 역점을 두어, 점술이 만들어졌다.[49] 음양오행설은 중국자전에 지대한 영향을 미쳤다. 가장 대표적인 예가 『설문』이다. 중국과 마찬가지로 음양오행설이 한국으로 확장되자, 한국인의 사유방식에도 영향을 미쳤으며, 한문자전의 편찬에도 영향을 미쳤다. 이는 한국한문자전의 자의 해석을 살펴보면 대략적으로 알 수 있다. 아래는 한국한문자전에서 숫자를 해석한 부분을 예로 들었다.

○일(一)

『제오유』: 수의 시작이며, 사물의 끝이다. 또한 같다[同]. 처음[初]. 고르다[均]. 순전히[純]. 합쳐서 하나로 하다. 이러한 의미들은 유추해 낼 수 있다. 그 의미에 여러 가지가 없기 때문에 일(一)이라고 쓴다. 대개 태극의 둥근 형체로 그리는데, 지사(指事)이다. 모든 일과 사물의 실체가 원래 여기에 있으므로, 독음이 실(實)이다. 또한 천백개의 자형들이 모두 여기에서 나온다. 가로[橫]는 일(一)이다. 세로[竪]는 일(一)을 세운 것이다. 삐침(丿)은 일(一)을 비스듬히 쓴 것이고, 주(丶)는 하나[一]가 머물다는 뜻이다. 칠(七)과 정(丁) 등의 글자들은 모두 이 부수에 속한다.(一, 數之始, 物之極也. 又同也, 初也, 均也, 純也, 合而爲一, 諸義皆可類推. 其義無雜, 故畫一, 蓋太極圓體之畫, 指事也. 萬事萬理之實皆原於此, 故實音. 又曰千百字形皆出於此: 橫者, 一也; 竪者, 一之竪也; 丿也, 一之斜也; 丶者, 一之屯也. 七、丁等字屬於此部.)

『전운옥편』: 【일】수의 시작이며, 획의 처음이다. 고르다[均]. 같다[同]. 정성[誠], 순전히[純]. 하늘과 땅이 나누어지지 않았을 때, 타고난 기운을 태일(泰一)이라고 한다. 질(質)운이다. 일(壹)과 통한다.(一, 【일】數之始, 畫之初. 均也, 同也, 誠也, 純也. 天地未分, 元氣泰一. (質). 壹通.)

『자류주석』: 한【일】수의 시작이며, 사물의 끝이다. 같다[同]. 순전히[純]. 정성[誠]. 태일(泰一)은 하늘과 땅이 나누어지지 않음을 말한다. 원기(元氣)가 바로 태일(太一)이다. 천일(天一)은 별의 이름이다.(一, 한【일】數之始, 物之極 同也, 純也, 誠也. 泰一, 天地未分. 元氣, 太一. 天一, 星名.)

『신자전』: 【일】수의 처음이다. 한○한아. 무릇 낱개일 때 일(一)이라 말한다. ○ 정성[誠]이라는 뜻이다. 정성. 『중용(中庸)』에는 "그것을 행하게 하는 방법은

49) 艾蘭 등 주편, 『中國古代思維模式與陰陽五行說探源』(江蘇古籍出版社, 1998).

하나이다.(所以行之者, 一也.)"라는 구절이 있다. ○순전히[純]라는 뜻이다. 순
전할. 무릇 도가 한결같음을 일(一)이라 부른다.『서(書)』에는 "오직 한 가지
일에 마음을 쏟아 최선을 다하다.(惟精惟一.)"라는 구절이 있다. ○오로지[專]
라는 뜻이다. 오로지. 일미(一味)나 일의(一意)라고 말한다.『예(禮)』에는 "하
나로서 그것을 궁구하기 바라다.(欲一以窮之.)"라는 구절이 있다. ○같다[同]
는 뜻이다. 갓흘.『맹자(孟子)』에는 "앞 성인과 뒤 성인의 도리가 똑같다.(前
聖後聖, 其揆一也.)"라는 구절이 있다. ○온통이라는 뜻이다. 왼○왼통. 일체
(一切)·일개(一槪)·일가(一家)·일문(一門)·일국(一國)이라고 말한다.『시(詩)』
에는 "정사도 모두 내게 밀려지네.(政事一埤益我.)"50)라는 구절이 있다. ○만
일이라는 뜻이다. 만약. 만일(萬一)·일단(一旦)이라고 말한다.『한서(漢書)』에
"수확이 만일 되지 않으면, 백성들은 굶주린 얼굴빛을 할 것이다.(歲一不登,
民有飢色.)"라는 구절이 있다. ○첫째[第一]라는 뜻이다. 첫재. ○하나하나[一
一]라는 뜻이다. 낫낫. 질(質)운이다. 일(壹)과 통한다.(一,【일】數之始. 한○한
아. 凡物單箇曰一. ○誠也. 정성.『中庸』: 所以行之者, 一也. ○純也. 순전할.
凡道之純者曰一.『書』: 惟精惟一. ○ 專也. 오로지. 如言一味、一意.『禮』: 欲
一以窮之. ○同也. 갓흘.『孟子』: 前聖後聖, 其揆一也. ○統括之辭. 왼○왼통.
如言一切、一槪、一家、一門、一國.『詩』: 政事一埤益我. ○或然之辭. 만약.
如言萬一、一旦.『漢書』: 歲一不登, 民有飢色. ○第一. 첫재. ○一一. 낫낫.
(質). 壹通.)

『설문』: 일(一)은 태초에 있었고, 도(道)는 일(一)에서 세워져, 하늘과 땅을 나누
고 만물로 변하였다. 무릇 일(一)에 속하는 한자는 모두 일(一)로 구성되어
있다. 어(於)와 실(悉)의 반절이다. 일(弌)은 고문(古文)에서 일(一)이다.(一, 惟
初太始, 道立於一, 造分天地, 化成萬物. 凡一之屬皆从一. 於悉切. 弌, 古文一.)
『송본옥편』: 어(於)와 일(逸)의 반절이다.『설문』에서는 "일(一)은 태초에 있었
고, 도(道)는 일(一)에서 세워져, 하늘과 땅을 나누고 만물로 변하였다.(惟初
太始, 道立於一, 造分天地, 化成萬物.)"라고 말했다.『도덕경(道德經)』에서는
"옛날에 하나[一]를 얻은 것은 다음과 같다. 하늘[天]은 하나[一]를 얻어 맑고,
땅[地]은 하나를 얻어 편안하고, 귀신[神]은 하나[一]를 얻어 신령스럽고, 골
짜기[谷]는 하나[一]를 얻어 가득 차고, 만물은 하나[一]를 얻어 생겼고, 후왕

---

50) (역주) 김학주 역저,『새로 옮긴 시경』(서울: 명문당, 2010), 180쪽.

(侯王)은 하나[一]를 얻어 천하의 주인이 되었다."라고 하였다. 왕필(王弼)은 "일(一)이라는 것은 수의 시작이자 사물의 끝이다.(一者, 數之始也, 物之極也.)"라고 말했다. 또한 같다[同]·적다[少]·처음[初]이라는 뜻을 가지고 있다. 혹 일(壹)이라고 쓰기도 한다. 일(弌)은 고문(古文)이다.(於逸切. 『説文』曰: 惟初太始, 道立於一, 造分天地, 化成萬物. 『道德經』云: 昔之得一者: 天得一以清, 地得一以寧, 神得一以靈, 谷得一以盈, 萬物得一以生, 侯王得一以爲天下正. 王弼曰: 一者, 數之始也, 物之極也. 又同也, 少也, 初也. 或作壹. 弌, 古文.)

『강희자전』: [고문]으로 일(弌)이라고 쓴다. 『당운(唐韻)』과 『운회(韻會)』에서는 "어(於)와 실(悉)의 반절이다."라고 했다. 『집운(集韻)』과 『정운(正韻)』에서는 "익(益)과 실(悉)의 반절이다. 아울러 의(漪)의 입성(入聲)이다."라고 했다. 『설문』에는 "일(一)은 태초에 있었고, 도(道)는 일(一)에서 세워져, 하늘과 땅을 나누고 만물로 변하였다.(惟初太始, 道立於一, 造分天地, 化成萬物.)"라고 했다. 『광운(廣韻)』에서는 "수의 시작이자 사물의 끝이다.(數之始也, 物之極也.)"라고 했다. 『역(易)·계사(繫辭)』에는 "하늘[天]이 일(一)이고, 땅[地]이 이(二)이다."라는 구절이 있다. 노자(老子)의 『도덕경(道德經)』에는 "도(道)는 일(一)을 낳고, 일(一)은 이(二)를 낳는다."라는 구절이 있다. 또 『광운(廣韻)』에서는 "같다[同]는 뜻이다."라고 했다. 『예(禮)·악기(樂記)』에는 "예[禮], 음악[樂], 형벌[刑], 정치[政]가 궁극적으로는 하나[一]이다.(禮樂刑政, 其極一也.)"라는 구절이 있다. 『사기(史記)·유림전(儒林傳)』에는 "한생(韓生)은 『시(詩)』의 뜻을 부연하여 『한시내전(韓詩內傳)』과 『한시외전(韓詩外傳)』 수만 언(言)을 지었는데, 그의 학설은 제(齊)·노(魯) 두 나라에서의 『시』 학설과는 많이 달랐으나 귀결점은 같았다.(韓生推詩之意而爲內外傳數萬言, 其語頗與齊魯閒殊, 然其歸一也.)"[51]라는 구절이 있다.

또 적다[少]는 뜻을 나타낸다. 안연지(顏延之)의 「정고문(庭誥文)」에 "(과거 시험에 앞서 조정에 보낼) 글을 뽑을 때에는 일관된 것을 가져 보내야지, 번잡스럽게 많이 보내서는 아니 된다.(選書務一, 不尚煩密.)"라는 구절이 있다. 하승천(何承天)의 「답안영가서(答顏永嘉書)」에 "나는 원컨대 나의 아들이 버리고 또 줄여서 적은 것을 준수하길 바란다.(竊願吾子舍兼而遵一也.)"라는 구절이 있다.

또 『증운(增韻)』에는 "한결같음[純]이라는 뜻이다."라고 했다. 『역(易)·계사

---

51) (역주) 사마천 저, 임동석 역주, 『사기열전4』(서울: 동서문화사, 2009), 1444쪽.

(繫辭)』에는 "천지의 움직임은 항상 한결같다(天下之動, 貞夫一.)."라고 했다. 노자(老子)의 『도덕경(道德經)』에는 "하늘[天]은 하나[一]를 얻어 맑고, 땅[地]은 하나를 얻어 편안하고, 귀신[神]은 하나[一]를 얻어 신령스럽고, 골짜기[谷]는 하나[一]를 얻어 가득 차고, 만물은 하나[一]를 얻어 생겼고, 후왕(侯王)은 하나[一]를 얻어 천하의 주인이 되었다.(天得一以淸, 地得一以寧, 神得一以靈, 谷得一以盈, 萬物得一以生, 侯王得一以爲天下正.)"라고 했다.

또 두루[均]라는 뜻을 가지고 있다. 『당서(唐書)·설평전(薛平傳)』에는 "병력과 갑옷군사는 완전하게 훈련되었고, 부역과 세금은 균일했다.(兵鎧完礪, 徭賦均一.)"라는 구절이 있다. 또 정성[誠]이라는 뜻이 있다. 『중용(中庸)』에 "그것을 행하게 하는 방법은 하나이다.(所以行之者一也.)"라고 했다.

또 정일(正一: 순정하다)라는 뜻이 있다. 『당서(唐書)·사마승정전(司馬承楨傳)』에는 "도연명의 은거하는 순정한 방법을 터득하여 4세에 이르렀다.(得陶隱居正一法, 逮四世矣.)"라는 구절이 있다.

또 하나하나(一一)라는 뜻이 있다. 『한비자(韓非子)·내저편(內儲篇)』에는 "남곽처사(南郭處士)가 제(齊)나라 선왕(宣王)을 위해 우(竽)를 불어달라고 하자, 선왕(宣王)이 매우 기뻐하였다. 관창에서 부양하는 연주가가 수백 명이었다. 민왕(湣王)이 즉위하고, 하나하나 부는 것을 좋아하자, 처사는 도망갈 수밖에 없었다.(南郭處士請爲齊宣王吹竽, 宣王悅之, 廩食以數百人. 湣王立, 好一一聽之, 處士逃.)"라는 구절이 있다. 한유(韓愈)의 시에 "하나하나를 더 사랑할건가(一一欲誰憐.)"라는 구절이 있고, 소식(蘇軾)의 시에 "좋은 글귀는 구슬같이 하나하나를 꿰뚫는다.(好語似珠穿一一.)"라는 구절이 있다.

또 『성경(星經)』에는 "천일성(天一星)은 자미궁(紫微宮)의 문 밖에 있고, 태일성(太一星)은 천일(天一)의 남반도에 있다.(天一星在紫微宮門外, 太一星在天一南半度.)"라는 구절이 있다.

또 태일(太一)이라는 의미가 있다. 산의 이름, 즉 종남산(終南山)을 말하는데, 달리 태을(太乙)이라고도 부른다. 또 삼일(三一)을 의미한다. 『전한(前漢)·교사지(郊祀志)』에 "태뢰(太牢)로써 삼일(三一)을 제사지낸다."라는 구절이 있는데, "천일(天一)·지일(地一)·태일(泰一)을 의미한다. 태일(泰一)은 하늘과 땅이 구분되지 않는 원기(元氣)를 말한다.(天一、 地一、 泰一. 泰一者, 天地未分元氣也.)"라고 주석되어 있다.

또 척일(尺一)을 나타내는데, 천자의 조서를 말한다. 『후한(後漢)·진번전(陳

蕃傳)』에 "천자의 조서로 사람을 뽑아 천거했다(尺一選擧)."라는 구절이 있는데, "한 자 한 치 길이의 널빤지에 조서를 썼다.(版長尺一, 以寫詔書.)"라고 주석되어 있다.

또 백일(百一)을 의미하는데, 이는 시의 이름을 말한다. 위(魏)나라 응거(應璩)가 지었다.

또 성(姓)을 의미하는데, 명(明)나라의 일현종(一炫宗)을 말한다.

또 세 글자로 된 성(姓)을 의미하는데, 북위(北魏)에 일나루(一那婁)라는 성이 있었는데, 이후에 루(婁)씨로 고쳤다.

또 일(一)·이(二)·삼(三)을 일(壹)·이(貳)·삼(叁)으로 쓴다. 『대학(大學)』에는 "일체 모두 수신(修身)을 근본으로 삼는다.(壹是皆以修身爲本.)"라는 구절이 있고, 『사기(史記)·예서(禮書)』에는 "국내를 통일한다.(總一海内.)"라는 구절이 있다. 『전한(前漢)·곽광전(霍光傳)』에는 "통일[總壹]"이라고 썼다. 『육서고(六書故)』에는 "오늘날 재물의 사용에 관한 출납부에서는 일(壹) 이(貳) 삼(叁) 등으로 쓰는데, 쉽게 바꾸는 것을 방지하기 위함이다.(今惟財用出納之簿書用壹貳叁, 以防姦易.)"라는 구절이 있다.

또 『운보(韻補)』에서는 "어(於)와 리(利)의 반절과 협음하여, 독음이 의(懿)이다.(叶於利切, 音懿)"라고 했다. 좌사(左思)의 『오도부(吳都賦)』에는 "곽(藿)과 납(蒳)과 두구(豆蔻)가 있으며, 생강 종류도 하나둘이 아닙니다. 강리(江蘺)와 같은 종류, 해태(海苔)와 같은 부류가 있습니다.(藿蒳豆蔻, 薑彙非一. 江蘺之屬, 海苔之類.)"[52]라는 구절이 있다.

또 현(弦)과 계(雞)의 반절과 협음하여, 독음이 혜(兮)이다. 『참동계(參同契)』에 "흰[白] 것은 금(金)의 정기[精]이며, 검은[黑] 것은 물[水]의 터전이다. 물[水]은 도(道)의 근원이니, 그것을 숫자로는 일(一)이라 이름한다.(白者金精, 黑者水基. 水者道樞, 其數名一.)"라는 구절이 있다.[53]

---

52) (역주) 김영문 외 4인, 『문선역주1』(서울: 소명출판, 2010), 359쪽.
53) [古文]弌『唐韻』『韻會』於悉切. 『集韻』『正韻』益悉切. 並漪入聲. 『説文』: 惟初大始, 道立於一, 造分天地, 化成萬物. 『廣韻』: 數之始也, 物之極也. 『易·繫辭』: 天一地二. 老子『道德經』: 道生一, 一生二. 又『廣韻』: 同也. 『禮·樂記』: 禮樂刑政, 其極一也. 『史記·儒林傳』: 韓生推詩之意而爲内外傳數萬言, 其語頗與齊魯閒殊, 然其歸一也. 又少也. 顏延之『庭誥文』: 選書務一, 不尚煩密. 何承天『答顏永嘉書』: 竊願吾子舍兼而遵一也. 又『增韻』: 純也. 『易·繫辭』: 天下之動貞夫一. 老子『道德經』: 天得一以清, 地得一以寧, 神得一以靈, 谷得一以盈, 萬物得一以生, 侯王得一

○삼(三)

『훈몽자회』: 삼(三)은 서식에서는 삼(叁)이라고 쓴다.(三, 書式作叁.)

『제오유』: 숫자이다. 하늘이 일(一)이고, 땅이 이(二)이니, 합하면 삼재(三才)가 된다. 그래서 독음이 삼(參)이다.(三, 數名. 天一, 地二, 合則爲三才. 參音.)

『전운옥편』: 【삼】양(陽)인 일(一)과 음(陰)인 이(二)가 합한 수이다. 담(覃)운이다. 삼(參)과 통한다. 또 삼사(三思: 세 번 생각하다)와 삼지(三之: 세 번 가다)를 뜻한다. 감(勘)운이다.(三, 【삼】陽一陰二合數 (覃). 參通. 又三思, 三之 (勘).)

『자류주석』: 석【삼】양(陽)인 일(一)과 음(陰)인 이(二)가 합한 수이다. 삼재(三才)란, 하늘[天]·땅[地]·사람[人]을 말한다. 또 삼지(三之)를 뜻한다.(三, 석【삼】陽一陰二合數. 三才, 天地人. 又三之.)

『신자전』: 【삼】숫자의 이름이다. 석○셋. 담(覃)운이다. 삼(參)과 통한다. ○삼지(三之). 세 번. 『논어(論語)』에 "남용(南容)이 백규(白圭)란 시를 세 번 반복하다.(南容三復白圭.)"라는 구절이 있다. 『계문자(季文子)』에 "세 번 생각한 후에 행동한다.(三思而後行.)"라는 구절이 있다. 감(勘)운이다.(三, 【삼】數名. 석○셋. (覃). 參通. ○三之 세 번. 『論語』: 南容三復白圭 『季文子』: 三思而後行. (勘).)

『설문』: 삼(三)은 하늘[天]과 땅[地]과 사람[人]의 도(道)이다. 삼(三)의 수를 따랐다. 무릇 삼(三)에 속하는 것들은 모두 삼(三)을 따랐다. 소(穌)와 감(甘)의 반

以爲天下正. 又均也. 『唐書·薛平傳』: 兵鎧完礪, 徭賦均一. 又誠也. 『中庸』: 所以行之者一也. 又正一. 『唐書·司馬承楨傳』: 得陶隱居正一法, 逮四世矣. 又一一. 『韓非子·內儲篇』: 南郭處士請爲齊宣王吹竽, 宣王悅之, 廩食以數百人. 湣王立, 好一一聽之, 處士逃. 韓愈詩: 一一欲誰憐. 蘇軾詩: 好語似珠穿一一. 又『星經』: 天一星在紫微宮門外, 太一星在天一南半度. 又太一, 山名, 即終南山, 一名太乙. 又三一. 『前漢·郊祀志』: 以太牢祀三一. 註: 天一, 地一, 泰一. 泰一者, 天地未分元氣也. 又尺一, 詔版也. 『後漢·陳蕃傳』: 尺一選擧. 註: 版長尺一, 以寫詔書. 又百一, 詩篇名, 魏應璩著. 又姓. 明一炫宗. 又三字姓. 北魏有一那婁氏, 後改婁氏. 又一二三作壹貳叁. 『大學』: 壹是皆以修身爲本. 『史記·禮書』: 總一海內. 『前漢·霍光傳』作總壹. 『六書故』: 今惟財用出納之簿書用壹貳叁, 以防姦易. 又『韻補』叶於利切, 音懿. 左思『吳都賦』: 藿蒳豆蔻, 薑彙非一. 江蘺之屬, 海苔之類. 又叶弦雞切. 音兮. 『參同契』: 白者金精, 黑者水基. 水者道樞, 其數名一.

절이다. ☴, 고문(古文)에서 삼(三)은 과(弋)로 구성되어 있다.(三, 天地人之道也. 从三數. 凡三之屬皆从三. 穌甘切. ☴, 古文三从弋)

『송본옥편』: 사(思)와 감(甘)의 반절이다. 『설문』에서는 "하늘[天]과 땅[地]과 사람[人]의 도(道)이다."라고 했다. 『노자(老子)』에서는 "도(道)는 일(一)을 낳고, 일(一)은 이(二)를 낳고, 이(二)는 삼(三)을 낳고, 삼(三)은 만물(萬物)을 낳는다."고 하였다. 삼(弎)은 고문(古文)이다.(思甘切. 『説文』云: 天地人之道也. 『老子』曰: 道生一, 一生二, 二生三, 三生萬物. 弎, 古文)

『강희자전』: [고문(古文)]에서는 삼(弎)이라고 쓴다. 『당운(唐韻)』・『집운(集韻)』・『운회(韻會)』에서는 "소(蘇)와 감(甘)의 반절이다."라고 했다. 『정운(正韻)』에서는 "소(蘇)와 감(監)의 반절이다. 아울러 삽(颯)의 평성이다."라고 했다. 『설문』에서는 "삼(三)은 하늘[天]과 땅[地]과 사람[人]의 도(道)이다. 양(陽)인 일(一)과 음(陰)인 이(二)를 합한 것을 말한다. 그 다음으로 중요한 수가 삼(三)이다.(三, 天地人之道也. 謂以陽之一合陰之二, 次第重之, 其數三也.)"라고 했다. 노자(老子)는 『도덕경(道德經)』에서 "일(一)은 이(二)를 낳고, 이(二)는 삼(三)을 낳고, 삼(三)은 만물(萬物)을 낳는다."고 하였다. 『사기(史記)・율서(律書)』에서는 "수는 일(一)에서 시작되고, 십(十)에서 끝나며, 삼(三)에서 완성된다."고 하였다. 또 『주례(周禮)・동관고공기(冬官考工記)』에서는 "병기(兵器)는 자신의 몸보다 3배를 넘으면 안 된다.(凡兵無過三其身.)"[54]라고 했다. 또 『좌전(左傳)・소공7년』에서는 "사문백(士文伯)이 '정치는 신중하지 않으면 안 된다. 세 가지를 힘써야 하는데, 첫째 사람을 가려 써야 하고, 둘째 백성을 따라야 하고, 셋째 때를 따라야 한다.'라고 말했다.(士文伯曰: 政不可不慎, 務三而已. 一擇人, 二因民, 三從時.)"라는 구절이 있다. 또 『진어(晉語)』에서는 "백성은 세 분에 의해서 살아가니, 하나같이 섬겨야 한다.(民生於三, 事之如一.)"라고 했다. 또 『주어(周語)』에서는 "사람이 세 명 있으면 중(衆)이라 하고, 여자가 세 명 있으면 찬(粲)이라 하며, 짐승이 세 마리 있으면 군(羣)이라 한다.(人三爲衆, 女三爲粲, 獸三爲羣.)"라는 구절이 있다.

또 성(姓)을 말한다. 명(明)나라 때, 삼성지(三成志)라는 사람이 있었다.

또 한(漢)나라 때의 복성(複姓)을 말한다. 굴원(屈原) 이후에 삼려(三閭)씨가 있었고, 삼반료(三飯寮) 이후에 삼반(三飯)씨가 있었으며, 삼주효자(三州孝子) 이후에 삼주(三州)씨가 있었다.

---

54) 池載熙, 李俊寧 解譯, 『주례』(서울: 자유문고, 2002), 524쪽.

또 거성(去聲)이다. 『운회(韻會)』에서는 "소(蘇)와 잠(暫)의 반절이다."라고
했다. 『논어(論語)』에서는 "세 번 생각하고 난 뒤에 행해야 한다.(三思而後
行.)"라는 구절이 있다.

또 본디 삼(參)이라고 쓰는데, 『박아(博雅)』에서는 "삼(參)은 바로 삼(三)이
다."라고 했다. 『주례(周禮)·동관고공기(冬官考工記)』에는 "넙적 다리의 둘레
[股圍]를 3등분으로 나눈다.(參分其股圍.)"라는 구절이 있다. 『전한(前漢)·형
법지(刑法志)』에서는 "진(秦)이 세 오랑캐의 형벌을 만들었다. 삼(三)과 같
다.(秦造參夷之誅 並與三同.)"라고 했다. 또 『운보(韻補)』에서는 "소(疏)와
잠(簪)의 반절과 협운한다. 독음이 삼(森)이다."라고 했다. 『시(詩)·소남(召南)
』에서는 "매실[梅] 다 떨어지고, 그 열매[實] 세[三] 개 남았네."55)라는 구절이
있다. 아래의 금(今)과 협운하였다.56)

○칠(七)

『훈몽자회』: 칠(七)은 서식에서는 칠(柒)이라고 쓴다.(七, 書式作柒)

『제오유』: 칠(七)은 소양수(少陽數)이다. 양(陽)은 정(正)의 숫자이다. 미세한 음
(陰)이 비스듬히 나왔으므로, 이를 형체로 삼았다. 독음은 일(一)이다.(七, 少
陽數. 陽之正也, 微陰衰出, 故形. 一音.)

『전운옥편』: 【칠】소양수(少陽數)이다. 묻고 대답하는 형식의 글. 질(質)운이다.
칠(柒)과 통한다.(七, 【칠】少陽數. 問對篇名. (質). 柒通.)

『자류주석』: 닐곱【칠】소양수(少陽數)로, 칠정(七政)을 의미한다.(七, 닐곱【칠】少
陽數, 七政)

『신자전』: 【칠】숫자의 이름이다. 일곱. 『서(書)』에 "칠정을 가지런히 하다.(以齊
七政.)"라는 구절이 있다. ○문체의 이름이다. 글톄격이름. 『한서(漢書)』에는

---

55) (역주) 김학주 역저, 『새로 옮긴 시경』(서울: 명문당, 2010), 129쪽.
56) [古文]弎『唐韻』『集韻』『韻會』蘇甘切. 『正韻』蘇監切. 並颯平聲. 『説文』: 三, 天地
人之道也. 謂以陽之一合陰之二, 次第重之, 其數三也. 老子『道德經』: 一生二, 二
生三, 三生萬物. 『史記·律書』: 數始於一, 終於十, 成於三. 又『周禮·冬官考工記』:
凡兵無過三其身. 又『左傳·昭七年』: 士文伯曰: 政不可不慎, 務三而已. 一擇人, 二
因民, 三從時. 又『晉語』: 民生於三, 事之如一. 又『周語』: 人三爲衆, 女三爲粲, 獸
三爲羣. 又姓. 明三成志. 又漢複姓. 屈原之後有三間氏, 三飯寮之後有三飯氏, 三
州孝子之後有三州氏. 又去聲. 『韻會』蘇暫切. 『論語』: 三思而後行. 又本作參. 『博
雅』: 參, 三也. 『周禮·冬官考工記』: 參分其股圍. 『前漢·刑法志』: 秦造參夷之誅.
並與三同. 又『韻補』叶疏簪切. 音森. 『詩·召南』: 摽有梅, 其實三兮. 下叶今.

"매승(枚乘)의 『칠격(七激)』이나 『칠의(七依)』, 『칠계(七啓)』와 같은 것들은 모두 칠문칠답(七問七答)의 형식이기에, 칠(七)이라 이름한다."라는 구절이 있다. 질(質)운이다. 칠(柒)과 통한다.(七. 【칠】數名. 일곱. 『書』: 以齊七政. ○ 文體名. 글톄격이름. 『漢書』: 枚乘『七激』、『七依』、『七啓』之類, 皆以七問七 答, 故名七. (質). 柒通.)

『설문』: 양(陽)은 정(正)의 숫자이다. 일(一)을 따랐다. 미세한 음(陰)이 가운데에 서 비스듬히 나왔다. 무릇 칠(七)에 속하는 것들은 모두 칠(七)을 따랐다. 친 (親)과 길(吉)의 반절이다.(七, 陽之正也. 从一, 微陰从中衺出也. 凡七之屬皆从 七. 親吉切.)

『송본옥편』: 친(親)과 길(吉)의 반절이다. 숫자이다.(親吉切. 數也.)

『강희자전』: 『당운(唐韻)』에서는 "친(親)과 길(吉)의 반절이다."라고 했다. 『집운 (集韻)』・『운회(韻會)』・『정운(正韻)』에서는 "척(戚)과 실(悉)의 반절이다. 음은 칠(桼)이며, 소양수(少陽數)이다."라고 했다. 『설문』에서는 "양(陽)은 정(正)의 숫자이다. 일(一)을 따랐다. 미세한 음(陰)이 가운데에서 비스듬히 나왔다."라 고 했다. 『서(書)·순전(舜典)』에는 "혼천의[璿璣玉衡]를 살펴서, 칠정(七政)을 가지런히 했다.(在璿璣玉衡, 以齊七政)"라는 구절이 있는데, "칠정(七政)은 해[日], 달[月], 다섯 별[五星]을 말한다.(七政日、月、五星也)"라고 주석되어 있다. 『시(詩)·당풍(唐風)』에는 "어찌 일곱[七] 가지 무늬 옷이 없으리오?"[57] 라는 구절이 있는데, "후백(侯伯)의 예는 칠명(七命)이고, 차복(車服)은 모두 칠(七)로 제한한다."라고 주석되어 있다.

또 사(詞)를 짓는 작가 7명의 작품을 말한다. 8수이지만 문답은 7개로 되어 있다. 칠(七)이라는 것은 문답(問對)의 다른 이름이다. 처음에는 매승(枚乘)의 『칠발(七發)』에서 보이다가, 이후에 부의(傅毅)의 『칠격(七激)』, 최인(崔駰)의 『칠의(七依)』, 조식(曹植)의 『칠계(七啓)』, 장협(張協)의 『칠명(七命)』에 이르 기까지, 10여 명의 작가들이 모두 이를 사용하였다.

또 삼칠(三七)은 약(藥)의 명칭이다. 『본초강목(本草綱目)』에는 "잎이 왼쪽 에는 3장, 오른쪽에는 4장이라 하여 이름 지어진 것이다. 일설에는 본래의 이름이 산칠(山桼)이라고도 한다."라는 구절이 있다.

또 성(姓)을 나타낸다. 명(明)나라 때, 칠희현(七希賢)이라는 사람이 있었다.

---

57) (역주) 김학주 역저, 『새로 옮긴 시경』(서울: 명문당, 2010), 351쪽.

또 사람의 이름을 나타낸다. 『속선전(續仙傳)』에서는 "은칠칠(殷七七)은 이름이 문상(文祥)이다.(殷七七名文祥.)"라고 했으며, 소식(蘇軾)의 시에는 "도인(道人) 은칠칠(殷七七)이라도 어느 계절이든 관계없이 꽃을 피우게 할 수 있으랴.(安得道人殷七七, 不論時節遣花開.)"라는 구절이 있다. 『정자통(正字通)』에서는 "혹 칠(柒), 칠(桼), 칠(漆)과도 통한다."라고 했다.[58]

3. 민족성과 지역적 특성을 함유

한국한문자전이 중국의 전통자전과 일맥상통하는 부분이 있다 해도, 중국과 언어문화가 다르기 때문에, 조선 사람들이 사용하고 이해하기 쉽도록 문화와 풍속을 결합시킨 독특한 자의해석을 하게 된다. 예를 보자.

『제오유』: 사(厶)는 사(私)와 통한다. 스스로 꾀하는 것을 사(私)라 삼았으니, 그 마음이 간사하고 바르지 않다. 그러므로 상형(象形)이다. 공사(公私)를 따지지 말고, 마음으로 생각하는 바가 있기에, 독음이 사(思)이다. 북도(北道)에서는 화주인(禾主人)을 사주인(私主人)이라고 부른다. 그러므로 화(禾)가 의미부인 사(私)로 쓴다.(厶, 與私通. 自營而爲私, 其心邪曲, 故象形. 毌論公私, 心有所思, 故思音. 北道名禾主人曰私主人, 故從禾作私.)

하영삼의 고증에 따르면, '사주인(私主人)'은 조선시대 수도에서 시골로 내려간 관리들을 대신해서 먹을 것과 묵을 곳을 제공해주고 아울러 그들의 공물을 납부해주고는 몇 배의 높은 비율로 복무비를 받는 사람을 지칭한다. 『조선왕조실록(朝鮮王朝實錄)』에서 "바야흐로 각사(各司)의 방납(防納)이 몹시 외람하니, 법사가 추핵해야 한다. 외방(外方) 사람이 서울에 와서 사주인

---

58) 『唐韻』親吉切. 『集韻』『韻會』『正韻』戚悉切. 並音桼. 少陽數也. 『説文』: 陽之正也. 从一, 微陰从中裹出也. 『書·舜典』: 在璿璣玉衡, 以齊七政. 註: 七政日、月、五星也. 『詩·唐風』: 豈曰無衣七兮. 註: 侯伯七命, 車服皆以七爲節. 又詞家以七名篇, 雖八首, 問對凡七. 七者, 問對之別名, 始枚乘『七發』. 後傅毅『七激』、崔駰『七依』、曹植『七啓』、張協『七命』, 繼之凡十餘家. 又三七, 藥名. 『本草綱目』: 言葉左三右四, 故名. 一說本名山桼. 又姓. 明七希賢. 又人名. 『續仙傳』: 殷七七名文祥. 蘇軾詩: 安得道人殷七七, 不論時節遣花開. 『正字通』或通作柒、桼、漆.

(私主人)에게 입접(入接)하여 방납하는 자가 있거든, 먼저 관원(官員)을 추핵하고 다음에 그 사람을 징계하도록 하라.59)"라고 했다.60) 오늘날 한국어에는 '화주인(禾主人)'이라는 단어를 더 이상 사용하지 않지만, 상술한 자료를 통해 '사주인(私主人)'이 '화주인(禾主人)'에서 발전했다는 것을 알 수 있다. 『제오유』에서는 당시에 자주 사용하던 명사인 '사주인(私主人)'과 '화주인(禾主人)'으로, '사(私)'자의 의미부가 '화(禾)'인 원인을 해석하였다. 이는 그 당시 한자를 사용하는 사람들의 인식에 부합되므로, 더욱 쉽게 이해되었다.

고대 중국의 자전에서 자의 해석의 방법으로 형훈(形訓), 음훈(音訓), 의훈(義訓)이라는 3종류를 들 수 있다. 문자의 형체를 분석하는 방법으로 단어의 의미를 해석하는 것을 형훈(形訓)이라고 부르는데, 형체에 근거하여 의미를 구하는 것이다. 음훈(音訓)은 성훈(聲訓)이라고도 부르는데, 음을 가지고 의미를 구하는 것이다. 이는 성운(聲韻)이 서로 같거나 비슷한 글자들로 단어의 의미를 해석하는 것을 말한다. 자형(字形)이나 자음(字音)을 빌리지 않고, 직접적으로 통용되는 단어로 옛 단어나 방언의 의미를 해석하는 것이 의훈(義訓)이다. 『설문』은 형체 위주이고, 『이아(爾雅)』와 『방언(方言)』은 의미 위주이며, 『광운(廣韻)』과 같은 것들은 소리 위주이다. 한국에서는 자원자전(字源字典)인 『제오유』와 『육서경위』에서 형훈(形訓)과 음훈(音訓)의 방법을 많이 사용했다 해도, 그 방법이 중국과 달라 조선시대 학자의 독창적인 면을 알 수 있다.

『제오유』
　　신(辛): 천간(天干)의 하나이다. 천기(天氣)가 신(辛)에 속하면 만물이 모두 이루어진다. 사람의 몸에 견주면 넓적다리[股]에 해당되는데, 신(辛)은 사람의 넓적다리[股]를 본떴다. 그렇기에 신(辛)은 독음이 신(伸)이다. 상형(象形)이다. (辛, 天干之一. 天氣屬辛, 則萬物皆成, 比諸人身則爲股, 辛象人股. 辛, 故伸音. 象形.)

---

59) "他事則法司隨所現而推之, 方今各司防納, 至爲猥濫, 法司當推. 外方人來京, 入接私主人, 以爲防納者若有之, 先推官員, 次懲其人可也." 『朝鮮王朝實錄』51(中宗十九年八月庚子條)

60) 하영삼, 「<第五游>整理與硏究」(『域外漢字傳播書系』)(上海人民出版社, 2012), 51쪽.

근(斤): 경중(輕重)을 저울질하는 도구이다. 상형(象形)이다. 16량(兩)이 근(斤)이
되는 것은 사시(四時)와 사방(四方)을 곱한 의미에서 기인한다. 경중(輕重)을
알 수 있기 때문에, 밝다[明]와 살피다[察]는 의미도 미루어 짐작할 수 있다.
경중(輕重)으로 나누기 때문에, 독음이 분(分)이다. 근(釿)과 통한다. 도끼[斧
斤]의 근(斤)은 가차(假借)이다.(斤, 權輕重之器. 象形. 十六兩爲斤者, 因四時
乘四方之義也. 知輕重, 故明也、察也之義皆類推. 分輕重, 故分音. 與釿通. 斧
斤之斤, 假借也.)

면(面): 얼굴의 앞부분. 상형(象形)이다. 머리[首]에서 입[口]을 더한 모습이다.
무릇 사물의 앞부분도 모두 면(面)이라 부르기 때문에, 독음이 전(前)이다.
또 쉽게 보이는 것도 면(面)이라 부르기 때문에, 독음이 견(見)이다.(面, 顔前.
象形. 從百(古首字)而加口. 凡物之前面皆曰面, 前音. 又曰易見者, 面也, 故見
音.)

관(串): 사물이 서로 연결되어 꿰어져 있는 모습이다. 상형(象形) 겸 지사(指事)
이다. 그래서 독음이 관(貫)이다.(串, 物相連貫. 象形. 指事. 貫音.)

조(爪): 손톱과 발톱을 말한다. 상형(象形)이다. 조(爪)는 고대의 장(掌)자인데,
장(掌)을 뒤집은 것이 조(爪)가 된다. 사용되는 바가 지극히 중요하므로, 독
음이 교(巧)이다.(爪, 手足甲也. 象形. 爪, 古掌字, 覆掌爲爪. 所用至要, 故巧
音.)

『육서경위』

화(華): 화(華)는 산이 빛나고 빼어남을 말한다.(華, 華者. 山之華秀也.)

형(衡): 형(衡)은 산의 저울이다.(衡, 衡者. 山之權衡也.)

암(巖): 암(巖)은 밖은 낭떠러지이고 안은 엄한 것을 말한다.(巖, 巖者. 外嶮而內
嚴.)

학(壑): 학(壑)은 위는 골짜기이고 아래는 흙이다.(壑, 壑者. 上谷而下土也.)

『육서경위』는 해서를 대상으로, 육서(六書)에서 '회의(會意)'의 방법을 가
지고 1,700여자를 형체에 근거하여 의미를 해석하였다. 이 방법은 조선시대
에 한자를 학습하고 기억하는데 도움이 되었다. 한자는 표의문자이기 때문
에, 글자를 만들 때 뜻이 종종 형체에 부여되는 경우가 있다. 그래서 형체
구조와 의미의 관계가 매우 밀접한데, 특히 한자의 고문자 자형에 이러한

특징이 더욱 두드러져, 한자의 본래 의미를 연구할 때 기초자료가 된다. 즉, 한자의 본의(本義) 연구에 문자학자들이 가장 자주 사용하는 기본적인 방법이 바로 자형의 분석이다. 그러나 "자서(字書)가 모든 글자의 의미부의 유래를 연구한다면, 글자만 보고 뜻을 짐작하는 일이 생기게 될 것이다. 한나라는 글자가 창제되고 나서 1, 2천년 이상 지난 시기이므로, 한나라의 유학자들이 글자의 원시적 의미를 조금의 오류 없이 고증했다고 볼 수 없다."[61] "한자가 전서에서 예서로 바뀐 후로, 지사(指事)·상형(象形)·회의(會意)와 같이 글자를 만드는 핵심들이 갑자기 사라지게 되었다. 문자들은 점·획·삐침·파임 등으로 합쳐져 더욱 번잡해졌기에, 한자를 인식하고 기억하는 게 상당히 어려워졌다.[62]" 그런 상황에서 조선시대 학자들이 만든 한자를 달리 이해하는 방법은 한자의 인지라는 측면에서 새로운 발명이요 창조라고 말할 수 있다.

61) 王力, 『龍蟲并雕齋文集』(1)(中華書局, 2015), 336-337쪽.
62) 沈兼士, 『沈兼士論文集』(中華書局, 1986), 396쪽.

4

한국한문자전의 자음(字音) 해석

자음(字音)의 해석 즉 독음을 표시하는 것은 한문자전의 중요한 내용 중의 하나이다. 한자의 자음 해석에는 3가지 기능이 있다. 첫째, 사용자에게 글자나 단어의 독음을 알려준다. 둘째, 한자 독음의 통일에 도움이 된다. 셋째, 한국에서 사용하는 한자의 속음(俗音) 및 변음(變音)을 수정한다. 한자는 예부터 지금까지 그 독음에 변화가 발생했었는데, 한국에서도 마찬가지로 변화가 있었다. 그래서 한문자전을 편찬하는 학자들에게 한자의 자음 해석은 매우 어려운 작업이었다. 편찬자들은 한자의 고음(古音) 뿐만 아니라 그 당시의 음도 밝혀야 했고, 표준음[正音]과 속음(俗音) 및 중국음과 한국음도 명시해야 했다. 조선시대 학자들이 이와 같이 자음을 해석하였기 때문에, 현재 우리가 각기 다른 시기의 자전을 사용할 때도, 실질적으로 그 당시 한자의 독음에 대해 알 수 있다. 명말(明末), 고음(古音)을 연구하는 학자인 진제(陳第)는 『모시고음고(毛詩古音考)』의 서언에서 "시대에는 옛날과 지금[古今]이 있고, 지역에는 남과 북(南北)이 있듯이, 글자도 바뀌고 독음도 변하는 법, 이는 거스를 수 없는 추세이다.(時有古今, 地有南北, 字有更革, 音有轉移, 亦勢所必至.)"라고 말했다. 즉, 시기가 각각 다른 한국한문자전들은 모두 한국과 중국의 한자음의 변화를 기록한 계보라고 말할 수 있다. 본장에서는 한문자전의 자음 해석 방식, 유형, 용어, 특징 등에 따라 한국한문자전의 자음 해석에 대해 소개하고자 한다.

제1절 자음 해석 방식

자음을 해석하는 방식이란 편찬자가 자전에서 한자를 해석할 때 음을 표시하는 방법을 말한다. 한국한문자전에서의 한국음을 【 】로 표시하여, 한국어의 의항과 한자의 한국음을 구별시켜 놓았다. 예를 보자.

『훈몽자회』: 즉(鯽): 붕어로, 독음이【·즉】이다. 세속에서는 물고기의 빛깔이 붉은 것을 금즉어(金鯽魚)라고 부른다.(鯽, 부어【·즉】俗呼魚色赤者曰金鯽魚.)

여기에서 【·즉】은 鯽의 독음이다. 한국한문자전 특히 『훈몽자회』에서 나타낸 한글의 뜻과 음은 한국의 독특한 독음의 고저를 표시한 방법을 반영하고 있다. 한글의 왼쪽에 "·"을 더해 거성(去聲)과 입성(入聲)을 나타내었고, " : "를 더해 상성(上聲)을 나타내었으며, 점이 없는 것은 평성(平聲)을 나타내었다. 예를 들어, 상술한 예문에서 【·즉】의 "·"은 '즉(鯽)'이 거성(去聲)과 입성(入聲)으로 읽는다는 것을 나타낸다. 한국한문자전의 자음 해석 방식은 아래에 소개하는 바와 같이 굉장히 풍부하고 다양하다.

1. 한글로 독음을 표시

한글은 1443년에 창제되어, 1446년에 반포되었다. 『훈몽자회』(1527)에서는 한글로 한자의 음을 기록하였다. 이후에 500년의 한국한문자전의 편찬과정에서 한글은 줄곧 한자의 음을 표시하는 주된 방식이었다.

(1) 올림자의 독음을 한글로 풀이함

한자의 뜻이나 올림자의 뒤에 바로 한글로 음을 표시하였다. 『전운옥편』을 예로 들어보자.

기(几): 【괴】책상. 걸상[凳]에 속한다. 지(支)운이다.(【괴】薦物具, 凳屬. (支).)

만(万): 【만】만(萬)과 같다. 원(願)운이다. 【믁】오랑캐의 성(姓)으로, 믁기(万俟)를 말한다. 직(職)운이다.(【만】同萬. (願). 【믁】蕃姓, 万俟. (職).)

하(下): 【하】상(上)의 대응이다. 밑[底]. 천하다[賤]. 마(馬)운이다. 항복하다[降]. 떨어지다[落]. 마(禡)운이다.(【하】上之對. 底也, 賤也. (馬). 降也, 落也. (禡))

장(丈): 【쟝】십척(十尺)이다. 나이가 많고 덕이 많은 사람의 존칭. 양(養)운이다. (【쟝】十尺, 長老尊稱. (養).)

상(上): 【샹】오르다[登]. 바치다[進]. 양(養)운이다. 임금[君]. 높다[高]. 높이다[尊]. 하(下)의 대응이다. 양(漾)운이다.(【샹】登也, 進也. (養). 君也, 高也, 尊也, 下之對. (漾).)

개(丐): 【개】구걸하다[乞]. 빌리다[與]. 취하다[取]. 태(泰)운이다. 개(匃)의 속자(俗字)이다.(【개】乞也, 與也, 取也. (泰). 匃俗字.)

면(丏): 【면】막히고 가리어져 보이지 않다. 화살을 피하기 위한 짧은 담. 선(銑)운이다.(【면】壅蔽不見, 避箭短牆. (銑).)

불(不): 【부】부정사. 새의 이름으로, 부부(夫不)를 말한다. 성(姓)을 말한다. 우(尤)운이다. 부(鴀)와 통한다. 또 부(否)와도 같다. 유(有)운이다. 부정사이다. 유(宥)운이다. 비(丕)와 통한다. 【불】아니다[未]. 아니하다[非]. 그렇지 아니하다[不然, ~안된다[不可]. 물(物)운이다. 불(弗)과 같다.(【부】未定辭. 鳥名, 夫不. 姓也. (尤). 鴀通. 又同否. (有). 未定之辭. (宥). 丕通.【불】未也, 非也. 不然, 不可. (物). 弗同.)

추(丑): 【츄】지지의 이름으로, 적분약(赤奮若)[1]을 말한다. 또 수갑을 말한다. 유(有)운이다. 뉴(杻)와 통한다.(【츄】支名, 赤奮若. 又手械. (有). 杻通.)

비(丕): 【비】크다[大]. 받들다[奉]. 으뜸[元]. 지(支)운이다.(【비】大也, 奉也, 元也. (支).)

세(世): 【셰】대[代]. 왕이 명을 받다는 뜻이다. 부자(父子)가 서로 대를 잇는 것이 일세(一世)가 되며, 인간을 세계(世界)라고 부른다. 제(霽)운이다.(【셰】代也, 王者受命. 父子相代爲一世, 人間曰世界. (霽).)

병(丙): 【병】십간의 이름으로, 유조(柔兆)를 말한다. 방위로는 남쪽[南方]에 속하고, 음양오행으로는 양화(陽火)에 속한다. 천간의 이름으로, 청병(靑丙)이다.

---

1) (역주) 십이지에서 축을 일컫는 말이다.

경(梗)운이다.(【병】幹名, 柔兆. 南方, 陽火. 天名, 靑丙. (梗).)

구(丘): 【구】언덕[阜]. 모으다[聚]. 크다[大]. 네 고을(四邑). 우(尤)운이다.(【구】阜也, 聚也, 大也, 四邑. (尤).)

또 『자전석요』를 예로 들어보자.

정(丁): 【뎡】천간의 이름으로, 강어(疆圉)를 말한다. 천간【정】. ○관아에서 불러서 쓰는 인부를 말한다. 장`정【정】. ○당하다[當]. 당할【정】. ○성하다[盛]. 성`할【정】. 청(靑)운이다. 【징】벌목하는 소리로, 정정(丁丁)이라 한다. 벌목소래【쟁】. 경(庚)운이다.(【뎡】幹名. 疆圉. 천간【정】. ○民夫. 장`정【정】. ○當也. 당할【정】. ○盛也. 성`할【정】. (靑). 【징】伐木聲, 丁丁. 벌목소래【쟁】. (庚).)

기(丌): 【긔】걸상[凳]에 속한다. 걸`상【긔】. 지(支)운이다.(【긔】凳屬. 걸`상【긔】. (支).)

만(万): 【만】만[十千]. 만【만】. 원(願)운이다. 만(萬)과 통한다. 【믁】오랑캐의 성(姓)으로, 믁기(万俟)를 말한다. 성`【믁】. 직(職)운이다.(【만】十千. 만【만】. (願). 萬通. 【믁】蕃姓. 万俟. 성`【믁】. (職).)

하(下): 【하】상(上)의 대응이다. 아래【하`】. 마(馬)운이다. 항복하다[降]. 나릴【하`】. 마(禡)운이다.(【하】上之對. 아래【하`】. (馬). 降也. 나릴【하`】. (禡).)

장(丈): 【쟝】나이가 많고 덕이 많은 사람의 존칭. 어`룬【쟝`】. ○십척(十尺)을 뜻한다. 열자【쟝`】. 양(養)운이다.(【쟝】長老尊稱. 어`룬【쟝`】. ○十尺. 열자【쟝`】. (養).)

상(上): 【샹】하(下)의 대응이다. 웃【샹`】. ○높이다[尊]. 놉흘【샹`】. 양(漾)운이다. 바치다[進]. 올닐【샹`】. ○오르다[登]. 오를【샹`】. 양(養)운이다.(【샹】下之對. 웃【샹`】. ○尊也. 놉흘【샹`】. (漾). 進也. 올닐【샹`】. ○登也. 오를【샹`】. (養).)

개(丐): 【개】구걸하다[乞]. 빌`【개`】. 태(泰)운이다. 개(匃)·개(匂)와 같다.(【개】乞也. 빌`【개`】. (泰). 匃匂仝.)

불(不): 【불】아니하다[非]. 아니【불】. 물(物)운이다. 불(弗)과 통한다. 【부】부정사. 안그런가【부】. 우(尤)운이다. 유(有)운이다. 부(否)와 통한다. 부(碼)를 보라.(【불】非也. 아니【불】. (物). 弗通. 【부】未定辭. 안그런가【부】. (尤). (有). 否通. 碼見.)

면(丏): 【면】보이지 않는다는 뜻이다. 뵈`지아늘【면`】. 선(銑)운이다.(【면】不見.

뵈·지아늘【면`】. (鈂).)

추(丑): 【튜】지지의 이름으로, 적분약(赤奮若)을 말한다. 지지【추`】. 유(有)운이
다.(【튜】支名. 赤奮若. 지지【추`】. (有).)

비(丕): 【비】크다[大]. 클【비】. 지(支)운이다.(【비】大也. 클【비】. (支).)

세(世): 【셰】인간세계. 인간【세`】. ○대(代). 대【세`】. 제(霽)운이다. 세(丗)와 같
다.(【셰】人間世界. 인간【세`】. ○代也. 대【세`】. (霽). 丗仝.)

(2) 한글로 해석한 후 올림자의 독음을 표시

한글의 훈독(訓讀)에서 올림자의 음을 표시하는 방식으로, 한글의 뜻을
해석하고 나서 그 뒤에 독음을 표시한 것이다. 『훈몽자회』를 예로 들어보
자.

암(庵): ·뎔【암】승려들이 묵는 집을 말한다.(·뎔【암】僧居草舍.)

채(寨): ·목·칙【·채】나무우리를 뜻한다. 또 군대가 묵는 곳이라는 뜻이다. 또 양
(羊)의 보금자리라는 뜻이다.(·목·칙【·채】山居以木柵. 又軍宿處. 又羊栖.)

소(所): ·바[:소]관직명이기도 하다. 왼쪽·오른쪽·앞쪽·뒤쪽·중앙의 다섯 곳을
의미하며, 천 가구와 백 가구를 관리하는 부서를 의미하기도 한다.(·바[:소】
又官名. 左右前後中五所, 千戶百戶菈管之司.)

참(站): ·역【:참】세속에서는 수참(水站)이라고 부른다. 말이 있는 역을 또 참(站)
이라고도 부른다. 또 세속에서는 서 있는 것을 일러 참(站)이라고도 하며, 참
(呇)이라고 쓰기도 한다.(·역【:참】俗呼水站. 馬驛亦曰站. 又俗謂立曰站, 亦作
呇.)

역(驛): ·역【·역】세속에서는 마역(馬驛)이라고 부른다.(·역【·역】俗呼馬驛.)

어(圄): ·옥[:어]죄인을 잡아 가두는 곳을 말하며, 진(秦)나라에서는 영어(囹圄)
라고 불렀다.(·옥[:어]拘罪人舍, 秦曰囹圄.)

옥(獄): ·옥【·옥】총칭이다.(·옥【·옥】總稱.)

음(窨): ·움【음】지실(地室). 세속에서는 음자(窨子)라고 부른다.(·움【음】地室. 俗
呼窨子.)

성(城): ·잣【셩】세속에서는 성자(城子)라고 부른다.(·잣【셩】俗稱城子.)

정(廷): ·터【뎡】임금을 알현하는 곳을 말한다. 또 조정(朝廷)은 국가(國家)를 일

컫는다.(·텨【뎡】朝君之所. 又朝廷, 謂國家也.)

가(街): 거·리【개】세속에서는 각두(角頭)라고 부른다. 시장[市]이 거리[街]에 있기 때문에, 시장을 일러 반드시 가상(街上)이라고 불렀다.(거·리【개】俗呼角頭. 凡市在街, 故稱市必曰街上.)

(3) 올림자의 이독음(異讀音)을 석문(釋文)에서 한글로 표시

석문에서 올림자의 이독음을 표시할 때, 올림자를 한글로 독음을 표시하고 난 뒤나 한문으로 된 석문(釋文)에서 '우모(又某)'로 나타낸다. 이때, '모(某)'는 언문으로 되어 있다. 아래의 예문은 『자류주석』에서 발췌하였다.

비(朏): 쵸싱돌【비】또【불】이라는 독음이 있다. 초사흘달빛.(쵸싱돌【비】又【불】月三日明生.)

절(晢): 별빈【졔】또【졀】이라는 독음이 있다. 별빛을 말한다. 제제(晢晢)라 하여, 반짝이는 모양을 나타낸다. 제(晣)와 같다. 또 절(晣)과 같다. 只【졀】.(별빈【졔】又【졀】星光, 晢晢. 晣仝. 又晰仝, 只【졀】.)

전(塡): 누울【진】토성(塡星). 중앙토(中央土). 진정하다[定]. 누르다[撫]. 진(鎭)과 같다. 또【뎐】이라는 독음이 있다. 병들다[病]는 뜻으로, 전과(塡寡)에 사용된다. 색(塞)과 같다.(누울【진】塡星. 中央土. 定也, 撫也. 仝鎭. 又【뎐】病也, 塡寡. 仝塞也.)

형(衡): 져울【형】북두칠성의 다섯 번째 위치에 있는 별 이름. 저울[秤]. 눈썹[眉]. 수레의 가로장[車軏]. 또【횡】이라는 독음으로 사용되는데, 횡(橫)과 같다.(져울【형】衡第五. 秤也, 眉上, 車軏. 又【횡】仝橫.)

표(杓): 쟈루【표】다섯 번째에서 일곱 번째까지의 북두칠성. 또【작】이라는 독음이 있는데, 작(勺)과 같다. 마시는 도구이다.(쟈루【표】第五至第七斗柄. 又【작】仝勺, 飮器.)

박(飆): 몹쓸바롬【표】폭풍(暴風). 또【박】이라는 독음이 있는데, 물건이 공중에서 떨어지는 모습을 나타낸다.(몹쓸바롬【표】暴風. 又【박】物自空墮兒.)

애(靄): 구룸긔운【애】구름이 뭉게뭉게 모이는 모양을 나타낸다. 기운[氛]. 또【알】이라는 독음이 있다. 애(藹)와 같다.(구룸긔운【애】雲兒, 氛也. 又【알】藹仝.)

복(曝): 쬐일【포】또【폭】이라는 독음이 있다. 해[日]로 말리다는 뜻이다. 폭(曝)과 같다.(쬐일【포】又【폭】日乾. 曝仝.)

섬(睒): 번기【섬】또【요】라는 독음이 있다. 번개[電]라는 뜻이다.(번기【섬】又【요】電也.)

홍(虹): 무지기【홍】수컷을 홍(虹)이라고 부른다. 해[日]와 비[雨]가 섞여 바탕이 된다. 또【공】이라는 독음도 있고,【강】이라는 독음도 있는데, 모두 사주(泗州)에 있는 현(縣)의 이름이다.(무지기【홍】雄曰虹, 日與雨交成質. 又【공】又【강】皆泗州縣名.)

홀(吻): 미상【홀】또【물】이라는 독음이 있다. 날이 채 밝지 않다[未明]. 날이 새려고 막 먼동이 틀 무렵[昧爽]. 어두운 새벽[尚冥].(미상【홀】又【물】未明, 昧爽, 尚冥.)

우(禺): 스시【우】해가 사(巳)시에 있는 것을 우중(禺中)이라고 말한다. 또 짐승의 이름으로, 원숭이(猴)와 닮았다. 또【옹】이라는 독음이 있다. 지명으로, 번우(番禺)를 말한다.(스시【우】日在巳曰禺中. 又獸名, 似猴. 又【옹】地名, 番禺.)

조(昭): 밝을【죠】빛나다[光]. 밝다[明]. 또【쇼】라는 독음이 있다. 소(佋)와 같다. 소목(昭穆)은 사당에서 조상의 신주를 모시는 차례를 말한다.(밝을【죠】光也, 明也. 又【쇼】仝佋. 昭穆, 廟位.)

황(晃): 밝을【황】밝다[明]. 예종(睿宗)의 이름이다. 또【광】이라는 독음이 있다. 빛나는 모양을 나타낸다.(밝을【황】明也. 睿宗御諱. 又【광】光皃.)

순(焞): 밝을【슌】밝다[明]. 숙종(肅宗)의 이름이다. 또【돈】이라는 독음이 있다. 거북점을 칠 때 거북의 등을 지지는 것을 나타낸다. 또【퇴】라는 독음이 있다. 성(盛)한 모양을 나타내며, 퇴퇴(焞焞)라고 표현한다.(밝을【슌】明也. 肅宗御諱. 又【돈】灼龜 又【퇴】盛皃, 焞焞.)

암(闇): 【암】암(暗)과 같다. 숨다[隱晦]. 어둡다[冥]. 문을 닫다[閉門]. 또【암】이라는 독음이 있다. 여막[喪廬]2), 양암[諒闇]3)을 나타낸다.(【암】仝暗. 隱晦, 冥也, 閉門. 又【암】喪廬, 諒闇.)

체(嚔): 그를딜【뎨】하늘에 구름이 덮여 어둡다[陰翳]는 뜻이다. 또【딜】이라는 독음이 있다. 쌓다[貯]. 그치다[止].(그를딜【뎨】陰翳. 又【딜】貯也, 止也.)

욱(燠): 더울【욱】덥다[煖]. 또【오】라는 독음이 있다. 열(熱)이 속에 있어, 답답하

---

2) (역주) 무덤가에 지은 초가로, 상제가 상이 끝날 때까지 묵는 곳을 말한다.
3) (역주) 임금이 부모의 상중에 있을 때 묵는 방을 말한다.

다는 뜻을 나타낸다. 끙끙거리는 소리로, 우휴(燠咻)라고 표현한다.(더울【욱】
煖也. 又【오】熱在中. 痛念聲, 燠咻.)

고(熇): 더위【효】더운 기운. 또 【혹】이라는 독음이 있다. 뜨겁다는 뜻을 나타내
며, 혹혹(熇熇)으로 표현한다. 또 【학】이라는 독음이 있다. 불이 성한 모습을
나타내며, 학학(熇熇)으로 표현한다.(더위【효】炎氣. 又【혹】炎熱, 熇熇. 又【학】
熾盛, 熇熇.)

불(冹): 풍한【불】바람이 차다. 또 【발】이라는 독음이 있다. 차가워서 얼어붙은
모양을 나타낸다.(풍한【불】濘冹. 又【발】寒冰皃.)

(4) 올림자의 한국어 속음(俗音)을 석문(釋文)에서 표시

석문에서 올림자의 한국어 속음을 표시하는 형식은 '언모(諺某)'가 된다.
이때 '모(某)'는 한글이다. 『자류주석』을 예로 들어보자.

항(亢): 목구멍【강】항금룡(亢金龍)4). 목구멍[咽]이라는 뜻이다. 세속에서는 항
(吭)이라고도 쓴다. 높흘【강】속음은 【항】이다. 높다[高極]. 지나치다[過]. 가
리다[蔽]. 또 항(抗)과 같다. 굳세다는 뜻이 있다.(목구멍【강】亢金龍. 咽也. 俗
作吭. 높흘【강】諺【항】高極, 過也, 蔽也. 又仝抗, 不屈抵也.)

습(熠): 빈날【읍】속음은 【습】이다. 환하다[盛光]는 뜻이다. 깃털의 모양을 나타
내는데, 습습(熠熠)으로 표현한다. 반딧불이 반짝거리는 것을 습습(熠燿)으로
표현한다.(빈날【읍】諺【습】盛光. 羽皃, 熠熠. 螢火, 熠燿.)

청(淸): 셔를【청】속음은 【졍】이다. 차갑다[寒].(셔를【청】諺【졍】寒也.)

계(癸): 북방【규】속음은 【계】이다. 십간(十干)의 마지막. 헤아리다[揆]는 뜻이다.
겨울, 물, 흙을 상징한다는 것을 추측할 수 있다. 남자의 정기와 여자의 월경
을 천계(天癸)라고 부른다. 고대에는 소양(昭陽)이라고 불렸다.(북방【규】諺
【계】十干終. 揆也. 冬水土平, 可揆度. 男精女血曰天癸. 古昭陽.)

축(丑): 쇼【츄】자(子)에서 싹이 나고, 축(丑)에서 싹을 맺는다. 속음은 【츅】이다.
고대에는 적분약(赤奮若)이라고 말했다. 북쪽과 흙을 상징하는 것이 소[牛]
이다.(쇼【츄】孼萌於子, 紐芽於丑. 諺【츅】古赤奮若. 北土牛.)

---

4) (역주) 28수의 하나로, 동방의 두 번째 수에 해당된다.

서(瑞): 샹셔【슈】속음은 【셔】이다. 상서[祥]를 뜻한다. 천자가 제후를 봉할 때 신표로 주는 옥으로 만든 홀[信玉]. 서옥[符瑞].(샹셔【슈】諺【셔】祥也. 信玉, 符瑞.)

로(壚): 검은흙【로】속음은 【려】이다. 기름진 흙[黑剛土]이라는 뜻이다. 또 술집이라는 뜻이 있다.(검은흙【로】諺【려】黑剛土. 又酒區.)

점(漸): 졈졈【졈】점점[稍]. 일의 유래. 괘(卦)의 이름. 흘러 들어가 점차 물들다. 빠지다[沒]. 젖다[洽]. 또 【참】이라는 독음이 있다. 속음은 【샴】이다. 높다[高]는 뜻을 나타내는데, 점점(漸漸)으로 표현한다.(졈졈【졈】稍也, 事之由來, 卦名. 流入浸染, 沒也, 洽也. 又【참】諺【샴】高也, 漸漸.)

탁(濁): 흘일【착】속음은 【탁】이다. 흐리다[不淸]는 뜻으로, 혼탁(混濁)으로 표현한다. 포주(蒲州)의 물이름.(흘일【착】諺【탁】不淸, 混濁. 蒲州水.)

무(畝): 이랑【무】속음은 【모】이다. 무(畝)는 고자(古字)이다. 무(畮)와 같다. 밭두둑이 6척이면 보(步)가 되고, 백보(步百)이면 무(畝)가 된다.(이랑【무】諺【모】畝古. 畮仝. 田壟六尺爲步, 步百爲畝.)

(5) 올림자의 정음(正音)을 석문(釋文)에서 표시

석문에서 올림자의 정음(正音)을 표현하는 형식은 '정음모(正音某)'가 된다. 이때, '모(某)'는 한글이다. 『훈몽자회』를 예로 들어보자.

길(桔): 뜻은 도라지이며 독음은 【길】인데, 정음은 【결】이다.(桔, 도·랏·【길】正音【결】.)

(6) 올림자의 속음(俗音)을 석문(釋文)에서 표시

석문에서 올림자의 속음(俗音)을 나타내는 형식은 '속모(俗某)'가 된다. 이때 '모(某)'는 한글이다. 『전운옥편』을 예로 들어보자.

핍(乏): 【법】속음은 【핍】이다. 떨어지다[匱]. 폐하다[廢]. 없다[無]. 화살막이[射蔽]. 제후가 힘이 없다[侯乏]. 흡(洽)운이다.(【법】俗【핍】匱也, 廢也, 無也. 射蔽, 侯乏 (洽).)

항(穴): 【강】속음은 【항】이다. 사람의 목[人頸]. 새의 목구멍[鳥嚨]. 28수의 이름.
　양(陽)운이다. 항(吭)과 같다. 또 지나치다[過]. 극진히 하다[極]. 가리다[蔽]. 겨
　루다[敵]. 굴하지 않다[不屈]. 양(漾)이다. 항(抗)·항(炕)과 통한다.(【강】俗【항】
　人頸, 鳥嚨, 宿名. (陽). 吭同. 又過也, 極也, 蔽也, 敵也, 不屈. (漾). 抗炕通)

흘(仡): 【을】속음은 【흘】이다. 씩씩하고 날랜[壯勇] 모양을 나타내는데, 흘흘(仡
　仡)이라고 표현한다. 물(物)운이다.(【을】俗【흘】壯勇, 仡仡. (物).)

항(伉): 【강】속음은 【항】이다. 정직(正直)한 모양을 나타낸다. 양(陽)운이다. 배
　우자[配耦]. 짝[伉儷]. 겨루다[敵]. 굳세다[健]. 곧다[直]. 물건을 숨기다[蔵物].
　양(漾)운이다. 항(抗)·항(閌)과 같다.(【강】俗【항】正直貌. (陽). 配耦, 伉儷. 敵也,
　健也, 直也, 蔵物. (漾). 抗閌同.)

탁(倬): 【착】속음은 【탁】이다. 환한 모양을 나타낸다. 크다[大]. 각(覺)운이다.
　(【착】俗【탁】明貌, 大也. (覺).)

해(偕): 【기】속음은 【히】이다. 함께[俱]. 강한 모양을 나타내는데, 해해(偕偕)라
　고 표현한다. 가(佳)운이다.(【기】俗【히】俱也. 強貌, 偕偕. (佳).)

규(叫): 【교】속음은 【규】이다. 부르다[呼]. 훤칠한 모양[高舉]을 나타내는데, 규
　오(叫囂)라고 표현한다. 사물의 이치에 맞지 않는 것을 나타내는데, 색규(色
　叫)라고 표현한다. 소(嘯)운이다.(【교】俗【규】呼也. 高舉, 叫囂. 事理不當, 色叫.
　(嘯).)

소(召): 【죠】속음은 【쇼】이다. 부르다[呼]. 소공석(召公奭)의 영지를 말한다. 소
　(嘯)운이다. 소(邵)와 같다.(【죠】俗【쇼】呼也, 召公奭采邑. (嘯). 邵同.)

우(吁): 【후】속음은 【우】이다. 탄식하다[歎]. 의문스러울 때 내뱉는 소리를 말한
　다. 우(虞)운이다. 우(于)와 통한다.(【후】俗【우】歎也, 疑怪辭. (虞). 于通)

타(吒): 【차】속음은 【타】이다. 뽐다[噴]. 꾸짖다[叱怒]. 마(禡)운이다. 타(咤)와 같
　다.(【차】俗【타】噴也, 叱怒. (禡). 咤同.)

흘(吃): 【글】속음은 【흘】이다. 어눌하다[言難]. 먹다[喫]. 물(物)운이다.(【글】俗
　【흘】言難, 喫也. (物).)

구(呴): 【후】속음은 【구】이다. 입김을 불다[噓吹]. 말이 공손한 모양을 나타내는
　데, 구구(呴呴)라고 표현한다. 우(虞)운이다. 입김들이며 물고기가 물방울을
　토하다는 뜻이 있다. 우(遇)운이다. 구(欨)와 통한다.(【후】俗【구】噓吹. 言語順,
　呴呴. (虞). 以氣溫魚吐沫 (遇). 欨通)

가(呵): 【하】속음은 【가】이다. 화를 내며 꾸짖다[怒責]. 웃는 소리[笑聲]. 내불다

[氣出]. 가(歌)운이다. 가(訶)와 같다. 또 꾸짖다[責讓]는 뜻이 있다. 불다[噓氣].
개(箇)운이다.(【하】俗【가】怒責, 笑聲, 氣出. (歌). 訶同. 又責讓, 噓氣. (箇).)

(7) 올림자의 속우음(俗又音)을 석문(釋文)에서 표시

석문(釋文)에서 올림자의 속우음(俗又音)을 나타내는 형식은 '속우음모
(俗又音某)'가 된다. 이때, '모(某)'는 한글이다.『훈몽자회』를 예로 들어보자.

거(車): 술·위【거】, 속우음(俗又音)은【챠】이다.(車술·위【거】, 俗又音【챠】.)

(8) 올림자의 중국어 속음(俗音)을 석문(釋文)에서 표시

석문에서 올림자의 중국어 속음(俗音)을 나타내는 형식은 '한속음모(漢俗
音某)'이다. 이때, '모(某)'는 한글이다.『훈몽자회』를 예로 들어보자.

잠(簪): 빈혀【줌】예복용(禮服用). 중국어 속음은【잔】으로, 잠자(簪子)라고 쓴다.
(簪, 빈혀【줌】禮服用. 漢俗音【잔】, 簪子.)

(9) 올림자의 한국어 독음을 석문(釋文)에서 표시

석문에서 올림자의 한국어 독음을 나타내는 형식은 '국음모(國音某)'가
된다. 이때, '모(某)'는 한글이다.『훈몽자회』를 예로 들어보자.

측(厠): :뒷·간【·츠】국음(國音)은【·측】이다. 세속에서는 측옥(厠屋)이라고 부른
다. 또 침상의 주위를 나타내기도 한다. 또 섞이다는 뜻이 있다.(:뒷·간【·츠】
國音【·측】俗呼厠屋. 又茅厠. 又間雜也.)
겸(鎌): ·낟【렴】국음(國音)은【겸】이다. 세속에서는 겸도(鎌刀)라고 부른다.(·낟
【렴】國音【겸】, 俗呼鎌刀.)
학(貉): 우슭·【학】본국음(本國音)은【락】이다. 세속에서는 산달(山獺)이라고 부
른다. 또 수학자(睡貉子)라고도 부른다.(우슭·【학】本國音【락】. 俗呼山獺. 又

呼睡貉子.)

(10) 한자의 고음(古音)을 한글로 표시

『자류주석』을 예로 들어보자.

진(嗔): 성낼【진】고음(古音)은 【뎐】이다. 진(謓)과 같다. 성내다[怒]. 상기하다[盛氣].(성낼【진】古音【뎐】謓仝. 怒也, 盛氣.)

2. 한자로 독음을 표시

한자로 독음을 표시하는 것은 중국자전들이 줄곧 사용해온 방식이다. 이를 조선시대 학자들이 차용하면서, 한국한문자전에서 한자의 독음을 나타내는 중요한 방식의 하나가 되었다.

(1) 올림자의 독음을 한자로 표시함

한글로 음을 표시한 뒤에, 다시 한자로 음을 표시한 경우이다. 『자류주석』을 예로 들어보자.

요(坳): 오목【요】우묵하여 아래가 평평하지 않다는 뜻이다. 『전운(全韻)』에서는 "요(凹)와 같다."라고 했고, 『자전(字典)』에서는 "음이 요(凹)이다."라고 했다.(오목【요】窊下不平. 『全韻』曰凹仝, 『字典』音凹.)

육(毒): 길을【육】음이 육(育)이다. 『노자(老子)』에서는 "품고 기르고 키우고 덮어준다.(亭之毒之, 養之覆之.)"라는 구절이 있고, 『자전(字典)』에서는 "생(生)과 모(母)로 구성되어 있다. 세속에서는 정독(亭毒)이라고 썼으나, 잘못되었다."라고 적혀있다. 정육(亭毒)은 화육(化育)[5]을 뜻한다.(길을【육】音育. 『老子』曰: 亭之毒之, 養之覆之. 『字典』曰: 從生從母. 俗作亭毒, 誤. 亭毒, 化育也.)

---

5) (역주) 자연의 이치로 모든 물건을 만들어 기른다는 뜻이다.

항(媠): 샹아【샹】항(姮)과 같다. 독음이 상(常)이다.(샹아【샹】姮仝. 音常.)

잉(礽): 복【셩】복(福). 나아가다[就]. 『자전(字典)』에서는 "음이 잉(仍)이다."라고 했다.(복【셩】福也, 就也. 『字典』音仍.)

부(榑): 부상【부】부상(榑桑)이라는 신목(神木)을 말한다. 해돋이라는 뜻이 있다. 독음이 부(扶)이다.(부상【부】榑桑, 神木, 日所出. 音扶.)

(2) 올림자의 우음(又音)을 한자로 표시함

한자로 올림자의 우음(又音)을 나타내는 형식은 '우음모(又音某)'가 된다. 이때 '모(某)'는 한자이다. 『훈몽자회』를 예로 들어보자.

피(陂): 웅·덩·이【피】물을 모아두는 곳을 피(陂)라 한다. 우음(又音)은 파(坡)로, 비탈지다는 뜻을 나타낸다.(웅·덩·이【피】蓄水爲陂. 又音坡, 不平也.)

환(萑): :달【환】갈대[葦]와 비슷하지만 작다. 우음(又音)은 추(隹)로, 아래를 참고하라.(:달【환】似葦而小. 又音隹, 見下.)

추(萑): 눈비·얏【츄】혹 야천마(野天麻)라고 부른다. 우음(又音)은 환(桓)으로, 위를 참고하라.(눈비·얏【츄】或呼野天麻. 又音桓, 見上.)

을(鳦): :져·비【·을】우음(又音)은 알(軋)이다. 세속에서는 연자(燕子)라고도 부른다.(:져·비【·을】又音軋. 俗又呼燕子.)

궐(鱖): 소·과·리【·궐】세속에서는 궐어(鱖魚)라고 부른다. 우음(又音)은 귀(貴)이다.(소·과·리【·궐】俗呼鱖魚. 又音貴.)

인(咽): 목쑤무【연】물건을 삼켜 위(胃)까지 이르는 길을 말한다. 또 거성(去聲)으로, 삼키다[嚥]는 뜻을 나타낸다. 우음(又音)이 일(噎)이다. 근심이 심해 기운이 막히는 것을 경인(哽咽)이라고 부른다.(목쑤무【연】吞物至胃之道. 又去聲, 嚥也. 又音噎. 憂甚氣窒曰哽咽.)

과(胯): 다리【:과】또 두 다리 사이를 말한다. 우음(又音)이 고(庫)이다.(다리【:과】又兩股間. 又音庫.)

계(契): ·글·월【:계】세속에서는 문계(文契)를 말한다. 우음(又音)이 걸(乞)이다. 계단(契丹)은 나라이름을 말한다.(·글·월【:계】俗稱文契. 又音乞. 契丹, 國名.)

수(帥): :쟝·슈【·슈】우음(又音)이 솔(率)로, 거느리다[領]는 뜻을 나타낸다.(:쟝·슈【·슈】又音率, 領也.)

하(廈): 집[:하]큰집[大廈]을 뜻한다. 우음(又音)은 사(沙)이다. 세속에서는 피하(披廈)라고 하여, 동쪽과 서쪽 사이에 끼인 방을 말한다.(집[:하]大屋. 又音沙. 俗稱披廈, 東西夾室.)

도(陶): 딜꾸·을【도】또 울도(鬱陶)라고 하여, 근심하다는 뜻을 나타낸다. 우음(又音)이 요(姚)인데, 고요(皋陶)라고 하여 사람이름을 나타낸다.(딜꾸·을【도】又鬱陶, 思也. 又音姚, 皋陶, 人名.)

삭(索): 노【·삭】노와 새끼[繩索]를 말한다. 우음(又音)이 색(色)인데, 찾다는 뜻을 나타낸다.(노【·삭】繩索. 又音色, 求討也.)

(3) 올림자의 정음(正音)을 한자로 표시함

한자로 올림자의 정음(正音)을 나타내는 형식은 '정음모(正音某)'이다. 이때 '모(某)'는 한자이다. 『훈몽자회』를 예로 들어보자.

휴(畦): 이·랑【규】세속에서는 채소밭[菜田]을 가리키는데, 채휴(菜畦)라고 말한다. 정음(正音)은 해(奚)이다.(이·랑【규】俗指菜田, 曰菜畦. 正音奚.)

묘(貓): :괴【묘】정음(正音)은 모(毛)이다.(:괴【묘】正音毛.)

이(弛): 활브·리·울【:이】정음(正音)은 시(始)이다.(활브·리·울【:이】正音始.)

료(轑): ·샬【:료】정음(正音)은 로(老)이다.(·샬【:료】正音老.)

엽(饁): 이바·돌【·녑】밭에서 먹는 새참[餉田]을 말한다. 정음(正音)]은 업(業)·엽(葉)이다.(이바·돌【·녑】餉田. 正音業、葉)

전(羶): 노·릴【견】양의 누린내[羊臭]를 말한다. 정음(正音)은 선(鮮)이다.(노·릴【견】羊臭. 正音鮮.)

항(伉): 굴·올【:항】정음(正音)은 항(抗)이다.(굴·올【:항】正音抗.)

(4) 올림자의 고음(古音)을 한자로 표시함

한자로 올림자의 고음(古音)을 나타내는 형식은 '고음모(古音某)'이다. 이때 '모(某)'는 한자이다. 『전운옥편』을 예로 들어보자.

진(嗔):【진】성내다[怒]. 진(眞)운이다. 고음(古音)은 전(田)이며, 지금의 예서에서는 진(眞)이라고 쓴다.(【진】怒也. (眞). 古音田, 今隷眞.)

(5) 석문에 있는 어떤 한자의 독음을 한자로 표시함

한자로 석문(釋文)에 있는 어떤 한자의 독음을 표시한 것인데, 『훈몽자회』를 예로 들어보자.

> 적(菂): 년:밤【·뎍】연밥의 열매를 말하는데, 맛이 쓰다. 의(薏)의 독음은 억(憶)이다.(년:밤【·뎍】菂中薏, 味苦. 薏音憶.)
>
> 비(婢): :겨·집:죵【:비】높은 사람의 여자 종을 여사(女使)라고 부른다. 또 매향(梅香)이라고도 말한다. 포괄해서 니자(妮子)라고 부른다. 니(妮)는 독음이 니(尼)이다.(:겨·집:죵【:비】尊人之婢曰女使. 又曰梅香. 汎稱曰妮子. 妮音尼.)
>
> 석(螫): :벌쏠【·셕】벌이나 전갈이 사람을 쏘다는 뜻이다. 관중(關中)을 학(蠚)이라고 부르는데, 독음이 학(壑)이다.(:벌쏠【·셕】蜂蠆毒人. 關中曰蠚, 音壑.)
>
> 추(楺): ·대자·비【·튜】나무를 깎아 축(軸)을 만들고, 나무를 휘어 바로 잡아, 펴고, 굽힌다. 유(煣)는 독음이 유(柔)이다. 불에 말리다는 뜻이다.(·대자·비【·튜】斲木作軸, 煣伸曲木. 煣音柔, 火煏也.)

(6) 형성자의 소리부를 사용하여 한자의 독음을 표시함

『제오유』에서는 한글을 사용하지 않고, 형성자의 소리부를 사용하여 한자의 독음을 표시하였다. 예를 보자.

> 차(嗒): 탄성(歎聲)을 나타낸다. 구(口)가 의미부이고, 석(昔)이 소리부이다. 치음(齒音)이다.(歎聲. 從口. 昔音, 俱是齒音.)
>
> 탁(啅): 여러 무리의 새 소리이다. 구(口)가 의미부이고, 탁(卓)이 소리부이다. 탁(啄)과 독음과 의미가 같다.(衆鳥聲. 從口. 卓音, 與啄音義同.)
>
> 악(喔): 닭이 우는 소리이다. 구(口)가 의미부이고, 옥(屋)이 소리부이다.(雞聲. 從口. 屋音.)
>
> 즉(喞): 두런거리다. 구(口)가 의미부이고, 즉(卽)이 소리부이다.(多聲. 從口. 卽音.)

수(欶): 빨아들이다[吮]는 뜻이다. 흠(欠)으로 구성된 회의(會意)이다. 독음이 속(束)인데, 수(嗽)와 통한다.(吮也. 從欠, 會意. 束音. 與嗽通.)

묵(嘿): 잠잠하다[靜]는 뜻이다. 구(口)가 의미부이고, 흑(黑)이 소리부이다. 묵(默)으로도 쓴다.(靜也. 從口. 黑音. 通作默)

악(嚚): 엄숙한 모양을 나타낸다. 악(愕)·악(噩)으로도 쓴다. 네 개의 입이 가지런한 모습이다. 회의(會意)이다. 독음은 옥(玉)이다.(嚴肅貌. 通作愕、作噩. 四口儼然, 會意. 玉音.)

갹(噱): 크게 웃다[大笑]는 뜻이다. 구(口)가 의미부이고, 거(豦)가 소리부이다.(大笑. 從口. 豦音.)

악(愕): 놀라다[驚]는 뜻이다. 심(心)이 의미부이고, 악(咢)이 소리부이다. 역시 악(噩)이라고도 쓴다.(驚也. 從心. 咢音. 亦作噩.)

작(嚼): 씹다[噬嚼]는 뜻이다. 구(口)가 의미부이고, 작(爵)이 소리부이다.(噬嚼. 從口. 爵音.)

현재 우리가 파악한 자료들로 봤을 때, 한국한문자전에서는 한글로 한자의 독음을 표시하는 방식이 이미 보편화되어 있었다. 한글과 한자를 함께 사용하여 올림자나 석문(釋文)에 있는 어려운 글자의 독음을 표시하는 현상은 순수하게 한글로 독음을 표시하는 경우보다 출현빈도가 낮으며, 한자로 독음을 표시하는 방식은 상술한 두 개의 방식보다 더 출현빈도가 낮다. 중국의『설문』,『송본옥편』,『자휘(字彙)』,『강희자전』등의 자전에서 상용되는 반절로 독음을 표시하는 방식은 한국한문자전에서는 발견할 수 없었다. 이런 현상이 생긴 원인에 대해서는 더 연구를 해야 할 것으로 보인다.

제2절 음항(音項)의 유형

사서학(辭書學)에서는 글자의 독음을 음항(音項)이라고 부르는데, 이는 자전에서 독음을 표시하는 단위가 된다.[6] 글자마다 독음이 존재하지만, 한 개의 독음만 존재하는 게 아니다. 한 개의 독음만 있는 글자를 단음자(單音字)라고 부르고, 그 이상의 독음을 가지고 있는 글자를 다음자(多音字)라고

---

6) 趙振鐸,『字典論』(上海辭書出版社, 2012), 67쪽.

부른다. 자전을 편찬할 때, 하나의 올림자에 한 개의 독음이 있다면 한 개의 음항이 형성되는 것이고, 다음자라면 여러 개의 음항이 형성되는 것이다. 이러한 음항의 형성은 자전편찬에 매우 중요하다.

1. 단음항(單音項)

한 개의 독음만 있는 한자는 단음항으로 표시된다. 한글로 한자의 뒤에 독음을 표시하거나 또는 한 개의 한자로 다른 한자의 독음을 표시한다.『자류주석』을 예로 들어보자.

일(日): 날【일】태양(太陽)의 정기.(날【일】太陽之精.)
양(陽): 볕【양】양(昜)과 같다. 밝다[明]. 거짓[佯].(볕【양】昜仝. 明也, 佯也.)
양(暘): 볕뇔【양】일출(日出). 해돋는 곳[暘谷].(볕뇔【양】日出, 暘谷.)
훤(晅): 날긔운【훤】훤(烜)과 같다. 태양의 기운[日氣]을 나타낸다.(날긔운【훤】烜仝. 日氣.)
희(曦): 날빗【희】햇빛.(날빗【희】日光.)
휘(暉): 날빗【휘】햇빛.(날빗【휘】日光.)
욱(昱): 날빗【욱】햇빛.(날빗【욱】日光.)
장(暲): 날빗【쟝】햇빛. 밝다[明]는 뜻이다. 덕종(德宗)의 이름이다.(날빗【쟝】日光, 明也, 德宗御諱.)

2. 다음항(多音項)

한자의 아래에 주된 독음을 표시하고, 다시 우음(又音), 속음(俗音), 언음(諺音), 국음(國音) 등의 음항을 표시한다.

(1) 우음(又音)

한국한문자전에서 '우음(又音)'은 한자의 이독음(異讀音)을 주석하는 데 사용될 뿐 아니라, 한자의 또 다른 의항을 나타내는 것이기도 하다.『훈몽자회』를 예로 들어보자.

독(碡): 번·디【·독】돌을 가지고 만든다. 세속에서는 녹독(碌碡)이라고 부른다.
우음(又音)은 축(軸)이다.(번·디【·독】以石爲之. 俗呼碌碡. 又音軸)

초(鞘): 가·플【쇼】우음(又音)이 【소】이다. 말의 안장받침[鞭鞘]을 말한다.(가·플
【쇼】又音【소】, 鞭鞘.)

식(食): ·밥【·식】음식(飮食). 또 먹이다[啖]는 뜻이 있다. 우음(又音)이 사(四)인데,
사(飼)·사(飤)라고도 쓴다. 음식을 가지고 사람에게 먹이다는 뜻이다.(·밥【·
식】飮食. 又啖也. 又音四. 亦作飼、飤, 以食食人也.)

고(袴): 고의【:고】우음(又音)이 【:과】이다.(고의【:고】又音【:과】.)

차(車): 술·위【·거】속우음(俗又音)이 【챠】이다.(술·위【·거】俗又音【챠】.)

빈(玭): 진·쥬【변】진주(珍珠)를 말한다. 달리 주모(珠母)라고도 부른다. 빈(蠙)이
라고도 쓴다. 우음(又音)은 빈(頻)이다.(玭, 珍珠 一云珠母, 亦作蠙. 又音頻)

질(䏊): ·귀·힐【:데】우음(又音)은 질(質)이다. 잘 못 듣는 것을 말한다. 약방문에
는 저(底)라고 쓴다.(·귀·힐【:데】又音質. 聽不聰. 方文作底.)

흔(胅): ·발셜【:흔】부어오르다[腫]는 뜻이다. 자(呀)라고도 쓴다. 우음(又音)은 희
(希)이다. 많은 약방문에는 흥(臀)이라고 써져 있다.(·발셜【:흔】腫起, 亦作呀.
又音希. 櫥醫方作臀.)

알(斡): 두를【·알】돌다[運]. 구르다[轉]는 뜻이다. 우음(又音)은 관(管)이다.(두를【·
알】運也, 轉也. 又音管.)

부(柎): 곳고의【부】꽃 밑에 두는 받침을 말한다. 우음(又音)이 부(府)로, 악기를
말한다.(곳고의【부】花下薅足. 又音府, 樂器.)

간(鄞): 너·흘【근】우음(又音)이 은(銀)으로, 치근(齒根)을 말한다.(너·흘【근】又音
銀, 齒根.)

흘(齕): 너·흘【·흘】우음(又音)이 힐(頡)이다.(너·흘【·흘】又音頡.)

또 『자류주석』을 예로 들어보자.

각(角): 쌜【각】각목교(角木蛟)[7]를 말한다. 짐승의 머리에 난 뾰족한 뿔. 접촉하

---

7) (역주) 각목교(角木蛟)는 중국의 신화에 나오는 28수의 하나이다.

다[觸]. 비교하다[校]. 구석[隅]. 우음(又音)이 【록】으로, 고대에는 록(祿)음을 많이 사용하였다. 사호(四皓)[8]에서 각리(角里)를 일컫는 말이다. 세속에서는 각(甬)이라고 썼으나, 잘못되었다.(쁄【각】角木蚊. 獸戴芒角. 觸也, 校也, 隅也. 又音【록】, 古多用祿音. 四皓, 角里. 俗作甬, 非.)

항(港): 물쓸니[강]물이 나뉘어지는 갈래. 뱃길.『자전(字典)』에는 "우음(又音)이 항(巷)으로, 【항】은 물의 모양을 말한다."라고 하였다.(물쓸니【강】水分派, 水中行舟道.『字典』又音巷, 【항】水貌)

전(腜): 어복【전】비전(腓腜)은 창자[腸]를 말한다. 또 질그릇 만드는 틀을 말한다.『자전(字典)』에서는 "우음(又音)이 【슌】으로, 넓적다리뼈를 말한다. 비(髀)의 아래에 있다."라고 하였다.(어복【전】腓腜, 腸也. 又陶人作器具.『字典』又音【슌】股骨也, 髀下.)

전(悛): 고칠【전】고치다[改]. 그치다[止]. 차례[次]. 우음(又音)은 준(逡)이다.(고칠【전】改也, 止也, 次也. 又音逡.)

중(衆): 여러【중】본디 중(眾)이라고 썼다. 세 사람이면 중(衆)이 되는데, 많다[多]는 뜻이다. 또 관중(貫衆)이라고 하여, 약의 이름을 말한다. 우음(又音)이 【종】으로, 성(姓)을 뜻한다. 예를 들어, 중중(衆仲)이라는 사람을 들 수 있다.(여러【중】本作眾. 三人爲衆, 多也. 又藥名, 貫衆. 又音【종】姓也, 衆仲.)

각(敾): 틸【각】머리를 치다[擊頭]. 옆에서 치다[橫擿]. 우음(又音)이 【교】이며, 혹 고(敲)라고도 쓴다.(틸【각】擊頭, 橫擿. 又音【교】或作敲.)

피(賦): 더흘【비】더하다[益]. 주다[予]. 이피(虵賦)는 차례라는 뜻이다. 우음(又音)은 【피】이다.(더흘【비】益也, 予也. 虵賦, 次第也. 又音【피】.)

박(胉): 고도리【박】깃을 제거하지 않은 뼈로 만든 화살촉을 말한다. 또 치다[擊]는 뜻이 있다. 우음(又音)은 【포】와 【효】이다.(고도리【박】骨鏃不翦羽. 又擊也. 又音【포】、【효】.)

화(鱯): 오머여기【화】메기를 닮았으나 더 크며, 흰색을 띤다. 또 복어[鮧]를 뜻한다. 입과 배가 큰 것을 화(鱯)라고 이름한다. 우음(又音)은 【호】와 【획】이다.(오머여기【화】似鮎而大, 白色. 又鮧. 口腹俱大者名鱯. 又音【호】、【획】)

전(鱣): 견어【전】입이 아래턱 아래에 있고, 껍질에 비늘이 없으며, 몸이 누렇기

---

8) (역주) 商山四皓라고 하여, 중국秦始皇 때에 난리를 피하여 陝西省 商山에 들어가서 숨은 네 사람을 말한다. 각각 蘇州 太湖角里 선생인 周術, 河南 商丘 東園公 唐秉, 湖北 通城 綺裏季 吳實, 浙江 寧波 夏黃公 崔廣을 일컫는다.

때문에, 황어(黃魚)라고 부른다. 또 잉어의 종류로, 용(龍)과 닮은 것을 말한다. 우음(又音)은 【단】이다.(전어【전】口在頷下, 甲無鱗, 肉黃, 呼黃魚. 又曰鯉類, 似龍. 又音【단】.)

(2) 언음(諺音)

한자에 독음을 표시하면서, 한자의 언음(諺音)도 같이 표시하였다. 『자류주석』을 예로 들어보자.

> 탁(濁): 흘일【착】언음(諺音)은 【탁】이다. 흐리다[不淸]는 뜻으로, 혼탁(混濁)으로 표현한다. 포주(蒲州)의 물이름.(흘일【착】諺【탁】不淸, 混濁. 蒲州水)
>
> 무(畝): 이랑【무】언음(諺音)은 【모】이다. 무(畮)는 고자(古字)이다. 무(晦)와 같다. 밭두둑이 6척이면 보(步)가 되고, 백보(步百)이면 무(畝)가 된다.(이랑【무】諺【모】畮古. 晦仝. 田壟六尺爲步, 步百爲畝.)
>
> 준(濬): 깁흘【슌】언음(諺音)은 【쥰】이다. 깊다[深]. 물길을 트다[瀹]. 개천[川]을 치다. 고요하고 아늑하다[幽深]. 고상하고 의미가 깊다[濬哲].(깁흘【슌】諺【쥰】深也, 瀹也, 通川. 幽深, 濬哲.)
>
> 조(燥): 물을【소】언음(諺音)은 【조】이다. 마르다[乾]. 녹이다[爍].(물을【소】諺【조】乾也, 爍也.)
>
> 곽(霍): 확산【확】언음(諺音)은 【곽】이다. 곽산(霍山)을 뜻하며, 남악(南岳)을 의미하기도 한다. 또 빠른 모양을 나타내기도 하는데, 휘곽(揮霍)이라고 표현한다.(확산【확】諺【곽】霍山, 亦南岳. 又疾兒, 揮霍.)

(3) 속음(俗音)

한자에 독음을 표시하면서, 속음도 같이 표시하였다. 『전운옥편』을 예로 들어보자.

> 자(煮): 【져】속음(俗音)은 【쟈】이다. 삶다[烹]는 뜻이다. 자조(煮棗)라는 지명을 나타낸다. 어(語)운이다. 자(鬻)와 같다.(【져】俗【쟈】烹也. 地名, 煮棗. (語). 鬻同.)

저(抯): 【쟈】속음(俗音)은 【져】이다. 건저 내다[擄取]는 뜻이다. 마(馬)운이다.
([쟈]俗【져】擄取. (馬).)

저(她): 【쟈】속음(俗音)은 【져】이다. 장녀(長女)를 뜻한다. 마(馬)운이다. 저(姐)와
같다.([쟈]俗【져】長女. (馬). 姐同.)

저(姐): 【쟈】속음(俗音)은 【져】이다. 맏누이[女兄]. 교만하다[慢]. 마(馬)운이다.
자(姊)와 통한다.([쟈]俗【져】女兄, 慢也. (馬). 姊通.)

당(撞): 【장】속음(俗音)은 【당】이다. 치다[擊]. 찌르다[擣]. 강(江)운이다. 강(絳)운
이다.([장]俗【당】擊也, 擣也. (江). (絳).)

당(戇): 【장】속음(俗音)은 【당】이다. 어리석다[愚]. 강(絳)운이다.([장]俗【당】愚也.
(絳).)

당(幢): 【장】속음(俗音)은 【당】이다. 깃발에 속한다. 기[麾]. 수레의 덮개[車轊].
깃의 [늘어진] 모양을 나타내는데, 동동[幢幢]이라고 표현한다. 강(江)운이다.
([장]俗【당】旋旗屬, 麾也, 車轊 羽貌, 幢幢. (江).)

차(劄): 【잡】속음(俗音)은 【차】이다. 상소문으로 알리는 것을 말한다. 표(表)도
아니고 장(狀)도 아닌데, 차자(劄子)라고 부르기도 한다. 또 기록하다[錄]는
뜻이 있다. 흡(洽)운이다.([잡]俗【차】牋劄, 以奏事, 非表非狀, 劄子. 又錄也.
(洽).)

탄(綻): 【잔】속음(俗音)은 【탄】이다. 옷에 해어진 곳을 꿰매다는 뜻이다. 간(諫)
운이다. 탄(綻)과 통한다.([잔]俗【탄】衣縫解. (諫). 綻通.)

탄(綻): 【잔】속음(俗音)은 【탄】이다. 옷에 해어진 곳을 꿰매다는 뜻이다. 간(諫)
운이다. 탄(綻)·탄(組)과 같다. 【던】뜻이 같다. 산(霰)운이다.([잔]俗【탄】衣縫
解. (諫). 綻組同.【던】義同. (霰).)

탄(組): 【잔】속음(俗音)은 【탄】이다. 꿰매다[補縫]는 뜻이다. 간(諫)운이다. 탄(綻)
과 같다.([잔]俗【탄】補縫. (諫). 綻同.)

기(沂): 【의】속음(俗音)은 【긔】이다. 노(魯)의 남쪽에 있는 물의 이름이고, 청주
(靑州)에 있는 산의 이름이다. 초지(楚地)를 말한다. 미(微)운이다.([의]俗【긔】
魯南水名, 靑州山名, 楚地. (微).)

승(蠅): 【응】속음(俗音)은 【승】이다. 냄새를 쫓아 날아다니는 곤충을 말한다. 복
잡한 색을 띠고 있는 것은 금파리[靑蠅]이다. 복잡한 소리를 내는 것은 쉬파
리[蒼蠅]이다. 증(蒸)운이다.([응]俗【승】逐臭飛蟲. 亂色, 靑蠅. 亂聲, 蒼蠅.
(蒸).)

습(熠): 【읍】속음(俗音)은 【습】이다. 환하다[盛光]는 뜻이다. 깃털의 모양을 나타
내는데, 습습(熠熠)으로 표현한다. 반딧불이 반짝거리는 것을 습습(熠燿)으로
표현한다. 집(緝)운이다.(빈낟【읍】諺【습】盛光. 羽皃. 熠熠. 螢火. 熠燿. (緝).)

흘(仡): 【을】속음(俗音)은 【흘】이다. 씩씩하고 날랜[壯勇] 모양을 나타내는데, 흘
흘(仡仡)이라고 표현한다. 물(物)운이다.(【을】俗【흘】壯勇. 仡仡. (物).)

흘(屹): 【을】속음(俗音)은 【흘】이다. 산의 모습을 나타내는데, 흘졸(屹崒)이라고
표현한다. 물(物)운이다.(【을】俗【흘】山貌. 屹崒. (物).)

흘(疙): 【을】속음(俗音)은 【흘】이다. 쥐부스럼[頭瘡]. 어리석은 모양. 물(物)운이
다.(【을】俗【흘】頭瘡, 癡貌. (物).)

륭(烿): 【융】속음(俗音)은 【륭】이다. 불기운을 말한다. 동(東)운이다.(【융】俗【륭】
火氣. (東).)

융(肜): 【융】속음(俗音)은 【륭】이다. 역(繹)을 나타내며, 이는 상(商)나라 때 제사
의 이름이다. 동(東)운이다.(【융】俗【륭】繹也. 商祭名.(東).)

융(瀜): 【융】속음(俗音)은 【륭】이다. 물이 깊고 넓다[水深]. 물이 우충충하다[沖
瀜]. 동(東)운이다.(【융】俗【륭】水深, 沖瀜 (東).)

(4) 중국어의 속음

'한속음모(漢俗音某)'라는 식의 표현은 한국한문자전에서는 많이 보이지
않는다. 이때, '모(某)'는 한글이다. 『훈몽자회』에서는 아래의 예문과 같이 하
나만 존재한다.

잠(簪): 빈혀【좀】예복용(禮服用). 중국어 속음은 【잔】으로, 잠자(簪子)라고 쓴다.
(簪, 빈혀【좀】禮服用. 漢俗音【잔】, 簪子.)

(5) '국음(國音)' 또는 '본국음(本國音)'

한국한문자전에서 '국음(國音)' 또는 '본국음(本國音)'은 많이 보이지 않는
다. 『훈몽자회』를 예로 들어보자.

측(厠): :뒷·간【·츠】국음(國音)은 【·측】이다. 세속에서는 측옥(厠屋)이라고 부른

다. 또 침상의 주위를 나타내기도 한다. 또 섞이다는 뜻이 있다.(:뒷·간【·츠】
國音【·측】俗呼厠屋. 又茅厠. 又間雜也.)

겸(鎌): ·낟【렴】국음(國音)은 【겸】이다. 세속에서는 겸도(鎌刀)라고 부른다.(·낟
【렴】國音【겸】, 俗呼鎌刀.)

학(貉): 우슭·【학】본국음(本國音)은 【락】이다. 세속에서는 산달(山獺)이라고 부
른다. 또 수학자(睡貉子)라고도 부른다.(우슭·【학】本國音【락】. 俗呼山獺. 又
呼睡貉子.)

결론적으로, 한국한문자전에서 보이는 음항(音項)의 특징은 다음과 같다.
단음항(單音項)을 위주로 하며, 다음항(多音項)에서는 한자의 주된 음항 이후
에 다시 한 개의 음항을 주로 표시한다. 가끔 세 개의 음항이 나타나기도
한다. 『자류주석』을 예로 들어보자.

회(澮): 도랑【괴】. 우음(又音)은 【쾌】이고 언음(諺音)은 【회】이다. 우물과 시내,
밭도랑이라는 뜻이다.(도랑【괴】. 又【쾌】諺【회】井溝, 畎澮.)

4개 이상의 음항을 가진 경우는 보기 힘들다.

3. 정음(正音)

음성학의 관점에서 '정음(正音)'은 대체로 3가지의 의미를 포함한다. 첫
째, 글자의 본음(本音)이다. 가차음 및 전주음과는 구별된다. 송(宋)나라의 왕
당(王讜)은 『당어림(唐語林)·문학(文學)』에서 "글의 어려움은 구두와 내용에
만 있는 게 아니라, 글자의 정음(正音)과 가차음[借音]을 아는 것에도 있다.(
書之難, 不唯句度義理, 兼在知字之正音、借音.)"라고 말했고, 청(淸)나라 전대
흔(錢大昕)은 『답문구(答問九)』에서 이렇게 말했다. "무릇 글자에는 정음(正
音)과 전음(轉音)이 있다. '근(近)'은 근(斤)으로 구성되어 있으니, 마땅히 기
(其)와 은(隱)의 반절로써 정음을 삼아야 한다. 기(幾)와 같이 읽는 것은 전
음(轉音)으로, 정음(正音) 아니다.(凡字有正音有轉音, '近'既從斤, 當以其隱切爲
正, 其讀如幾者, 轉音, 非正音也.)" 둘째, 표준음을 말한다. 청(淸)나라의 후방

역(侯方域)은 『서작림장위전(徐作霖張謂傳)』에서 "(장위는) 혀가 짧고, 표준음[正音]을 모른다.([張謂]舌短, 無正音.)"라고 말했다. 셋째, 말소리를 교정하는 것을 나타낸다. 『남사(南史)·호해지전(胡諧之傳)』에는 "황제께서……호해지 집안사람들이 혜어(傒語)9)를 구사해 독음(音)이 부정확하였기에, 궁(宮) 안의 4~5명을 호해지의 집에 보내어 자녀들에게 말을 가르치게 하였다. 2년 후, 황제가 '그대 집안의 발음은 이미 고쳐졌는가?'라고 물었다. 호해지가 '궁인(宮人)은 적고, 저희 집안의 사람들은 많아, 발음이 교정되지 않았을 뿐 아니라 결국엔 궁인(宮人)들이 혜어(傒語)를 하게 되었습니다.'라고 대답했다. (上……以諧之家人語傒音不正, 乃遣宮内四五人往諧之家教子女語. 二年後, 帝問曰: '卿家人語音已正未?' 諧之答曰: '宮人少, 臣家人多, 非惟不能得正音, 遂使宮人頓成傒語.')"라는 구절이 있다. 또 청(淸)나라의 이어(李漁)는 『한정우기(閒情偶寄)·성용(聲容)·습기(習技)』에서 "말소리를 어떻게 교정하면 되는가? 그것이 생긴 지역을 살펴서 향토(鄉土)의 말을 금지하고, 중원(中原)의 정음을 가지고 교정하면 된다.(正音維何? 察其所生之地, 禁爲鄉土之言, 使歸中原音韻之正者是已.)"라고 말했다.

'정음(正音)'은 『훈몽자회』에서 비로소 보인다.

휴(畦): 이·랑【규】세속에서는 채소밭[菜田]을 가리키는데, 채휴(菜畦)라고 말한다. 정음(正音)은 해(奚)이다.(이·랑【규】俗指菜田, 曰菜畦. 正音奚.)

길(苦): 도·랏【·길】정음(正音)은【결】이다.(도·랏【·길】正音【결】.)

묘(貓): 괴【묘】정음(正音)은 모(毛)이다.(:괴【묘】正音毛.)

이(弛): 활브·리·울【:이】정음(正音)은 시(始)이다.(활브·리·울【:이】正音始.)

료(轑): ·살【:료】정음(正音)은 로(老)이다.(·살【:료】正音老.)

향(餉): 이바·돌【:향】들로 음식을 보낸다는 뜻이다. 정음(正音)은【샹】이다.(이바·돌【:향】野饋. 正音【샹】.)

엽(饁): 이바·돌【·녑】밭에서 먹는 새참[餉田]을 말한다. 정음(正音)은 업(業)·엽(葉)이다.(이바·돌【·녑】餉田. 正音業、葉.)

---

9) (역주) 傒語는 南朝 사람들이 江西의 九江과 豫章 일대 사람들의 방언을 부르던 말이다. 즉 오늘날의 贛語로 한어의 7대 방언의 하나인 감방언에 해당한다. 주로 강서성 대부분 지역과 호남성 동부, 안휘성 서남부 지역에 분포하였으며, 사용 인구는 5,148만 명 정도로 알려져 있다.

전(羶): 노•릴【전】양의 누린내[羊臭]를 말한다. 정음(正音)은 선(鮮)이다.(노•릴
【전】羊臭. 正音鮮.)

알(訐): 허•믈니롤【•알】정음(正音)은 【•결】이다. 다른 사람의 숨겨진 허물을 공
격적으로 들추어 내다는 뜻이다.(허•믈니롤【•알】正音【•결】. 攻發人陰私之過.)

항(伉): 굴•올【:항】정음(正音)은 항(抗)이다.(굴•올【:항】正音抗.)

『전운옥편』과 『자류주석』 등의 자전에서는 '정(正)+언음(諺音)'의 형식을
사용하였다. 아래의 예문은 『전운옥편』에서 발췌하였다.

잔(剗): 【찬】정음【잔】깎다[削]. 평평하게 하다[平]. 산(潛)운이다.(【찬】正【잔】削也,
平也. (潛).)

산(剷): 【찬】정음【산】덜어서 깎는다는 뜻이다. 산(潛)운이다. 잔(剗)과 같고, 산(鏟)
과 통한다.(【찬】正【산】損削也. (潛). 剗同. 鏟通)

기(劾): 【괴】정음【기】심하게 피곤하다[疲極]는 뜻으로, 조기(彫劾)와 로기(勞劾)
라고 표현한다. 치(眞)운이다.(【괴】正【기】疲極. 彫劾, 勞劾. (眞).)

방(厐): 【망】정음【방】두텁다[厚]. 크다[大]. 강(江)운이다. 방(尨)과 통한다.(【망】正
【방】厚也, 大也. (江). 尨通)

사(咋): 【자】정음【사】잠깐[暫]이라는 뜻이다. 마(禡)운이다. 【칙】큰소리[大聲]. 먹
다[噉]. 【식】씹다[嚙]. 맥(陌)운이다.(【자】正【사】暫也. (禡). 【칙】大聲, 噉也.
【식】嚙也. (陌).)

방(哤): 【망】정음【방】난잡한 말. 난잡한 모양을 나타낸다. 강(江)운이다.(【망】正
【방】雜語, 亂貌. (江).)

아래의 예문은 『자류주석』에서 발췌하였다.

준(浚): 깁흘【슌】정음【쥰】깊다[深]. (쌀을)일다[淘]. 준(濬)과 같다.(깁흘【슌】正
【쥰】深也, 淘也. 仝濬.)

소(炤): 밝을【죠】정음【쇼】소(昭)와 같다. 밝다[明]는 뜻이다. 또 조(照)와 같이,
비치다[光]는 뜻이 있다. 또 반딧불[螢火]을 나타내는데, 달리 소(熠)라고도
부른다. 또 【쟉】이라는 음으로, 밝다[明]는 뜻을 나타낸다.(밝을【죠】正【쇼】소
昭. 明也. 又仝照, 光也. 又螢火, 一名熠. 又【쟉】明也.)

픽(煏): 쏘일【벽】정음【픽】픽(煏)과 같다. 불에 말리다[火乾]는 뜻이다.(쏘일【벽】正【픽】煏仝. 火乾.)

륜(崘): 곤륜【론】정음【륜】륜(崘)과 같다. 곤륜(崑崘)은 높이가 2500리이다.(곤륜【론】正【륜】崘仝. 崑崘, 高二千五百里.)

숭(崇): 놉흘【종】정음【슝】숭(崈)과 같다. 예주(澧州)의 숭산(崇山)을 말한다. 존중하다[尊]. 공경하다[敬]. 이루다[就].(놉흘【종】正【슝】崈仝. 澧州山, 尊也, 敬也, 就也.)

준(峻): 놉흘【슌】정음【쥰】제(峜)·준(埈)과 같다. 높다[高]. 크다[大]. 가파르다[峭].(놉흘【슌】正【쥰】峜、埈仝. 高也, 大也, 峭也.)

증(嶒): 릉층【증】정음【층】산세가 높고 험한 것[崚嶒]을 말한다.(릉층【증】正【층】崚嶒.)

조(洮): 도슈【도】정음【됴】롱서(隴西)에서 나와, 황하(河)로 들어가는 강 이름을 말한다. 씻다[盥]는 뜻이다. 조태(洮汰)는 세탁(洗濯)과 같은 의미이다.(도슈【도】正【됴】出隴西, 入河. 盥也. 洗濯, 洮汰.)

지금까지의 연구를 통해, 우리는 상술한 '정음(正音)' 또는 '정(正)+언음(諺音)'이라는 것이 모두 그 당시 중국의 표준음이라고 본다.

한자는 예부터 지금까지 올림자의 독음이 다른 상황들이 있었으며, 한국으로 확장된 한자의 독음에도 마찬가지로 차이가 났다. 자전이라는 것은 경전의 의미로 명명된 것이므로, 당연히 규범의 기능을 가지고 있어야 하며, 음항을 확립하는 기준은 규범적인 독음이 근거가 되어야 한다. 한국한문자전의 편찬자들은 이 문제에 대해 일찍부터 주의를 하고 있었다. 자음(字音)을 정할 때에, 『자류주석』은 매우 많은 운서(韻書)들을 참고하였으며, 총론(總論)부분에 다음과 같이 기록하였다. "세종대왕 때의 『사성통고(四聲通考)』가 가장 오래되었고 가장 정확하다. 세상에 전해지지 않는 것은 명산이 숨겼기 때문인 것인가? 근세에 나온 것으로는 『화동정음(華東正音)』과 『삼운성휘(三韻聲彙)』만 있다가, 정조시기에 『규장전운』이 반포되어, 모두 이것을 사용하고 있다. 『규장전운』이 반포되었을 때, 『전운옥편』도 반포되었는데, 이때 『옥편(玉篇)』이라는 명칭은 중국 양(梁)나라 고야왕(顧野王)의 저서명을 따 온 것으로, 역시 운서에서 빼놓을 수 없는 것이다."10) 이를 통해 자음(字音)을 확정하기 위하여, 『자류주석』이 참고한 문헌으로 『화동정음통석운고

(華東正音通釋韻考)』,『삼운성휘』,『규장전운』,『전운옥편』 등이 있음을 알 수 있다. 일반적으로 언음(諺音), 속음(俗音), 정음(正音) 등으로 명확하게 표시하기가 쉽지 않다. 그중에서 언음(諺音)과 속음(俗音)은 조선에서 사용하던 독음을 나타낸 것이고, 정음(正音)은 중국음으로, 당시 중국의 규범적인 독음을 말한다. 이것들이 자전 편찬자들이 음을 정하는 기준이었다.

제3절 자음 해석의 용어

우리는 발음부위와 방법 및 성조를 가지고 한국한문자전에서 자음 해석의 용어를 귀납하였다.

1. 칠음(七音)

칠음은 궁(宮)·상(商)·각(角)·치(徵)·우(羽)·변궁(變宮)·변치(變徵)를 말한다. 송원(宋元) 시기의 등운(等韻)학자들은 수온자모(守溫字母)에 근거하여, 순음(脣音)·설음(舌音)·치음(齒音)·아음(牙音)·후음(喉音) 외에 또 반설음(半舌音)과 반치음(半齒音)을 더해 칠음이라고 불렀다. 예를 들어, 송대(宋代)에 정초(鄭樵)가 『칠음략(七音略)』을 편찬할 때, 칠음으로 분류한 등운도(等韻圖)를 만들었다. 그중에서 치음(齒音)은 치두(齒頭)와 정치(正齒)로 나누었고, 설음(舌音)은 설두(舌頭)와 설상(舌上)으로 나누었으며, 순음(脣音)은 중순(重脣)과 경순(輕脣)으로 나누었다. 이러한 분류는 여러 운서에서 지속적으로 사용되면서 일반화되었기에, 완전히 합리적이지 않다 해도, 한국한문자전에서 항상 한자의 발음을 기술하는 데 사용하였다. 『제오유』에서는 반설음(半舌音)을 제외한 나머지 여섯 개의 음이 표시되어 있다.

아래의 예문들은 전부 『제오유』에서 발췌하였다.

---

10) (역주) 世宗時『四聲通考』最古最正. 而世無傳者, 名山之藏或有是歟? 近世所行『華東正音』『三韻聲彙』, 而正廟時頒行『奎章全韻』, 今皆用此. 『全韻』頒行時並頒『全韻玉篇』, 『玉篇』起於梁時顧野王著, 亦韻書之不可關者.

(1) 아음(牙音)

아(丫): 갈라진 끝을 말한다. 상형(象形)이다. 예를 들어, 아형(牙形)과 아음(牙音)이 있다.(歧頭. 象形. 如牙形, 牙音.)

하(呀): 입을 벌린다는 뜻이다. 구(口)가 의미부이고, 아(牙)가 소리부이다.(張口. 從口. 牙音.)

금(今): 고(古)의 대응이다. 집(亼)으로 구성되어 있는데, 이는 고대의 집(集)자이다. 亅으로 구성되어 있는데, 이는 고대의 복(及)자이다. 고금(古今)을 모아서 얘기해보면, 이미 지나간 것은 고(古)가 되며, 도달하여 미치는 것은 금(今)이 된다. 독음이 급(及)이며, 아음(牙音)이다.(古之對. 從亼, 古集字; 從亅, 古及字. 集古今而言之, 則已往爲古, 逮及爲今. 及音, 俱是牙音.)

겁(劫): 강제로 취하다는 뜻이다. 대개 힘으로 위협해서 취하는 것을 말한다. 독음이 거(去)이며, 아음(牙音)이다. 또한 겁(刦)이라고도 쓴다. 세속에서는 겁(刧)이라고 쓰는데, 틀렸다.(强取. 蓋以力脅取. 去音, 俱是牙音. 亦作刦. 俗作刧, 非.)

구(咎): 허물[愆]. 여러 가지 위반[各違]. 사람이 하늘과 어긋남을 말한다. 독음이 각(各)이며, 아음(牙音)이다. 뜻도 겸한다.(愆也, 各違也. 人與天違. 各音, 俱是牙音, 兼意.)

(2) 설음(舌音)

하나의 예만 보인다.

旦: 해[日]가 나오기 시작한다는 뜻이다. 일(一)은 땅[地]을 말하는데, 해[日]가 땅 위로 나오는 것을 의미한다. 회의(會意)이다. 독음이 지(地)이며, 설음(舌音)이다.(旦: 日始出也. 一, 地也, 日出地上, 會意. 地音, 俱是舌音.)

(3) 순음(脣音)

파(厎): 파(派)의 본자(本字)이다. 나뉘어 흐르는 것을 나타낸다. 영(永)과 상반되는데, 영(永)은 물이 길게 흐르는 것을 나타내기 때문이다. 긴 흐름과 상반되게, 나누어 흐른다는 의미를 지닌다. 나뉘어지므로, 독음이 파(播)이며, 순음(脣音)이다. 회의(會意)이다.(派本字. 分流也. 與永相反, 永, 水之長流也, 與長流相反, 別流之義. 分播, 故播音, 俱是脣音. 會意.)

비(丕): 크다[大]는 뜻이다. 대(大)의 생략된 모습으로 구성되어 있다. 독음이 불(不)이며, 순음(脣音)이다.(大也. 從大省. 不音, 俱是脣音.)

부(仆): 넘어지다[僵]는 뜻이다. 인(人)이 의미부이고, 복(卜)이 소리부이다. 순음(脣音)이다.(僵也. 人義. 卜音, 俱是脣音.)

매(勱): 힘쓰다[勉]는 뜻이다. 력(力)이 의미부이고, 만(萬)이 소리부이다. 순음(脣音)이다.(勉也. 從力. 萬音, 俱是脣音.)

필(匹): 넉장[四丈]. 넉장[四丈]은 팔단(八端)이기에, 팔(八)로 구성되어 있다. 혜(匸)는 비단 다섯 필을 각각 양끝을 마주 말아서 한 데 묶은[束帛] 형상을 본떴다. 팔(八)은 사단(四端)이 각각 그 모서리가 되므로, 배필(配匹)의 필(匹)이 된다. 독음이 팔(八)이며, 순음(脣音)이다.(四丈. 四丈爲八端, 故從八. 匸象束帛形. 八者, 四端各爲其偶, 故爲配匹之匹. 八音, 俱是脣音.)

반(反): 뒤집다[履]는 뜻이다. 엄(厂)은 정해진 모습이 없다는 뜻인데, 이랬다저랬다 하는 것 중 손 만한 것이 없다. 그래서 [손을 뜻하는] 우(又)로 구성되었으며, 회의(會意)이다. 독음이 부(復)이며, 순음(脣音)이다.(履也. 厂無定形, 反復莫如手. 從又, 會意. 復音, 俱是脣音.)

부(否): 그렇지 않다는 뜻이다. 불가(不可)하다는 의미로, 언(言)에 나타나 있다. 독음이 부(不)이며, 순음(脣音)이다.(不然. 不可之意, 見於言. 不音, 俱是脣音.)

미(微): 미묘(微妙)하다는 의미이다. 행(行)의 생략된 형태와 단(耑)의 생략된 형태로 구성되어 있으며, 그 아래에 있는 인(儿)자는 인(人)을 의미한다. 또 문(文)으로 구성되어 있는데, 사람이 일을 행함에 있어, 그 일의 시작이 있는 곳이 미(微)가 되므로, 독음이 문(文)이다. 또 복(攴)으로 구성되어 있기에, 독음이 복(攴)이며, 순음(脣音)이다.(微妙也. 從行省, 從耑(古端字)省, 其下儿, 人也. 又從文, 人之行事, 其事耑之所在爲微, 文音. 亦從攴, 攴音, 俱是脣音.)

편(扁): 문호(門戶)의 봉서(封署)를 말한다. 호(戶)와 책(冊)으로 구성되어 있다. 책서(冊署)는 문호(門戶)에 쓴 글이므로, 그 형체가 협소하다. 곁이나 옆이라는 뜻도 추측 가능하다. 봉서(封署)이므로 독음이 봉(封)이며, 순음(脣音)이다.(門戶封署也. 從戶, 從冊. 冊署, 門戶之文也, 其形陜小, 側也之義類推. 封署,

故封音, 俱是脣音.)

무(无): 고대의 무(無)자이다. 『주역(周易)』에서 무(無)는 모두 무(无)로 써졌다. 천(天)자는 서북쪽에서 획이 구부러져 펴지 못하니, 천(天)에 서북이 부족한 형상이다. 이것이 무(无)자의 의미이다. 무(亾)와 통하고, 순음(脣音)이다. 무(譕)을 가지고 말해보면, 없는 것을 가지고 있다고 하나, 실제로는 없는 것이기에, 독음이 무(譕)이다.(古無字. 『周易』無皆作无. 天字西北邊, 畫曲而不伸, 天不足西北, 此爲无字之義. 與亾通, 俱是脣音. 譕之爲言, 以無爲有, 其實無, 故譕音.)

풍(風): 대자연이 부는 기운을 말한다. 이슬[露]과 바람[風]은 곤충을 살 수 있게 해주기에, 충(虫)과 범(凡)으로 구성되어 있다. 독음이 범(凡)이며, 순음(脣音) 이다. 명성(名聲)도 풍(風)이라고 말할 수 있음을 알 수 있다. 풍속(風俗)의 풍(風)은 풍기(風氣)와 서로 통한다. 마우(馬牛)의 풍(風)과는 그 성질이 서로 다르며, 과거에는 꾀어 사귄다는 의미였다. 풍(諷)과 통한다.(大塊之噓氣. 露 風則生蟲, 故從虫, 從凡. 凡音, 俱是脣音. 名聲亦謂之風, 類推. 風俗之風, 風氣 之相通也; 馬牛之風, 以其性相遠而過去誘接之義也. 與諷通.)

마(麻): 삼[枲]. 나무와 나무가 서로 달라, 삼의 줄기를 나누고 껍질을 벗기는 형 상을 그렸다. 사람이 집 아래[广]에서 삼을 가공한다는 의미를 지니고 있으며, 지사(指事)이다. 글자를 구성하는 목(木)은 삼[麻]의 한 쪽[片]을 말한다. 질[品]에 따라 쪽[片]이 되므로, 독음이 품(品)이다. 마(麻)자는 독음이 목(木) 이며, 순음(脣音)이다.(枲也. 木與木不同, 分枲莖剝皮之形. 人在屋下治麻之義, 指事也. 木麻之一片, 隨品作片, 故品音. 麻字木音, 俱是脣音也.)

(4) 치음(齒音)

세(世): 세대[代]를 말한다. 고대에는 세(卅)라고 적었다. 세 개의 십(十)자를 끌 어서 길게 그렸다. 회의(會意)이다. 세월은 물과 같이 흐르는 법, 그래서 독 음이 서(逝: 가다)이며, 치음(齒音)이다.(代也. 古作卅, 從三十而曳長之, 會意. 兖陰水逝, 故逝音, 俱是齒音.)

극(丮): 극(朝)의 본자(本字)이다. 손에 뭔가를 잡고 있는 형상이다. 독음이 지 (持)이며, 치음(齒音)이다.(朝本字. 手有所朝之形. 持音, 俱是齒音也.)

사(乍): 잠깐[暫]이라는 뜻이다. 전서에는 사[乚]라고 적혀있다. 나가고 들어가는

사람이 장애가 있어 잠시 멈춘 것을 말한다. 잠(暫)이기에 독음이 사(些)이
며, 치음(齒音)이다. 중복해서 출현했다.(暫也. 篆作厶, 出厶之人, 有碍則暫止.
暫, 故些音, 俱是齒音. 重出.)

작(作): 만들다[造]는 뜻이다. 인(人)이 의미부이고, 사(乍)가 소리부이다. 치음(齒
音)이다. 행하다[行]와 시작[始]이라는 의미도 유추할 수 있다.(造也. 人義. 乍
音, 俱是齒音. 行也、始也之義類推.)

쉬(倅): 버금[副]이라는 뜻이다. 인(人)이 의미부이고, 졸(卒)이 소리부이다. 치음
(齒音)이다.(副也. 人義. 卒音, 俱是齒音.)

차(借): 빌리다[假]는 뜻이다. 인(人)이 의미부이고, 석(昔)이 소리부이다. 치음(齒
音)이다.(假也. 人義. 昔音, 俱是齒音.)

조(兆): 거북점을 말한다. 거북의 등딱지에서 갈라진 무늬이다. 그 이치가 무궁
하므로, 억조(億兆)의 조(兆)가 되었다. 여러 가지 일을 밝힐 수 있으므로, 독
음이 징(徵)이다. 치음(齒音)이다.(龜兆. 象龜坼之紋. 其理無窮, 故爲億兆之兆.
庶事可徵, 故徵音, 俱是齒音.)

(5) 후음(喉音)

하나의 예만 보인다.

이(伊): 오로지[維]. 인(人)이 의미부이고, 윤(尹)이 소리부이다. 후음(喉音)이다.
(維也. 人義, 尹音, 俱是喉音也.)

(6) 반치음(半齒音)

하나의 예만 보인다.

이(耳): 신후(腎侯). 상형(象形)이다. 외형은 바퀴의 모습이고, 한 점은 귀걸이를
상징한다. 이이(耳耳: 쭉 벋은 모양)의 이(耳)는 그 형상이 긴 것을 말하는데, 유
추가 가능하다. 이손(耳孫)의 이(耳)는 세대가 먼 자손[遠孫]을 말한다. 그러므
로 귀는 듣는 기관일 뿐인데도, 귀를 잡는 것은 회맹(會盟)을 하면서 피를 마실
때, 맹주가 그것을 잡던 풍속을 반영하였다. 이른바 소이(牛耳)라는 것은, 소는

우둔한 가축인데다가 말을 잘 듣지 않기 때문이다. 소에 있는 구멍을 귀라고
하지만 귀가 아니다. 용의 귀도 마찬가지다. 이(已)와 통하며, 어기사[語辭]이다.
이때는 가차이다. 눈으로 본다는 것[視]은 눈[目]에 스스로 들어와[內] 사물에
기탁하는 것이다 귀[耳]로 듣는다는 것[聲]은 소리[聲]가 바깥[外]에서부터 귀로
들어는 것이다. 그래서 독음이 입(入)이다. 반치음(半齒音)이다.(腎侯. 象形. 外
象輪鄙, 一點, 耳珠也. 耳耳之耳, 其形長, 類推; 耳孫之耳, 遠孫. 故但耳聞, 朝耳
者, 會盟歃血之際, 盟主朝之俚. 所謂牛耳, 牛鈍畜且無耳, 竅雖耳而非耳, 龍之耳
亦然. 與已通, 爲語辭, 此則假借也. 目之視, 目自內而寓於物; 耳之聲, 聲自外而
入於耳. 故入音, 俱是半齒音也.)

2. 청탁(清濁)

청탁(清濁)은 소리의 청성(清聲)과 탁성(濁聲)을 말한다. 북제(北齊)시기의
안지추(顏之推)는 『안씨가훈(顏氏家訓)·음사(音辭)』에서 "옛날의 말은 지금과
다르다. 그 사이에는 경(輕)·중(重)과 청(清)·탁(濁)이 존재하지만, 아직 잘 알
수 없는 부분이다.(而古語與今殊別, 其間輕重清濁, 猶未可曉.)"라고 했고, 당
(唐)나라의 소악(蘇鶚)은 『소씨연의(蘇氏演義)』상권에서 "육법언(陸法言)이 『
절운(切韻)』을 지었는데, 당시의 사람들은 운(韻)의 청탁(清濁)을 잘 알지 못
해 모두 육법언을 오(吳)나라 사람으로 여겼고, [『절운』에 실린 음을] 오음
(吳音)으로 보았다.(陸法言著『切韻』, 時俗不曉其韻之清濁, 皆以法言爲吳人, 而
爲吳音也.)"라고 했다.
아래의 예문들은 전부 『제오유』에서 발췌하였다.

(1) 차청(次清)

향(亨): 고대의 형(亨)자이다. 위아래의 감정이 잘 통한다는 뜻이다. 전서에는
墓이라고 썼다. 양(羊)은 맛있는 음식으로, 가득히 그릇에 담겨있는 것을 말
한다. 그걸 바치고 나서 입에 넣는데, 감정이 서로 통하여 여기에 잘못이 없
음을 나타낸다. 음식[饋]은 불로 삶기 때문에 형통(亨通)의 의미로 많이 사용
되었다. 그러므로 일(一)을 더해 향상(享上)의 향(享)을 썼다. 형(亨)·팽(烹)·형

자(亯)는 한 글자이니, 제사에 올려 흠향한다는 의미라는 것을 알 수 있다. 아래에서 위로 바치는 것을 향(享)이라 하고, 위에서 아래로 하사하는 것을 후(厚)라고 하기에, 전서에는 후(厚)라고 썼는데, 이는 향(享)자를 거꾸로 한 것이다. 이것이 이른바 전주(轉註)라는 것이다. 그런데 향(享)은 지사(指事)이다. 위아래가 서로 바라보는 의미를 지니고 있기에, 독음이 향(鐋)이며, 지사(指事)이다. 형(亨)은 위아래가 골고루 평평하므로, 독음이 평(平)이며, 차청(次淸)이다. 팽(烹)도 차청음(次淸音)이다. 모두 지사(指事)이다. 후(厚)는 무성하고 두텁다는 의미를 가지므로, 독음이 부(皐)이며, 전주(轉註)이다.(古亯字. 上下之情意亨通也. 篆作亯, 羊者, 美饍也, 曰所盛之器也, 奉而獻之入於口, 情意之相通, 無過於此也. 饍, 故加火作烹, 以亨通之義多用; 故加一作亯上之亯, 亯、烹、亨自是一字, 獻祭饗歆之義皆類推. 下之供上爲亯, 故上之賜下爲厚, 篆之厚, 倒亯字, 此所謂轉註. 而亯則指事也. 上下有相鐋之義, 故鐋音. 指事. 亨, 上下均平, 故平音, 俱是次淸也, 烹亦次淸音. 皆指事. 厚從豐厚之義. 皐音, 轉註也.)

경(卿): 공경(公卿)을 말한다. 본래 경(卯)이라고 썼다. 절(卩)과 묘(卪)로 구성되어 있는데, 묘(卪)의 주석에서 보인다. 절주(節奏)는 신하가 임금을 섬긴다는 의미를 가지고 있다. 독음이 향(皀)이며, 차청(次淸)이다.(公卿. 本作卯, 從卩, 從卪, 見卪註. 節奏, 人臣事君之義也. 皀(古香字)音, 俱是次淸也.)

취(吹): 불다[噓]는 뜻이다. 흠(欠)으로 구성되어 있으며, 회의(會意)이다. 독음이 흠(欠)이며, 뜻도 겸한다. 차청(次淸)이다.(噓也. 從欠, 會意. 欠音, 兼意, 俱是次淸.)

후(吼): 소의 소리를 말한다. 구(口)가 의미부이고, 공(孔)이 소리부이다. 차청(次淸)이다.(牛聲. 從口. 孔音, 俱是次淸.)

준(焌): 작게 나아간다는 말이다. 쇠(夂)도 의미부이고 윤(允)도 의미부인데, 윤(允)은 독음도 겸한다. 하나는 차청(次淸)이고, 하나는 불탁(不濁)으로 해성(諧聲)이다. 준(逡)과 같다.(小進也. 從夂, 從允. 允音, 一次淸, 一不濁, 諧聲. 與逡同.)

(2) 전탁(全濁)

걸(偈): 힘쓰는 모양을 말한다. 독음이 갈(曷)이며, 전탁(全濁)이다. 또 석어(釋

語)이다.(用力貌. 曷音, 俱是全濁. 又釋語.)

함(咸): 모두[皆]라는 뜻이다. 술(戌)로 구성되어 있는 것은, 실(悉)자의 의미를 나타내는 것으로, 술(戌)의 주석에 보이며, 회의(會意)이다. 구(口)로 구성되어 있는 것은 대개 사람이 많다는 것을 나타낸다. 여러 가지 물건들을 모두 함(咸)이라고 부를 수 있다. 군(羣)음이며, 전탁(全濁)이다.(皆也. 從戌, 有悉字之義, 見戌註, 會意; 從口, 蓋指人衆也. 羣物皆可曰咸, 羣音, 俱是全濁也.)

강(強): 장성하다(壯盛)는 뜻이다. 충(虫)으로 구성되었는데, 쌀벌레의 이름을 나타낸다. 그리고 홍(弘)이 독음이다. 혹자는 홍(弘)이 독음이 아니라고 주장하지만, [강(強)이나 홍(弘)] 모두 전탁(全濁)의 관계이므로, 독음이 될 수 있다. 다만 장성하다(壯盛)는 의미는 근거를 찾을 수가 없다. 강(彊)과 독음이 같고 의미도 통하므로, 이 의미가 전(轉)하여 생긴 것은 아닐까 생각한다. 강(強)은 미우(米牛)를 뜻하기도 하는데, 미상(米象)이라고도 한다. 아니면 벌레 중에 큰 것을 말한 것일까? 그러나 흑소충(黑小虫)이라고 주석한 것을 보면, 이는 모순된 것이다. 독음이 나온 연유를 살펴보면, 이 글자는 은(厶)으로 구성되어 있는데, 이는 고대의 굉(肱)자로, 이 역시 독음이 될 수 있다. 이 벌레는 다리로 기어 다니는데, 혹 굉(肱)에서 의미를 취한 것은 아닐까? 궁(弓)으로 구성되어 있는데, 궁(弓)도 독음이 될 수 있다. 이리저리 생각을 해 보았지만, 조금 낫다[差勝]·억지로 시키다[勉強]·강건하다[強壯] 등의 의미는 결국 빗나간 것이다. 훗날의 지혜로운 자를 기다려야 할 것 같아, 억지로 해석해 두지는 않는다.(壯盛也. 從虫, 蓋是米蠹之名. 而弘音, 或曰弘非音, 俱是全濁之音, 則亦可以爲音. 而第壯盛之義無所出, 以聲同、通彊而轉生此義耶? 強是米牛, 亦曰米象, 則或是虫中之大者, 而其註曰黑小虫, 此則矛盾. 音之所出, 從厶, 古肱字, 亦此可以爲音. 其虫以腳摩捋, 則或取義於肱耶? 從弓, 弓亦可以爲音. 左右思索, 差勝、勉強、強壯等義終是落空. 夐俟知者, 不敢強解.)

회(褱): 고대의 회(懷)자이다. 생각을 하는 것은 마음[心]이기에, 심(心)을 더했다. 생각은 옷 속에 물건을 감추어 있듯 한다는 의미이다. 독음이 답(眔)이며, 전탁(全濁)이다.(古懷字. 思念者心, 故加心. 思念藏物于衣中, 思念之義也. 眔音, 俱是全濁也.)

(3) 불탁(不濁)

하나의 예만 보인다.

준(夋): 작게 나아간다는 말이다. 쇠(夊)도 의미부이고 윤(允)도 의미부인데, 윤(允)은 독음도 겸한다. 하나는 차청(次淸)이고, 하나는 불탁(不濁)으로 해성(諧聲)이다. 준(逡)과 같다.(小進也. 從夊, 從允. 允音, 一次淸, 一不濁, 諧聲. 與逡同.)

(4) 불청불탁(不淸不濁)

16개의 예문이 있다.

잉(仍): 인하다[因]는 뜻이다. 인(人)이 의미부이고, 내(乃)가 소리부이다. 불청불탁(不淸不濁)이다.(因也. 人義. 乃音, 俱是不淸不濁.)

모(侮): 업신여기다[慢]는 뜻이다. 인(人)이 의미부이고, 매(每)가 소리부이다. 불청불탁(不淸不濁)이다.(慢也. 人義. 每音, 俱是不淸不濁.)

내(內): 외(外)의 대응이다. 밖에서 들어간다는 뜻으로, 회의(會意)이다. 내(內)는 안[裏]이므로, 독음이 리(裏)인데, 불청불탁(不淸不濁)이다.(外之對. 自外而入, 會意. 內是裏, 故裏音, 俱是不淸不濁.)

응(凝): 얼다[冰結]는 뜻이다. 고대에는 빙(冰)자라고 썼는데, 지금은 응(凝)이라고 쓴다. 독음이 의(疑)로, 불청불탁(不淸不濁)이다. 빙(冰)자는 고대에 빙(仌)이라고 썼는데, 빙(冰)의 주석을 참고하라.(冰結也. 古作冰, 今作凝. 疑音, 俱是不淸不濁. 冰古作仌, 見冰註.)

애(厓): 애(崖)·애(涯)와 통한다. 산의 주변이 애(崖)이고, 물가가 애(涯)이다. 애(厓)는 두 사이에 있으면서 둘과 다 통한다. 두 개의 흙[土]이 의미부이다. 독음이 엄(厂)인데, 불청불탁(不淸不濁)이다.(與崖, 涯通. 山邊則崖, 水邊則涯. 厓在兩間, 兩通之, 二土爲義. 厂音, 俱是不淸不濁.)

원(原): 평원(平原)이라는 뜻이다. 엄(厂)과 천(泉)으로 구성된 회의(會意)이다. 독음이 엄(厂)이고, 불청불탁(不淸不濁)이다. 고대에는 원(邍)으로 썼다. 평원은 야인(野人)이 오르는 곳이기 때문에, 착(辵)으로 구성되어 있고, 오르기 때문에, 치(夊)로 구성되어 있으며, 평원이기 때문에, 전(田)으로 구성되어 있다. 단(彖)은 마땅히 독음이 되어야 하는데, 고대에는 뜻이 빠져있다[義闕]라고 설명했다.(平原. 從厂, 從泉. 會意. 厂音, 俱是不淸不濁. 古作邍. 平原之野

人所登處, 故從走; 登, 故從夊; 平原, 故從田. 象宜作音, 而古訓曰義闕.)

려(厲): 추한석(羸悍石)을 말한다. 엄(厂)으로 구성되어 있는 회의(會意)이다. 독
음이 만(萬)이고, 불청불탁(不淸不濁)이다. 만(萬)은 즉 전갈을 말한다. 매섭
다는 의미를 유추해 낼 수 있다.(羸悍石. 從厂, 會意. 萬音, 俱是不淸不濁. 萬
即蜂蠆也. 嚴厲之義類推.)

예(叡): 매우 밝다[濬明]는 뜻이다. 叡로 구성되어 있기에, 叡의 주석을 보면 되
는데, 거기에서 꿰뚫는다는 의미를 취했다. 목(目)으로 구성되어, 밝다는 의
미를 취했다. 곡(谷)의 생략된 부분으로 구성되어, 그 향응(響應)이 다하지
않는데서 의미를 취했다. 성철(聖哲)에 밝으므로, 독음이 명(明)인데, 불청불
탁(不淸不濁)이다. 역시 예(叡)라고도 쓴다.(濬明也. 從叡, 見叡註. 取其穿也;
從目, 取其明也; 從谷省, 取其響應不窮也. 明聖, 故明音, 俱是不淸不濁. 亦作
叡.)

린(吝): 인색하다[悔吝]는 뜻이다. 문(文)과 구(口)로 구성된 회의(會意)이다. 독
음이 문(文)이며, 불청불탁(不淸不濁)이다.(悔吝. 文其口, 會意. 文音, 俱是不
淸不濁.)

요(堯): 흙[土]이 높이 쌓여져 있는 모양이다. 세 개의 흙[土]이 쌓여져 있는 모
습으로, 올(兀)로 구성되어 있는 회의(會意)이다. 독음은 올(兀)이며, 불청불
탁(不淸不濁)이다. 상고시대 당제(唐帝)를 부르는 말인데, 그 덕이 지극히 높
아서 그렇게 불렀을 것이다.(土高貌 三土積纍, 從兀, 會意. 兀音, 俱是不淸不
濁. 唐帝之稱, 蓋其德至高也.)

역(易): 바꾸다[變]는 뜻이다. 일(日)과 월(月)로 구성된 회의(會意)이다. 주역(周
易)의 역(易)으로 그 뜻을 유추할 수 있으며, 난이(難易)의 이(易)이기도 하다.
해[日]와 달[月]은 하루에 한 번 변하므로, 대개 필연적인 이치를 말한다. 난
이(難易)의 이(易)로 그 뜻을 유추할 수 있다. 난이(難易)의 이(易)와 변역(變
易)의 역(易)을 우리나라 사람[東人]들은 두 가지 독음으로 구분한다. 그러나
이 둘 모두 유모(喩母)에 속한다. 글자의 뜻은 바로 이해할 수 있다. 일(日)과
월(月)이 모두 그 소리부가 되며, 불청불탁(不淸不濁)이다.(變也. 從日, 從月,
會意. 周易之易類推. 仍爲難易之易. 日月之一日一變, 蓋必然之理, 爲難易之
易類推. 難易之易、變易之易, 東人雖作二音, 而俱以喩爲母. 字義則一串可解.
日月皆爲其音, 而俱是不淸不濁也.)

류(柳): 버드나무[楊柳]를 뜻한다. 목(木)과 묘(卯)로 구성되어 있으며, 봄의 기운

을 나타내는 나무에서 그 뜻을 취했다. 묘(卯)는 독음이면서 뜻도 겸하고 있으며, 불청불탁(不淸不濁)이다. 묘(卯)의 주석을 보라.(楊柳. 從木, 從卯, 先得春氣之木. 卯音, 兼意, 俱是不淸不濁. 見卯註.)

모(母): 나를 길러 주는 분에 대한 칭호이다. 여(女)의 가운데에 두 점이 있는데, 이는 여자가 아이를 낳고 두 젖이 늘어져 있는 모습이므로, 상형(象形)이다. 땅[坤]은 만물이 생생한 이치가 존재한다. 칭모(穪母)·자모(慈母)·우모(雨母)는 산의 이름이다. 익모(益母)·패모(貝母)·지모(知母)는 풀의 이름이다. 문모(蝥母)·모모(鶷母)는 새의 이름이다. 희모(喜母)는 곤충의 이름이다. 낙모(酪母)는 술의 찌꺼기를 말하고, 운모(雲母)는 사물의 이름이다. 보모(寶母)·장모(瘴母)·귀모(鬼母)는 생식의 의미를 가진다. 물건의 크기를 일러 자모(子母)라 말하고, 무거운 것을 모(母)라고 하고 가벼운 것을 자(子)라 하는 것을 알 수 있다. 젖먹이는 어머니를 원할 수밖에 없기에, 독음이 모(慕)이다. 또 여(女)음이기도 한데, 불청불탁(不淸不濁)이다. 모(母)와는 다르다. ○모구(母丘)와 모장(母將)은 복성(覆姓)으로, 『성씨보찬(姓氏譜纂)』을 보라.(鞠我之稱. 從女中有兩點, 女人生産, 則兩乳垂, 故象形. 坤有萬物生生之理, 穪母、慈母、雨母, 山名. 益母、貝母、知母, 草名. 蝥母、鶷母, 鳥名. 喜母, 蟲名. 酪母, 酒之滓; 雲母, 物之名; 寶母、瘴母、鬼母俱有生殖之義; 凡物之大小曰子母, 重曰母、輕曰子, 皆可類推. 嬰兒所慕, 故慕音. 又是女音, 俱是不淸不濁. 與母不同. ○母丘、母將俱是覆姓, 見于『姓氏譜纂』.)

야(耶): 의문사이다. 사(邪)의 주석을 보라. 이(耳)는 어기사이며, 의(疑)와 같이 불청불탁(不淸不濁)이기에 이(耳)로 구성되어 있는 것이다. 사(邪)음과 가까워 서로 통하는데, 이후에 야(耶)로 썼다. 독음이 이(耳)이다.(疑辭. 見邪註. 耳是語己辭, 且與疑俱是不淸不濁, 故從耳. 與邪音近相通, 之後仍作耶. 耳音.)

약(若): 좇다[順]는 뜻이다. 공(卄)은 두[二]개의 우(又)로 구성되어 있는데, 이는 두 손을 의미한다. 오른손을 역시 우(又)라고 말하는데, 세 개의 손으로 가지런히 든 것인데, 그래서 순종하다는 의미가 된다. 같다[如]는 의미도 이로써 유추할 수 있다. 구혹(苟或: 만약, 혹여)이라는 의미는 여(如)자와 바꿔서 의미를 취한 것이다. 난야(蘭若)와 반야(般若)의 의미는 불경의 지혜를 말한다. 바다 신[海若]의 의미는 바다의 일족이 귀순(歸順)한다는 의미를 담고 있다. 두약(杜若)이라는 이름은 풀에서 따 온 것이다. 여(汝)자의 의미를 보면, 글자는 비록 순종이라는 뜻을 갖고 있지만, 글자를 구성하는 사람[人]과 뽕나

무[棥]는 각자 구분된다. 우(又)의 의미를 보면 또[又]라는 뜻도 있고 또 또
시라는 뜻도 있다. 우(又)의 독음은 불청불탁(不淸不濁)이다.(順也. 廾, 二又,
二手也. 右亦又, 三手齊擧, 是爲順義. 如也之義類推. 苟或之義, 與如字轉相取
義. 蘭若、般若之義, 梵書智慧也. 海若之義, 海族歸順之義耶. 杜若之名, 從草
而得之也. 汝之義, 字雖從順, 人與桑自有彼此之分也. 又之義, 旣又, 而又又轉
生又義. 又音, 俱是不淸不濁也.)

야(邪): 의문사이다. 의(疑)는 정해지지 않은 때를 나타내고, 그 소리는 야(邪)자
와 같은 음을 낸다. 게다가 아(牙)는 의(疑)를 가지고 모(母)를 삼기 때문에,
아(牙)로 구성된 것이다. 이빨[牙齒]은 그 모습이 바르지 않으며, 쇠(衰)음과
가깝기 때문에, 서로 아(牙)자가 다 들어가 있다. 쇠(衰)와 서로 통하며, 바르
지 않다는 뜻을 가지고 있어, 간사(姦邪)의 사(邪)가 되었다. 아(牙)음이며, 불
청불탁(不淸不濁)이다. 간사(姦邪)의 사(邪)는 그 자체가 위모(爲母)이다. 읍
(邑)으로 구성되면 낭야(琅邪)의 야(邪)가 되는데, 마을[郡]의 이름이며, 이후
에 더해진 것이다.(疑辭. 疑未定之時, 其聲之出如讀邪字音. 且牙以疑爲母, 故
從牙. 牙齒其形不正, 且與衰音近, 彼此皆有牙字, 與衰相通, 仍有不正之義. 爲
姦邪之邪. 牙音, 俱是不淸不濁也. 姦邪之邪自爲母. 從邑爲琅邪, 郡名, 後所加
也.)

3. 성조(聲調)

성조(聲調)는 중국어가 가진 특징 중의 하나로써, 소리의 고저, 오르내
림, 장단으로 구성되어 있는데, 고저와 오르내림이 주된 요소이다. 고대 중
국어에는 평성(平聲), 상성(上聲), 거성(去聲), 입성(入聲)이라는 4개의 성조가
존재했는데, 한국한문자전에서도 이와 같은 사성으로 한자의 독음을 기술하
였다. 아래에 『훈몽자회』를 예로 들어 살펴보자.

(1) 평성(平聲)

동(峒): 묏:골【:동】세속에서는 산동(山峒)이라고 부른다. 동(洞)으로 쓰기도 한다.
또 평성(平聲)으로, 공동(崆峒)이라는 산의 이름을 나타낸다.(묏:골【:동】俗稱
山峒. 通作洞. 又平聲, 崆峒, 山名.)

랑(浪): ·믓·결【:랑】큰 물결을 랑(浪)이라고 한다. 또 실없는 말로 희롱하다[謔浪]는 뜻도 있다. 또 평성(平聲)으로, 창랑(滄浪)이라는 물의 이름을 나타낸다.(·믓·결【:랑】大波曰浪. 又謔浪. 又平聲, 滄浪, 水名.)

호(號): 일·훔【:호】또 호령하다(號令)는 뜻을 나타낸다. 또 부르다[召]라는 뜻도 있다. 또 평성(平聲)으로, 소리 내어 울부짖는 것을 나타낸다. 또 큰 소리로 부르다는 뜻도 있다.(일·훔【:호】又號令. 又召也. 又平聲, 號泣. 又大呼也.)

령(令): 긔·걸훌【·령】호령(號令)하다는 뜻이다. 또 관장(官長)이라는 뜻도 있다. 또 평성(平聲)으로, 시키다[使]는 뜻을 나타낸다.(긔·걸훌【·령】號令. 又官長. 又平聲, 使也.)

소(疏): ·글·월【:소】조목별로 써서 윗사람에게 글을 올리다는 뜻이다. 본래 평성(平聲)으로, 소(疎)자를 나타낸다.(·글·월【:소】條陳上書. 本平聲, 疎字.)

장(將): :장·슈【:쟝】또 평성이 있다. 쟝·츠쟝.(:장·슈【:쟝】又平聲. 쟝·츠쟝.)

권(圈): 어·리【·권】또 평성(平聲)으로, 나무를 구부려 만든 술잔을 나타낸다.(어·리【·권】又平聲, 杯圈.)

포(鋪): ·역【·푸】세속에서는 포사(鋪舍)라고 부른다. 또 군푸는 냉포(冷鋪)를 말한다. 또 져·졔는 포행(鋪行)이나 포가(鋪家)를 말한다. 또 평성(平聲)으로, 세우다[設]는 뜻을 나타낸다.(·역【·푸】俗呼鋪舍. 又군푸曰冷鋪. 又져·졔曰鋪行、鋪家. 又平聲, 設也.)

관(觀): 집【·관】도궁(道宮)을 말한다. 또 평성(平聲)이 있다. 볼【·관】은 하권에서 보면 된다.(집【·관】道宮. 又平聲. 볼【·관】見下卷.)

마(磨): ·매【:마】또 숫돌[礪石]이라는 뜻이 있는데, 마석(磨石)이라고 부른다. 또 평성(平聲)으로, 돌을 갈다는 뜻을 나타낸다.(·매【:마】又礪石, 曰磨石. 又平聲, 治石.)

롱(籠): ·롱【·롱】대바구니[箱籠]를 뜻하며, 죽기(竹器)이다. 또 평성(平聲)으로, 삼태기[舉土器]를 말한다. 또 싸서 들다는 뜻이 있다.(·롱【·롱】箱籠, 竹器. 又平聲, 舉土器也. 又包舉也.)

선(旋): 두를【:선】돌다[運]. 회전하다[轉]. 또 평성(平聲)으로, 돌아오다[回]는 뜻을 나타낸다.(두를【:선】運也, 轉也. 又平聲, 回也.)

승(勝): 이·길【:승】승부(勝負)를 뜻한다. 또 뛰어나다는 뜻이 있다. 또 대승(戴勝)이라고 하여 새의 이름을 나타낸다. 또 평성(平聲)으로, 견디다[堪]는 뜻을 나타낸다.(이·길【:승】勝負. 又優過也. 又戴勝, 鳥名. 又平聲, 堪也.)

요(夭): 주·글【:요】젊어서 죽다는 뜻이다. 또 평성(平聲)으로, 요요(夭夭)라고 하여, 젊고 아름다운 모양을 나타낸다.(주·글【:요】少殁. 又平聲, 夭夭, 少好貌.)

예(譽): 기·릴【:예】아름다운 칭호로서, 명예(名譽)를 나타낸다. 또 평성(平聲)으로, 칭찬하다는 뜻을 나타낸다.(기·릴【:예】美稱也, 名譽. 又平聲. 稱美之也.)

악(惡): :모딜【·악】또 거성(去聲)으로, 싫어서 미워하다[厭惡]는 뜻을 나타낸다. 또 평성(平聲)으로, 어찌[何]라는 뜻을 나타낸다.(:모딜【·악】又去聲, 厭惡. 又平聲, 何也.)

(2) 상성(上聲)

정(蜓): 존·자·리【뎡】세속에서는 청정(蜻蜓)이라고 부른다. 또 상성(上聲)이 있다. 벽에 있는 것을 언정(蝘蜓)이라고 부르는데, 바로 도마뱀붙이[蝎虎]를 말한다. 달리 수궁(守宮)이라고도 부른다.(존·자·리【뎡】俗呼蜻蜓. 又上聲. 在壁曰蝘蜓, 即蝎虎, 一名守宮.)

수(溲): 오·좀【수】또 상성(上聲)으로, 가루에 물을 부어 이겨내다는 뜻을 나타낸다.(오·좀【수】又上聲, 水調粉麪.)

병(屛): 편풍【병】또 상성(上聲)으로, 울로 에워싸다는 뜻을 나타낸다. 또 거성(去聲)으로, 제거(除去)하다는 뜻을 나타낸다.(편풍【병】又上聲, 藩蔽也. 又去聲, 除去也.)

격(繳): ·주·살【·쟉】또 상성(上聲)으로, 독음은 교(皎)이며, 옷을 깁다는 뜻을 나타낸다. 이문(吏文)으로 쓰인 말에 "격보(繳報): 마·몰오·다"라는 용례가 보인다.(·주·살【·쟉】又上聲, 音皎, 紩衣也. 吏語繳報마·몰오·다.)

종(種): 시믈【:종】세속에서는 종전(種田)이라고 부른다. 또 상성(上聲)으로, ·삐:종을 나타낸다. 세속에서는 씨를 뿌리는 것을 ·삐쩨·타라고 말한다.(시믈【:종】俗稱種田. 又上聲·삐:종. 俗稱撒種·삐쩨·타.)

제(濟): 거·느·릴【:제】또 :건·닐【:제】라고도 한다. 상성(上聲)이다. 제제(濟濟)는 성한 모양을 나타낸다. 거성(去聲)이다. 건너다[涉]는 뜻을 나타낸다. 일이 끝나다는 뜻을 나타낸다.(거·느·릴【:제】又건·닐【:제】上聲. 濟濟, 盛貌. 去聲. 涉也, 事遂也.)

근(近): 갓가·올【:근】또 상성(上聲)으로, 가까이하다는 뜻을 나타낸다.(갓가·올【:근】又上聲, 近之也.)

(3) 거성(去聲)

하(夏): 녀·름【:하】또 거성(去聲)으로, 크다[大]는 뜻을 나타낸다. 또 중국을 하(夏)라고 부른다.(녀·름【:하】又去聲, 大也. 又中國曰夏.)

만(蔓): 춴무수【만】또 거성(去聲)으로, 덩굴을 나타낸다. 너·출.(춴무수【만】又去聲, 藤蔓. 너·출.)

인(咽): 목쑤무【연】물건을 삼켜 위(胃)까지 이르는 길을 말한다. 또 거성(去聲)으로, 삼키다[嚥]는 뜻을 나타낸다. 우음(又音)이 일(噎)이다. 근심이 심해 기운이 막히는 것을 경인(哽咽)이라고 부른다.(목쑤무【연】呑物至胃之道. 又去聲, 嚥也. 又音噎. 憂甚氣室曰哽咽.)

변(便): 오·좀【편】세속에서는 소변(小便)이라고 말한다. 또 편하다[安]하다는 뜻이 있다. 또 거성(去聲)으로, 마땅히[宜]라는 뜻과 곧[即]이라는 뜻을 나타낸다.(오·좀【편】俗稱小便. 又安也. 又去聲, 宜也, 即也.)

음(飮): 마·실【:음】또 거성(去聲)이 있다. 음료를 마신다는 뜻이 있다.(마·실【:음】又去聲. 以飮飮之也.)

악(樂): 음·악【·악】또 독음이 락(洛)이 있는데, 기쁘다[悅]는 뜻을 나타낸다. 또 거성(去聲)으로, 좋아하다[欲]는 뜻을 나타낸다.(음·악【·악】又音洛, 悅也. 又去聲, 欲也.)

(4) 입성(入聲)

예(霓): ·므지·게【예】수컷을 홍(虹)이라고 하고, 암컷을 예(霓)라고 한다. 또 입성(入聲)으로 ：열'이 있다.(·므지·게【예】雄曰虹, 雌曰霓. 又入聲:열.)

각(覺): ·깰【:교】또 입성(入聲)으로, 알다[知]는 뜻을 나타낸다.(·깰【:교】又入聲, 知也.)

달(疸): 황:닯【:단】또 세속에서는 흘단(疙疸)이라고 부른다. '므답'은 입성(入聲)이다.(황:닯【:단】又俗稱疙疸. 므답入聲.)

사(射): ·쏠【:싸】일반적인 의미로 사용할 때에는 거성(去聲)이고, 쏘다는 뜻은 입성(入聲)이다.(·쏠【:싸】泛言則去聲, 射物則入聲.)

4. 평측(平仄)

평측(平仄)에 관한 예문은 『자류주석』에 겨우 보인다.

총(銃): 뚫울【충】 뚫다[穿], 도끼구멍[銎]이라는 뜻이다. 이 단어에 대해 『자전(字典)』의 주석은 다음과 같다. 독음은 충(充)과 중(仲)의 반절로서, 독음이 총(枞)이다. 총(枞)자의 주석에서 독음이 총(銃)이라고 했는데, 평측성(平仄聲)은 역시 겉으로 드러나지는 않는다. 지금은 조총(鳥銃)으로 가차되어 사용된 지 오래되었으며, 그 독음은 【총】이다.(뚫울【충】穿也, 銎也. 按: 『字典』註如此, 而音充仲切, 音枞. 枞字註音銃, 平仄聲亦不標見. 今俗以鳥銃假借以用已久, 其音則【총】.)

우리의 조사에 따르면, 한국한문자전에서 사용한 자음 해석의 용어는 매우 임의적으로 활용되었다. 예를 들어, '칠음(七音)'과 '청탁(淸濁)'은 『훈몽자회』에서는 드물게 보이고, 사성은 『전운옥편』과 『자류주석』에서 사용되지 않았다. 이는 한자의 독음을 한글로 표시하는 게 널리 사용되면서, 발음방법과 부위 및 성조를 한자로 기술하는 게 조선시대에서는 매우 이해하기 어려웠을 수도 있다. 그러므로 『전운옥편』과 『자류주석』 등과 같은 일반적인 자전에서는 중국의 자음 해석의 용어가 덜 사용되었으나, 『제오유』와 같은 전문적인 자전에서는 그 활용도가 높은 편이었다.

제4절 자음 해석의 특징

1. 한자 독음표시의 한글화

한글자모는 세종대왕과 집현전의 학자들에 의해 만들어졌다. 한글 이전에는 한자로 글을 썼으나, 한자와 한글은 전혀 다른 어족이기 때문에, 왕실의 귀족과 양반 계급들만 한자를 학습하고 사용할 수 있었다. 세종대왕이 한글을 창제한 목적은 문화의 보급과 백성들의 편리한 사용이었으므로, 한글은 간단하고 배우기 쉬웠다. 한글은 10개의 모음과 14개의 보음(輔音)을 포함하고 있으며, 자모(字母)와 음소가 매우 강하게 연결되어 있어, 수많은 음절을 만들 수 있다. 한글의 독창적이고 과학적인 표기는 세계에서 가장 과학적인 서사형식의 하나라고 여겨지고 있다. 그러나 한글이 15세기에 창제되었다 해도, 통치자들이 여전히 한자사용을 선호하였기에, 한글은 20세기가 되어서야 대거 사용되기 시작했다. 그렇지만 『훈몽자회』(1527)에서는 간혹 한글로 한자의 독음을 표시하였고, 이후 『전운옥편』, 『자류주석』, 『자전석요』, 『신자전』 등의 자전에서 계속해서 한글로 한자의 독음을 표시하여, 점차 증가하는 추세를 보였다. 이러한 과정은 한문자전에서 한자를 사용하여 한자의 독음을 표기하는 시대는 지나갔고, 점차 과학적인 방법으로 독음을 표시하는 과정에 들어섰으며, 한문자전의 독음 표시 방법의 향상을 반영하고 있다. 이는 한자를 확장하고 널리 사용하게 하였을 뿐만 아니라, 전 인류의 문화사업에 대한 공헌이기도 하다. 이러한 의미에서 조선시대 한문자전의 편찬자들은 한자를 널리 퍼트린 공신이라고 말할 수 있다.

역사적으로 한자의 독음 표기는 한자, 자모, 한어병음으로 독음을 표시하는 세 가지 단계를 거쳤다. 주음자모(注音字母)와 한어병음이 만들어지기 이전에, 중국의 전통적인 자전에서 사용한 독음 표시 방식은 직음법(直音法)과 반절법(反切法)이었다.

직음(直音)으로 독음을 표시하는 것도 직음법(直音法)이라고 부른다. 이는 "遽(jù)는 독음이 具(jù)이다.(遽音具.)"와 같이, 독음이 같거나 비슷한 독음을 가진 두 개의 한자를 놓고, 그중 한 개의 한자를 사용해서 다른 한자의 독음을 표시하는 것이다. 일반적으로 상용되고 기억되기 쉬운 한자를 사용하여 잘 쓰이지 않는 글자나 기억하기 어려운 글자의 독음을 표시하였다. 직음(直音)으로 독음을 표시하는 방법은 『설문』에서부터 시작되었다. 『설문』은 한(漢)나라 때 출판되었는데, 당시에는 독음을 표시하는 적당한 체계가 없었기 때문에, 독음과 비슷한 글자를 사용하여 이 글자는 어떻게 읽어야만 한다고 설명할 수밖에 없었다. 직음법(直音法)으로 독음을 표시하는 방식에는 '독약(讀若)', '독여모동(讀與某同)', '음모(音某)', '우음(又音)' 등이 있다.

독음을 표시하는 글자들에서 어떤 것은 음이 같고, 어떤 것은 음이 비슷하고, 어떤 것은 반드시 통용된다고 할 수도 없으니, 실제로 완전히 음이 같은 글자는 매우 적었다. 만약 어려운 글자라면 음이 같은 글자가 없었고,

설사 음이 같은 글자라 해도 잘 쓰이지 않는 글자였기 때문에, 이렇게 자음(字音)을 표시하는 것은 매우 어려운 작업이었다. 게다가 동음법(同音法)은 대량의 글자의 독음을 독자가 안다는 전제하에서 가능한 방법이므로, 제약이 상당히 많았다. 현재 『설문』에서 제일 먼저 부딪치는 어려움은 바로 독음이 불분명하다는 점이다. 이는 빈도의 차이만 있을 뿐, 일반 독자뿐만 아니라 전문가들도 느끼는 부분이다.

『설문』은 송(宋)나라의 서현(徐鉉)이 반절(反切)로 독음을 표시하고 나서, 광범위하게 사용되었다. 반절(反切)은 전통성운학이 일정 단계까지 발전한 형태의 독음표시 방법으로, 두 개의 한자를 사용하여 한 글자의 독음을 표시한다. 반절상자(反切上字)는 피반절자의 성모가 되고, 반절하자(反切下字)는 피반절자의 운모와 성조가 된다. 그러나 시간이 흐르면서 소리도 끊임없이 발전하고 변하여, 고대 사람들이 당시의 발음으로 만든 반절을 오늘날 우리가 이해하기란 쉽지 않다. 첫째, 반절(反切)법이 결코 엄밀하지 않은데다 고금의 독음 차이도 상당하여, 일부 반절은 지금 사람들이 상응하는 음가를 전혀 읽어낼 수가 없다. 반절을 한다 해도, 현대중국어의 실제 음과 부합되지 않는다. 둘째, 반절로 표시한 것은 고대음[古音]이지 현대음[今音]이 아니다. 단순하게 반절상자의 현대음 성모와 반절하자의 현대음 운모 및 성조를 합쳐 봐도, 반드시 피반절자의 현대음을 얻을 수 있는 게 아니다. 이보가(李葆嘉)는 『광운금독주음수책(廣韻今讀注音手冊)』에서 "반절로 현대음을 표시하는 데에는 7가지 어려움이 존재한다. 첫째, 반절상·하자에 많이 쓰이지 않는 글자들이 있다면 알 수가 없다는 점이다. 둘째, 반절상자의 설음류(舌音類)는 격음과 순음이 서로 바뀌어 변하지 않는다는 점이다. 셋째, 반절상자의 청탁(淸濁)을 모른다는 점이다. 넷째, 반절하자의 등호(等呼)가 분명하지 않다는 점이다. 다섯째, 입성(入聲)이 평상거(平上去)성에 들어가는 게 일정하지 않다는 점이다. 여섯째, 동일한 반절일지라도 현대음에서 여러 가지 읽는 법이 존재한다는 점이다. 일곱째, 특수하게 음이 변한 게 존재한다는 점이다."[11]라고 했다. 이는 대체로 실제 상황에 부합된다. 중국어에서 음이 변천한 역사를 알지 못하면서, 고대의 반절을 현대의 독음으로 하나하나 정확하게 옮기려는 것은 불가능한 일이다. 『송본옥편』은 주로 반절을 사

---

11) 李葆嘉, 『廣韻反切今音手冊』(上海辭書出版社, 1997).

용하여 독음을 표시하였으며, 가끔 직음(直音)을 사용하기도 했는데, 『설문』의 '모성(某聲: ~가 소리부이다)' 또는 '독약모(讀若某: ~와 같이 읽는다)'와 같은 형식보다 더욱 정확하게 나타낼 수 있었다. 『송본옥편』에서 『강희자전』까지 수많은 자전들이 반절을 사용하여 주로 독음을 표시하였고, 민국(民國)시기의 『사원(辭源)』과 『사해(辭海)』를 편찬할 때도 사용되었다.

"중국문자의 천착과 변천을 살펴보면, 처음에는 그 형상을 가지고 나타내었고, 나아가서는 의미로 나타내었으며, 마지막에는 소리로 나타내었다. 의미부의 영역에서 소리부의 영역으로 넘어간 흔적이 분명히 드러난다. 그러나 안타깝게도 반음부(半音符) 단계에 이르러 길을 잘 못 들어서고 말았다. 그 결과 의미부의 제한에서 완전히 벗어나지 못한 상태에서 규칙이 있는 자모(字母)문자를 형성하게 되었다. 이른바 '글자를 빌려 독음을 표시(借字表音)'하는 방법에는 다음과 같은 문제점이 존재한다. 첫째, 한 글자의 소리로 다른 단어의 소리를 비유하는 것은 절대로 정확할 수가 없다. 둘째, 모든 고유한 문자를 무제한적으로 차용하여 독음을 표시하는 부호로 삼는 것은 경제적이지 못하다. 셋째, 나타내는 언어의 의미와 소리부로 차용되는 문자 자체의 의미가 시간이 지나면서 자주 문제점이 생기고 있다. 넷째, 글자를 만들지 않고 조자를 하는 소극적인 방법으로 반음부(半音符)의 부족한 부분을 메우는 것은 일시적인 방편이 생기게 되었지만, 소극적인 사고로 간단한 것으로 복잡한 것을 대체하려던 정식 음부를 만들려고 했던 것은 더욱 큰 실수였다. 결과적으로 중국인은 의미부의 방법을 굉장히 중요하다고 여겼다. 그래서 제멋대로 제4급으로 옮기어, 표음(表音)이라고 되어 있으나, 의미부의 형식에서 여전히 벗어나지 못하고 있다. 이러니 언어가 이 형식의 견제를 받아 사회조직의 복잡함에 대응하여 자유롭게 발전하지 못하는 것이다."12)

한국한문자전에서는 반절로 독음을 표시하지 않고, 직음(直音)으로 독음을 표시하는데, 이는 보조적인 장치로 석문(釋文)에서 많이 보인다. 한글의 탄생으로 인해, 한자로 독음을 표시하는 방식이 제대로 작용할 수 없었을 것이다.

---

12) 沈兼士, 『沈兼士論文集』(中華書局, 1986), 39쪽.

2. 당시의 중국음이 한자 정음(正音)의 기준

　한국한문자전의 '정음(正音)'과 '정(正)+언음(諺音)'은 그 당시 중국의 표준음이라고 보여진다. 그밖에 한국한문자전에서는 글자 하나에 독음이 두 개이면서 자의(字義) 해석이 다른 경우는 독음을 반드시 분리하여 표시하였다. 이는 당시 한자의 의미 분화 및 자전편찬의 방법이 향상되었음을 반영하는 것이다.

5

한국한문자전의 자형(字形) 해석

한자는 형체, 독음, 의미, 양, 순서 등 여러 가지 속성을 가지고 있지만, 그중에서도 형체구조가 핵심에 속한다. 한자의 특징은 형체와 의미가 연결되어 있다는 점이고, 이는 어떤 의미에서 중국어의 독특한 특징이라고 말할 수 있다. 구조는 한 체계의 내부적 구성요소 및 그 상호관계를 말하고, 체계는 이러한 동류의 요소와 관계를 하나로 통일시킨 총체를 말한다. 따라서 구조는 형식과 관계가 있고, 체계는 기능과 관계가 있다.

"자전의 자형 해석은 일반적으로 두 부분을 포함한다. 하나는 고문자 형체의 나열이고, 다른 하나는 자형의 구조와 그 원류의 변화발전에 관한 설명이다."[1] 자형에 대한 해석은 한문자전을 구성하는 중요한 구성요소로서, 형음의(形音義)라는 한자의 세 가지 요소는 밀접하게 연결되어 있어 분리할 수 없기 때문이다. 청(淸)나라의 단옥재(段玉裁)는 『설문해자주(說文解字注)』에서 "……뜻은 문자의 의미이고, 말은 문자의 소리이며, 단어라는 것은 문자의 형체와 소리의 결합이다. 허신의 글자 의미 해설은 뜻 안에 있다고 했으며, 형체와 소리에 대한 해설은 모두 말의 밖에 있다고 했다. 의미가 있고 난 이후에 소리가 생겨났고, 소리가 있고 난 이후에 형체가 생겼으니, 이것이 조자(造字)의 기본이다. 형체가 있으면 소리가 있고, 형체와 소리

---

1) 趙振鐸, 『字典論』(上海辭書出版社, 2012), 45쪽.

가 있으면 뜻이 있게 되니, 이것이 육예(六藝)의 학문이다."라고 말했다. 이를 통해, 한자의 형체는 고립되어 있는 것이 아니라, 각각의 시기마다 서로 다른 한자의 형체는 어느 정도 그 시대 한자의 소리와 의미 관계를 반영하고 있다는 것을 알 수 있다.

한국한문자전에 수록된 한자의 자형은 고문(古文)·주문(籀文)·전문(篆文)·해자(楷字) 뿐만 아니라, 당시에 중국과 한국에서 유행했던 금문(今文), 속자(俗字), 동자(仝字), 혹자(或字), 통가자(通假字) 등도 수록되어 있다. 또한 한자의 구조를 해석할 때 중국의 전통적인 '육서(六書)'분석법을 계속 사용하여, 견강부회한 면도 보인다. 그러나 이와 같다 해도, 동아시아로 확장된 한자를 연구할 때, 한국한문자전의 한자의 자형에 대한 정보는 매우 귀중한 자료임에 틀림없다.

본장에서는 한국한문자전의 자형 해석의 방식, 유형, 용어, 특징을 설명할 것이다.

제1절 자형 해석의 방식

자형을 해석하는 방식은 편찬자가 한자의 구조와 글자간 관계를 경계 지을 때 사용하는 방법을 말한다. 다음은 조자 해석 및 통가(通假) 해석으로 한국한문자전에서 자형을 해석하는 방식을 소개하고자 한다.

1. 조자(造字) 해석

조자 해석은 바로 한자의 조자구조를 해석하는 것을 말한다. 한자의 조자구조에 관해, 한국한문자전에서는 한자의 조자방식에 대한 분석과 성질을 규정한 것으로 해석해놓았다. 전통한자학 이론인 육서(六書)는 한자가 동아시아로 확장되는 과정에서 엄청난 작용을 하여 그 영향력이 상당하였다. 이는 한국한문자전에서 '육서'라는 명칭을 지속적으로 사용하면서 한자의 구조를 설명한 것만 봐도 그 영향력을 짐작할 수 있다. 아래에는 『제오유』를 예로 들어, 한자의 구조를 해석하는 특징을 분석하였다.

(1) 상형(象形)

상형이라고 명확하게 표시되어 있는 글자는 모두 90개이며2), 특징은 다음과 같다.

첫째, 상형으로 한자의 형태를 해석하였다.

수(扌): 수(⫶)는 수(手)와 같다. 팔과 다섯 손가락을 본떴다. 상형(象形)이다. 일을 하는데 반드시 필요하므로, 수(須)의 상성(上聲)이 독음이다.(扌, ⫶, 與手同. 象臂及五指. 象形也. 事業之所須, 故須上聲.)

둘째, 상형으로 한자의 부분적인 의미를 해석하였다.

왕(尢): 왕(秃)은 절름발이 개를 말한다. 정강이가 굽어져 있다. 상형(象形)이다. 척병(瘠病)을 일러 왕(尢)이라 부르는데, 형상이 비슷하다. 본디 왕(㑌)이라고 쓰는데, 상형(象形)이다. 또 왕(尪)으로 구성된 왕(㑌)이라고 쓰기도 한다. 지금은 왕(尪)이라고 쓰는데, 왕(尪)의 생략된 형태로 구성되어 있다. 정강이[脛]가 굽어 있으므로, 독음이 왕(尪)이다.(尢, 秃, 犬跛. 曲脛 象形. 瘠病謂之尢, 形相似也. 本作㑌, 象形, 又從尪作㑌. 今作尪, 從尪省. 其脛尪, 故尪音.)

셋째, 상형으로 한자의 추상적인 의미를 해석하였다.

신(辛): 신(⾟)은 천간(天干)의 하나이다. 천기(天氣)가 신(辛)에 속한다. 즉 만물이 모두 이루어지는데, 사람의 몸에 비유를 하면 넓적다리[股]가 된다. 신(辛)은 사람의 넓적다리[股]를 본떴다. 신(辛)은 독음이 신(伸)이다. 상형(象形)이다.(辛, ⾟, 天干之一. 天氣屬辛, 則萬物皆成, 比諸人身則爲股, 辛象人股. 辛, 故伸音. 象形.)

---

2) 이 데이터는 왕평 교수가 개발한 『韓國朝鮮時代經典漢字字典資料庫』의 내용에서 가져왔다.

(2) 지사(指事)

지사라고 명확하게 표시되어 있는 글자는 모두 18개이며, 특징은 다음과 같다.

첫째, 간단한 필획으로 추상적인 의미를 표현하였다.

> 곤(|): 위아래로 통하다는 뜻이다. 끌어다가 위로 올릴 때에는 신(囟)자와 같이 읽고, 끌어다가 아래로 갈 때에는 퇴(退)자와 같이 읽는다. 대개 일(一)이라는 것은 만물을 다스리는 근본이기에 변화를 일으키기 마련이다. 그래서 세로로 세워 곤(|)이 되었다. 곤(|)은 일(一)의 활용이라 하겠다. 정수리[囟]는 인체에서 가장 위에 있는 부분이기 때문에, 아래에서부터 위로 올리면 독임이 신(囟)이 된다. 위에서부터 아래로 내리면 퇴각하다는 의미를 가지고 있으므로, 독음이 퇴(退)가 된다. 개(个)나 아(丫) 등의 글자가 이 부수에 속한다. 지사(指事)이다.(上下通也. 引而上行讀若囟, 引而下行讀若退. 盖一者, 萬理之體, 而將變化, 故縱而爲 | . | 者, 一之用也. 囟在人體最上, 故自下而上爲囟音. 自上而下有退卻之義, 故爲退音. 个, 丫等字屬於此部. 指事也.)

곤(|)은 '위아래로 통하다(上下通)'는 뜻이다. 『제오유』에서는 곤(|)을 사용하여 "끌어다가 위로 올리다.(引而上行.)"는 의미와 "끌어다가 아래로 가다.(引而下行.)"는 의미를 포함함으로써, "위아래로 통하다(上下通.)"는 이 글자의 의미를 표현하였다. 일(一)은 '숫자의 시작이며, 사물의 정점이다.(數之始, 物之極也.)'는 뜻이다. 『제오유』에서는 '그 의미는 복잡함이 없다.(其義無雜.)'와 '대개 태극의 둥근 모양의 획(盖太極圓體之畫.)'이라는 관점에서 일(一)이라는 가장 간단한 형체로 자의(字義)의 원인을 표현하였다. 상술한 두 가지 예문은 모두 극히 간단한 필획으로 굉장히 추상적인 의미를 표현하고 있다.

둘째, 간단한 필획으로 사물의 형체를 개괄적으로 묘사하였다.

> 별(丿): 별(丿)은 머리를 들어 몸을 펼치는 모습으로, 땅에 이르는 형상이다. 끌다[拖曳]는 의미를 가지고 있기에, 독음이 예(曳)이다. 지사(指事)이다. 내(乃)와

예(乂) 등의 글자들이 이 부수에 속한다.(丿, 乁, 擧首申體而至於地之形也. 有
拖曳之義, 故曳音. 指事也. 乃、乂等字屬於此部.)

『제오유』에서는 '별(丿)'자의 의미를 '머리를 들어 몸을 펼치는 모습으로,
땅에 이르는 형상이다.(擧首申體而至于地之形也.)'라고 해석하면서, 이 형체
를 묘사할 때, 인체나 기타 사물의 구체적인 형상을 사용하지 않고, 하나의
필획을 왼쪽으로 삐친 필획인 '별(丿)'을 사용하였다. 이는 추상적이면서 모
호한 묘사방식이지만, '별(丿)'은 단독으로 출현하는 경우가 극히 드물어 일
반적으로 부수자로 나타난다.

셋째, 몇 개의 구성부분을 조합하여 추상적인 의미를 표현하였다.

> 현(㬎): 현(㬎)은 본디 현(㬎)이라고 썼는데, 고대의 현(顯)자이다. 태양[日] 속에
> 실을 볼 수 있는데 즉 빛이 발하는 것을 뜻한다. 후세 사람들이 혈(頁)을 더
> 한 것은 머리장식이 빛난다고 여겼기 때문이다. 그래서 독음이 현(炫)이다.
> 지사(指事)이다.(㬎 㬎 本作㬎, 古顯字. 日中視絲則炎炫. 後人之加頁者, 以爲頭
> 飾則尤炫也. 炫音. 指事也.)
> 감(甘): 감(甘)은 본디 감(甘)이라고 쓴다. (오행에서) 토(土)를 대표하는 맛이
> 다. 입[口]에 가로획[一]이 포함되어 있는 형상인데, 이때 가로획[一]은 달콤
> 한 맛을 의미하며, 지사자이다. 무릇 사람이 음식을 먹을 때면, 입이 만족해
> 야만 나중에 충분히 싫증날 수 있으므로 감심(甘心)이라고 부른다. 염(厭)이
> 독음이고, 왈(曰)자와는 다르다.(甘, 甘, 本作甘. 土味. 口含一, 一卽其甘味,
> 指事也. 凡人飮食, 口甘遂至厭足, 故曰甘心. 厭音. 與曰字不同.)

상형자와 지사자를 『설문』에서는 일반적으로 독체자(獨體字)라고 해석하
는 데 반해, 『제오유』에서는 독체자나 합체자로 해석한다는 점은 눈여겨 볼
만한 일이다. 한국의 자원류(字源類) 자전에서는 한자의 독체 및 합체에 대
한 설명을 중시하지 않았다.

(3) 회의(會意)

회의라고 명확하게 표시되어 있는 글자는 225개로, 『설문』보다 그 숫자도 훨씬 많으며, 해석에도 차이점이 많으므로, 『제오유』는 구조를 해석하는 부분에 있어 뚜렷한 특징을 형성하고 있다. 사용한 용어에 따라, 다음과 같은 특징들을 살펴볼 수 있다.

① '회의(會意)'라는 용어로 표시

한자의 조자방식을 해석할 때, 직접적으로 '회의(會意)'라고 명시하는 것말고, '차회의(此會意)', '회모의(會某意)' 등의 용어를 사용하였다.

> 수(受): 서로 주는 것을 말한다. 주고받는 경계에는 두 손이 있기에, 조(爪)와 우(又)로 구성되어 있다. 멱(冖)은 가운데에 있는 물건을 말한다. 수(手)가 독음이며, 회의이다.(相付也. 授受之際有兩手, 故從爪、從又; 冖, 居間所承之物也. 手音. 會意.)
> 착(辵): 잠시 걷다가 잠시 멈추는 것을 말한다. 이는 회의이다. 진(進)·퇴(退)·통(通)·달(達) 등의 글자들은 모두 착(辵)이 부수자이다. 발을 붙이고 나서 나아가므로, 착(着)이 독음이다.(乍行乍止. 此會意. 而進、退、通、達等字皆從此着足而行, 故着音.)
> 원(袁): 긴 옷의 모양이다. 의(衣)의 생략된 모습과 철(屮)로 구성되었다. 장(長)은 회의이다. ㅁ는 마땅히 ○이 되어야 한다. ○은 환(圓)의 고대 글자로, 환(圓)이 독음이다.(袁, 長衣貌. 從衣省, 從屮, 會長意. 口宜作○. ○, 古圓字, 圓音.)

② '종모종모(從某從某)', '종모모(從某某)', '종삼모(從三某)'로 표시

'종모종모(從某從某)', '종모모(從某某)', '종삼모(從三某)' 등은 회의자를 규정할 때 사용하는 용어이다. 이러한 용법은 『설문』에서도 자주 보인다.[3] 『제오유』에서 '종모(從某)'로 해석된 회의자는 대략 300자가 있다.

> 인(印): 부절과 각인을 말한다. 절(卩)로 구성되어, 서로 합치다는 의미이다. ▨로 구성되었는데, 도장을 찍을 때 손가락을 벌리기 때문이다. (도장은) 서로 인

---

3) 王平, 『說文硏讀』(上海: 華東師範大學出版社, 2012), 19쪽.

정하는 도구이므로, 독음이 인(認)이다.(符印. 從卩, 相合之義; 從㠯, 朝印之際, 手爪橫也. 可以相認, 故認音.)

관(冠): 면류관[冕]의 총칭이다. 모(冒)의 생략된 형태로 구성되어 있다. 수(首)를 더했기 때문에 원(元)으로 구성되었으며, 법률제도가 있기에 촌(寸)으로 구성되어 있다. 머리 위에 있는 것이라서 사람들이 쉽게 볼 수 있으므로, 독음이 견(見)이다.(冕總名. 從冒省; 加首, 故從元; 有法制, 故從寸. 在頭, 人所易見, 故見音.)

③ 용어 없이 표시

『제오유』에 있는 30여 개의 일부 회의자들은 편찬자가 그 구조를 해석할 때, 어떤 용어도 사용하지 않았다.

휴(休): 쉬다는 뜻이다. 사람이 나무에 기대어 있기에 휴식을 취하다는 뜻을 가진다. 휴식을 취하면 편안해지므로, 훌륭하다는 의미를 가진다. 대개 길을 가는 사람에게 사용되기에, 독음이 유(遊)이다.(息也. 人依於木則休息. 休則安, 故爲美義. 蓋是行者之事, 故遊音.)

영(嬰): 아이라는 뜻이다. 2개의 조개를 연결시켜 목에 장식하고 있다. 혹자는 남자아이를 해(孩)라 부르고, 여자아이를 영(嬰)이라 부른다고 하기도 한다. 또 다른 혹자는 응(膺)과 통한다고 말한다. 영(嬰) 이전에는 부양한다는 의미를 나타내었다. 조개로 장식하였으므로, 독음이 영(縈)이다. 영질(嬰疾)의 영(嬰)은 영(攖)과 서로 통한다.(孩也. 連二貝, 頸飾也. 或曰男曰孩, 女曰嬰; 或曰與膺通. 抱之嬰前, 乳養之義也. 飾貝, 故縈音. 嬰疾之嬰與攖通.)

리(吏): 관리를 말한다. 리(吏)는 사람을 다스리는 일을 하기에 마음[心]이 일관되어야 한다. (그래서 일(一)로 구성되었다.) 사(史)는 일을 다스리다는 의미이다. 고을을 다스리는 것이므로, 독음이 리(理)이다.(官吏. 吏之治人, 心主于一. 史, 治事之義也. 理其縣內, 故理音.)

우리가 통계한 바에 따르면, 『제오유』에는 600개에 가까운 회의자가 있으며, 이는 전체 1,535자에서 39%의 비율을 차지한다. 『설문』에서 회의자는 1,031개(그중 227개는 회의 겸 형성자이다)로, 전체 9,353자에서 11%를 차지한다. 『설문』과 비교해 봤을 때, 『제오유』에서는 회의자가 차지하는 비율이 상당히 크며, 동일한 글자에 대한 해석에도 매우 큰 차이점이 나타나는데, 이는 한자의 형체구조를 분류할 때도 차이점을 만들었다.[4]

(4) 해성(諧聲)

해성이라고 명확하게 표시되어 있는 글자는 9개로, 『제오유』에서는 해성(諧聲)이라는 용어를 이미 사용하고 있었다.

연(肙): 작은 벌레를 말한다. 육(肉)과 구(口)로 구성되어 있으며, 전서에서는 ○이라고 썼다. 독음이 원(圓)이며, 해성(諧聲)이다.(小蟲也. 從肉、口, 篆作○. 圓音, 諧聲.)

준(夋): 작게 나아간다는 말이다. 쇠(夊)도 의미부이고 윤(允)도 의미부인데, 윤(允)은 독음도 겸한다. 하나는 차청(次淸)이고, 하나는 불탁(不濁)으로 해성(諧聲)이다. 준(逡)과 같다.(小進也. 從夊, 從允. 允音, 一次淸, 一不濁, 諧聲. 與逡同.)

륙(坴): 높은 땅을 말한다. 토(土)와 륙(꺗)으로 구성되어 있고, 독음이 륙(꺗)이며, 해성(諧聲)이다.(高墌也. 從土, 從꺗. 꺗音, 諧聲.)

륙(꺗): 풀버섯[菌꺗]을 말한다. 초(屮)와 륙(六)으로 구성되어 있다. 독음이 륙(六)이며, 해성(諧聲)이다.(菌꺗. 從屮, 從六. 六音, 諧聲.)

진(㐱): 머리숱이 많은 것을 뜻한다. 삼(彡)이 의미부이고, 인(人)이 소리부이다. 진(鬒)과 통하고, 해성(諧聲)이다.(稠髮. 從彡, 人音. 與鬒通, 諧聲.)

이(㐌): 노역을 하는 종족을 뜻한다. 독음이 이(而)이다. 인(人)으로 구성되어 있는데, 노역하는 종족도 사람이기 때문이 아니겠는가! 해성(諧聲)이다.(倱種也. 音而. 從人, 倱亦人類而然耶. 諧聲.)

흠(夑): 발을 오므리다는 뜻이다. 쇠(夊)로 구성되어, 더디게 가는 것 즉 발을 오므린다는 뜻이 있다. 독음이 흠(兂)이며, 해성(諧聲)이다.(歛足也. 從夊, 遲行卽歛足之義. 兂音, 諧聲.)

곡(曲): 곧지 않다는 뜻이다. 대개 굽어서 담을 수 있는 기물을 본떴다. 고대에

---

4) 袁曉飛, 『第五游硏究』(上海: 華東師範大學碩士學位論文, 2012); 하영삼, 『<第五遊>整理硏究』(上海: 上海人民出版社, 2012).

는 ㉱이라고 썼다. 독음이 옥(玉)이며, 해성(諧聲)이다. 중복해서 출현한다.
(不直也. 蓋象曲受之器. 古作㉱. 玉音, 諧聲. 重出.)

　　건(愆): 허물[過]이라는 뜻이다. 심(心)과 연(衍)으로 구성되어 있다. 해성(諧聲)
이다. 건(悂)이라고 잘못 쓰기도 한다.(過也. 從心, 從衍. 諧聲. 訛作悂.)

　　『설문』에 수록된 9천여 개의 한자에서 '종모모성(从某某聲)'으로 표시된
형성자는 7,741개가 있다.[5] 이러한 형성자에서 해성편방(諧聲偏旁) 1,463개를
분석해낼 수 있는데[6], 형성자와 해성편방은 상고음(上古音) 연구에 매우 중
요한 부분을 차지한다. 청(淸)나라의 단옥재(段玉裁)는 『설문』의 해성자(諧聲
字)를 근거로 '같은 해성자는 반드시 같은 부에 속해야 한다.'는 이론을 제
시하여, 상고음(上古音) 연구에 새로운 진전을 보였다. 『제오유』에 나타난
음성체계는 역대 중국의 음운학을 연구하는 데 있어서도 굉장히 귀중한 자
료이다.

2. 통가(通假) 해석

　　통가자(通假字)를 분석하기 이전에, 먼저 '통가(通假)'가 내포하는 바를
명확하게 알아야 한다. '통가(通假)'와 '가차(假借)'의 관계에 대해서는 학자들
마다 의견이 다르다. 왕력(王力)은 "고대음의 통가(通假)라는 것은 고대 중국
어의 서면어에서 음이 같거나 비슷한 글자의 통용(通用)과 가차를 말한다.
……두 개의 글자는 형체도 다르고 의미도 다르지만, 소리가 같거나 비슷하
다는 이유로 고대 사람들은 갑(甲)자를 사용하여 을(乙)자를 대신하였다.",
"가차자(假借字)는 대체로 두 가지 상황으로 인해 생겨났다. 첫째, 본래 글
자가 있었으나 사람들이 동음자(同音字)를 쓴 경우이다. ……둘째, 본래 글자
가 없었기 때문에, 동음자를 차용하여 나타낸 경우이다."라고 했다.[7] 이처럼
왕력(王力)은 가차자(假借字)와 통가자(通假字)를 구분하지 않고 동일한 정의

---

5) 이 데이터는 臧克和와 王平의 『說文解字全文檢索』 소프트웨어(廣州: 南方日報出
　　版社, 2004)를 근거로 하였다.
6) 상동.
7) 王力, 『古代漢語』(北京: 中華書局, 1999), 546-547쪽.

를 내렸다.

그러나 일부 학자는 '통가(通假)'와 '가차(假借)'에는 엄격한 구분이 있다고 여겼다. 예컨대, 주진가(朱振家)는 "가차(假借)와 통가(通假)는 서로 공통된 부분도 있지만 중요한 차이점도 존재한다. 그 차이점으로 주로 2가지를 들 수 있다. 첫째, 육서(六書)에서 가차(假借)는 동음자를 차용하여 의미가 추상적이고, 형상법(形象法)으로 조자(造字)하기 어려운 글자를 쓴 것인데, 이는 '본래 그 글자가 없는(本無其字)' 경우이다. 용자통가(用字通假)는 이미 본자(本字)가 있는데 임시로 동음자를 빌려 대체하는 것이므로 '본래 그 글자가 있다(本有其字)'는 것이 특징이다. 둘째, 비교해서 말하면, 용자통가(用字通假)는 잠시 차용하는 것이지만, 육서의 가차는 종종 오랜 기간 심지어 영구적으로 사용하는 것이다.……"라고 했다.8)

『제오유』를 예로 들어, 통자(通字)와 본자(本字)의 관계를 분류해보자.

(1) 통자(通字)

통자(通字)는 주로 '통작모(通作某)'의 형식으로 통용자(通用字)를 해석한 것이다. 예를 보자.

복(夏)은 복(復)과 통한다. 멱(冖)은 멱(羃)과 통한다. 적(勣)은 적(績)과 통한다. 혹(彀)은 곡(穀)과 통한다. 묵(嘿)은 묵(默)과 통한다. 악(噩)은 악(愕) 및 악(咢)과 통한다. 국(掬)은 국(匊)과 통한다. 산(傘)은 산(繖)과 통한다. 환(喚)은 환(奐)과 통한다. 진(嗔)은 진(謓)과 통한다. 찬(囋)은 찬(讚)과 통한다. 철(哲)은 철(喆)과 통한다. 철(喆)은 철(哲)과 통한다. 협(恊)은 협(劦)과 통한다. 섭(囁)은 섭(讘)과 통한다. 황(況)은 황(况)과 통한다. 총(悤)은 총(悤)과 통한다. 창(牕)은 창(窗)과 통한다. 창(窻)은 창(窗)과 통한다. 흠(呴)은 흠(訹)과 통한다. 옹(噰)은 옹(嗈)과 통한다. 총(匆)은 홀(忽)과 통한다. 비(篚)는 비(匪)와 통한다. 고(叩)는 구(扣)와 통한다. 구(呴)는 후(煦)와 통한다. 자(咨)는 자(諮)와 통한다. 유(喻)는 유(諭)와 통한다. 괘(噮)는 괘(咼)와 통한다. 축(矞)은 축(畜)과 통한다. 효(嚆)는 효(髇)와 통한다. 가(哥)는 가(歌)와 통한다. 오(敖)는 오(遨)와 통한다. 괴(凷)는 괴(塊)와

8) 朱振家, 『古代漢語』(北京: 中央廣播電視大學出版社, 1990), 121쪽.

통한다. 태(胎)는 태(台)와 통한다. 개(愷)는 기(豈)와 통한다. 개(凱)는 기(豈)와 통한다. 해(咳)는 해(欬)와 통한다.(夏, 通作復. 冖, 通作冪. 勣, 通作績. 殸, 通作殸. 嘿, 通作默. 噩, 通作愕、作咢. 揔, 通作篘. 傘, 通作繖. 喚, 通作奐. 嗔, 通作謓. 囋, 通作讚. 哲, 通作喆. 喆, 通作哲. 協, 通作劦. 囁, 通作讘. 况, 通作況. 怱, 通作悤. 牕, 通作窓. 窻, 通作窓. 喣, 通作詾. 嗈, 通作噰. 匆, 通作忽. 篚, 通作匪. 叩, 通作扣. 呴, 通作煦. 咨, 通作諮. 喻, 通作諭. 喎, 通作咼. 嘼, 通作畜. 嚆, 通作髇. 哥, 通作歌. 敖, 通作遨. 凷, 通作塊. 胎, 通作台. 愷, 通作豈. 凱, 通作豈. 咳, 通作欬.)

(2) 본자(本字)

본자(本字)는 '모, 모본자(某, 某本字)'나 '본작모(本作某)' 등의 형식으로 해석되었다. 예를 보자.

이(叵)는 이(頤)의 본자이다. 타(佗)는 타(他)의 본자이다. 빙(冫)은 빙(冰)의 본자이다. 혹자는 빙(冰)과 응(凝)의 본자라고 말하기도 한다. 진(亲)은 진(榛)의 본자이다. 변(釆)은 변(辨)의 본자이다. 복(艮)은 혹자는 복(服)의 본자라고 하기도 한다. 천(巛)은 천(川)의 본자이다. 연(台)은 연(兖)의 본자이다. 파(𠂢)는 파(派)의 본자이다. 극(丮)은 극(執)의 본자이다. 철(叕)은 철(綴)의 본자이다. 임(壬)은 정(挺)의 본자이다. 망(网)은 망(網)의 본자이다. 투(鬥)는 투(鬭)의 본자이다. 천(䙴)은 천(遷)의 본자이다. 암(嚴)은 암(巖)의 본자이다. 숙(尗)은 숙(菽)의 본자이다. 복(服)은 복(艮)인데, 피(被)자의 생략된 모습으로 보인다. 자서에서는 복(服)의 본자라고 하였다. 음(侌)은 음(陰)의 본자이다. 비(啚)는 비(鄙)의 본자이다. 처(処)는 처(處)의 본자이다.(叵, 頤本字. 佗, 他本字. 冫, 冰本字, 或曰冰、凝本字. 亲, 榛本字. 釆, 辨本字. 艮, 或曰服本字. 巛, 川本字. 台, 兖本字. 𠂢, 派本字. 丮, 執本字. 叕, 綴本字. 壬, 挺本字. 网, 網本字. 鬥, 鬭本字. 䙴, 遷本字. 嚴, 巖本字. 尗, 菽本字. 服, 艮, 蓋被之省, 而字書謂之服本字. 侌, 陰本字. 啚, 鄙本字. 処, 處本字.)

묘(卯)는 절(卩)을 뒤집은 글자로, 주(奏)의 본자이다. 래(來)의 경우, 후대 사람들이 모두 래(來)를 왕래(往來)라고 할 때의 래(來)의 본자로 보았으며, 보리의 이름을 뜻하는 래(來)라는 것을 알고 있는 자는 매우 드물었다. 그래서 자서를 만든 사람도 래(來)를 인(人)의 부수에 포함시켰다. 채(債)는 본래 채(償)라고 쓴다. 책(責)은 책(責)의 본자이다.(勺, 反卩, 奏本字. 來: 後人皆以來 爲往來來之本字, 牟名之來, 知者甚尠, 作字書者亦以來屬人部. 債, 本作償, 責, 責本字.)

우(亏)는 본래 우(亏)라고 쓴다. 소(所)는 본래 소(所)라고 쓴다. 현(絲)은 본래 현(絲)이라고 쓰는데, 고대의 현(顯)자이다. 간(軑)은 본래 간(軑-)이라고 쓴다. 궁(亘)은 본래 궁(回)이라고 쓴다. 쇄(貨)는 본래 쇄(貟)라고 쓴다. 경(巠)은 본래 경(坙)이라고 쓴다. 공(巩)은 본래 공(巩)이라고 쓴다. 공(廾)은 본래 공(廾)이라고 쓴다. 전(展)은 본래 전(琵)이라고 쓴다. 순(脣)은 본래 순(脣)이라고 쓴다. 결(決)은 본래 결(決)이라고 쓴다. 궐(瘚)은 본래 궐(欮)이라고 쓴다. 발(跋)은 본래 발(友)이라고 쓴다. 감(甘)은 본래 감(目)이라고 쓴다. 함(嚙)은 본래 함(銜)이라고 쓴다. 병(倂)은 본래 병(並)이라고 쓴다. 후(嗅)는 본래 후(齅)라고 쓴다. 噪는 본래 喿라고 쓴다. 勾는 본래 句라고 쓴다. 쾌(夬)는 본래 쾌(叏)라고 쓴다. 개(丐)는 본래 개(匂)라고 쓴다. 중(衆)은 본래 중(眾)이라고 쓴다. 로(滷)는 본래 로(鹵)라고 쓴다. 처(處)는 본래 처(処)라고 쓴다. 효(効)는 본래 효(效)라고 쓴다.(亏, 本作亏. 所, 本作所. 絲, 本作絲, 古顯字. 軑, 本作軑-. 亘, 本作回. 貨, 本作貟. 巠, 本作坙. 巩, 本作巩. 廾, 本作廾. 展, 本作 琵. 脣, 本作脣. 決, 本作決. 瘚, 本作欮. 跋, 本作友. 甘, 本作目; 嚙, 本作銜; 倂, 本作並. 嗅, 本作齅. 噪, 本作喿. 勾, 本作句. 夬, 本作叏. 丐, 本作匂. 衆, 本作眾. 滷, 本作鹵. 處, 本作処. 効, 本作效.)

(3) 독음이 같거나 비슷한 관계인 통자(通字)와 본자(本字)

적(赤): 남방의 색이다. 대(大)와 화(火)로 구성된 회의(會意)이다. 일반적으로 남방 주작(朱雀)의 색을 일컫는 말이기에 작(雀)이 독음이고, 치음(齒音)이다. 적자(赤子)나 적지(赤地)는 색을 가지고 말한 것이다. 적족(赤族)이나 적빈(赤貧)은 가난하여 여유가 없다는 뜻이다. 적지(赤地)라는 글자로 유추해보아, 척(尺)과 통한다.(億音類, 十八)(赤 南方色. 從大, 從火. 會意. 而蓋是南方朱雀之色, 故雀音, 俱是齒音. 赤子、赤地以色而言; 赤族、赤貧皆貧乏無餘之意, 赤地之類推, 與尺通.(億音類, 十八))

『설문』에서 '적(赤)'자는 "남방의 색을 말한다. 대(大)와 화(火)로 구성되어 있다. 무릇 적(赤)에 속하는 것들은 모두 의미부가 적(赤)이다. 적(𧹪)은 고문(古文)에 염(炎)과 토(土)로 구성되어 있다. 창(昌)과 석(石)의 반절이다. (南方色也. 从大从火. 凡赤之屬皆从赤. 𧹪, 古文从炎、土. 昌石切.)"라고 했으며, '척(尺)'자는 "10촌을 말한다. ……창(昌)과 석(石)의 반절이다.(十寸也.…… 昌石切.)"라고 하였다. 본의(本義)로 보면, 두 글자 간에는 그 어떤 연관관계도 없다. 반면 단옥재는 "적(赤)은 세속에서는 척(尺)으로 가차된다.(赤, 俗借 爲尺.)"라고 하였으며, 『제오유』에서도 "적(赤)은 척(尺)과 통한다.(赤, 與尺 通.)"라고 하였다. 이를 통해, 두 글자는 독음이 같기(독음이 모두 昌과 石의 반절이다.) 때문에, 가차(假借) 관계를 형성하고 있다는 것을 알 수 있다.

> 첨(詹): 말이 많은 것을 말한다. 첨(厃)은 높고 넓다는 뜻이고, 인(儿)은 흩어지고 어지럽다는 뜻이다. 높고 넓게 흩어진다는 것은 말이 이치에 들어맞지 않다는 것을 비유한 것이다. 생략할 수 있으므로, 독음이 첨(添)이다. 점(占)과 통한다. 점을 치는 관리를 첨윤(詹尹)이라고 부른다.(詹, 多言. 厃, 高廣之義; 儿, 散 亂之義. 高廣散亂, 其言不中理也. 可略, 故添音. 與占通. 占官謂之詹尹.)

『설문』에서 '첨(詹)'자는 "말이 많은 것을 말한다. 언(言)과 팔(八)과 첨(厃)으로 구성되어 있다. 직(職)과 렴(廉)의 반절이다.(多言也. 从言从八从厃. 職廉切.)"라고 하였고, '점(占)'자는 "갈라진 모습을 보고 대답하는 것을 말한다. 복(卜)과 구(口)로 구성되어 있다. 직(職)과 렴(廉)의 반절이다.(視兆問也. 从卜从口. 職廉切.)"라고 하였다. 이 두 글자는 의미 측면에서 '언(言)'과 관련이 있지만, 분명하게 드러나는 파생관계가 없다. 『강희자전』에서는 "첨(詹)은 또 점(占)과 통한다.(詹, 又與占通.)"라고 하였고, 『초사(楚辭)·복거(卜 居)』에서는 "가서 태복(太卜) 정첨윤(鄭詹尹)을 만나 보았다.(往見太卜鄭詹 尹.)"라는 구절이 있는데, 주석에서는 "점을 치는 관리를 말한다.(占卜之官 也.)"라고 하였다. 이를 통해, '첨(詹)'과 '점(占)'은 독음이 같기(독음이 모두 職과 廉의 반절이다.) 때문에, '점(占)'의 의미로 차용되었다는 것을 알 수 있다.

> 석(石): 산 속에 있는 돌을 말한다. 상형(象形)이다. 엄(厂)으로 구성되어 있으며,

그 아래쪽에 반만 그 형상이 드러나는데, 회의(會意)이다. 돌은 산에 쌓여져 있으므로, 독음이 적(積)이다. 10말[十斗]인 섬[石]과 120근[百卄斤]의 석(石)은 이중적 의미이다. 석(碩)과 통한다.(石, 山骨口. 象形. 從厂, 下半露其形, 會意. 石積於山, 故積音. 十斗之石、百卄斤之石皆從重義. 與碩通.)

『설문』에서 '석(石)'자는 "산에 있는 돌을 뜻한다. 엄(厂)의 아래에 있는 모습인데, 구(口)는 (돌덩이를 그린) 상형이다. 무릇 돌에 속하는 것은 모두 석(石)을 의미부로 한다.(山石也. 在厂之下; 口, 象形. 凡石之屬皆从石.)"라고 말했는데, 단옥재(段玉裁)는 "간혹 석(碩)이나 대(大)의 의미로 차용되기도 한다.(或借爲碩大字.)"라고 주석했다. '석(碩)'자를 『강희자전』에서는 "또 석(石)과 통한다.(又與石通.)"라고 하였으며, 『설문』에서는 "머리가 크다는 뜻이다. 혈(頁)이 의미부이고 석(石)이 소리부이다.(頭大也. 从頁石聲.)"라고 하였다. 단옥재(段玉裁)의 주석을 통해, '석(石)'이 본자(本字)이고, '석(碩)'이 통자(通字)라는 것을 알 수 있다.

제2절 자형 해석의 유형

'자형 해석의 유형'은 한국한문자전에서 한자의 글자 구성과 중문(重文)의 성질을 한정지을 때의 분류를 말한다. 본절에서는 '육서(六書)'와 중문(重文)으로 나누어 아래와 같이 해석하였다.

1. 육서(六書)

'육서(六書)'라는 단어는 『주례(周禮)·지관(地官)·보씨(保氏)』의 "보씨(保氏)는 왕의 나쁜 점을 간하고, 공경대부의 아들들을 도(道)로써 양성하여 육예(六藝)를 가르치는 일을 관장한다. 첫째는 오례(五禮)며, 둘째는 육악(六樂)이며, 셋째는 오사(五射)며, 넷째는 오어(五馭)며, 다섯째는 육서(六書)며, 여섯째는 구수(九數)이다.(保氏掌諫王惡, 而養國子以道, 乃教之六藝, 一曰五禮, 二曰六樂, 三曰五射, 四曰五馭, 五曰六書, 六曰九數.)"9)에서 제일 먼저 보인다.

『주례』에서는 육서를 언급했지만, 그 함의에 대해서는 어떠한 해석도 하지 않았기 때문에, 구체적인 내용은 알 방법이 없다. 한(漢)나라에 이르러, 반고 (班固)의 『한서(漢書)』, 정중(鄭眾)의 『주례』, 허신의 『설문』에서 모두 육서가 언급되었다. 그러나 이들이 나열한 육서의 명칭과 배열순서는 같은 게 아니 었다. 청대(淸代) 이후의 학자들은 반고가 배열한 순서와 허신이 말한 명칭 이 뛰어나다고 여겨, 이후에 육서의 순서를 말할 때는 반고의 배열순서를 따랐고, 명칭은 허신의 것을 따랐다. 이들이 말한 명칭과 배열순서는 다음 과 같다.

> 반고(班固): 상형(象形), 상사(象事), 상의(象意), 상성(象聲), 전주(轉注), 가차(假 借)
>
> 정중(鄭眾): 상형(象形), 회의(會意), 전주(轉注), 처사(處事), 가차(假借), 해성(諧 聲)
>
> 허신(許慎): 지사(指事), 상형(象形), 형성(形聲), 회의(會意), 전주(轉注), 가차(假 借)

반고와 정중은 육서의 명칭만을 열거했을 뿐, 육서에 대해서는 설명하 지 않았다. 허신은 육서의 구체적인 명칭뿐만 아니라, 그 하위항목에 대해 서도 모두 정의를 내리고 예를 들었다. 허신이 정의한 육서와 예를 든 글자 들, 특히 『설문』에서 9천여 개의 한자 구조의 구체적인 분석은 육서이론을 정식으로 확립시켰다. 그러므로 육서이론은 전통 문자학의 이론적 기초를 마련하였다. 북조(北朝)시기의 안지추(顏之推)는 "『설문』은 글자를 분석하여 그 근원을 탐구하였다. 만약 그의 해설을 믿지 못한다면 글자의 한 점과 한 획이 어떤 의미를 지니는지를 알지 못 하게 될 것이다."[10]라고 하였다. 전통 적인 한자구조이론인 '육서설(六書說)'은 주로 한자구조의 방식을 연구하였 고, 이에 근거해 한자가 어떤 원칙에 따라 구성되었다는 것을 분석했다. 즉 한자구조의 이론적 근거를 연구하였다. 허신은 지사, 상형, 회의, 형성의 이 론적 근거를 활용하였는데, 기본적으로 『설문』에 수록된 정전(正篆)과 중문

---

9) (역주) 지재희, 이준영 해역, 『주례』(서울: 자유문고, 2002), 165-166쪽.
10) 王平, 『說文研讀』(上海: 華東師範大學出版社, 2012), 1쪽. 원문은 (北朝)顏之推, 『顏氏家訓』(中華書局), 509쪽임.

(重文)의 구조방식을 포괄하였다. 다만 『설문』에서 상형, 지사, 회의라고 확실하게 밝힌 글자 수가 많지 않다는 점은 설명해야 할 것이다.

우리의 조사에 의하면, 한국의 전문적인 한문자전은 한자 자형의 성질을 규정할 때 중국의 육서로 자형을 해석하였지만, 일반적이거나 몽구(蒙求) 류의 자전에서는 이 방식을 적게 사용하였다. 그런데 자원(字源) 자전인 『제오유』에서는 육서로 한자의 형체를 분석하고 이를 통해 한자 본래의 근원을 탐구하고자 하였다. 그러므로 아래에는 『제오유』의 내용을 예로 들어 설명하였다.

(1) 상형(象形)

허신은 『설문·서(敍)』에서 "상형이라는 것은 그 사물을 그리고, 형상에 따라 그려낸 것으로, 일(日)과 월(月)이 여기에 속한다.(象形者, 畵成其物, 隨體詰詘, 日月是也.)"라고 하였다.

① 상모(象某).
수(扌): 수(手)와 같다. 팔과 다섯 손가락을 본떴다. 상형(象形)이다. 일을 하는데 필요하다. 그래서 독음이 수(須)이다. 상성(上聲)이다.(與手同. 象臂及五指. 象形也. 事業之所須, 故須. 上聲.)

② 모지형(某之形).
멱(糸): 사(絲)의 절반을 말하는데, 대개 가는 실을 의미한다. 이를 짜서 비단을 만들 수 있으므로, 독음이 백(帛)이다. 두 가닥이 서로 합쳐져 있는 형상에서 그 끝이 조금 남겨진 모습이다. 상형(象形)이다.(絲之半, 蓋細絲也. 織此成帛, 故帛音. 兩條相合, 其末小餘之形, 象形也.)

③ ……지형야(之形也).
을(乙): 지지의 이름으로, 갑(甲)의 다음을 말한다. 초목이 싹이 터져 나오기 시작할 때는 아직 음기가 강할 때라, 완전히 뚫고 나오는 형상은 되지 못한다. 상형이다. 비록 구부러진 형상이긴 하나, 하나의 획으로 그리기 때문에, 독음이 일(一)이다. 연을(燕乙)의 을(乙)과는 다르다. 걸(乞)이나 야(也) 등의 글자가 이

부수에 속한다.(辰名, 甲之次也. 草木之甲坼者始出, 而陰氣尙剛, 不能申之形也. 象形. 雖屈, 而其畫一, 故一音. 與燕乙之乙不同. 乞也等字屬於此部.)

④ 상모지형야(象某之形也).

철(屮): 초목에서 싹이 나는 것을 말한다. 싹이 나와 줄기와 가지가 있는 형상을 그렸다. 상형이다. 땅을 뚫고 올라오므로, 독음이 철(徹)이다.(屮木之初生也. 象屮出而有枝莖之形也. 象形. 徹地而出, 故徹音.)

⑤ 모지상형(某之象形).

유(禸): 짐승의 발이 땅을 밟고 있는 형상을 그렸다. 독음은 유(蹂)이다.(獸足蹂地之象形. 蹂音.)

⑥ 종모(從某).

면(面): 얼굴을 말한다. 상형(象形)이다. 수(百, 고대의 首자)에다 구(口)를 더했다. 무릇 사물의 앞면을 모두 면(面)이라 부르고, 독음은 전(前)이다. 또 쉽게 볼 수 있다고 하여, 면(面)이라고 하는데, 이때는 독음이 견(見)이다.(顔前. 象形. 從百(古首字)而加口. 凡物之前面皆曰面, 前音. 又曰易見者, 面也, 故見音.)

⑦ 종모종모(從某從某).

용(用): 시행할 수 있다는 뜻이다. 복(卜)과 중(中)으로 구성되어 있다. 점과 맞아떨어지면 시행할 수 있다는 뜻이다. 따라서 시행하게 되므로, 그래서 독음이 종(從)이다. 혹자는 고대의 종(鐘)자라고 말하기도 한다. 상형(象形)이다.(可施行也. 從卜, 從中, 卜中可施行也. 從施, 故從音. 或曰古鐘字. 象形.)

⑧ 종모모(從某某).

저(杵): 절굿공이를 말한다. 목(木)과 오(午)로 구성되어 있으며, 상형(象形)이다. 우두커니 서서 공이를 사용하므로, 독음이 저(佇)이다. 오(午)와 통한다.(杵曰. 從木、午, 象形. 佇立而用杵, 故佇音. 與午通)

⑨ 종반모(從反某).

비(匕): 숟가락을 말한다. 도(刀)의 반대되는 모습이다. 상형(象形)이다. 칼의 머리가 숟가락과 같으므로, 비수(匕首)라고 부른다. 단술이나 술을 뜰 때 그것[彼]이 있어야만 뜰 수 있다. 그래서 독음이 피(彼)이다.(匙也. 從反刀. 象形. 劍頭如匕, 故曰匕首. 扱醴, 及醯有彼而後可扱, 故彼音.)

(2) 지사[指事]

『설문·서(敍)』에서는 "지사라는 것은, 보면 바로 알 수 있고 관찰하면 그 뜻도 알 수 있는 것으로, 상(上)과 하(下)가 여기에 속한다.(指事者, 視而可識, 察而見意, 上下是也.)"라고 하였다.

① 모지형(某之形).
2가지 예만 보인다.

  별(丿): 머리를 들어 몸을 펼치는 모습으로, 땅에 이르는 형상이다. 끌다[拖曳]
  는 의미를 가지고 있기에, 독음이 예(曳)이다. 지사(指事)이다. 내(乃)와 예
  (乂) 등의 글자들이 이 부수에 속한다.(擧首申體而至於地之形也. 有拖曳之義,
  故曳音. 指事也. 乃、乂等字屬於此部.)
  번(枾): 울타리의 위를 말한다. 대바구니이다. 두 개의 나무를 세워서 뜨개질한
  형상으로, 지사이다. 서로 반복해서 교차되므로, 독음이 반(反)이다. 또 두 손
  을 더해놓았다. 번(藩)과 통한다.(樊之上也. 籠也. 立兩木中, 有編織之形, 指
  事. 互相反復, 故反音. 加大兩手也. 與藩通.)

② 모지의(某之義).
한 가지 예만 보인다.

  마(麻): 삼[枲]. 나무와 나무가 서로 달라, 삼의 줄기를 나누고 껍질을 벗기는 형
  상을 그렸다. 사람이 집 아래[广]에서 삼을 가공한다는 의미를 지니고 있으며,
  지사(指事)이다. 글자를 구성하는 목(朩)은 삼[麻]의 한 쪽[片]을 말한다. 질[品]
  에 따라 쪽[片]이 되므로, 독음이 품(品)이다. 마(麻)자는 독음이 목(木)이며, 순
  음(唇音)이다.(枲也. 朩與木不同, 分枲莖剝皮之形. 人在屋下治麻之義, 指事也. 朩
  麻之一片, 隨品作片, 故品音. 麻字木音, 俱是唇音也.)

③ 종모종모(從某從某).

간(艮): 그치다는 뜻이다. 목(目)과 비(匕)로 구성되었다. 두 눈이 서로 나란하여, 서로 아래 위가 될 수가 없으니, 그 기세가 움직이지 않고 중지해 있는 듯하다. 원망하는 것과 같다하여, 독음이 원(怨)이다. 지사(指事)이다.(止也. 從目, 從匕, 兩目相比而不相下, 其勢不動而中止也. 如有怨怨, 故怨音. 指事.)

용(舂): 곡식을 찧는다는 뜻이다. 저(杵)의 생략된 모습을 하고 있다. 공(卄)은 왼손과 오른손을 말한다. 구(臼)는 곡식이 절구에 들어가 있는 모습이다. 그 기세가 찌를 듯하다(衝). 그래서 독음이 형(衝)이다. 지사(指事)이다.(擣禾也. 從杵省; 從卄, 左右手也; 從臼, 米在臼中形也. 其勢衝, 故衝音. 指事.)

④ 종모, 종모, ……지형(從某, 從某,……之形).
한 가지 예만 보인다.

치(黹): 수를 놓다는 뜻이다. 대개 무늬를 수 놓다는 의미를 나타낸다. 일이 매우 복잡하고 많다는 뜻에서 업(業)의 생략된 모습으로 구성되었고, 아랫부분은 건(巾)으로 구성되었다. 대개 무늬를 종횡으로 수놓는 모습이다. 바늘로 찔러서 수를 놓는다. 그래서 독음이 자(刺)이며, 치음(齒音)이다. 보(黼)와 불(黻)자도 모두 여기에 속한다. 지사(指事)이다. 치(絺)와 통한다.(縫也. 蓋繡文也. 業衆多之義. 從業省, 下從巾, 蓋繡文縱橫之形也. 刺繡, 故刺音, 俱是齒音也. 黼, 黻字從此. 指事也. 與絺通.)

(3) 회의(會意)

『설문해자·서(敍)』에는 "회의라는 것은 부류를 나누고 의미를 합쳐서, 그것이 가리키는 바를 나타내는 것으로, 무(武)와 신(信)이 여기에 속한다.(會意者, 比類合誼, 以見指撝, 武信是也.)"라고 하였다.[11] 『제오유』에서 회의자를

---

11) (역주) 오효수 저, 하영삼 역, 『허신과 설문해자』(부산: 도서출판3, 2013), 101쪽 참조.

해석하는 방법은 복잡한 편인데, 주로 아래의 몇 가지 방식을 사용하였다.

① 직접적으로 회의(會意)라는 글자를 표기.

엽(枽): 혹 엽(葉)자라고도 말한다. 세(世)는 나뭇잎이 교차해서 중첩되어 나는 형상이므로, 독음이 첩(疊)이다. 일세(一世)를 엽(葉)이라고 부르는 것을 쉽게 알 수 있다. 회의(會意)이다.(或曰卽葉字. 從世, 象木葉交疊之形, 疊音. 一世謂之 葉, 可類推. 會意也.)

② '종모종모(從某從某)', '종모모(從某某)', '종삼모(從三某)' 등의 방식으로 해석한 회의자. 저자는 명확하게 이 글자들이 회의자라고 지적하지 않았으나, 구조를 분석해보면 회의자임을 판단할 수 있다. 이러한 글자들이 300여 개가 존재한다. 이는 『설문』에서 가장 광범위하게 회의자를 해석하는 방법을 사용한 것이다.

중(衆): 본래 중(㐺)이라고 썼다. 세 명의 사람으로 구성되어 있으며, 회의(會意)이다. 충만하다는 의미를 취했기에, 독음이 충(充)이다. 혈(血)이 의미부인데, 혈기(血氣)의 종류를 말한다.(本作㐺. 從三人, 會意, 取充滿之義, 充音. 從血, 血氣之類也.)

③ 형식적 표지가 없는 회의자. 이는 석문(釋文)의 내용에 따라 회의자인지의 여부를 판단할 수밖에 없다. 저자는 한 개의 글자를 구성하고 있는 두 개 혹은 여러 개의 구성성분의 의미를 합하여 해석을 하였거나 또는 그중에서도 어떤 부분에만 치중해서 해석하였다.

(4) 형성(形聲)

『설문해자·서(敘)』는 "형성이라는 것은 사물이 명칭이 되어, 비유되는 바를 취해 서로 조합해서 만든 것으로, 강(江)과 하(河)가 여기에 속한다.(形聲者, 以事爲名, 取譬相成, 江河是也.)"라고 하였다.12) 『제오유』의 편찬자는 '형성'을 '해성(諧聲)'이라고 불렀으며, '해성자'를 분석하면서, 『설문』의 '종모모성(從某某聲)'의 방법을 사용하기도 하였다. 또 '모의모성(某義某聲)'의 방식으로 해석하기도 했다. 예를 보자.

조(嘲): 조롱하다는 뜻이다. 구(口)가 의미부이고 조(朝)가 소리부이다.(謿也. 從口朝音.)

호(嘷): 울부짖다는 뜻이다. 구(口)가 의미부이고 고(臯)가 소리부이다. 호(謜)·호(號)와 통한다.(咆也. 從口臯音. 與謜 號通.)

주(噣): 부리라는 뜻이다. 구(口)가 의미부이고 촉(蜀)이 소리부이다. 모두 치음(齒音)이다. 주(味)와 통한다.(喙也. 從口蜀音, 俱是齒音. 與味同.)

려(侶): 짝이라는 뜻이다. 인(人)이 의미부이고 려(呂)가 소리부이다.(伴也. 人義呂音.)

부(俘): 포로라는 뜻이다. 인(人)이 의미부이고 부(孚)가 소리부이다.(虜囚. 人義孚音.)

모(侮): 업신여기다는 뜻이다. 인(人)이 의미부이고 매(每)가 소리부이다. 모두 불청불탁(不淸不濁)이다.(慢也. 人義每音, 俱是不淸不濁.)

(5) 전주(轉注)

『설문해자·서(敍)』는 "전주라는 것은 부류를 세우고 하나를 우두머리로 삼아, 같은 뜻을 주고받는 것을 말하며, 고(考)와 로(老)가 여기에 속한다.(轉注者, 建類一首, 同意相受, 考老是也.)"라고 하였다.[13] 허신이 말한 정의가 모호했기 때문에, 전문가마다 각기 다른 의견을 내놓았다. 필자는 '건류일수(建類一首)'의 '건류(建類)'와 '비류(比類)'의 '류(類)'는 똑같이 '부류'라는 의미, 즉 글자의 의미범주를 나타낸다고 여긴다. '건류(建類)'는 동일한 의미범주에 속하는 글자를 말하고, '수(首)'는 부수를 말한다. '건류일수(建類一首)'는 전주자(轉注字) 간에는 부수가 서로 통하는 형체적 특징을 나타낸 말이다. 그

---

12) (역주) 오효수 저, 하영삼 역, 『허신과 설문해자』(부산: 도서출판3, 2013), 89쪽 참조.

13) (역주) 오효수 저, 하영삼 역, 『허신과 설문해자』(부산: 도서출판3, 2013), 106쪽 참조.

리고 '동의상수(同意相受)'는 전주자(轉注字)는 동일한 부수 아래, 자의(字義)가 같기 때문에 서로 주석이 가능하다는 의미적 특징을 나타낸 말이다.14) 『제오유』에 나타난 '전주자(轉注字)'는 5개로, 두 부류로 귀납할 수 있다.

① 형체의 변환

향(享): 고대의 형(亨)자이다. 위아래의 감정이 잘 통한다는 뜻이다. 전서에는 龠이라고 썼다. 양(羊)은 맛있는 음식으로, 가득히 그릇에 담겨있는 것을 말한다. 그걸 바치고 나서 입에 넣는데, 감정이 서로 통하여 여기에 잘못이 없음을 나타낸다. 음식[饘]은 불로 삶기 때문에 형통(亨通)의 의미로 많이 사용되었다. 그러므로 일(一)을 더해 향상(享上)의 향(享)을 썼다. 형(亨)·팽(烹)·형자(亨自)는 한 글자이니, 제사에 올려 흠향한다는 의미라는 것을 알 수 있다. 아래에서 위로 바치는 것을 향(享)이라 하고, 위에서 아래로 하사하는 것을 후(厚)라고 하기에, 전서에는 후(厚)라고 썼는데, 이는 향(享)자를 거꾸로 한 것이다. 이것이 이른바 전주(轉註)라는 것이다. 그런데 향(享)은 지사(指事)이다. 위아래가 서로 바라보는 의미를 지니고 있기에, 독음이 향(䳖)이며, 지사(指事)이다. 형(亨)은 위아래가 골고루 평평하므로, 독음이 평(平)이며, 차청(次淸)이다. 팽(烹)도 차청음(次淸音)이다. 모두 지사(指事)이다. 후(厚)는 무성하고 두텁다는 의미를 가지므로, 독음이 부(阜)이며, 전주(轉註)이다.(古亨字. 上下之情意亨通也. 篆作龠, 羊者, 美饍也, 曰所盛之器也, 奉而獻之入於口, 情之相通, 無過於此也. 饘, 故加火作烹, 以亨通之義多用; 故加一作享上之亨, 亨、烹、亨自是一字, 獻祭饗歆之義皆類推. 下之供上爲享, 故上之賜下爲厚, 篆之厚, 倒亨字, 此所謂轉註. 而享則指事也. 上下有相䳖之義, 故䳖音. 指事. 亨, 上下均平, 故平音, 俱是次淸也, 烹亦次淸音. 皆指事. 厚從豐厚之義, 阜音, 轉註也.)

'향(享)'에서 설명한 전주에 대한 해석은 "아래에서 위로 바치는 것을 향(享)이라고 하므로, 위에서 아래로 하사하는 것은 후(厚)가 된다. 전서체에서 후(厚)자는 향(享)자를 뒤집어놓은 것이므로, 이를 전주(轉注)라고 한다."이다. '후(厚)'자와 '향(享)'자는 소전체의 형상이 서로 위아래가 바뀐 모습이기에

---

14) 王平, 『說文硏讀』(上海: 華東師範大學出版社, 2012), 24쪽.

전주(轉注)라고 하는 것이다. 게다가 의미 면에서도 위아래가 서로 바뀌는 관계에 있다. 즉 향(享)은 '아래에서 위로 바치는' 것이고, 후(厚)는 '위에서 아래에 하사하는' 것이다.

> 여(予): 나(我)라는 뜻이다. 채찍으로 고리를 둘 묶어 놓은 글자가 환(幻: 변하다)인데, 줄을 거꾸로 한 모습이 여(予)가 된다. 처음부터 모습을 바꾸지 않고 독자적으로 존재하는 것이 바로 '나'라는 존재이다. 스스로 그러하므로, 독음이 여(如)이다. 취여(取予: 주고받다)라는 단어에서, 사물이 저쪽에 있으면 취(取)하는 것이 되고, 사물이 나에게 있으면 주는 것(予)이 된다. 쉽게 유추할 수 있을 것이다. 전주(轉註)이다.(我也. 鞭扣雙環爲幻, 而倒纘爲予. 初不幻形而自在者, 我也. 自如, 故如音. 取予之予, 物之在彼爲取, 物之在我爲予, 類推. 轉注也.)

'여(予)'에서 전주에 대한 해석은 '환(幻)자에서 줄을 거꾸로 한 모습이 여(予)가 된다.'는 것으로, 자형의 위아래가 서로 바뀐 모습이다. 의미를 보면 '람(纘)'과 '여(予)'에 직접적으로 상반되는 의미는 없지만, 편찬자는 상반된다는 관점에서 두 글자의 의미를 관련지어, "처음부터 모습을 바꾸지 않고 독자적으로 존재하는 것이 바로 '나'라는 존재이다."라고 하였다. 즉 바뀌지 않는 것이 여(予)인 것이다.

> 이(以): 사용하다는 뜻이다. 이(已)는 그치다는 뜻이다. 이(已)를 반대로 하면 용(用)이 된다. 그러나 여전히 독음은 이(已)이다. 전주(轉註)이다.(用也. 已者, 止也, 從反已爲用, 仍以已爲音. 轉注也.)

'이(以)'에서 전주에 대한 해석은 "이(已)를 반대로 하면 용(用)이 된다. 그러나 여전히 독음은 이(已)이다. 전주(轉註)이다."라고 해석하고 있다. '이(以)'자의 소전(小篆)의 형체는 ㅌ이고, '이(已)'자의 소전(小篆)의 형체는 ㅎ로, 두 글자는 형체 면에서 서로 바꿀 수 있다. 또한 글자의 독음이라는 관점에서도 이 두 글자는 음이 같다.

형체 변환이라는 전주설(轉注說)은 송대(宋代)의 진팽년(陳彭年)과 송원(宋元)간의 대동(戴侗)이 언급했었지만, 역대 문자학자들의 인정을 받지 못했다.

② 의미부의 증가와 교환

　주(住): 멈추다는 뜻이다. 인(人)이 의미부이고 주(主)가 소리부이다. 마(馬)가 의
　미부이면 주(駐)가 되고, 목(木)이 의미부이면 주(柱)가 된다. 전주(轉注)이다.(止
　也. 人義. 主音. 馬則爲駐, 木則爲柱, 轉注也.)

　'주(住)'에서 전주에 대한 해석은 "마(馬)가 의미부이면 주(駐)가 되고, 목
(木)이 의미부이면 주(柱)가 된다. 전주이다."가 된다. '주(住)', '주(駐)', '주(柱)'
는 모두 '주(主)'를 소리부로 하는 형성자들이며, 모두 '멈추다[止]'는 의미를
가지고 있다.

　과(夸): 크다[大]. 지나치다[奢]는 뜻이다. 대(大)로 구성되어 있으며, 회의(會意)
　이다. 우(亏)음은 우(亏)로 독음을 삼았는데, 왜 그런지는 알 수 없다. 과대(夸
　大)라는 것은 말이 쉽고 잘못하다는 뜻이다. 그래서 독음이 과(過)이다. 과(誇)
　는 과장된 말이라는 뜻으로, 대개 과(夸)와 같고, 전주(轉注)이다. 과(侉)는 과
　(誇)와 같다. 과(恗)는 스스로 잘났다고 여기는 것이므로, 대개 과(夸)와 같으며,
　전주(轉注)이다. 과(姱)는 아름답다는 뜻으로, 대개 과(夸)와 같으며, 전주(轉注)
　이다.(大也, 奢也. 從大, 會意. 亏音, 以亏爲音, 未詳. 夸大者, 其言易過, 故過音.
　誇, 大言, 蓋與夸同, 而爲轉注. 侉同誇. 恗, 自大, 蓋與夸同, 而爲轉注. 姱, 好也,
　蓋與夸同, 而爲轉注.)

　'과(誇)'에서 전주에 대한 해석은 "과(誇)는 과장된 말[大言]이라는 뜻으
로, 대개 과(夸)와 같고, 전주이다. 과(侉)는 과(誇)와 같다. 과(恗)는 스스로
잘났다[自大]라고 여기는 것이므로, 대개 과(夸)와 같으며, 전주이다. 과(姱)는
아름답다[好]는 뜻으로, 대개 과(夸)와 같으며, 전주이다."가 된다. 그중에서
'과(誇)', '과(侉)', '과(恗)', '과(姱)'는 모두 피해석자인 '과(誇)'를 소리부로 하는
형성자이며, 크다(大)는 의미를 공통적으로 가지고 있다. 이런 부류의 전주
는 실제로 소리부로 뜻을 나타내는 형성자를 가리킨다.

(6) **가차(假借)**

『설문해자·서(敘)』는 "가차라는 것은 본래 그에 해당되는 글자가 없어 소리에 의탁하여 개념을 빌린 것으로, 령(令)과 장(長)이 여기에 속한다.(假借者, 本無其字, 依聲托事, 令長是也.)"라고 말했다.[15] 이 정의는 명확한 편이지만, 허신이 제시한 '령(令)'과 '장(長)'은 이론적으로 중의적인 의미를 내포하고 있어, 후세 학자들이 가차에 대해 여러 가지 해석을 내놓았다. 이론적으로 말하면, 가차자(假借字)는 '본래 그 글자가 없는 가차'와 '본래 그 글자가 있는 통가'라는 두 가지 유형을 포함하고 있다. 어떤 단어에 원래부터 본자(本字)가 없다면, 음이 같거나 비슷한 글자를 차용하여 기록하게 되는데, 이러한 가차를 '본래 그 글자가 없는 가차자'라고 부른다. 또 그것이 허신이 말한 '육서(六書)'에서의 가차이기 때문에, 일부 사람들은 '육서가차(六書假借)' 또는 '조자가차(造字假借)'라고 부르기도 한다.[16] 『제오유』에서 '가차(假借)'라고 명시한 글자는 모두 9개이며, 아래의 4가지 유형으로 나눌 수 있다.

① 차용의미는 본래 그 글자가 없지만 줄곧 본자를 사용하였으며, 본자의 본의도 계속해서 남아 있을 때, 본자는 다의자(多義字)가 된다.

근(斤): 경중(輕重)을 저울질하는 도구를 말한다. 상형(象形)이다. 16량(兩)이 근(斤)이 되는 것은 사시(四時)와 사방(四方)을 곱한 의미에서 기인한다. 경중(輕重)을 알 수 있기 때문에, 밝다[明]와 살피다[察]는 의미도 미루어 짐작할 수 있다. 경중(輕重)으로 나누기 때문에, 독음이 분(分)이다. 근(釿)과 통한다. 도끼[斧斤]의 근(斤)은 가차(假借)이다.(斤, 權輕重之器. 象形. 十六兩爲斤者, 因四時乘四方之義也. 知輕重, 故明也、察也之義皆類推. 分輕重, 故分音. 與釿通. 斧斤之斤, 假借也.)

'근(斤)'자의 본의는 '경중(輕重)을 저울질하는 도구'로, 현대에서 '중량[斤兩]'으로 사용되는 '근(斤)'을 의미하는데, 이후에 '도끼[斧斤]'의 의미로 차용

15) (역주) 오효수 저, 하영삼 역, 『허신과 설문해자』(부산: 도서출판3, 2013), 113쪽 참조.
16) 王平, 『說文研讀』(上海: 華東師範大學出版社, 2012), 25쪽.

되었다. 이 두 개의 자의(字義)는 고대에서 같이 사용되었고, 이중의 어떤 의미를 위해 달리 새로운 글자를 만들지 않았기 때문에, '근(斤)'자는 다의자(多義字)가 되었다.

② 차용의미는 본래 그 글자가 없었으나, 후에 본자로만 사용되자 본의는 달리 글자를 만들어 구별하였다.

> 자(自): '~로부터[從]'라는 뜻이다. 비(鼻)의 고자이다. 자(自)는 비(鼻)의 전서체의 모습이다. 사람의 몸이 형성될 때 코에서부터 생긴다. '~로부터[從]'의 의미가 생긴 것은 대개 이 때문이다. '~로부터[從]'라는 의미로 사용되자, 코(鼻)라는 뜻은 비(畀)를 더해 구별하였다. 자(自)자는 대개 가차(假借)이다. 자(自)자는 시(始)를 독음으로 삼지만, 비(鼻)는 독음이 비(畀)이다.(自, 從也. 古作鼻. 自, 鼻篆形. 人之成體, 從鼻而生, 有從義, 蓋以是也. 以從之義行于世, 鼻字加畀而別之, 自字蓋假借也. 自字以始爲音, 鼻字畀音.)

'자(自)'는 본래 상형자(象形字)로, 코의 형상을 본떴다. 이후에 '~로부터[自從]'라는 의미로 가차되자, 두 글자의 의미를 구분하기 위해 후세 사람들은 '자(自)'에다 소리부인 '비(畀)'를 더해 '코[鼻]'의 의미를 나타내었고, '자(自)'는 차용의미만을 나타내게 되었다.

③ 차용의미는 본래 그 글자가 없었으나 후에 본의가 점점 사라지게 되자, 본자로만 차용의미를 나타내게 되었다.

> 이(而): 접속사이다. 턱수염이 위에서 아래로 이어진 형상을 그렸을 것이다. 얼굴을 뜻하는 면(面)자의 절반을 가져와 글자를 만들었다. 문장을 연결할 때, 이 글자를 빌려 앞 문장과 뒷 문장을 잇는 단어로 사용하였다. 구불구불[逶迤]하게 이어져 나므로 독음이 이(迤)이다. 접속사는 대개 가차이다.(語辭. 蓋象頰毛連上接下之形. 從半面成字. 綴文之際, 借此字爲連上接下之辭. 逶迤而生, 故迤音. 語辭蓋假借也.)

'이(而)'의 본의는 수염인데, 접속사로 차용되어, 앞 문장과 뒷 문장을 연결시키는 작용을 하게 되었다. 이렇게 '수염[鬍鬚]'의 의미는 점차 사라져 더이상 사용을 안 하게 되자, '이(而)'자는 차용의미만을 나타내게 되었다. 『설문』에서는 "이(而)는 수염[須]을 말한다. 상형(象形)이다.(而, 須也, 象形.)"라고 하였으나, 『논어(論語)·학이(學而)』의 "일에는 민첩해야 하고, 말에는 신중해야 한다.(敏於事而慎於言.)"에서는 접속사로 사용되었다. 또 『사기(史記)·평원군열전(平原君列傳)』의 "내가 그대의 주인과 말하고 있거늘, 그대는 무엇을 하는 것인가!(吾乃與而君言, 汝何爲者哉!)"에서는 대명사로 차용되었고, 『논어(論語)·자한(子罕)』의 "당체(唐棣)의 꽃, 편편히 나부끼네.(唐棣之華, 偏其反而.)"[17]에서는 어기사로 차용되었다.

④ 의미가 파생되고, 그 파생의미가 본자로 사용되자, 본의는 달리 글자를 만들어 구별하였다.

> 씨(氏): 씨족을 말한다. 씨(氏)는 산에 기대고 있는데 산의 언덕이 무너지려는 모습을 그렸다. 언덕이 무너지면 산(山)은 분리되어 두 개의 물체가 된다. 본이 같은데 분족(分族)한 사람은 언덕이 산에서 무너져 분리되는 것과 같다. 성씨(姓氏)로 부르는 것이 여기서부터 시작되었다. 안붕(岸崩)이라는 뜻의 씨(氏)는 부(阜)를 더해 시(阺)로 썼다. 아마도 씨족(氏族)의 씨(氏)가 가차(假借)된 것일 것이다. 언덕이 무너지기 '시작하면 씨(氏)가 된다. 그래서 시(始)로 읽힌다. 시(阺)와 통용된다.(氏, 氏族. 氏蓋側山山岸欲墮者之形. 墮則與山爲二物, 人之同本而分族者, 猶岸氏之分於山. 姓氏之稱始此. 岸崩之氏, 加阜作阺, 蓋氏族之氏假借也. 岸之始墮者爲氏, 始音. 與阺通.)[18]

씨(氏)의 본의는 '산의 형태'를 나타낸 것이다. '산에 기대는 것이나 산언덕이 무너지는 형상'은 '씨족(氏族)'의 의미가 이러한 형태와 유추관계에 있기 때문에, '씨(氏)'자에 '씨족'의 의미가 파생되었다. 이 두 자의(字義)를 구분하기 위해, 후세 사람들은 씨(氏)에다 의미부인 부(阜)를 더해 새로운 글자인 시(阺)를 만들어 씨(氏)의 본의를 나타내었고, 파생의미인 '씨족'이 여전히

---

17) (역주) 임동석, 『논어』(서울: 동서문화사, 2009), 775쪽.
18) (역주) 하영삼, 「문화적 관념이 한자 해석에 미치는 원리-『第五游』의 字釋을 통해 본 沈有鎭의 政治意識-」, 『中國學』제40집(2011), 103쪽.

본자로 사용되었다.

> 후(侯): 달리 후(帿)라고도 쓴다. 과녁이라는 뜻이다. 첨(厃)은 사람이 천을 펼친
> 형상을 본뜬 것이고, 시(矢)로 구성되어 있다. 회의(會意)이다. 건(巾)은 후세 사
> 람들이 더한 것이다. 활쏘기에는 반드시 짝이 필요하므로, 독음이 우(偶)이다.
> 천자는 곰이 그려진 과녁을 쏘고, 제후는 호랑이가 그려진 과녁을 쏘는데, 현
> 명한 인재를 선택하는 것을 뜻한다. 맞추는 자는 작위를 획득하게 되므로, 공
> 후(公侯)의 후(侯)가 되었다. 가차이다.(亦作帿. 射布也. 厃象人張布之形, 從矢.
> 會意. 巾, 後人所加也. 射必有偶, 故偶音. 天子射熊侯, 諸侯射虎侯, 蓋選賢也. 中
> 者獲爵, 故爲公侯之侯, 假借也.)

'후(侯)'의 본의는 '과녁'인데, 고대에는 활쏘기로 현명한 자를 선출하는
제도가 있었기 때문에 '제후'라는 의미가 파생되었다. 이 두 자의(字義)를 구
분하기 위해, 후세 사람들은 후(侯)에다 의미부인 건(巾)을 더해 새로운 글자
인 후(帿)를 만들어 '과녁'의 의미를 나타내었고, 파생의미인 '제후'가 본자로
계속 사용되었다.

2. 이체자[重文]

이체자 즉 '중문(重文)'은 문자학의 전문용어로, 허신의 『설문해자』에서
최초로 보인다. 『설문』에서 올림자를 해석할 때, 중문이라는 글자 뒤에 올
림자와 독음과 의미가 완전히 같지만 형체에 차이가 나는 글자들을 덧붙여
놓았는데, 허신은 이를 중문이라고 불렀다. 대서본(大徐本)에서 중문은 '중복
글자가 몇 자이다(重多少)'로 표시된다. 후세학자들은 『설문』에 나오는 중문
이라는 명칭을 많이 사용했으나, 대부분 이에 대해 명확한 정의를 내리지
않았다. 『사해(辭海)』에서는 "중문은 중복해서 나타나는 이체자를 말한다. 『
설문』에서는 소전(小篆) 위주라서, 고문(古文)과 주문(籀文) 및 그 밖의 이체
자를 그 아래에 나열하고, 중문이라고 불렀다. 예를 들어 시(是)의 경우, 주
문(籀文)인 '시(𣆄)'는 소전(小篆)인 '시(是)'의 아래에 놓고, '시(𣆄)'는 '시(是)'
의 중문(重文)이라고 하였다. 갑골문(甲骨文)과 금문(金文)에서 중복되어 나

오는 글자들 중에는 같은 형체인 것도 있고, 다른 형체인 것도 있는데, 모두 중문이라고 불렀다. 두 글자가 중첩되면, 중복해서 쓰지 않고, 하나를 작게 써서 '='자의 아래에 두며, 이 역시 중문(重文)이라고 불렀다. 예를 들어, 한(漢)나라의 『북해상경군명(北海相景君銘)』에서는 '재명호장(再命虎將), 수원=혜(綏元=兮)'.라는 구절이 있는데, '원=(元=)'은 바로 '원원(元元)'인 것을 표시한 것이다."[19]라고 하였다.[20] 범진군(范進軍)은 「대서본중문초탐(大徐本重文初探)」에서 "대서본(大徐本) 『설문』의 전서체 올림자의 아래에, 한 개 또는 여러 개의 다른 전서체가 나타나는데, 이렇게 다르게 나타나는 전서체를 허신은 중문이라고 불렀다. 오늘날의 말로 바꾸면, 중문(重文)은 바로 이체자(異體字)이다. 중문의 음과 뜻은 본문과 중복되고, 형체만 차이나기 때문에 중문이라고 부른다."라고 하였다.[21] 왕문요(王文耀)는 「고대 한자의 중문(重文) 생성규칙 고찰—설문><옥편>의 중문 정리(古漢字重文繁衍規律初探—整理<說文><玉篇>重文的點滴體會)」에서 "중문(重文)은 오늘날 이체자라고 부르는 것이다. 즉, 동일한 의미를 나타내는 형체는 다르지만 소리가 같은 두 개 이상의 글자를 말한다. 『설문』에 수록된 9,353자에서 1,136자의 중문이 명시되어 있다."라고 하였다.[22]

상술한 중문에 대한 정의에서 공통된 특징은 다음과 같다. 첫째, 중문이 바로 이체자라는 점이다. 이체자란 무엇인가? 구석규(裘錫圭)는 『문자학개요(文字學概要)』에서 "이체자는 음과 뜻이 똑같으나 형체가 다른 글자를 말한다. 엄격하게 말하면, 용법이 완전히 같은 글자여야만 이체자라고 할 수 있고, 그렇게 부를 수 있다. 그런데 일반적으로 말하는 이체자는 부분적으로 용법이 서로 같은 글자들도 종종 포함된다. 엄격한 의미의 이체자는 협의의 이체자라고 말할 수 있으며, 용법이 부분적으로 같은 글자는 부분이체자라

---

19) (역주) 重文, 重出的異體字. 『說文解字』以小篆爲主, 而列古文、籒文及其他異體字於其下, 謂之重文. 如籒文'勞'附在小篆'是'之下, '勞'爲'是'的重文. 甲骨文、金文中重出的字, 有同體的, 也有異體的, 都叫重文. 兩字重叠, 不重寫, 作一小'='字於下, 亦稱重文. 如漢『北海相景君銘』: '再命虎將, 綏元=兮'. '元='即'元元'.

20) 『辭海』(縮印本)(上海: 上海辭書出版社, 1980), 85쪽.

21) 范進軍, 「大徐本重文初探」, 『說文解字硏究』(開封: 河南大學出版社, 1991), 385쪽.

22) 王文耀, 「古漢字重文繁衍規律初探－整理<說文><玉篇>重文的點滴體會」, 『中國文字硏究』第2輯(南寧: 廣西教育出版社, 2001).

고 말할 수 있는데, 이 둘을 합친 것이 광의의 이체자이다."라고 하였다.[23] 본 절에서는 중문을 이체자라고 해석하였으나, 이는 한국한문자전에서 비올림자[24]의 성질을 규정하는 것에 불과하다.

해서중문(楷書重文)은 해서체로 나타낸 이체자를 말하는데, 서체로 봤을 때, 전서체 및 전서체 이전의 이체자와 차이가 난다. 본 절에서는 『설문』의 중문이라는 명칭을 사용하였지만, 그것은 고문자(古文字) 형체를 기반으로 분석한 명칭이지만, 이 책의 중문은 금문자(今文字) 형체를 기반으로 명명한 것이다. 필자가 중문이라는 단어를 사용한 까닭은 중문이라는 개념은 근원적이고 개괄적이며 중합성(重合性)을 다 가지고 있기 때문이다. 그래서 필자는 '해서 통시 중문[楷書歷時重文]'과 '해서 공시 중문[楷書共時重文]'이라는 두 가지 개념을 제시하였다. '해서 통시 중문'은 해서로 기록한 고문자(古文字) 중문을 말하는데, 해서고문(楷書古文), 해서주문(楷書籒文), 해서전문(楷書篆文)을 포함한다. '해서 공시 중문'은 해서로 기록한 금문자(今文字) 중문을 말하는데, 금자(今字), 속자(俗字), 혹자(或字), 와자(訛字), 성자(省字) 등이 포함된다. 글자 간 관계들로 말하자면, 이것들은 모두 정체자 이외의 이체자에 속한다.

(1) 통시적 해서 이체자[楷書歷時重文]

① 고자(古字)

'고자'는 '고모자(古某字)', '고작모(古作某)' 등을 포함하는데, 『전운옥편』을 예로 들어보자.

> 무(䨈):【무】고문(古文)의 번잡한 형태의 무(䨈)자로, 진시황 때는 무(无)라고 썼다. 이사(李斯)가 림(林)을 점으로 바꿔 무(無)로 만들었다. 분서갱유로 모든 경전이 불살라진 후, 책을 복원했으나 여전히 이 글자를 사용했다. 오로지 『역(易)』만 불태워지지 않아, 지금도 여전히 무(无)를 따르고 있다. 우(虞)운이다. 우거지다[蕪]는 뜻이다. 우(虞)운이다. 무(無)·무(廡)와 통한다.【무】古文蕪

---

23) 裘錫圭, 『文字學槪要』(北京: 商務印書館, 1988), 205쪽.
24) 비자두자(非字頭字)라는 것은 자전의 올림자에 상대되는 말이다.

隷字, 秦始作无, 李斯變林加點爲無. 諸經火後, 復書者仍之, 惟『易』不在焚, 今仍无. (虞). 蕃也. (麌). 蕪廡通)

아(疋): 【아】바르다는 뜻이다. 『시(詩)·대아(大雅)』자와 같다. 마(馬)운이다. 고문(古文)의 정(正)이 아(疋)자이다.(【아】正也, 同『詩·大雅』字. (馬). 古文正, 疋字.)

잔(俴): 【진】갖추다는 뜻이다. 산(潸)운이다. 잔(俴)의 고자(古字)이다.(【진】具也. (潸). 俴古字.)

처(処): 【체】머무르다는 뜻이다. 처(處)의 고자(古字)이다. 어(語)운이다.(【체】止也. 處古字. (語).)

유(丣): 【유】문을 닫다는 뜻이다. 태양이 저무는 때를 말한다. 유(有)운이다. 유(酉)의 고자(古字)이다.(【유】闔戶, 日入時. (有). 酉古字.)

동(仝): 【동】동(同)의 고자(古字)이다. 동(東)운이다.(【동】同古字. (東).)

빈(份): 【빈】형식과 내용이 겸비되어 있다는 뜻이다. 진(眞)운이다. 빈(彬)의 고자(古字)이다.(【빈】文質備. (眞). 彬古字.)

음(侌): 【음】음(陰)의 고자(古字)이다. 침(侵)운이다.(【음】陰古字. (侵).)

② 주문(籒文)

아래의 예문은 『전운옥편』에서 발췌하였다.

검(劍): 【검】병기(兵器)이다. 검(劎)의 주문(籒文)이다. 염(豔)운이다.(【검】兵器. 劎籒文. (豔).)

지(墬): 【디】지(地)자의 주문(籒文)이다. 치(寘)운이다. 증보한 글자이다.(【디】地字籒文. (寘). 【增】)

변(緶): 【반】말갈기의 장식이다. 번(繁)과 같다. 한(寒)운이다. 변(弁)의 주문(籒文)이다.(【반】馬髦飾. 同繁. (寒). 弁籒文.)

로(鑪): 【로】술독을 뜻한다. 로(盧)의 주문(籒文)이다. 우(虞)운이다. 증보한 글자이다.(【로】罍也. 盧籒文. (虞). 【增】)

건(愆): 【건】허물[過]이라는 뜻이다. 선(先)운이다. 건(㥶)의 주문(籒文)이다.(【건】過也. (先). 㥶籒文.)

조(醩): 【조】조(糟)의 주문(籒文)이다. 호(豪)운이다.(【조】糟籒文. (豪).)

③ 전문(篆文)

『제오유』에서는 '전문(篆文)', '전작(篆作)', '고전작(古篆作)' 등의 호칭을
사용하였다. 예를 보자.

　　기(气): 전서체로 기(≋)라고 쓴다.(篆作≋.)
　　기(丌): 전서체로 기(卯)로 쓴다.(篆作卯.)
　　향(享): 전서체로 향(𩵋)이라고 쓴다.(篆作𩵋.)
　　천(天): 옛날의 전서체로는 천(≋)이라고 썼는데, 위쪽으로 덮은 모습이다.(古篆
　　　　作≋, 上覆之形也.)
　　기(其): 전서체로 기(𠀠)라고 쓴다.(篆作𠀠.)
　　사(乍): 전서체로 사(㔫)라고 쓴다.(篆作㔫.)

(2) 공시적 해서 이체자[楷書共時重文]

『제오유』에서 공시적 해서 이체자는 아래의 몇 가지 유형이 보인다.

① 금자(今字)
'금자'를 '금작모(今作某)' 등으로 해석하였다.

　　왕(尢): 지금은 왕(尩)이라고 쓰는데, 왕(尩)의 생략된 형태로 구성되었다.(今作
　　　　尩, 從尩省.)
　　척(斥): 지금은 척(㡿)이라고 쓴다.(今作㡿.)
　　응(凝): 고대에 빙(冰)이라고 썼으나, 지금은 응(凝)이라고 쓴다.(古作冰, 今作凝)
　　수(首): 고대에 수(𦣻)라고 썼는데, 대개 상형(象形)이다. 역시 수(𦣻)라고 쓰기도
　　　　하는데, 지금은 수(首)라고 쓴다. 모두 머리카락이 나는 형상이다.(古作𦣻, 蓋
　　　　象形, 而亦作𦣻, 今作首, 皆髮生之形)

② 혹자(或字)
『제오유』에서는 '혹자'를 '혹작모(或作某)', '역작모(亦作某)', '우작모(又作
某)', '차작모(且作某)' 등으로 해석하였다.

부(阝): 혹 부(自)라고 쓰기도 한다.(或作自.)
유(尢): 혹 유예(尢豫)의 유(尢)라고 쓰기도 한다.(或作尢豫之尢.)
루(婁): 혹 구(婁)라고 쓰기도 한다.(或作婁.)
방(方): 혹 방(匚)이라고 쓰기도 한다.(或作匚.)
담(啗): 또 담(噉)이라고 쓰기도 한다.(亦作噉.)
담(噉): 또 담(啖)이라고 쓰기도 한다.(亦作啖.)
후(嗾): 또 후(喉)라고 쓰기도 한다.(亦作喉.)
제(啼): 또 제(嗁)라고 쓰기도 한다.(亦作嗁.)
광(匡): 또 광(筐)이라고 쓰기도 한다.(又作筐.)
내(乃): 또 내(弓)라고 쓰기도 한다.(又作弓.)
구(窶): 가난하다는 뜻이다. 가난한 집의 상태는 제일 먼저 집에서 알 수 있으
　　므로, 면(宀)이 의미부이다. 음과 뜻은 루(婁)의 주석에서 볼 수 있다. 또 구
　　(寠)라고 쓰기도 한다.(貧乏也. 貧家之狀先見於屋室, 故從宀. 音義見婁註. 且
　　作寠.)

③ 속자(俗字)
『제오유』에서는 '속자'를 '속작(俗作)', '속모자(俗某字)', '속모(俗某)', '속지
모(俗之某)', '속생작(俗省作)', '속야(俗也)' 등으로 해석하였다.

각(卻): 세속에서는 각(却)이라고 쓴다.(俗作却.)
막(莫): 세속에서는 모(暮)라고 쓴다.(俗作暮.)
전(湔): 세속에서는 전(前)이라고 쓴다.(俗作前.)
순(脣): 세속에서는 순(唇)이라고 쓴다.(俗作唇.)
참(參): 세속에서는 참(絫)이라고 쓴다.(俗作絫.)
암(巖): 세속에서는 암(岩)이라고 쓴다.(俗作岩.)
염(冄): 세속에서는 염(冉)이라고 쓴다.(俗作冉.)
망(莽): 세속에서는 망(莽)이라고 쓴다.(俗作莽.)
잉(賸): 세속에서는 잉(剩)이라고 쓴다.(俗作剩.)
장(牆): 세속에서는 장(墙)이라고 쓴다.(俗作墙.)
방(菊): 세속에서는 방(旁)이라고 쓴다.(俗作旁.)
방(尨): 세속에서는 방(狵)이라고 쓴다.(俗作狵.)

첩(倢): 세속에서는 첩(婕)이라고 쓰지만, 틀렸다.(俗作婕, 非.)

겁(劫): 세속에서는 겁(刧)이라고 쓰지만, 틀렸다.(俗作刧, 非.)

부(頫): 세속에서는 부(俯)라고 쓰지만, 틀렸다.(俗作俯, 非.)

'속모자(俗某字)'는 모두 5개의 예가 있다.

타(他): 세속에서 타(佗)라고 쓰므로, 해석은 타(佗)의 주석에서 볼 수 있다.(중복해서 출현한다.).(俗佗字, 解見佗註.)

사(蛇): 세속에서 타(它)라고 쓰므로, 해석은 타(它)의 주석에서 볼 수 있다.(俗它字, 解見它註.)

로(壚): 세속에서 로(鹵)라고 쓰므로, 음과 뜻은 로(鹵)의 주석에서 볼 수 있다.(俗鹵字, 音義見鹵註.)

주(做): 세속에서는 작(作)이라고 쓴다.(俗作字.)

기(箕): 곡식을 까부르는 도구……후세 사람들은 기(其)자의 위에다 죽(竹)을 더해, 세속에서는 기(箕)라고 쓴다.(簸穀器……後人其字上加竹爲俗箕字.)

또한 '속모(俗某)', '속지모(俗之某)', '속생작(俗省作)', '속야(俗也)'의 예도 있다.

괘(咼): 세속에서는 괘(喎)라고 쓴다. 입[口]이 비뚤어지다는 뜻으로, 회의(會意)이다. 화(冎)가 독음으로, 화(和)와 통한다. 『회남자(淮南子)』에서는 '화씨(和氏)'를 '화씨(咼氏)'라고 불렀다.(俗喎. 口戾, 會意. 冎音, 與和通. 『淮南子』'和氏謂之'咼氏'.)

쇄(賏): 본디 쇄(貟)라고 썼다. 세속에서는 천(巛)을 의미부로 쓰기도 하는데, 틀렸다. 작은 조개를 의미한다. 조개[貝]는 작기 때문에, 세쇄(細瑣)의 쇄(瑣)가 된다. 회의(會意)이다. 독음은 패(貝)이다.(本作貟. 俗之從巛, 非. 小貝也. 貝之小者, 故爲細瑣之瑣. 會意. 貝音.)

책(冊): 댓조각을 엮은 것으로, 고대에는 책(冊)이라고 썼다. 옛날에는 신하에게 회사하였는데, 이후에는 제사를 지내고 시호를 받을 때 모두 이것을 사용하였다. 하나는 길고 하나는 짧은데, 가운데에서 두 개를 엮은 형상이다. 세속에서는 책(冊)이라고 줄여서 쓴다. 제후들이 천자에게 증표를 받고, 그것을 취함으로써 일을 기록하였기에, 독음이 책(責)이다. 생략된 형태이다.(編簡也. 古作冊. 古者施之於臣下, 而已後世祭享、加謚皆用之. 一長一短, 中有二編之 形. 俗省作冊. 諸亻受符命於天子, 責之以識事, 故責音. 省形.)

진(朕): 세속에서는 짐(朕)과 서로 혼동된다.(俗以朕相混)

④ 생자(省字)

『제오유』에서는 '생자(省字)'를 '생작모(省作某)', '생형(省形)' 등으로 해석 하였다.

살(杀): 일설에서는 술(术)을 따라야 마땅하다고도 한다. 생략하여 술(术)이 아 닌 목(木)으로 쓰기도 한다.(一說宜從术, 而省作木.)

녑(㚖): 행(幸)과 달리, 세(勢)는 륙(坴)으로 구성되어 있으며, 집(執)은 본래 녑 (㚖)으로 구성되었으나, 생략된 형태로 집(執)이라고 쓴다.(與幸不同, 勢則從 坴, 執則本從㚖, 而省作執.)

축(逐): 고대에서는 축(逐)으로 썼으며, 독음은 축(豕)이다. 생략된 형태로 축 (逐)이라고 쓴다.(古作逐, 豕音, 而省作逐.)

책(冊): 고대에서는 책(冊)이라고 썼다.……세속에서는 생략된 형태로 책(冊)이 라고 쓴다.(古作冊……俗省作冊.)

찰(刹): 杀로 구성된, 회의(會意)이다.……마땅히 술(术)로 구성되어야 하지만, 생략된 형태로 목(木)이라고 쓴다.(從杀, 會意……宜從术而省作木.)

충(沖): 생략된 형태로 충(冲)이라고 쓴다.(省作冲.)

광(匡): 본래 광(匡)으로 썼으나, 생략된 형태로 광(匡)이라고 쓴다.(本作匡, 而省 作匡.)

류(纍): 생략된 형태로 루(累)라고 쓴다.(省作累.)

미(亹): 고대에는 문(文)으로 구성된 미(斖)로 썼으나, 생략된 형태로 미(亹)라고 쓴다.(古則從文作斖, 而省作亹.)

소(咲): 생략된 형태로 소(关)라고 쓴다.(省作关.)

치(𪓰): 역시 생략된 형태로 치(𪓰)라고 쓴다.(亦省作𪓰.)

해(亥): 촉 땅에 (하루에 한번) 서는 장을 말할 때의 해(亥)를 말하는데, 해(痎)와 해(瘖)와 같이 읽힌다. 하루걸러 한번 발생한다는 뜻이다. 그래서 생략하여 해(亥)라고 쓴다.(蜀中亥市之亥如痎、瘖, 間日一發之義, 省作亥.)[25]

'생형(省形)'의 예는 아래와 같다.

책(冊): 댓조각을 엮은 것으로, 고대에는 책(冊)이라고 썼다. 옛날에는 신하에게 희사하였는데, 이후에는 제사를 지내고 시호를 받을 때 모두 이것을 사용하였다. 하나는 길고 하나는 짧은데, 가운데에서 두 개를 엮은 형상이다. 세속에서는 책(冊)이라고 줄여서 쓴다. 제후들이 천자에게 증표를 받고, 그것을 취함으로써 일을 기록하였기에, 독음이 책(責)이다. 생략된 형태이다.(編簡也. 古作冊. 古者施之於臣下, 而已後世祭享、加諡皆用之. 一長一短, 中有二編之形. 俗省作冊. 諸亻受符命於天子, 責之以識事, 故責音. 省形.)

⑤ 와자(訛字)
'와자'를 '와작(訛作)', '모지와(야)(某之訛(也))'라고 해석하였다.

건(愆): 건(僁)으로 잘못 써져 있다. 경(叟)은 삼로오경(三老五更)의 경(更)으로 잘 못 써져 있다.(訛作僁. 叟, 訛作三老五更之更.)

소(所): 앞의 4획으로 된 글자는 소(所)의 호(戶)가 잘못된 모습이고, 뒤의 4획으로 된 글자는 소(所)의 근(斤)의 잘못된 모습이지만, 실제로는 같은 글자이다.(先四畫, 戶之訛; 後四畫, 斤之訛. 其實一也.)

주(侏): 난쟁이를 뜻한다. 짧고 작은 외모를 가진 사람을 말한다. 인(人)이 의미부이고, 주(朱)가 소리부이다. 세속에서는 대들보 위의 짧은 기둥을 가지고 주누(侏儒)라고도 하는데, 이는 주누(株檽)의 잘못이다.(侏儒. 蓋容貌短小之貌, 人義, 朱音. 俗以梁上短柱爲侏儒, 株檽之訛也.)

제(制): 천자의 말씀을 제서(制書)라고 말한다. 도(刀)로 구성된 글자는 삭제하고 고친다는 의미이므로, 대개 신중하다는 뜻을 가진다. 전서체에 의하면 이 글자는 독음이 미(未)인데, 그러면 협운이 되지 않는다. 그렇다면 혹 주(朱)

---

25) (역주) 송나라 吳處厚의 『靑箱雜記』(권3)에서 이렇게 말했다. "촉 땅에 해시가 있는데, 하루 걸러서 서는 장을 말한다.(蜀有痎市, 而間日一集.)" 명나라 方以智의 『通雅·天文』에서 이렇게 말했다. "亥는 독음이 皆인데, 痎瘧 같은 병은 하루걸러 한번 발작한다. 그래서 痎자를 꺼려해 亥市라고 불렀다.(亥音皆, 言如痎瘧, 間日一發也. 諱痎, 故曰亥市.) 또 일설에는 寅, 申, 巳, 亥에 해당하는 날에 서는 장이라서 亥市라고 불렀다고도 한다."

자의 와변이 아닐까? 주(朱)라고 한다면 주(朱)와 제(制)는 모두 성모가 조모 (曉母)에 속한다.(天子之言曰制書. 從刀, 刪改之意, 蓋愼重也. 以篆畫則未音, 音不叶, 或朱之譌耶, 以朱則俱以曉爲母.)

한국한문자전에서 해서 중문의 저장 방식에 관해, 편찬자는 교체 및 취사에 대한 원칙을 명확하게 밝히지 않았지만, 관련용어를 활용할 때는 구분을 하였으며, 이렇게 서로 다른 시기와 유형의 해서 중문을 공시적인 입장에서 분류하고 정리하였다. 다시 말해, 편찬자는 문자 체계의 완벽성을 유지한다는 전제 하에, 여러 유형의 중문의 형체구조관계를 부문별로 나누어 대응시켜 놓았다. 이러한 표현형식은 편찬자가 당시의 한자 사용에 대해 규범화시키고자 노력한 결과이다. 한국한문자전에 있는 중문에 대한 기록과 분포형식은 편찬자의 한자사용의 규범에 대한 생각을 드러낸 것이라고 할수 있다. 즉, 중문의 저장과 분포형식은 표층적인 구조인데 반해, 당시 한자 사용의 규범에 대한 편찬자의 생각은 심층구조인 것이다. 상술한 관계를 기반으로 분석하고, 공시 및 통시를 서로 결합한 중문 체계를 연구하는 것은 한자의 동아시아 확장사에 매우 중요한 가치를 지닌다.

제3절 자형 해석의 용어

한국한문자전에서 자형을 해석하는 용어는 많은 편이다. 그 내용에 따라 육서(六書)에 관한 용어, 중문(重文)에 관한 용어로 나눌 수 있다. 본장의 1절과 2절에서 언급한 용어를 이 절에서는 중복해서 설명하지 않을 것이며, 『전운옥편』과 『자류주석』을 예로, 자형 해석의 용어에 대해 통계를 내고 분석함으로써, 조선시대에 사용된 상황을 탐구하고 정리하고자 한다.

1. 고문(古文)

(1) 고문(古文)의 개념

'고문'의 정의에 대해서 『사해(辭海)』에서는 다음과 같이 말했다. "고문

(古文)은 고대의 문자를 말한다. ……협의로는 전국(戰國)시대 육국(六國)에서 통용된 문자만을 나타낸다. 예를 들어, 『설문해자』와 위(魏)나라의 『삼체석경(三體石經)』에 수록된 고문(古文)과 역대 출토된 육국(六國)의 청동기, 병기, 화폐, 도장, 토기 및 최근 몇 년간 장사(長沙) 앙천호(仰天湖) 초(楚)나라 무덤에서 발견된 죽간에 있는 문자들이 있다. 진(秦)나라에서 통용되던 소전(小篆)과 그 형체가 달랐지만, 진시황이 문자통일정책을 시행하면서 폐지되었다. 벽중서(壁中書)를 참고하기 바란다."26) 또 "벽중서(壁中書)는 한(漢)나라 때 공자의 벽에서 발견된 책을 의미한다. 『한서(漢書)·예문지(藝文志)』에서는 '무제(武帝) 말기에, 노(魯)나라 공왕(恭王)이 공자의 집을 허물고, 그 궁을 넓히고자 하였다가, 고문인 『상서(尚書)』 및 『예기(禮記)』, 『논어(論語)』, 『효경(孝經)』 등 수십 편을 발견하게 되었는데 모두 고자(古字)이다.'라고 하였다. 근래 사람들은 이 문헌들을 전국(戰國)시기의 사본이라고 여긴다. 이는 진시황의 분서갱유(焚書坑儒)때, 공자의 8대손 공부(孔鮒)(혹은 鮒의 남동생 騰)가 벽 속에 숨겨둔 것이다. 이 문헌들은 당시에 육국(六國)에서 통용되던 문자로 써 져 있어, 한(漢)나라 때 통용되던 예서(隸書)와도 다르고, 또 소전(小篆)과도 차이가 나기 때문에, 한(漢)나라 사람들은 상고문자(上古文字)로 잘 못 이해했었다. 『설문해자』에 수록된 고문(古文)은 대부분이 벽중서(壁中書)를 근거로 하고 있다."27) 이상의 해석은 비교적 객관적인 설명이다.

'고문'은 『설문』에서 부류별로 모은 통시적 개념의 이체자 중에서 가장 주된 부류에 속한다. 필자의 통계에 따르면, 허신은 480개의 중문(重文)에 대해 고문이라는 용어를 가지고 설명했다. 『설문』에 수록된 고문은 대부분이 벽중서(壁中書)와 장창(張蒼)의 『춘추좌씨전(春秋左氏傳)』에서 발췌한 것으로, 그 글자체는 기이하고 변화가 많으나, 전사로 인한 오류를 제외하고, 실제로는 모두 전국시대 문자들이다. 상승조(商承祚)와 증헌통(曾憲通) 등은 대량의 출토문자자료를 이용하여 이를 뒷받침하였다.28) 『설문』의 고문(古文)은 모두 480자로, 『송본옥편』에는 90%이상이 『설문』의 고문들로 기록되어

---

26) 『辭海』(上海辭書出版社, 1989), 308쪽.
27) 『辭海』(上海辭書出版社, 1989), 1453쪽.
28) 商承祚, 『說文中之古文考』(上海古籍出版社, 1983); 曾憲通, 「三體石經古文與 <說文>古文合證」, 『古文字研究』第7輯(中華書局, 1982).

있다. 그러나 『설문』에서는 통일된 고문의 정의를 내리는 반면, 『송본옥편』에서는 혼란스럽게 뒤섞여 있다. 물론 이는 이 두 자전이 치중하는 부분과 관련이 있는데, 전자는 형체에 치중한 데 반해 후자는 의미에 치중하기 때문이다. 후세의 자전들은 대부분 해서로 된 『송본옥편』을 모델로 삼아, 수록자, 체제, 해석용어를 많이 모방하였다. 그런데 『송본옥편』에서 자형을 해석한 용어는 한자의 글자체와 자전에서 치중하는 바가 달랐기 때문에 용어가 일치하지 않게 되었다. 이는 『설문』의 고문이 『송본옥편』에 사용된 상황을 연구할 때 많은 어려움을 가져다주었다.

(2) 『전운옥편』에서 사용한 용어 고자(古字)

『전운옥편』에 수록된 올림자 수는 11,191개로, 고자(古字)는 97개 수록되어 있다. 우리가 조사한 바에 따르면, 『전운옥편』에 수록된 고자(古字)가 『설문』과 『송본옥편』에 수록된 고문과는 대응이 잘 되지 않는다. 『전운옥편』에서 고자(古字)라고 정의를 내린 것은 『설문』과 『옥편(玉篇)』에 있는 공시중문[共時 重文]인 '동상(同上)', '혹위(或爲)' 또는 '혹작(或作)', '금작(今作)', '역작(亦作)'이었다. 그래서 『전운옥편』의 고자(古字)의 근원에 대해서는 자세히 고찰할 필요가 있다. 예를 보자.

잔(偅): 【진】갖추다는 뜻이다. 산(潛)운이다. 잔(僝)의 고자(古字)이다.(【진】具也. (潛). 僝古字.)
처(処): 【체】머무르다는 뜻이다. 처(處)의 고자(古字)이다. 어(語)운이다.(【체】止也. 處古字. (語).)
유(丣): 【유】문을 닫다는 뜻이다. 태양이 저무는 때를 말한다. 유(有)운이다. 유(酉)의 고자(古字)이다.(【유】闔戶, 日入時. (有). 酉古字.)
동(仝): 【동】동(同)의 고자(古字)이다. 동(東)운이다.(【동】同古字. (東).)
빈(份): 【빈】형식과 내용이 겸비되어 있다는 뜻이다. 진(眞)운이다. 빈(彬)의 고자(古字)이다.(【빈】文質備. (眞). 彬古字.)
음(侌): 【음】음(陰)의 고자(古字)이다. 침(侵)운이다.(【음】陰古字. (侵).)
훈(勛): 【훈】훈(勳)의 고자(古字)이다. 문(文)운이다.(【훈】勳古字. (文).)
협(勰): 【협】생각이 같음을 나타낸다. 엽(葉)운이다. 협(協)의 고자(古字)이다.

(【협】同思之和. (葉). 協古字.)

구(匶): 【구】널[棺]. 유(宥)운이다. 구(柩)의 고자(古字)이다.(【구】棺也. (宥). 柩古字.)

언(匽): 【언】감추다[匿], 숨다[隱], 길가의 변소. 완(阮)운이다. 언(偃)의 고자(古字)이다.(【언】匿也, 隱也, 路厠. (阮). 偃古字.)

가(哥): 【가】형(兄)을 나타내며, 가가(哥哥)라고 한다. 가(歌)운이다. 가(歌)의 고자(古字)이다.(【가】呼兄, 哥哥. (歌). 歌古字.)

축(嘼): 【휴】축(畜)의 고자(古字)이다. 산에 있는 것을 축(嘼)이라고 부른다. 유(宥)운이다.(【휴】畜古字. 在山曰嘼. (宥).)

간(齦): 【간】간(艱)의 고자(古字)이다. 산(刪)운이다.(【간】艱古字. (刪).)

연(困): 【연】연(淵)의 고자(古字)이다. 선(先)운이다.(【연】淵古字. (先).)

기(弃): 【기】기(棄)의 고자(古字)이다. 치(寘)운이다.(【기】棄古字. (寘).)

2. 주문(籒文)

(1) 주문(籒文)의 개념

『사해(辭海)』에서 "주문(籒文)은 주서(籒書)나 대전(大篆)으로도 부른다. 『사주편(史籒篇)』에 기록되어 있어, 주문(籒文)이라고 부르는 것이다. 글자체의 중첩이 많고, 춘추전국(春秋戰國)시대에 진(秦)나라에서 통용되었다. 현재 남아 있는 석고문(石鼓文)이 이러한 글자체를 대표한다."[29]라고 한 '주문'에 대한 정의는 불명확하다. 우리는 '주문'을 문자학과 자전학이라는 두 영역에서 정의를 내려야 한다고 생각한다. 한자학의 서체용어라는 관점에서 보면, '주문'은 서체를 나타내는 명칭을 말한다. 이는 은주(殷周)문자에서 기원하는데, 이러한 토대 위에서 정리하고 규범화시키고 난 뒤, 전국(戰國)시대에 통용된 표준 글자체를 말한다. 그에 반해 '고문(古文)'은 민간에서 사용한 주문(籒文)의 변이체로써, '주문'과 서로 대응되는 글자체라고 할 수 있다. 이는 진(秦)나라를 제외한 육국(六國)에서 주로 유행하였는데, 진시황이 육국을 통일하고 난 뒤 '문자 통일 정책[書同文]'을 실시하면서 폐지되었다. 글자체로만 봤을 때, '주문'과 '고문'의 주된 차이점은 다음과 같다. '주문'은 정식 글

---

29) 『辭海』縮印本(上海: 上海辭書出版社, 1980), 1892쪽.

자체로, 형식이 비교적 정제되어 있으며, 청동기와 석각에 많이 사용되었다. 그런데 '고문'은 응용된 글자체로, 형식이 간략한 편이며, 간독백서에 많이 사용되었다. 또한 '주문'의 구조는 복잡하지만, '고문'의 구조는 간단하다.

자전 편찬학의 용어라는 관점에서 보면, '주문'의 의미에는 변화의 과정이 존재한다. 『설문』의 '주문'은 '주문의 글자체'와 '정전(正篆)'에 상응되는 '주문중문(籀文重文)'이라는 두 가지 정보를 내포하고 있다. 그런데 『송본옥편』의 '주문'은 한자 이체자의 하나인 '해서체 주문[楷體籀文]'이라는 단일한 정보만을 내포하고 있다. 그러므로 『송본옥편』에 있는 '주문'과 거기서 사용하고 있는 '주문'이라는 명칭은 『설문』과는 구별된다. 첫째, 『송본옥편』의 한자는 모두 '해서체'로써, '해서체'와 '주문'은 완전히 다른 글자체이다. 둘째, 『송본옥편』의 '주문'이 내포하는 의미는 이미 변화를 거쳐, 한자 이체자의 유형을 나타낸다. 이는 '주문'의 서체를 해서체로 바꿔서 전해 내려오는 역대 이체자를 말한다.

『송본옥편』에서 드러나는 구조적 기능은 주로 자의(字義)를 해석하고, 자음(字音)을 기록하며, 자형(字形)을 구별하는 데 있다. 한자는 중고(中古)시기까지 계승되면서, 원래의 기본적인 구조는 필세(筆勢)에만 존재하게 된다. 『송본옥편』은 고야왕의 원본 『옥편(玉篇)』을 서술한 것으로, 이미 부호화된 한자의 형음의(形音義) 관계를 기록하고 있고, '해서체 주문'이 많이 남아 있는 자전이다. 경제의 번영으로 인해 문화까지 꽃을 피운 송대(宋代)에는 정부기관에서 주관하여 편찬한 자전과 운서도 대량으로 나타나게 되는데, 『송본옥편』도 그 중의 하나이다. 『송본옥편』이 『설문』의 '주문'이라는 용어를 계승했다고는 하나, 이 용어가 나타내는 내용과 외연에 모두 변화가 생겼다. 『송본옥편』에서의 '주문'은 글자체와 그 이체자라는 중의적인 의미를 내포하지 않고, 해서체와의 관계를 규정지을 때만 사용되었다. 『설문』에서 '주문'이라는 용어는 글자체도 지칭하면서 자형도 지칭하고 있다. 전자는 갑골문과 금문 등 고문자의 글자체를 말하고, 후자는 정전(正篆)과 구별되는 이체자를 말한다. 그러므로 『송본옥편』의 '주문'은 해서체로 된 올림자의 이체자만을 지칭하고, 『설문』의 '주문'이 나타내는 첫 번째 의항은 존재하지 않는다.

역대 자전에서 '주문'이라는 용어는 다음과 같은 발전과정을 담고 있다. 『송본옥편』이후부터 자전에서 사용한 '주문'이라는 용어는 실제로 이체자만을 지칭하는 분류이다. 만약 역대 자전의 '주문'에 대해 정식 명칭을 부여한다면, '해서체 주문'이라고 해야 할 것이고, 이러한 명칭도 『송본옥편』에서 시작되었다고 보아야 할 것이다. 『송본옥편』은 자전의 편찬 용어를 더욱 규범화시키고 정확하게 고쳐, 순서가 없는 해서의 자형을 분류하고 정리하였기에, 우리가 오늘날 역대 한자의 자형을 연구할 때 풍부한 이론적 근거를 제공하고 있다. 또한 중국 및 동아시아의 자전편찬사와 한자학의 자형에 관한 용어체계의 건립과 발전에도 지대한 공헌을 하였다.

(2) 『전운옥편』에서 '주문'의 용어를 사용한 경우

『전운옥편』에서 '주문'의 용어는 8번 나타난다. 그중에 "주(籒)는 대전(大篆)의 주문(籒文)을 말한다. 또 주(周)나라 태사(太史)의 이름이다.(籒, 大篆籒文, 又周太史名.)"라고 해석한 것을 제외한 나머지 7개는 사실 '해서화한 주문'을 지칭한다. 『전운옥편』은 『강희자전』의 영향을 많이 받았는데, 아래의 예를 살펴보자.

○검(劍)
『전운옥편』: 【검】병기(兵器)이다. 검(劒)의 주문(籒文)이다. 염(黰)운이다.(劍,【검】兵器. 劒籒文. (黰).)
『강희자전』: 『설문』에서는 "검(劒)은 사람이 무기를 가지고 있는 모습을 본떴다. 인(刃)이 의미부이고 첨(僉)이 소리부이다. 주문(籒文)에서는 검(劍)으로 적었다."라고 했다. 그러나 『옥편(玉篇)』에서는 "검(劒)이 주문(籒文)이다."라고 했다.(『說文』劒, 人所帶兵也. 從刃僉聲, 籒文作劍. 『玉篇』籒文劒.)

○로(鑪)
『전운옥편』: 【로】술독을 뜻한다. 로(盧)의 주문(籒文)이다. 우(虞)운이다. 증보한 글자이다.(【로】罍也. 盧籒文. (虞). 【增】)
『강희자전』: 『광운(廣韻)』에서는 "락(落)과 호(胡)의 반절이다."라고 했다. 『집운(集韻)』·『운회(韻會)』·『정운(正韻)』에서는 "롱(籠)과 도(都)의 반절이다. 아울러 독음이 로(盧)이다. 로(廬)는 주문(籒文)이 로(鑪)가 된다."라고 했다. 『옥편(玉篇)』에서는 "술독(罍)이다."라고 했다. 『유편(類篇)』에서는 "입이 작은 독[罏]이다.”라고 했다.(罏, 『廣韻』落胡切. 『集韻』『韻會』『正韻』籠都切. 並音盧. 盧, 籒文作罏 『玉篇』: 罍也. 『類篇』: 罎也.)

○조(醩)

『전운옥편』: 【조】조(槽)의 주문(籒文)이다. 호(豪)운이다.(【조】槽籒文. (豪).)

『강희자전』: 『송본옥편』에서는 “주문(籒文)이 조(槽)이다.”라고 했다.(『宋本玉篇』籒文槽字.)

한국한문자전에서 ‘주문’이라는 용어를 사용한 빈도는 매우 낮다. 『전운옥편』에서 이 용어를 사용하였지만, 그 의미는 거의 대부분이 해서체로 바꾼 이체자를 나타낸다. 『송본옥편』이 『설문』의 영향을 받은 것은 분명하지만, ‘주문’이라는 용어를 계승했을 뿐, 당시에 해서체로 바꾼 ‘주문’의 사용빈도를 나타내는 것은 아니다. 동아시아로 한자가 확장되는 과정에서, 한자의 직능은 쓰기와 읽기를 통해 발휘된다. 사람들은 늘 부호로 형상화하여 쉽게 식별할 수 있기를 바라고, 또 부호를 간략하게 하여 편리하게 묘사하기를 바란다. 그리하여 사람들은 한자의 구성성분과 필획을 최대한 감소시키면서, 표의성과 각 한자마다의 구별점을 확보하고자 하였다. ‘해서체 주문’은 필획이 많고 구성성분이 번잡하여, 동아시아로 한자가 확장될 때 그 수가 적을 수밖에 없었으며, 이는 또한 한국과 일본의 한자자전에서 ‘주문’이라는 용어의 사용빈도가 낮은 원인이 되었다.[30] 동아시아로 확장된 한자에서 구조가 복잡한 비상용자(非常用字) 또는 이체자의 비율이 낮은 것도 이상의 통계와 분석을 통해 그 원인을 알 수 있다.

3. 동자(同字)[31]

(1) 동자(同字)의 개념

고대자전의 편찬 용어인 ‘동자(同字)’는 한자의 자형을 해석하는 상위개

---

30) 王平, 「中日韓傳世漢字字典所收籒文比較研究--以『宋本玉篇』(中)、『篆隷萬象名義』(日)、『全韻玉篇』(韓)爲中心」, 『中國文字研究』第2輯(2014), 218-228쪽.
31) ‘同’은 한국한문자전에서 ‘仝’이라고도 쓴다.

념으로 사용된다. '동자(同字)'는 구체적으로 '자형의 관계에 대한 경계'와 '한 자의 해석이 똑같은 부분에 대한 생략'이라는 내용을 포함한다. 후세의 자전에서 '동(同)'은 올림자의 자형과 그 글자 아래로 추가되는 자형 간의 형체 관계를 규정하는 데 더 사용된다. 즉 '동(同)'에 속하는 글자들은 모두 음과 뜻은 같지만, 형체가 다른 이체자들이다. '동(同)'은 글자의 종류가 많고 그 어원이 복잡할지라도, 읽고 이해하는 데 어려움은 없었을 것이다. 과학적이고 엄밀하게 한자를 사용하게 되면서, 역대 자전의 편찬자들의 '동자(同字)'에 대한 인식과 분석도 더욱 명확해졌다. 예를 들면, 『송본옥편』에서는 '동상(同上)'이라는 상위개념에다 '금문(今文)', '속자(俗字)' 등 하위개념을 더함으로써 심층구조의 경계를 명확히 하였다.

용어로 사용되는 '동상(同上)'은 진(晉)나라 곽박(郭璞)의 『이아주소(爾雅注疏)』와 『방언주(方言注)』에서 제일 먼저 보이는데, 그는 해석되는 글자와 단어가 앞에 있는 글자 및 단어와 해석이 같을 때, '동상(同上)'을 사용하여 표시했다. 이후, 삼국시대 위(魏)나라 장읍(張揖)이 편찬한 『광아(廣雅)』에서도 '동상(同上)'을 사용하여 단어를 주석하였는데, 곽박과 용법이 같다.

또한 자전의 용어로 사용되는 '동상(同上)'은 일본의 승려인 공해(空海, 774~835)가 편찬한 『전례만상명의(篆隷萬象名義)』에서 처음으로 보인다. 한 가지 의문스러운 점은, 현재 학자들이 모두 『전예만상명의』는 공해가 남조(南朝)시기 양(梁)나라의 고야왕(顧野王)이 편찬한 『옥편(玉篇)』의 기초 위에서 간단한 주석을 더해 편찬한 자전이라고 여기지만, 우리가 『옥편』의 잔권을 조사하면서 '동상(同上)'이라는 용어가 없다는 것을 발견했다.

당송(唐宋)시기에 자전은 이미 완벽한 편찬체제를 갖추어 있었으며, 글자를 주석할 때도 통일된 용어를 사용하였다. 그런데 『간록자서(幹祿字書)』, 『오경문자(五經文字)』, 『신가구경자양(新加九經字樣)』 등 당대(唐代)의 유명한 자양(字樣) 자전에서도 '동상(同上)'이라는 용어를 사용한 예를 찾지 못했다. 그러므로 '동상(同上)'이라는 용어의 기원이 중국 혹은 일본인지는 현재까지 명확하게 결론 내어진 바가 없다.

(2) 『전운옥편』에서 사용한 용어 '동(同)'자

한국한문자전에서 '동(同)'의 출현빈도는 상당히 높다. '모동모(某仝某)', '모모동(某某仝)', '모우동모(某又仝某)', '모모모동(某某某仝)' 등의 용어를 사용하여 해석된 글자는 대부분이 이체자이다. 『전운옥편』에 수록된 올림자는 11,191개로, 그중에 '동자(同字)'와 관련된 한자는 2,017개에 이른다.[32]

계(係): 【계】잇다[繼]. 매다[縛]. 계(繫)와 같다. 【혜】연속(連屬)이라는 뜻이다. 제(霽)운이다. 계(系)와 통한다.(【계】繼也, 縛也. 繫同. 【혜】連屬. (霽). 系通.)

준(俊): 【슌】지력이 천 사람을 넘는다는 뜻이다. 준걸(俊傑)이나 준수(俊秀)에 사용된다. 진(震)운이다. 준(儁)과 같다.(【슌】智過千人. 俊傑, 俊秀. (震). 儁同.)

현(俔): 【현】간첩(細作, 間諜)을 나타낸다. 또 바람세보는것이라는 뜻이 있다. 선(銑)운이다. 현(睍)과 같다. 【견】비유하다(譬諭]는 뜻이다. 산(霰)운이다.(【현】細作, 間諜. 又候風羽. (銑). 睍同. 【견】譬諭也. (霰).)

빙(俜): 【빙】영빙(伶俜)이라고 하여, 걸음이 비틀거리다는 뜻이다. 또 의협심이 있다[俠]는 뜻도 있다. 청(靑)운이다. 병(竮)과 같다.(【빙】行不正, 伶俜. 又俠也. (靑). 竮同.)

경(俓): 【경】곧다[直]는 뜻이다. 경(徑)운이다. 경(徑)과 같다.(【경】直也. (徑). 徑同.)

공(倥): 【공】공동(倥侗)이라 하여, 무지하다는 뜻을 나타낸다. 동(東)운이다. 공(悾)과 같다. 바쁘다는 뜻도 공(倥)이 가지고 있다. 동(董)운이다. 송(送)운이다.(【공】無知, 倥侗. (東). 悾同. 不暇, 倥. (董). (送).)

기(俱): 【긔】방상시탈[方相]. 탈을 쓰다는 뜻이다. 지(支)운이다. 기(魌)와 같다.(【긔】方相, 蒙俱. (支). 魌同.)

부(俯): 【부】구부리다[俛]. 굽다[曲]. 우(麌)운이다. 부(頫)와 같다.(【부】俛也, 曲也. (麌). 頫同.)

(3) 『전운옥편』과 『송본옥편』의 '동자(同字)' 비교

한국과 중국의 한자는 역사적으로 동일한 기원에서 나왔다고 하나, 서로 다른 언어체계에서, 각각 발전한 경로와 사회상황 및 언어정책의 영향으

---

32) 왕평의 『韓國朝鮮時代經典漢字數據庫』(2015) 데이터베이스에 근거하였다.

로, 양자는 서로 이어져 있으면서도 다르다. 한자발전사 연구에서 가장 중요한 영역이 시대별로 사용된 문자를 비교하고 연구하는 것이다. 이때, 문자의 계승과 변이에 관한 문제가 가장 중요한 부분이다. 『전운옥편』의 '동자(同字)'와 『송본옥편』의 '동상(同上)'자를 비교함으로써, 조선시대에 한자의 확장, 사용, 변천이라는 실제상황을 이해하고, 한자의 확장규칙 및 조선시대에서 한자를 선택한 조건을 밝힐 수 있다.[33] 아래에 몇 가지 예를 들어 설명해보자.

① 『전운옥편』의 '동자(同字)'와 『송본옥편』의 '동상(同上)'자의 완전 대응

• 령(軉)—령(舲)—령(舲)
  『전운옥편』: 창이 있는 배를 뜻한다. 청(靑)운이다. 령(舲)과 같다.(軉, 舟有窓. 靑). 舲同.)
  『송본옥편』: 력(力)과 정(丁)의 반절이다. 령(舲)과 같다. 작은 배를 말한다.(軉, 力丁切. 舲同上. 小船屋也.)

령(軉)자는 『설문』에는 보이지 않는다. 『송본옥편』의 '동상(同上)'자와 『전운옥편』의 '동자(同字)'는 모두 구성성분인 령(靁)을 령(令)으로 써서, 음을 나타내는 구성성분을 간단하게 만들었다. 령(靁)과 령(令)은 독음을 나타내는데, 음이 같거나 비슷한 구성성분으로 대체한 것이다. 『전운옥편』은 『송본옥편』의 '동상(同上)'자와 같은 령(舲)자를 선택하여, 『송본옥편』을 계승했음을 나타내었다.

② 『전운옥편』의 '동자(同字)'와 『송본옥편』의 '동상(同上)'자의 불완전 대응

• 밀(密)—밀(宻)—밀(宓)
  『전운옥편』: 빽빽하다[稠]. 비밀로 하다[秘]. 깊다[滾]. 고요하다[靜]. 가깝다[近]. 임금에게 썩 가까이하다는 뜻의 밀이(密邇)에 사용된다. 질(質)운이다. 밀(宻)

33) 邢慎寶, 『『全韻玉篇』同上字研究』(華東師範大學碩士畢業論文, 2014).

과 같다.(密, 稠也, 秘也, 濮也, 靜也. 近也, 密邇 (質). 宓同.)

『송본옥편』: 미(眉)와 필(筆)의 반절이다. 산의 형상이 집과 같다는 뜻도 있다. 밀(峃)과 같다.(密, 眉筆切. 山形如堂. 峃同上.)

'밀(密)'자는 산(山)이 의미부이고, 복(宓)이 소리부인 형성자이다. 『송본옥편』의 '동상(同上)'자인 '밀(峃)'은 그 올림자에서 구성성분의 하나인 '면(宀)'을 제거한 모습인데, 『전운옥편』의 '동자(同字)'인 '밀(宓)'은 '밀(密)'의 속체(俗體)를 사용한 것이다. 『집운(集韻)·질운(質韻)』에서는 "밀(密)은 세속에서는 밀(宓)이라고 쓴다.(密, 俗作宓.)"라고 하였고, 『송원이래속자보(宋元以來俗字譜)』에서는 '밀(密)'이라고 썼으며, 『열녀전(列女傳)』, 『통속소설(通俗小說)』, 『삼국지평화(三國志平話)』 등에서는 '밀(宓)'이라고 썼다. '밀(宓)'은 '밀(密)'의 가운데 구성성분인 '필(必)'의 필획을 연결시켜 만든 것이다.

- 전(鱣)—전(鱣)—선(鱓)

『전운옥편』: 잉어과의 물고기인 황어(黃魚)를 말한다. 선(先)운이다. 선(鱓)과 같다.(鱣, 鯉類, 黃魚. (先). 鱓同.)

『송본옥편』: 지(知)와 련(連)의 반절이다. 잉어[鯉]. 큰 물고기라는 뜻이다. 턱 아래에 비늘이 없다. 전(鱣)과 같다. 전(鱣)은 주문(籒文)이다.(鱣, 知連切. 鯉也, 大魚也, 頷下無鱗. 鱣同上. 鱣, 籒文.)

『송본옥편』의 '동상(同上)'자인 '전(鱣)'은 음을 나타내는 구성성분인 '전(廛)'을 사용하여 '단(亶)'을 대체하였고, 『전운옥편』의 '동자(同字)'인 '선(鱓)'은 구성성분인 '선(善)'을 사용하여 '단(亶)'을 대체하였다. 음을 나타내는 구성성분인 '전(廛)', '단(亶)', '선(善)'은 독음이 비슷하기 때문에 서로 대체될 수 있는 것이다.

형신보(邢慎寶)는 『전운옥편』과 『송본옥편』의 '동상(同上)'자를 비교하여 다음과 같은 결론을 도출해 내었다.[34]

첫째, 『전운옥편』의 '동자(同字)'와 『송본옥편』의 '동상(同上)'자의 대응은 그 비율이 대략 56.4%에 이를 정도로 주도적인 지위를 차지하고 있다. 이는

---

34) 邢慎寶, 『<全韻玉篇>同上字研究』(華東師範大學碩士畢業論文, 2014) 참조.

완전 대응(일대일)과 불완전 대응(일대다수, 다수대일)을 포함한다. 통계에 따르면, 완전 대응을 이루는 118개의 용례에서 103개의 용례가 형성자로써, 전체 수의 87%를 차지한다. 이는 한자가 한국으로 확장될 때 한글의 체계에서 선택적으로 한자의 형음의(形音義)의 정보를 계승하고 받아들였다는 것을 의미한다. 그중 대부분이 중국 한자의 형음의(形音義)와 일치한다.[35] 이러한 상황에는 두 가지 원인이 존재한다. 우선은 역사적인 측면을 그 원인으로 꼽을 수 있다. 한자가 한국으로 확장되어 '한국화'되는 과정에서, 그 소리와 문법적 용법에 매우 많은 변화가 발생했다. 그러나 자형과 자의에 대해서는 전반적으로 다 받아들이자는 입장이었고, 장기간 한자를 서면어로 사용하였으므로, 자형과 자의의 발전은 거의 정체상태였다. 다음은 그 당시 상황을 원인으로 꼽을 수 있다. 한국은 중국 각 시대의 한자 및 그 자형을 그대로 옮겼기 때문에 자형을 통일시키지 않았다. 특히 대한민국이 성립되고 나서, 한자의 존폐문제가 오랫동안 현안으로 있는데다가 문자정책도 반복적으로 계속 바뀌었기 때문에, 중국과 일본처럼 국가가 주도하는 한자 정리와 간략화 정책을 실행할 수가 없었다. 중국어와 서로 다른 언어체계에 속하는 한국어는 점착어(粘著語)로서, 풍부한 형태변화와 독특한 음성규칙, 고유의 단어 체계를 가지고 있다. 그렇지만 한자의 차용에 있어서는 오랫동안 중국한자 원래의 자형을 고수하였다.

둘째, 구성성분의 교체, 특히 의미와 음을 나타내는 구성성분의 교체는 한자가 '한국화'가 되는 상용수단이었다. 『전운옥편』의 '동자(同字)'와 『송본옥편』의 '동상(同上)'자의 비대응은 43.6% 정도를 차지하고 있다. 비대응인 '동상(同上)'자 중에서 구성성분의 변이가 대략 84%를 차지하고 있는데, 의미와 음을 나타내는 구성성분의 대체가 각각 37%와 31%로 대부분을 차지하고 있다. 이는 의미와 음을 나타내는 구성성분이 한국어의 체계에서 적극적으로 드러나는 구별요소라는 것을 의미한다. 한국과 중국 한자에는 자형과 자의의 유사점이 존재하는데, 바로 한자의 '근본(本)'이다. 그러나 한국은 한자를 차용할 때, 중국의 한자를 그대로 옮긴 것이 아니라, 한국의 언어체계에 맞게 바꾸었는데, 그 주요방법이 의미와 음을 나타내는 구성성분의 교

---

35) 李得春(1992년)은 한국한자의 소리는 중국어의 上古音에서 기원한다고 하였다. 즉 『詩經』으로 대표되는 先秦·兩漢시기의 소리를 말한다. 李得春, 「韓國漢字音聲母的幾個特征」, 『延邊大學學報』1(2003), 94-99쪽.

체였다. 이는 한국에서의 한자의 변화발전은 한국어 체계의 내부규칙과 한자의 이론적 근거를 따랐다는 것을 의미한다.

셋째, 한자가 한국으로 유입되고 나서, 한자의 글자 간 관계는 고정적인 게 아니었다. 통계에 따르면, 259용례의 『전운옥편』의 '동자(同字)' 용례와 『송본옥편』의 '동상(同上)'자 용례에서, 81개의 『전운옥편』의 '동자(同字)'가 『송본옥편』에서 올림자의 위치에 있는 것이 전체 수의 31%를 차지했다. 다시 말해, 본래의 올림자 또는 정자(正字)의 지위에 있던 한자들이 한국으로 유입되고 나서, 더 이상 비올림자 또는 비정자의 지위에는 머물지 않게 되었다는 말이다.

고금(古今)을 막론하고, 자전편찬의 용어는 사용자가 자전의 체제, 내용, 사용방법을 빠르게 이해하는 것이 관건이다. 우리는 자전의 체제는 자전의 틀이며, 편찬용어는 자전의 분류저장소라고 말한다. 틀이 분명하고 저장소의 분류가 명확하다면, 귀납하는 한자의 성질 또한 일목요연할 것이다. 그러나 고대에 만들어진 한문자전은 사회발전에 제한이 있었기 때문에 편찬자들이 용어의 사용과 분류를 통일시키기가 쉽지 않았으므로, 정확성을 논하기는 어렵다. 거기에다 고대 자전에 있는 용어들은 엄격하게 범주가 정해져 있는 게 아니었다. 이는 오늘날 우리가 한문자전을 연구하는 데 장애가 되고 있다. 제일 먼저 이러한 문제점을 해결하지 않는다면, 다시 말해 자전의 용어체제와 각 용어들의 근원과 내용을 제대로 이해하지 못한다면, 고대 자전을 깊이 있게 연구할 수 없을 것이다.

21세기는 이미 정보화시대로 진입하였다. 한중일의 고대자전 자료들의 디지털화 정리와 내용의 정량비교연구는 연구범위의 체계성과 연구방법의 과학성을 떠나, 여전히 공백상태에 있다. 이러한 공백을 메우기 위해서는 반드시 한중일의 고대자전을 정리하고 편찬체제를 연구해야 할 것이다. 그렇지 않으면 아무런 성과도 이룰 수 없을 것이다. 자전의 편찬체제의 핵심은 바로 용어의 활용에 있다. 한중일 자전의 편찬용어의 근원고증, 외연과 내용비교, 지시적 의미와 기호표현의 분석 및 빈도율의 분석 등은 반드시 해결해야 될 문제이다.

4. 통자(通字)

'통자(通字)'는 한국한문자전에서 출현빈도가 '동자(同字)' 다음으로 높다. 『전운옥편』에서 '통(通)'이라는 용어로 규정한 글자는 1,392개 있다. '모모통(某某通)' 또는 '모통(某通)'의 형식으로 사용되었으며, 일반적으로 통가(通假)나 통용관계를 나타낸다. 예를 보자.

> 리(俚): 【리】하염없다[聊]. 힘입다[賴]. 속되다[鄙俗]. 속요[野歌]라는 뜻이다. 지(紙)운이다. 리(里)와 통한다.(【리】聊, 賴, 鄙俗, 野歌. 紙). 里通)
>
> 보(俌): 【보】돕다[輔]. 우(麌)운이다. 보(輔)와 통한다.(【보】輔也. (麌). 輔通)
>
> 계(係): 【계】잇다[繼]. 매다[縛]. 계(繫)와 같다. 【혜】연속(連屬)이라는 뜻이다. 제(霽)운이다. 계(系)와 통한다.(【계】繼也, 縛也. 繫同. 【혜】連屬. (霽). 系通)
>
> 면(俛): 【면】머리를 숙이다[頫首]. 힘쓰다[僶俛]. 선(銑)운이다. 면(勉)과 통한다.(【면】頫首, 僶俛. (銑). 勉通)
>
> 보(保): 【보】책임지다[任]. 돕다[佑]. 보전하다[全]. 편안하다[安]. 용보(庸保: 고용된 사람). 지키다[守]. 보증하다[保障]. 기르다[倚養]. 보증인[阿保]이라는 뜻이다. 또 고용인[保傭]을 뜻한다. 호(晧)운이다. 보(褓)와 통한다.(【보】任也, 佑也, 全之. 安也, 庸保. 守也, 保障. 倚養, 阿保. 又保傭. (晧). 褓通)
>
> 후(侯): 【후】공(公)의 다음순서로, 두 번째 작위를 말한다. 아름답다[美]. 오직[維]. 벼슬아치[候]. 과녁[射布]. 어조사. 또 어찌[何]라는 뜻도 있다. 우(尤)운이다. 후(帿)·혜(兮)와 통한다.(【후】公之次, 二等爵. 美也, 維也, 候也, 射布, 語辭. 又何也. (尤). 帿兮通)
>
> 탈(侻): 【탈】교활하다[狡]. 가볍다[輕]. 합하다[合]. 간략하다[簡易]. 갈(曷)운이다. 탈(脫)과 통한다.(【탈】狡也, 輕也, 合也, 簡易. (曷). 脫通)
>
> 협(俠): 【협】권력으로 남을 돕다는 뜻이다. 의협심[任俠]을 나타낸다. 엽(葉)운이다. 협(挾)과 통한다. 【겹】곁[傍]. 아우르다[竝]. 흡(洽)운이다.(【협】權力輔人, 任俠. (葉). 挾通. 【겹】傍也, 竝也. (洽).)

5. 속자(俗字)

  '속자(俗字)'의 사용빈도는 '통자(通字)'자 다음으로, 세 번째에 속한다. 『전운옥편』에서는 109회 사용하였다. '속자(俗字)'는 당시 민간에서 상용하던 글자를 말한다. 예를 보자.

  기(糞): 【긔】기(冀)의 속자(俗字)이다. 치(真)운이다.(【긔】冀俗字. (真).)
  결(决): 【결】결단하다[斷]. 결(浹)의 속자(俗字)이다. 설(屑)운이다.(【결】斷也. 浹 俗字. (屑).)
  준(准): 【쥰】평평하다[平]. 준(準)의 속자(俗字)이다. 진(軫)운이다.(【쥰】平也. 準俗 字. (軫).)
  개(丐): 【개】구걸하다[乞]. 빌리다[與]. 취하다[取]. 태(泰)운이다. 개(匄)의 속자(俗 字)이다.(【개】乞也, 與也, 取也. (泰). 匄俗字.)
  잡(帀): 【잡】두르다[周]. 합(合)운이다. 잡(帀)의 속자(俗字)이다.(【잡】周也. (合). 帀俗字.)
  묘(卯): 【묘】지지의 명칭으로 단알(單閼)을 말한다. 교(巧)운이다. 묘(夘)의 속자 (俗字)이다.(【묘】支名, 單閼. (巧). 夘俗字.)
  적(弔): 【됴】조상[問終]. 슬퍼하다[傷]. 소(嘯)운이다. 【뎍】이르다[至]. 석(錫)운이 다. 조(弔)의 속자(俗字)이다.(【됴】問終, 傷也. (嘯). 【뎍】至也. (錫). 弔俗字.)
  손(潠): 【손】물을 뿜다[噴水]. 원(願)운이다. 손(潠)의 속자(俗字)이다.(【손】噴水. (願). 潠俗字.)
  타(坨): 【타】타(陀)의 속자(俗字)이다. 가(歌)운이다.(【타】陀俗字. (歌).)
  서(壻): 【셔】딸의 남편을 뜻한다. 제(霽)운이다. 서(壻)의 속자(俗字)이다.(【셔】女 之夫. (霽). 壻俗字.)
  수(嫂): 【소】수(嫂)의 속자(俗字)이다. 호(晧)운이다.(【소】嫂俗字. (晧).)
  눈(嫩): 【눈】연약하다[弱]. 원(願)운이다. 눈(嫰)의 속자(俗字)이다.(【눈】弱也. (願). 嫰俗字.)

  그 외에, 『전운옥편』에서 '금작(今作)'으로 된 경우가 1회 보인다.

  방(綁): 【방】동여매다[縛]. 옛날에는 이 글자가 없었으나, 지금은 묶어서 매질하

다는 뜻의 방태(絣笞)에서 사용된다. 양(陽)운이다.(【방】縛也. 古無此字, 今作
絣笞之字. (陽).)

그리고 '혹작(或作)'으로 된 경우가 3회 보인다.

> 뇌(鮾): 【뇌】물고기가 썩다. 회(脄)운이다. 혹 뇌(餒)라고도 쓴다.(【뇌】魚敗 (脄).
> 或作餒.)
> 신(鰰): 【신】물고기의 꼬리가 길다. 진(眞)운이다. 혹 신(鮮)이라고도 쓴다.(【신】
> 魚尾長. (眞). 或作鮮.)

제4절 자형 해석의 특징

한국한문자전에서 한자의 자형을 분석하고 자의를 해석한 자전으로는 『
제오유』와 『육서경위』가 있는데, 그중에서 심유진(沈有鎭)의 『제오유』가 가
장 대표적이다. 본 절에서는 주로 『제오유』를 예로 들어, 한국고대자전에
있는 고유한 자형 해석의 특징을 분석하고자 한다.

1. 글자 구성의 근거가 되는 전서와 해서

한자의 자형은 오랜 시간동안 발전하고 변화하였기 때문에, 『제오유』에
나열된 해서 올림자와 그에 대응하는 소전의 형체에 크게 차이가 날 뿐만
아니라, 해서의 자형만 봐서는 한자의 구조를 정확하게 분석할 수가 없다.
『제오유』에는 소전의 형체가 앞의 777자에만 나열되어 있고, 뒤의 758자에
는 빠져 있다고 해도, 석문(釋文)으로 봤을 때 여전히 소전을 가지고 그 구
조에 대해 해석을 하고 있다. 예를 보자.

> 진(辰): 𣜿, 해와 달이 모이는 곳이다. 지지의 하나이며, 3월을 뜻한다. 엄(厂)과
> 이(二)로 구성되어 있는 것은 고대의 상(上)자이다. ⼔로 구성된 것은 화(匕)
> 와 같은데 이는 고대의 화(化)자이다. 을(乙)로 구성되어 있는 것은 시기가 3

월이라 초목이 변화하여 싹이 생겨나기 때문에 을(乙)인 것이다. 이후로 점점 온도가 상승하게 되는데, 이 시기가 사람들이 농사를 지을 때이다. 위의 획이 엄(厂)자와 같은데, 두 획을 나누면 인(人)자가 되므로, 인(人)이 바로 음이다. 을(乙)의 주석에도, 또 치(厄)의 주석에도 보인다. 지지는 12개로 구성되어 있고, 하루는 12시간으로 구성되어 있기에, 진(辰)은 바로 시간을 나타낸다.(辰, 日月所會之處. 支之中一, 三月也. 從厂從二, 古上字; 從山, 同匕, 古化字; 從乙, 時値三月, 則草木化而生出爲乙. 漸向上, 此人之農時也. 上畫之如厂字者, 分兩畫則卽人字, 人則音也. 見乙註, 又見厄註. 地支有十二, 而日有十二時, 故辰卽時也.)

부(父): 나를 낳아준 사람을 부르는 호칭이다. 전서를 살펴보면, 손에 지팡이를 쥔 형상이다. 자식을 낳고 나면 아비는 이미 늙게 된다. 지팡이를 짚고 다니면서도, 또 자식을 가르치는 것이 부모의 직무이다. 교(敎)도 복(攴)으로 구성되었는데, 매로 때린다는 의미를 가지고 있기에 막대기를 쥔 모습을 했다. 행동이 바르지 못한 세상 사람들은 모두 그 부모가 지나친 사랑으로 회초리를 치지 않았기 때문이라고 한다. 글자의 의미를 연구하지 않은 병폐가 어찌 이러한 지경에 이르게 되었던가? 남자를 뜻하는 칭호로 가차되었기에 어부나 농부를 부를 때도 사용된다. [위로는 부모를 섬기고] 아래로는 자식들을 키우므로, 독음이 부(俯)이다.(生我之稱. 看篆畫, 則手持杖之形. 生子, 則其父已老矣, 可扶杖, 且敎子, 父之職. 敎之從攴, 箠撻之義, 所以持杖也. 世人之無行者, 皆其父溺愛不撻之致, 不究字義之弊, 胡至於此? 借爲男子之通稱, 故有漁父、田父之稱. 俯育其子, 故俯音.)

『설문』은 글자를 해석할 때 대부분 글자의 전체 형체 또는 몇 개의 구성성분으로 나누어 해석을 하였다. 그런데 『제오유』에서는 항상 피해석자(被解釋字)의 한 필획이 가지는 함의를 설명하면서, 더욱 상세하게 글자를 해석하고자 하였다. 예를 들어, 일(日)과 월(月)의 해석을 보면, 더욱 이 점이 분명하게 드러난다.

일(日): ▨, 태양의 정기이다. 둥근 모양을 본떴고, 상형이다. 양은 일(一)이라서 가운데에 한 개의 점이 있다. 실제의 이치가 여기에 있으므로, 독음이 실(實)이다. 또 하나의 이치가 가운데에 있기 때문에, 독음이 일(一)이다. 상형

(象形)이다. 그런데 일(一)과 합친 구조라서 회의(會意)가 된다.(⊖太陽之精. 從圓, 象形也. 陽一, 故中有一點. 實理在此, 故實音. 又曰一理在中, 故一音. 象形, 而合一則會意也.)

월(月): ⊝, 태음의 정기이다. 둥근 형상에서 이지러진 모습인데, 달은 차고 기우기 때문이다. 이(二)는 음수라서, 가운데에 두 개의 점이 있다. 기우기 때문에 독음이 궐(闕)이다. 상형(象形)이다. 그런데 이(二)와 합친 구조라서 회의(會意)가 된다. 삭(朔)과 망(望)자가 월(月)로 구성되어 있다.(⊝太陰之精. 從圓而缺, 月有盈虧也. 陰二, 故中從二點. 缺, 故闕音. 象形, 而合二則會意也. 朔、望字從之.)

편찬자는 소전의 형체를 대상으로 이 두 글자를 분석하였다. 먼저, '종원(從圓)'과 '종원이결(從圓而缺)'은 일(日)과 월(月)의 전체 형상이 나타내는 의미의 차이점을 말하고 있다. 그런 다음, 중간에 있는 필획을 두고 일(日)은 "양은 일(一)이라서 가운데에 한 개의 점이 있다.(陽一, 故中有一點.)"라 했고, 월(月)은 "이(二)가 음수라서 가운데에 두 개의 점이 있다.(陰二, 故中從二點.)"라고 분석하였다.

『설문』에서는 이 두 글자를 다음과 같이 분석하였다.

일(日): 태양[日]은 꽉 차있다. 태양의 정기는 이지러짐이 없다. 그래서 동그라미[○]와 가로획[一]으로 구성되어 있다. 상형이다. 무릇 태양에 속하는 것들은 모두 의미부가 일(日)이다.(日, 實也. 太陽之精不虧. 从○一. 象形. 凡日之屬皆从日.)

월(月): 달[月]은 이지러져 있다. 태음의 정기이다. 상형이다. 무릇 달에 속하는 것들은 모두 의미부가 월(月)이다.(月, 闕也. 大陰之精. 象形. 凡月之屬皆从月.)

『설문』에서는 일(日)과 월(月)을 음양의 개념으로 해석하였지만, 음(陰)과 양(陽)이 어떻게 자형에 체현되었는지는 설명이 없다. 그에 반해, 『제오유』에서는 '한 점[一點]'과 '두 점[二點]'으로 설명함으로서, 사람들이 쉽게 이해하고 기억하도록 하였다.

2. 조자방법의 유연성

자의(字義)를 해석할 때, 『제오유』에서는 기존에 있는 전통자전의 해석에 국한시키지 않고, 한자가 발전한 시대성, 한자가 사용된 문화적 배경, 사람들이 글자를 인식하는 수요에 근거하여, 창의력을 발휘하여 피해석자를 새롭게 설명하였다. 편찬자는 이를 '활법(活法)' 또는 '변통의 법[變通之法]'이라고 불렀다. 예를 보자.

천(天): 지(地)와 위로 짝을 이루는 것을 말한다. 일(一)과 대(大)로 구성되었으며, 회의(會意)이다. 옛날의 전서체로는 천(🌫)이라고 썼는데, 위쪽을 덮은 모습이다. 그보다 더 높은 것이 없으므로, [사람의 가장 꼭대기인 정수리를 뜻하는] 전(顚)이라 읽히게 되었다. 애려자(愛廬子: 내)가 대신(臺臣)의 신분으로 선대왕조에서 강학을 할 때 '원형리정(元亨利貞)'의 '원(元)'자를 두고 다음과 같이 말했었다. "천(天)은 이(二), 인(人)으로 구성되었는데, 원(元)과 인(仁)도 역시 이(二)와 인(人)으로 구성되었습니다. 이(二)는 겸애(兼愛)를 의미하고, 인(人)은 만물(萬物)의 주인이라는 뜻입니다. 천(天)이 이(二)와 인(人)으로 구성되었다는 것은 천지만물을 아울러 사랑한다는 의미가 담겨 있습니다. 원(元)은 기운의 흐름을 말하고, 인(仁)은 사람이 이러한 기운을 받았음을 말합니다. 그래서 서로 사랑하여 끊임없이 생성한다는 뜻이 됩니다. 이 세 글자는 한 글자였는데, 시간이 흐르면서 분화한 글자들입니다. 아랫부분을 덮은 모습이 되면 천(天)이 되고, 기가 흐르는 모습을 형상하여 다리가 굽혀진 모습이면 원(元)이 되고, 기가 사람에게 내려지면 사람보다 앞서서 인(仁)이 만들어지는 것입니다. 이들 글자의 종성(終聲)은 지금도 차이가 없습니다. 전하께서 인(仁)에 담긴 겸애(兼愛)의 뜻을 다 실천하신다면, 성인의 미덕이 하늘에 가득할 것이요, 모든 일이 항상 때에 맞아 떨어질 것입니다. 그래서 이렇게 풀었던 것입니다." 그러자 임금께서 "처음 듣는 해설이로다!"라고 하셨다. 그러고서는 "그대는 올해 나아기 얼마인가?"라고 물으셨다. 이에 대답하여 아뢰었다. (이하 생략) 일(一)과 대(大)로 두공된 것이 본래 뜻이긴 하지만, 이(二)와 인(人)으로 의미를 해석해도, 획수로도 문제가 되지 않고, 이치에도 어긋나지도 않는다. 이것이 바로 자학(字學)의 응용방법이다."[36]

천(天)자를 해석할 때, 그 구조를 "일(一)과 대(大)로 구성되어 있고, 회의이다."라고 분석하고, "일(一)과 대(大)가 본래 뜻이긴 하나"라고 말한 것은, 편찬자가 천(天)자의 최초의 쓰기와 그 본의에 대해 알고 있다는 것을 의미한다. 그러나 문자가 발전하고 형체도 변하면서, 당시의 사람들은 천(天)자를 대부분 이(二)와 인(人)의 합체라고 여겼다. 그래서 사람들의 생각과 문화적 배경에 따라, 원래 있던 전통자전에 있는 표현을 쓰지 않고, 천(天)자를 "이(二)와 인(人)으로 구성되었다."라고 해석하였으며, 아울러 이 구조에 대해 "이(二)는 더불어 사랑하다는 뜻을 가지고 있고, 인(人)은 천지만물의 주인이다. 천(天)이 이(二)와 인(人)으로 구성되어 있는 것은 더불어 만물을 사랑하다는 뜻을 담고 있는 것이다."와 같이 의미에 관한 설명을 덧붙였다. 또 원(元)과 인(仁)을 천(天)의 동원자(同源字)로 간주하고, 편찬자의 새로운 설명을 덧붙여 이를 방증하여, 사람들의 이해를 도왔다. 문자 자체를 연구하는 입장에서 보면 이러한 해석이 과학적이지 않다 해도, 이는 당시 사람들의 인지적 특징에 영합하고, 문자의 형체적 특징에 부합하고 있는 것이다. 이를 두고 편찬자는 "이(二)와 인(人)으로 의미를 해석해도, 획수로도 문제가 되지 않고, 이치에도 어긋나지도 않는다."라고 하면서 "이것이 바로 자학(字學)의 응용방법이다"라고 했다.

3. 한 글자에 대한 여러 가지 해석

『제오유』의 편찬자는 피해석자의 구조적 성질이 불명확하면, 여러 가지 설명들을 나열하면서도 어느 하나를 확정하지는 않았다. 예를 보자.

---

36) (역주) 地之上配也. 從一、大. 會意. 古篆作 ▨, 上覆之形也. 其高無上, 故顚音. 愛廬子以臺臣先大王朝講'元亨利貞'之'元'字曰: 天從二、人, 元、仁亦皆從二、人. 二, 兼愛之義; 人, 萬物之主. 天從二、人, 兼愛萬物之義; 元是氣之流行也; 仁, 人之裏是氣也, 其兼愛生生之義. 三字自是一字, 而隨時變化者也. 象其下覆則爲天, 象其流行則其腳曲而爲元, 裏於人則先人作仁. 其終聲則尙今無異. 殿下盡仁字, 兼愛之義, 則是所謂浩浩其天、其時, 適有事故, 演義如此. ｜, 上曰新聞之語也, 又曰爾牽, 幾何? 對曰: 云云. 一、大, 雖是本義, 以二、人解義, 無害於畫, 不違於理, 此字學之活法也.

언(言): 의미를 진술하는 소리를 말한다. 구(口)로 구성되어 있어, 피차의 의미를 밝힌다는 뜻이기에, 독음이 선(宣)이다. 혹 신(辛)과 구(口)로 구성되어 있기도 하다. 신(辛)은 허물이라는 뜻이며, 거짓으로 꾸민 것을 경계하라는 말이다. 독음이 신(辛)이다. 또 이(二)와 설(舌)로 구성되어 있기도 한데, 이(二)는 고대의 상(上)자로써, 말이 혀의 위에서 나온다는 의미이다.37)

편찬자는 언(言)자의 구조를 해석하면서 두 가지 관점을 나열하였다. '혹왈……우혹왈(或曰……又或曰)'의 형식으로 표시하였는데, 첫 번째 관점은 "신(辛)과 구(口)로 구성되어 있다. 신(辛)은 허물[愆]이라는 뜻이며, 거짓으로 꾸민 것을 경계하라는 말이다. 독음이 신(辛)이다."라는 것이다. 언(言)자를 신(辛)과 구(口)라는 두 가지 구성성분으로 분석하였는데, 그중에서 신(辛)은 의미부이자 또 소리부이다. 그러므로 이 관점에서 보면, 언(言)자를 회의 겸 형성자로 간주할 수 있다. 두 번째 관점은 "이(二)와 설(舌)로 구성되어 있다. 이(二)는 고대의 상(上)자로써, 말이 혀의 위에서 나온다는 의미이다."라는 것이다. 언(言)자를 이(二)와 설(舌)이라는 두 가지 구성성분으로 분석하였으며, 아울러 "말이 혀의 위에 있다."라고 해석하였다. 이 관점에서 보면, 언(言)자를 회의자로 해석할 수 있다. 상술한 두 가지 관점 이외에 편찬자는 그 어떤 자신의 결론도 내리지 않았다.

자(子): 자손을 말한다. 상형(象形)이다. 동지는 낮과 밤이 각각 절반씩인데, 양기(陽氣)가 땅 속에서부터 생겨나 땅 밖으로 나오기 시작하지만, 기운은 아직 찰 때이다. 그래서 펴지 못하고 구부릴 수밖에 없다. 초목이 새로 싹을 띄울 때 머리 부분이 굽은 것도 같은 이치이다. 자(子)는 그런 모습을 그린 것인데, 이것이 바로 하늘이 자시(子時)에서부터 열린다고 하는 말이다. 사람에게서 부자(父子)의 경우, 아비[父]는 자시에서 시작된 하늘에 앞서고, 자식은 그 하늘보다 뒤에 위치한다. 이러한 기운을 받아서 태어났기 때문에 머리 부분이 둥글지 않을 수 없고, 팔은 벌린 모습이 아닐 수 없다. 다리는 갈라져야 정상이겠지만 신생아는 바람에도 쉽게 놀라기에 포대기에 싸야 한다. 그래서 갈라진 모습이 아

---

37) (역주) 道意之聲也. 從口, 而宣彼此之意, 宣音. 或曰從辛、從口. 辛, 愆也, 寓戒飾之義, 辛音. 又或曰從二、從舌. 二, 古上字, 言出于舌上也.

니라 하나로 합쳤던 것이며, 이는 바람을 맞을까 두려워해서였다. 머리 부분은
우레[雷]와 같은데(子의 머리 부분이 雷의 아랫부분과 같다). 뢰(雷)는 바람[風]
을 뜻하고, 바람[風]은 쉽게 움직인다. 그리고 우레는 땅속의 우레를 말한다. 아
이가 태어날 때의 모습은 천지자연의 기운과 같은데, 천지는 사람의 큰 부모가
되기 때문이다. 이러한 것은 창힐을 직접 만나 이러한 해설이 맞는지를 질문한
다 해도 과연 어떻게 답할지는 알 수 없다. 양기(陽氣)가 점차 늘어나는 시점이
다. 그래서 독음이 자(滋)이다. 두 다리가 나누어지면 인(人: 사람)이 되고, 머리
와 얼굴이 하나로 직선이 되면 대(大)가 되는데, 이것이 바로 대인(大人)이라는
것이다. 또 천자(天子)나 군자(君子)의 호칭으로도 쓰인다. 여자도 자(子)라고
부르는데, 내자(內子)라는 말이 그렇다. 글자의 획으로 말하자면 상형(象形)이
다. 그러나 그 이치를 살펴보면 회의(會意)이다. 또 두 다리를 하나로 합친 것
을 갖고 말하자면 지사(指事)가 된다. 옛 글자에서는 자(孚)라고 썼는데, 머리카
락을 본떴다.[38]

편찬자는 상형이라고 그 구조를 설명하였으나, 마지막 부분에서 세 가
지 관점을 나열하였다. "글자의 획으로 말하자면 상형(象形)이다." "그러나
그 이치를 살펴보면 회의(會意)이다." "또 두 다리를 하나로 합친 것을 갖고
말하자면 지사(指事)가 된다." 이렇게 '자(子)'자의 구조를 세 가지 다른 관점
에서 상형, 회의, 지사라고 해석하였다.

4. 육서의 겸용문제

『설문』에서는 이미 육서의 겸용문제에 대해 언급했었다. 그중에서 "모

---

38) (역주) 嗣也. 象形. 冬至日夜半, 一陽之氣, 自地底而生, 纔出地外, 氣猶寒, 故不
能伸而曲. 草木之新生, 其頭曲, 一理, 而子其形也, 此所謂天開於子也. 人之父子,
其父則先天, 子卽後天之開於子者也. 稟是氣而生, 故其頭不得不圓, 其臂不得不
張, 其腳宜爲歧. 而新生兒易驚於風, 故以褓裹之, 並以爲一, 所以畏風也. 其頭象
雷(子之頭、雷之下同). 雷爲風, 風易動, 而雷乃地底雷也. 兒生之形, 卽天地自然
之氣, 天地爲人之大父母者, 此也. 親見倉皇而質此解, 則未知其所答果何如耳. 陽
氣漸滋, 故滋音. 兩腳分而成人, 頭容直, 則爲大字, 此所謂大人, 有天子、君子之
稱. 女亦子, 故曰內子. 以字畫言之, 則象形也; 究其理, 則會意也; 以兩腳之並歧
言之, 則指事也. 古作孚, 象頭髮也.

(某)와 모(某)로 구성되어 있으며, 모(某)는 역시 소리부이다.(从某从某, 某亦聲)"라는 형식으로, 회의 겸 형성을 지칭한 예들이 많이 보인다. 이외에도 "모(某)로 구성되어 있으며, 모(某)의 형상을 본떴다.(从某, 象某之形)"라는 형식으로, 상형 겸 지사 또는 상형 겸 회의를 지칭하는 예들이 있다. 남송(南宋)의 정초(鄭樵)는 처음으로 육서의 겸용문제에 대해 명확하게 제시하고 '겸생(兼生)'이라고 칭하면서, 따로 독립된 장을 만들어 설명하였다. 정초의 『육서략(六書略)』 이후, 송원명(宋元明) 시기에 출현한 대동(戴侗)의 『육서고(六書故)』, 조고칙(趙古則)의 『육서본의(六書本義)』, 조환광(趙宧光)의 『육서장전(六書長箋)』 등과 같은 수많은 육서학 관련 연구저서들은 모두 정초의 육서 겸용설을 계승하고 발전한 것들이다.

『제오유』는 육서의 겸용문제에 대해 전문적이거나 체계적으로 논술하지 않았지만, 구조를 설명하는 과정에서 언급하긴 했었다. 용어와 분류로 봤을 때, 편찬자의 육서 겸용이론은 송원명(宋元明) 시기의 육서겸용설의 영향을 많이 받았다.

(1) 상형(象形) 겸 지사(指事)

용례가 3개 보인다.

> 집(厶): 厽, 옛날의 집(集)자이다. 세 개가 서로 모여 있는 형상으로, 집(厸)이라고 쓰기도 한다. 독음은 입(入)이다. 상형 겸 지사이다.(厽, 古集字, 三合會集之形. 亦作厸. 入音. 象形兼指事也.)
>
> 절(卩): 弓, 부절을 말한다. 뼈의 형상을 본떴다. 절반은 안에 있고, 절반은 밖에 있다는 의미이다. 뼈는 꺾이므로, 독음이 절(折)이다. 상형 겸 지사이다. (弓, 符卩也. 象骨形. 半在內, 半在外之義也. 骨卩可以屈折, 故折音. 象形兼指事也.)
>
> 우(又): 바꾸다[叟]는 뜻이다. 오른손의 형상을 본떴다. 손가락이 세 개로 된 것은 손의 모습에서 불필요한 것을 생략하여 셋으로 하였기 때문이다. 왼쪽은 오른쪽과 서로 반대인데, 왼쪽이 있으면서 또 오른쪽이 있는 것은 바꾸다[叟]는 의미가 된다. 오른손은 식사를 할 때 우선이 되므로, 독음이 구(口)이

다. 상형 겸 지사이다. 우(又)로 구성된 글자는 모두 손으로 잡다는 의미를 지닌다.(夏也. 右手之形. 三指者, 手之列多略不過三也. 左則與右相反, 旣有左, 又有右, 爲叜義. 右手食食爲先, 故口音, 象形兼指事也. 凡字之從又者, 皆爲手 持之義.)

(2) 상형(象形) 겸 해성(諧聲)

용례가 하나뿐이다.

용(甬): 초목이 찬란하게 나는 모양이다. 독음이 용(用)이다. 그 위가 솟아오르는 형상이다. 상형 겸 해성이다.(草木華出之貌. 用, 音也, 其上方出之形也, 象形, 兼該聲.)

상술한 '상형 겸 지사' 외에, 또 지사 겸 해성이 있다. 예를 보자.

복(攴): 복(扑)과 같다. 때리다는 뜻이지만, 대개 채찍질을 하다는 의미로 사용된다. 또, 오른손이라는 뜻도 있다. 독음이 복(卜)이다. 지사 겸 해성이다.(與扑同. 小擊, 蓋箠撻也. 又, 右手也. 卜音. 指事兼諧聲也.)
우(右): 좌우를 뜻한다. 오른손의 형상을 본떴다. 음식을 먹을 때 우선이 되므로, 구(口)로 구성되어 있으며, 독음이 구(口)이다. 우(佑)·우(祐)와 통한다. 해성 겸 지사이다. 우(又)의 주석을 보라.(左右也. 從右手之形. 食食爲先, 故從口, 口音. 與佑、祐通. 該聲兼指事也. 見又注.)

정초의 『육서략』 이론을 보면, 지사 겸 해성자는 '독체자(獨體字)', '추상적인 사건 표시', '음을 나타내는 성분'과 같이 몇 가지 조건을 만족시켜야 한다. 상술한 '복(攴)'과 '우(右)'는 모두 이 조건에 부합된다는 것을 알 수 있다.

(3) 해성(諧聲)과 회의(會意)의 교차

상술한 '상형 겸 해성'과 '지사 겸 해성' 외에도, 또 '소리가 의미를 겸한다.(聲兼義)'는 표현이 있는데, 이는 우리가 일반적으로 얘기하는 회의 겸 형성자를 말한다. 주로 아래의 몇 가지 형식을 통해 드러난다.

① 회의 겸 해성(會意兼諧聲).

음(坙): 탐하다는 뜻이다. 조(爪)로 구성되어 있는 것은 긁어서 취하다는 의미이고, 임(壬)으로 구성되어 있는 것 역시 많이 취하다는 의미를 나타낸다. 그래서 독음이 임(壬)이다. 회의 겸 해성이다. 전서에서는 혹 인(人)으로 구성된 임(壬)으로 쓰기도 하는데, 잘못되었다.(貪濫也. 從爪, 刮取之義; 從壬, 亦多取之義. 壬音. 會意兼諧聲. 篆或從人作壬, 非.)

② 해성 겸 회의(諧聲兼會意).

권(龹): 권(卷)자의 윗부분으로, 굽어있는 모습이다. 권(卷)은 공(廾)으로 구성되어, 좌우를 말한다. 절(卩)은 슬(㔾: 옛날의 膝자)의 생략된 형체이다. 좌우의 무릎마디는 굽힐 수도 펼 수도 있기에, 서적[書卷] 역시 말고 펼쳤다 할 수 있으므로, 서적[書卷]의 권(卷)으로 가차되었다. 위에 변(釆)으로 구성되어 있어, 독음이 변(釆)이다. 변(釆)에는 구분하다는 의미가 있다. 해성 겸 회의이다. 권(捲)·권(倦)과 통한다.(卷之上曲也. 卷從廾, 左右也; 從卩, 㔾(古膝字)之省也. 左右㔾節曲而亦伸, 書卷亦卷舒, 故借爲書卷之卷. 上從釆, 釆音, 釆有分辨之義. 諧聲兼會意. 與捲、倦通)

③ 뜻이 음을 겸한다(意兼音).

영(熒): 영(榮)자의 윗부분이다. 영(榮)은 나무에서 꽃이 피는 것을 말한다. 형(熒)의 생략된 형상으로 구성되어, 광명이라는 의미를 나타내는데, 뜻이 음을 겸하고 있다. 사람의 지위가 높고 이름이 드러나는 것과 몸의 혈기 역시 영(榮)이라고 부를 수 있다. 새 날개처럼 올라간 처마[屋翼]도 영(榮)이라고 부르는데, 대개 밝게 비치는 곳을 말한다.(榮字之上. 榮, 木之發華. 從熒省, 炗明之義. 意兼音. 人之尊顯、身之血氣亦謂之榮, 類推. 屋翼亦曰榮, 蓋納明之處)

④ 음이 뜻을 겸한다(音兼意).

침(㑋): 날카롭다는 뜻이다. 대개 두 사람이 자기를 구부려서 돕는다는 뜻이다. 잠(先)은 힘을 쓰다는 의미를 가지고 있는데, 음이 뜻을 겸한다. 잠(先)의 주석을 보라.(銳意也. 蓋二人屈己以助之義. 先有用力之義, 音兼意. 見先註)

점(佔): 엿보다는 뜻이다. 인(人)이 의미부이다. 점(占)에는 일정하다는 의미를 가지고 있는데, 음이 뜻을 겸한다.(闚視. 人義. 占有一定之義. 音兼義.)

그밖에, '어떤 음이 뜻을 겸한다(某音兼意)'라는 형식도 보이는데, 이 또한 『제오유』에서 가장 자주 보이는 형식의 하나이다. 예를 보자.

탁(啄): 새가 먹는 것을 말한다. 구(口)가 의미부이고, 축(豕)이 소리부인데, 뜻도 겸한다. 새가 부리로 탁탁 쪼아 먹는 것을 돼지가 촉촉 거리며 걷는 것으로 비유하였다. 형체는 탁(啅)과 같고, 또 주(噣)와 통한다. 성모가 조(照母)이다.(鳥食. 從口. 豕音, 兼意. 鳥之以味啄啄, 如豕之豕豕. 形與啅同, 又與噣通, 俱以照爲母.)

삭(削): 깎다는 뜻이다. 도(刀)가 의미부이고, 소(肖)가 소리부인데, 뜻도 겸한다. 대개 소(肖)에는 작게 깎아 내다는 뜻이 있다.(刻削. 從刀. 肖音, 兼意, 蓋肖有少刮之義.)

촉(促): 다그치다는 뜻이다. 급박(急迫)은 발에 생기는 질병을 뜻하므로, 독음이 족(足)인데, 뜻도 겸한다. 국촉(局促)의 촉(促)은 급하다는 뜻으로 유추할 수 있다. 취(趣)와 통한다.(迫也. 急迫則足疾, 故足音, 兼意. 局促之促, 急之類推與趣通.)

⑤ 회의 겸 해성(會意兼該聲).

곡(曲): 누에를 치는데 쓰는 채반[蠶箔]을 말한다. 대개 관(丗)으로써 그릇을 나타낸다. 독음이 곡(曲)이다. 회의 겸 해성이다.(蠶箔. 蓋以丗爲器也. 曲音. 會意兼該聲.)

피(被): 덮다는 뜻이다. 피(被)가 몸에 붙는 것은 가죽[皮]이 살갗에 붙는 것과 같다. 회의 겸 해성이다.(覆也. 被之着體, 如皮之着膚, 會意兼該聲.)

⑥ 회의인데, 어떤 음은 뜻도 겸한다(會意, 某音兼意).

후(后): 임금을 말한다. 일(一)과 인(人)으로 구성된 회의이다. 명령을 내려서 시
행하게 하므로, 독음이 구(口)인데, 뜻도 겸한다. 후(後)와 통한다.(君也. 從
一、人, 會意. 發號施令, 故口音, 兼意. 與後通)

미(味): 자양분이 많고 좋은 맛[滋哧]이라는 뜻이다. 구(口)로 구성된 회의이다.
한 여름에 초목은 무성하나, 그 열매의 맛은 익지 않았기에, 독음이 미(未)이
다. 뜻도 겸한다.(滋味. 從口, 會意. 盛夏草木茂盛, 其實味生. 未音, 兼意.)

괘(掛): 걸다는 뜻이다. 수(手)로 구성된 회의이다. 독음은 괘(卦)이다. 그런데 괘
(卦)라는 것은 만상이 그 위에 걸리는 것이므로 뜻도 겸한다.(懸也. 從手, 會
意. 卦音. 而卦者, 掛萬象於其上, 兼意.)

⑦ 회의인데, 어떤 음은 해성을 겸한다(會意, 某音兼該聲).

구(媾): 혼인[婚媾]을 뜻한다. 혼(婚)의 생략된 모습으로 구성되어 있다. 구(冓)에
는 서로 교류하다는 뜻이 있는데, 회의이다. 독음이 구(冓)로, 해성도 겸하고
있다.(婚媾也. 從婚省. 冓有相交之義, 會意. 冓音, 兼該聲.)

구(覯): 보다는 뜻이다. 구(冓)에는 서로 보다는 뜻이 있는데, 회의이다. 독음이
구(冓)로, 해성도 겸하고 있다.(見也. 冓有兩相見之義, 會意. 冓音, 兼該聲.)

⑧ 회의인데, 음도 겸한다(會意, 兼音).

무(誣): 속이다는 뜻이다. 대개 무당의 말은 전부 남을 속이기 위해 꾸며낸 말
이라는 뜻을 담고 있다. 회의인데, 음도 겸한다.(欺罔. 蓋巫言全是飾詐, 會意, 兼
音.)

⑨ 해성인데, 뜻도 겸한다(該聲, 兼意).

도(匋): 질그릇이라는 뜻이다. 포(包)의 생략된 형체로 구성되어 있으며, 독음이

포(包)이다. 둥글다는 의미를 가지고 있으며, 해성인데 뜻도 겸한다. 도(陶)와 통하고, 또 요(窯)와 같다.(瓦器. 從包省. 音包, 有團圓之義, 該聲, 兼意. 與陶通, 又與窯同.)

(4) 회의의 범용

『설문』에서 형성자가 차지하는 비중은 89%나 되어, 회의자보다 78% 더 많다. 그런데, 『제오유』에서는 형성자와 회의자의 비중이 비슷하다. 『설문』과 『제오유』가 이렇게 차이 나는 이유는, 『설문』에서는 대부분 형성자로 해석했지만, 『제오유』에서는 회의자로 해석했기 때문이다. 이러한 글자들은 또 아래의 몇 가지 상황으로 나눌 수 있다.

① 『제오유』에서 형성자로 분석했지만, 회의라는 명칭을 쓴 경우.
석문(釋文)을 통해서 『제오유』의 편찬자는 이 글자들을 형성자로 해석했지만, 형체의 구조를 나타낼 때는 오히려 회의(會意)라고 표기했다는 것을 알 수 있다. 이런 글자들이 많은 편이다. 예를 보자.

○숙(儵): 검푸른 빛을 뜻한다. 흑(黑)으로 구성된 회의이다. 독음은 유(攸)이다. 숙(倏)과 같다. 숙(倏)의 주석을 보라.(青黑色. 從黑, 會意. 攸音. 與倏同, 見倏註.)
『설문』: 검푸른 비단에 흰색으로 꿰매는 것을 말한다. 흑(黑)이 의미부이고 유(攸)가 소리부이다.(青黑繒縫白色也. 从黑攸聲.)

○부(尃): 천을 펼치는 것을 말하는데, 부(敷)와 같다. 촌(寸)은 법도를 말한다. 예법(禮法)으로 널리 펼친다는 뜻을 담고 있다. 보(甫)음인데, 회의이다.(布施也. 與敷同. 寸, 法度也, 以禮法廣施也. 甫音, 會意也.)
『설문』: 펴다는 뜻이다. 촌(寸)이 의미부이고 보(甫)가 소리부이다.(布也. 从寸甫聲.)

○암(巖): 암(嵒)과 같다. 산(山)으로 구성된, 회의이다. 암(嚴)이 소리부이다. 암(嚴)의 주석을 보라. 세속에서는 암(岩)이라고 쓴다.(與嵒同. 從山, 會意. 嚴音.

見巖註. 俗作岩.)

『설문』: 바위라는 뜻이다. 산(山)이 의미부이고, 엄(嚴)이 소리부이다.(岸也. 从
山嚴聲.)

② 단어의 의미의 해석이 다르거나 또는 동일한 단어의 의미를 서로 다
르게 해석했기 때문에 자형구조의 분석에 차이가 발생한 경우.

○종(終): 다하다는 뜻이다. 고대에는 종(𡵂)이라고 적었는데, 대개 옷이 이미
다 이루어진 형상이다. 여자의 일에 속하므로, 독음이 공(工)이다. 겨울[冬]은
한 해의 끝이므로, 융(絨)과 동(夊)으로 구성되어 있으며, 독음이 융(絨)이다.
후세 사람들은 또 멱(糸)과 동(冬)으로 구성된 종(終)으로 썼으니, 실제로 종
(終)과 종(𡵂)이 같은 것이다. 초(初)와 종(終)은 모두 옷[衣]에서 뜻을 취했기
때문에, 초(初)는 의(衣)와 도(刀)로 구성되어 있으며, 종(終)은 멱(糸)과 동(冬)
으로 구성되어 있다.(竟也. 古作𡵂, 蓋造衣已成之形也. 屬於女工, 故工音. 冬,
歲之終, 故從絨, 從夊, 絨音. 後人又從糸、從冬作終字, 其實終與𡵂同. 初、
終字皆以衣取義, 故初從衣、從刀, 終從糸、從冬.)

『설문』: 작은 실[絨絲]을 말한다. 멱(糸)이 의미부이고 동(冬)이 소리부이다.(絨
絲也. 从糸冬聲.)

○승(勝): 뛰어나다는 뜻이다. 권(卷)의 생략된 형체로 구성되어 있으며, 변(釆)
은 화(火)로 바뀌었다. 권(卷)자는 무릎에서 나오는 것이고, 이는 사람의 싸
우는 힘을 의미한다. 즉 승부는 무릎의 힘에서 결정된다. 력(力)과 주(舟)로
구성되어, 가로로 차다는 뜻이고, 강한 자가 약함을 업신여긴다는 뜻을 나타
낸다. 승부는 높고 낮음으로 나누어지는 것이기에, 독음이 승(陞)이다. 오디
새[戴勝]의 승부[勝]는 머리에 달려 있기 때문에 역시 뛰어나다는 의미로 유
추할 수 있다.(任也. 從卷省, 而釆變作火. 卷字因卻以生, 而人之鬪力, 勝負在
於膝力之有無. 從力、舟, 有橫佩之義, 強者侮弱之義也. 勝負猶高下, 陞音. 戴
勝之勝加於頭, 故亦任之, 類推.)

『설문』: 뛰어나다는 뜻이다. 력(力)이 의미부이고 짐(朕)이 소리부이다.(任也. 从
力朕聲.)

③ 『제오유』의 일부 회의 겸 형성자들이 『설문』에서는 형성자가 되는 경우.

○방(哤): 난잡한 말을 뜻한다. 구(口)로 구성되어 있다. 방(尨)은 털이 많은 개를 의미한다. 회의인데 음도 겸한다.(雜語. 從口. 尨, 多毛之犬, 會意, 兼音.)
『설문』: 난잡한 말을 뜻한다. 구(口)가 의미부이고 방(尨)이 소리부이다. 잡어(雜語)라고도 말한다. 방(尨)과 같이 읽는다.(哤異之言. 從口尨聲. 一曰雜語. 讀若尨.)

○상(牀): 침상이라는 뜻이다. 나무의 조각은 반드시 쳐야 하고, 사람은 반드시 침상에 의지해야 하니, 회의이지만 장(爿)이 독음으로서 소리도 겸한다.(臥榻. 木之爿必搉, 且人必倚着於牀, 會意兼爿音.)
『설문』: 몸을 편하게 해서 앉는 것을 말한다. 목(木)이 의미부이고 장(爿)이 소리부이다.(安身之坐者. 從木爿聲.)

그밖에, 『제오유』에서는 회의자로 해석하였지만, 『설문』에서는 형성자로 해석한 경우가 있다. 이 경우에 속하는 글자 수는 많지 않은데, 주로 아래의 몇 가지 상황에서 나타난다.

A. 상형자를 해석하면서, 회의라고 명명한 경우.

○염(冄): 나아가는 모습을 나타낸다. 뺨의 털이 두 갈래로 아래로 늘어진 형상을 본뜬 것이다. 회의이다. 점점 자라므로, 독음이 점(漸)이다. 세속에서는 염(冉)으로 쓰고, 또한 염(髯)이라고도 쓴다.(行貌. 象頰毛二縷下垂形. 會意. 漸長, 故漸音. 俗作冉, 亦作髯.)
『설문』: 수염이 흔들리는 모양을 나타낸다. 상형이다. 무릇 염(冄)에 속하는 것들은 모두 염(冄)이 의미부이다.(毛冄冄也. 象形. 凡冄之屬皆从冄.)

B. 단어의 의미해석이 달라서 자형구조의 분석에도 차이가 발생한 경우.

○역(易): 바꾸다는 뜻이다. 일(日)과 월(月)로 구성되어 있는 회의구조이다. 『주

역(周易)』의 역(易)으로 유추할 수 있다. 또한 난이(難易)의 이(易)이기도 한데, 태양[日]과 달[月]은 하루에 한 번 바뀌는 필연적인 이치이기에, 난이(難易)의 이(易)로 유추될 수 있다. 난이(難易)의 이(易)와 변역(變易)의 역(易)을 우리나라 사람들은 두 가지 독음으로 쓰고 있지만, 모두 성모가 유모(喩母)에 속한다. 글자의 의미는 단번에 이해할 수 있다. 일(日)과 월(月)이 모두 그 독음이 되며, 불청불탁(不淸不濁)이다.(變也. 從日, 從月. 會意. 周易之易類推 仍爲難易之易. 日月之一日一變, 蓋必然之理, 爲難易之易類推. 難易之易、變易之易, 東人雖作二音, 而俱以喻爲母. 字義則一串可解. 日月皆爲其音, 而俱是不淸不濁也.)

『설문』: 도마뱀[蜥易, 蝘蜓, 守宮]이라는 뜻이다. 상형이다.(蜥易, 蝘蜓, 守宮也. 象形.)

『제오유』에 있는 회의자와 『설문』에 있는 동일한 글자의 자형분석의 차이점을 비교해보면, 『제오유』에서 회의자가 차지하는 비중이 『설문』보다 많은 원인을 알 수 있을 뿐만 아니라, 회의자의 해석에서 드러나는 편찬자의 학술적 이념을 이해할 수 있다. 첫째, 편찬자가 이해하고 있는 회의자는 중국고대의 대다수 학자들의 이해와 다르다. 그는 일부 전통적인 의미의 형성자와 상형자를 회의자라고 해석하였다. 허신이 내린 회의자의 정의로, 글자들의 자형분석을 판단한다면 이해할 수 없는 것들이 많다. 『설문』에서는 형성자로 해석하였지만, 『제오유』에서는 회의자로 해석한 용례를 비교해보면, 편찬자가 이해하는 회의자는 한자의 각 구성성분을 결합한 이후의 연상의미를 말한 것이라고 추측할 수 있다. 다시 말해, 두 개 또는 그 이상의 구성성분의 의미를 연상시키거나 파생한 후에 전체 글자의 의미를 도출해 낼 수 있다면, 그 글자는 회의자가 된다.

○쇄(刷): 닦다는 뜻이다. 인(人), 건(巾), 도(刀)로 구성되어 있다. 천으로 닦고, 칼로 깎아낸다는 의미이다. 회의이다. 그래서 독음이 괄(刮)이다.(拭也. 從人, 從巾, 從刀. 巾以拭之, 刀以刮之. 會意. 刮音.)

『설문』: 깎다는 뜻이다. 도(刀)가 의미부이고, 쇄(㕛)의 생략된 형상이 소리부이다.(刮也. 從刀, 㕛省聲.)

『설문』에서는 도(刀)를 의미부로 보고, 이 의미부로 쇄(刷)의 의미범주를 나타내었다. 그런데 『제오유』에서는 구성성분을 나누고, 그렇게 나누어진 구성성분의 의미를 연상하여 의미를 도출해내었다. 이를 통해, 자형(字形) 및 자의(字義)의 해석에서, 편찬자의 사고의 유연성과 창의성을 충분히 엿볼 수 있다.

둘째, 편찬자는 소리부가 뜻을 나타낼 수 있는 기능을 중시하여 그에 대해 많은 연구를 하였다. 『제오유』에 있는 회의 겸 형성자의 수는 매우 많은데, "어떤 음은 어떤 뜻을 겸한다.(某音兼某意)", "회의인데, 어떤 음을 겸한다.(會意兼某音)", "어떤 음은 뜻을 겸한다.(某音, 兼意)", "어떤 음은 회의를 겸한다.(某音兼會意)" 등 여러 가지 표현을 사용하여 나타내었다. 그중에는 『설문』에 원래부터 있던 회의 겸 형성자도 있지만, 『설문』에 있는 형성자의 소리부를 단어의 의미로 분석하여 뜻을 나타내는 기능을 부여한 경우도 있다.

> ○가(珈): 머리꾸미개를 뜻한다. 옥(玉)을 더했는데, 회의이다. 독음이 가(加)인데, 뜻도 겸한다.(首飾. 加玉, 會意. 加音, 兼意.)
> 『설문』: 여자들의 머리장식을 말한다. 옥(玉)이 의미부이고 가(加)가 소리부이다.(婦人首飾. 从玉加聲.)
>
> ○기(旣): 이미 끝냈다는 뜻이다. 식(食)의 생략된 모습과 기(旡)로 구성되어 있다. 마시고 먹다가 기운을 거스른다 싶으면 멈출 수 있다. 이미 끝냈다는 의미를 나타낸다. 그래서 독음이 기(旡)이다.(已盡也. 從食省, 從旡, 飲食而氣逆, 則可以止. 已盡之義. 旡音.)
> 『설문』: 음식을 적게 먹는 것[小食]을 말한다. 급(皀)이 의미부이고 기(旡)가 소리부이다.(小食也. 从皀旡聲.)

편찬자는 뜻을 나타낼 수 있는 소리부의 기능을 밝힘으로서, 독자들이 소리부로 이 글자의 독음을 기억하고, 소리부의 의미로 전체 글자의 의미를 이해할 수 있게 하였다. 이는 '소리로 의미를 구하는[因聲求義]' 편찬자의 의도가 매우 잘 드러난 부분이다.

그밖에, 『육서경위』가 해서체에 의거하여, 회의(會意)의 방법으로 한자를 해석한 것은 한자가 동아시아로 확장되는 과정에서 형성자의 영향력이 회의자보다 못하다는 것을 설명한다. 조선시대의 학자들은 한자에 관심을 가질 때, 그 의미에 있는 숨은 속뜻에 더 관심을 가진 것으로 보인다. 중국을 제외한 기타 국가의 사람들이 봤을 때, 한자는 표음문자도 아니고, 또 소리부가 있다 해도, 그 소리부도 자모가 아닌 한자로 되어 있어, 자모로 읽을 수도 없다. 그러므로 한자는 '보는 것(to look)'이지, '읽는 것(to read)'이 아닌 것이다.

6

한국한문자전의 디지털화

최근 몇 년간 한자문화권에 있는 많은 학술단체들이 각국의 한문자전에 대한 연구와 디지털화의 중요성을 깨닫고, 지속적으로 한문자전의 디지털화 작업을 하고 있다.

본장에서는 한국과 중국의 전통자전에 대한 디지털화 작업의 최신성과를 중점적으로 소개하고, 한국과 중국자전의 독립검색 데이터베이스와 통합검색 시스템 등 소프트웨어의 내용, 기능 및 이상의 디지털화 성과를 출판한 대형 공구서들을 평가하였다.

제1절 자전의 독립 검색 데이터베이스

중국에서 한국의 고대한문자전에 대한 디지털화 정리 작업은 2008년부터 시작되었다. 왕평 교수와 하영삼 한국한자연구소 소장이 주축이 되어 결성한 한·중연합연구팀은 오랫동안 한·중 전통자전을 정리하였는데, 특히 대량의 디지털화 정리는 동아시아문화권에서 한문자전의 자원공유에 커다란 공헌을 하였다. 한문자전을 전자텍스트로 제작하고, 더 나아가 데이터베이스까지 구축해놓았다. 이는 한문자전 및 한자자체에 관한 연구와 한자의 한국 확장 및 사용에 관한 연구에 모두 중요한 가치를 지닌다. 즉, 데이터베이스에서의 글자와 전체문장 검색, 동적인 선별, 유형별 분류, 글자빈도 통계 등 여러 기능들은 연구에 편리함을 줄 뿐만 아니라, 자원공유 차원에서 훌륭한 플랫폼을 제공한다.

1. 한자 자형의 전거(典據)

한국은 상당히 풍부한 한문자전들이 남아있지만, 지금까지 여러 기능을 탑재한 개방형 한문자전 데이터베이스와 검색시스템을 본 적이 없다. 한국학중앙연구원에서 주관하고 개발한 '한국의 역대 정보 통합 시스템'은 한국의 역대 문헌에 관한 통합 데이터베이스이다. 그중에서 '왕실 도서관 장서각 디지털 아카이브'항목에 있는 '한자자형전거(漢字字形典據)'[1]는 현재 우리가 한국에서 사용할 수 있는 한국한문자전에 관한 유일한 검색시스템이다. 그러나 디지털 아카이브의 중점부분이 아닌데다가, 개발자가 자전의 사용에 중점을 둔 게 아니기 때문에 자료의 범위, 내용, 한자의 형음의(形音義) 등 영역을 더 완벽하게 보충할 필요가 있다. 특히 수많은 한문자전들이 여전히 검색이 안 되고, PDF 화면으로만 업로드가 되어 있어, 문헌 자체의 확산과 사용기능을 떨어뜨렸다. 그러나 '한자자형의 전거'가 동아시아의 한문자전이라는 자원의 공유에 중요한 첫발을 내디뎌, 그 공이 크다는 점은 분명하다.

2. 조선시대 자전의 데이터베이스

'조선시대 자전 데이터베이스'(이하 자전 데이터베이스)[2]는 현재 동아시아 한자문화권에서 유일하게 한국한문자전에 대해 검색할 수 있는 데이터베이스이다.

(1) 문헌의 선정과 데이터베이스 구축

---

1) http://yoksa.aks.ac.kr/을 참조.
2) 이 데이터베이스는 왕평 교수가 설계하고 주관하여 개발한 것으로, 상해시 사회과학부문의 종료된 연구과제 성과물이다(과제번호2013BYY007).

거듭된 논증을 거치고 나서, 연구과제팀은 조선시대의 대표적인 자전인 『제오유』, 『전운옥편』, 『자류주석』을 선택하게 되었다. 『제오유』는 현존하는 한국 최초의 자원(字源) 자전으로, 본 데이터베이스에서 사용한 판본은 국립중앙도서관의 소장본이다. 『전운옥편』은 현존하는 한국 최초의 운서에서 독립되어 나온 한문자전이다. 본 데이터베이스에서 사용한 판본은 기묘신간(己卯新刊) 『전운옥편』 춘방장판(春坊藏板)이다. 『자류주석』은 현존하는 한국 최초의 의미에 따라 분류한 한문자전으로, 본 데이터베이스에서 사용한 판본은 멱남본(覓南本)이다.

선택한 자전에 중국식 구두점을 더해 데이터베이스에 입력한 것이 가장 주된 작업이다. 문헌에 구두점을 찍을 때, 가능한 한 각 문헌의 특징을 고려하고, 동일한 문헌 내에서는 그 형식을 통일하고자 하였다. 구두점을 찍는 과정에서 관식(寬式) 구두점을 사용하여, 쉼표와 마침표를 위주로 하였다. 텍스트의 주석을 데이터베이스 구축의 기초로 삼았으며, 각종 자전의 기능에 근거하여 올림자 검색, 부수검색, 분류별 검색, 전문(全文) 검색 등 검색경로를 설계하였다.

(2) 기능 소개

'자전 데이터베이스'는 텍스트처리를 위한 다기능 검색 소프트웨어이다. 이 소프트웨어의 운영환경은 다음과 같다.

운영체제: Windows XP, 7, 8, 8.1 또는 10
운영플랫폼: NET Framework V4.0
지원폰트: Simsun(Founder Extended)(확장 A, B); 한글바탕과 한소프트바탕
자체제작글꼴: diwuyou, quanyunyupian, zileizhushi

'자전 데이터베이스'는 『제오유』, 『자류주석』, 『전운옥편』의 전문 검색과 글자의 사용빈도 등 검색기능을 갖추고 있는데, 다음과 같다.

【올림자 검색】 올림자 검색을 통한 필요한 정보의 찾기 실행

【부수 검색】부수검색을 통한 필요한 정보의 찾기 실행

【분류별 검색】분류별 검색을 통한 필요한 정보의 찾기 실행

【전문 검색】입력한 찾기 수단을 통해, 필요한 정보의 선택 및 키워드 검색실행

(3) 가치

연구방법과 텍스트의 한계로 인해, 한국의 역대 한자에 대한 정리와 연구 및 한·중 한자의 비교연구 등의 분야는 여전히 공백상태이다. 그러므로 '자전 데이터베이스' 소프트웨어는 이러한 공백상태를 메워주는 역할을 할 것이다.

학술적 가치로 봤을 때, 한자의 확장은 해외에서 한학을 수용할 수 있는 기반을 마련하였다. 한자의 동아시아 확장과 그 사용규칙을 인식하고, 한자의 저장매체가 되는 중국문화가 한국에 전해지고 수용되는 과정을 살펴보려면, 한국의 한문자전을 반드시 정리하고 연구해야 한다. 한국한자에 대한 통계와 조사는 동아시아 한자를 연구하는 기초가 된다. 그러므로 한국과 중국의 역대한문자전을 조사하면서, 양국에서 통용되는 한자의 수량, 종류, 형체, 독음, 의미 등 영역을 비교연구하였으며, 그에 대한 성과는 한자발전연구, 한자를 수용한 동아시아의 국가별 연구, 한국한자교육 등의 연구에 대체할 수 없는 학술적 가치를 가진다. 한자체계의 발전규칙에 대한 인식과 한자의 확장 더 나아가서 중국 역대 문화에 대한 진일보한 확대는 공백을 채워주고 결함을 보충해주는 의의를 지닌다.

활용 가치로 봤을 때, 조선시대의 대표적인 한문자전을 편집과 검색이 가능한 전자텍스트로 제작했다는 것은 이 공구서들을 제대로 이용하는 것에서나 아니면 한자의 공시적 혹은 통시적 비교연구에 있어서도 큰 성과가 아닐 수 없다. 동아시아에서 한자는 매우 복잡한 양상을 띠며 사용되는데, 이는 컴퓨터로 한자의 해외확장에 대해 연구할 수 있는 실행가능성을 크게 제한시켰다. 동아시아 한자의 고대 서적들을 정리할 때, 디지털화하기에 적합한 통일된 문자코드가 부족한 것은 문헌의 디지털화에 심각한 문제로 작용했다. 그래서 컴퓨터에서 사용할 수 있는 문자코드를 만들고, 통용범위

내에서 전반적으로 비교하는 것은 중국에서의 한자연구에 도움이 될 것이다. 또한 관련 통용 한자의 속성을 대조해서 기술하는 것도 통용문자코드표를 만드는데 도움이 될 것이다.

소프트웨어로 이미 출판이 된 '자전 데이터베이스'는 이 분야의 연구에 편리함을 안겨다 줄 것이다. 그와 동시에 이 소프트웨어는 개방형 시스템으로, 『설문』의 전문검색 및 『송본옥편』·『강희자전』의 지식베이스 등 소프트웨어와 직접적으로 연계되어 있어, 중국어 문자학 연구와 동아시아 한자의 확장과 응용연구에 전문적인 플랫폼을 제공하고 있다.3)

제2절 자전의 통합검색 시스템

1. 조선시대 자전의 통합검색

'조선시대 자전의 통합검색'(이하 자전 통합검색)4)은 텍스트 처리를 위한 다기능 검색 데이터베이스로써, '자전 데이터베이스'의 업그레이드 버전이다. 단일 데이터베이스 정보 검색은 물론, 자전 3종의 통합검색도 가능하게 하였다. 이는 현재 동아시아 한자문화권에서 유일하게 한국의 역대 한문자전을 통합검색할 수 있는 데이터베이스이다.

(1) 기능

'자전 통합검색'은 올림자의 검색을 통해, 『제오유』, 『전운옥편』, 『자류주석』에서의 정확한 검색을 실현할 수 있으며, 【처음[第一條]】, 【다음[下一條]】, 【이전[上一條]】, 【마지막[最後一條]】 버튼으로 데이터베이스의 대강의 모습을 살펴볼 수 있다. '올림자 검색'은 【올림자 검색】 버튼을 눌러 모듈에 진입할 수 있다. 순서는 다음과 같다.

---

3) 王平, 「朝鮮時代經典字書數據庫的功能及應用」, 『漢字研究』第13輯(2015), 157-172 쪽.
4) 이 데이터베이스는 왕평이 설계하고 개발하였으며, 상해시 교육위원회 혁신과제의 종료된 연구과제 성과물이다(과제번호14ZS044).

① 【통합검색】을 클릭

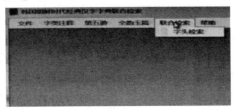

② 올림자 입력

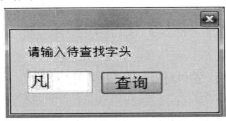

③ 【검색】 버튼 클릭하면 아래와 같은 화면이 보인다.

④ 내용을 살펴본 후에, 계속해서 검색할 생각이라면 다시 올림자를 입력하면 된다.

⑤ 【검색】 버튼을 누르면, 아래와 같은 화면이 보인다.

(2) 가치

'자전 통합검색'은 텍스트 처리를 위한 다기능 검색 데이터베이스로, 조선시대의 대표적인 한문자전을 동일한 층차에서 나열하고, 통합검색 시스템을 건립하였다. 따라서 한국한문자전의 편찬역사와 전통을 체계적으로 정리하였으며, 한자가 동아시아로 확장되는 과정에서 나타나는 계승과 변이의 맥락을 고찰하였다. 동아시아 각국에서 적용시킨 고대 서적의 디지털 코드가 다른 것은 한자의 자원공유에 부담으로 작용하고 있으며, 검색의 정확성에도 영향을 미쳤다. 그런데 '자전 통합검색'에서는 자전에 있지만 잘 쓰이지 않는 글자를 유니코드(Unicode)의 국제코드를 준수하여 입력하였다. 이는 향후 동아시아 고대 서적을 정리할 때 코딩의 통합을 위해 적극적으로 시도해 본 것이다.

2. 한국과 중국의 자전 통합검색

한국에서 한자는 자형과 그 사용방법에서 독특한 변화를 거쳐 발전하였지만, 지금껏 방대한 양의 한·중자전을 연구한 것이 없었다. 한국과 중국의 고대 자전들은 문헌연구에 있어 반드시 필요한 자료들로, 데이터베이스 기술의 힘을 빌려 고대 자전에서 언어학자들이 관심을 가지는 정보를 추출해내어, 통합검색 프로그램을 만든다면, 글자의 독음과 의미를 찾는 과정이 훨씬 빨라질 것이다.

(1) 중국 자전의 데이터베이스 성과

①『설문』전문검색

'『설문』전문검색'(이하 『설문』검색)5)은 텍스트의 정보처리를 위한 소프트웨어로서, 마이크로소프트 오피스의 엑세스(Access)를 사용하여 저장하였으며, 당시 유행한 윈도우의 개발도구인 vb.net을 사용하여, 화면은 간결하고 조작이 편리하다. '『설문』검색'은 부수 검색, 병음 검색, 해서 올림자 검색, 반절 검색, 자형 검색, 자음 검색, 인용서적 검색, 이설(異說) 검색, 해성(諧聲)자 검색, 기타 검색, 전문 검색 등 11종의 검색경로를 포함하고 있다.6) 사용자는 검색조건을 선택하거나 입력하기만 하면,『설문』에 있는 한자의 형음의(形音義) 등의 정보를 신속하게 찾을 수 있다. 예컨대, '부수 검색'에서는 부수의 명칭과 부수의 필획으로 검색할 수 있고, '병음 검색'에서는 올림자의 병음을 입력하여 검색할 수 있다. '해서 올림자 검색'에서는 올림자를 입력하여 검색할 수 있으며, '반절 검색'에서는 반절자, 반절상자, 반절하자를 입력하면 검색할 수 있는데, 이 검색 모듈은 반절상자나 반절하자 또는 동일한 반절용자의 사용빈도를 통계 낼 수 있다. '자형 검색'은 중문(重文) 검색과 조자구조검색이라는 두 부분으로 나뉘며, '인용서적 검색'은 주로 자전에서 인용한 문헌의 상황을 검색할 때, 선택창에 문헌명을 입력하면 검색할 수 있다. '해성(諧聲)자 검색'은 해성의 편방을 입력하여 검색할 수 있고, '전문 검색'은 찾는 내용을 입력해서 정보에 대한 데이터검색을 할 수 있으며, 찾는 자료를 선택할 수 있다. '대서본 검색'과 같은 기타검색은 사용자가 치는 과정에서『설문』대서본(大徐本)의 정확한 지식 및 그 자료를 검색할 수 있어,『설문』을 검색할 때 소요되는 시간적 문제를 한 번에 해결할 수 있으므로 언어문자 전공자들이 편리하게 사용할 수 있는 보조도구이다.7)

---

5) 이 데이터베이스는 왕평이 직접 개발하였으며, 장극화가 주관한 중국교육부 인문사회과학 중점연구기지의 중점과제인『說文解字』,『原本玉篇』,『篆隷萬象名義』비교연구(01JAZJD740007)의 종료된 연구과제이다. 또『<說文解字>全文檢索』(南方日版出版社, 2004) 참조.

6) 臧克和·王平,『<說文解字>全文檢索』(南方日版出版社, 2004).

7) 王平,「<說文><玉篇><篆隷萬象名義>聯合檢索系統的開發」,『中國文字研究』第

『설문』은 중국 최초의 소전(小篆)과 그 밖의 각종 고문자 유형을 모은 자전으로, 줄곧 언어문자 전공자들의 주목을 받았었다. 이 소프트웨어는 언어문자 전공자들을 위해 『설문』의 검색·찾기·복사연구 및 그와 관련된 내용을 제공하는 플랫폼이 된다. '『설문』검색'을 기반으로, 새롭게 다시 교정한 『<설문해자>표점정리본』8)을 2016년 상해서점출판사에서 출판하였다.

②『송본옥편』 지식베이스

'『송본옥편』 지식베이스9)는 텍스트의 정보처리를 위한 소프트웨어로서, 마이크로소프트 오피스의 엑세스(Access)를 사용하여 저장하였으며, 당시 유행한 윈도우의 개발도구인 vb.net을 사용하여, 화면은 간결하고 조작이 편리하다. 사용자는 검색을 선택하거나 입력하기만 하면, 『송본옥편』에 있는 한자의 형음의(形音義) 등의 정보를 빠르게 찾을 수 있다. 이 소프트웨어는 한자 자체의 연구나 『송본옥편』 연구에도 모두 가치를 지닌다 할 것이다.10)

『송본옥편』은 한자의 해서(楷書)자 단계를 대표하는 최초의 자전으로, 주로 자의(字義)의 해석, 자음(字音)의 기록, 자형(字形)의 구별을 나타내었다. 역대 한자들이 중고시기까지 전승되면, 한자의 기본적인 구조는 필세(筆勢)에만 존재하게 되는데, 『송본옥편』은 이렇게 부호화된 한자의 형음의(形音義) 관계를 기록한 것이다. 실제로 『송본옥편』은 동한(東漢) 허신(許愼)의 『설문』을 이어 한자를 정리한 문헌으로, 『설문』은 소전(小篆)에 치중한데 반해, 『송본옥편』은 해서(楷書)에 치중하고 있다. 『송본옥편』에 기록된 한자의 형음의(形音義)와 관련된 정보는 경서에 존재할 뿐만 아니라 현재에도 사용되고 있다. 역대 한자의 발전과 변화, 특히 현대 한자의 계승관계 및 규범을 연구하려면, 우선적으로 『송본옥편』이 동아시아 각국에 확장된 상황을 주목하고 연구할 필요가 있다. 그 이유는 한국과 일본에서 『옥편』으로 명명된 한문자전들이 굉장히 많기 때문이다.11) 그러나 오랫동안 중국의 『송본옥

4輯(2005).

8) 王平・李建廷, 『說文解字標點整理本・前言』(上海書店出版社, 2016).

9) 이 데이터베이스는 왕평 교수가 직접 개발하였으며, 장극화 교수가 주관한 교육부 인문사회과학 중점연구기지의 중점과제인 『說文解字』, 『原本玉篇』, 『篆隷萬象名義』비교연구(01JAZJD740007)의 종료된 연구과제이다.

10) 王平, 「<玉篇>知識庫的建立和使用」, 『中國文字研究』第5輯(2004).

11) 王平, 「論韓國李朝及現代時期的"玉篇"類字典」, 『中國文字研究』第25輯(2017).

편』이라는 자원을 충분히 이용할 수 없었으므로, 지금까지 상해서점에서 출판한 『송본옥편표점정리본(宋本玉篇標點整理本)』(뒤에 분류검색 첨부)이 동아시아 최초이다.12)

③『강희자전』한자학 데이터베이스

'『강희자전』한자학 데이터베이스'(이하『강희』데이터베이스)13)는 경성대학교 한국한자연구소와 상해교통대학교 해외한자문화연구센터가 공동으로 개발하였다. 이 데이터베이스에서 근거한 문헌의 판본 및 그 기능은 아래의 설명과 같다.

A.『강희자전』의 판본

『강희자전』은 장옥서(張玉書, 1642~1711), 진정경(陳廷敬, 1639~1712) 등 20여명의 저명한 학자들이 강희(康熙) 황제의 명을 받아 편찬하였다. 강희(康熙) 49년(1710)부터 편찬하기 시작하여, 55년(1716)에 출판하였다.『강희자전』은 역대 자전의 편찬기술을 받아들여, 전체 12집으로 구성되어 있는데, 자집(子集)에서부터 해집(亥集)까지 상·중·하 3권으로 각각 나누어져 있으며, 214부수로 배열되어 있다. 모두 47,035자를 수록하고 있고, 내용은 고대의 시문을 인용함으로서 글자의 근원을 역추적 하였으며, 역대 한자의 용법에 대해 상세히 주를 해석함으로서 그 변천과정을 논증하였다.

『강희자전』은 출판되고 나서, 수록자가 가장 많고, 가장 완전하며, 규모도 최대인 자전이며, 또한 사용가치가 가장 높고 영향력도 가장 광범위한 자전이라고 불릴 정도로 중국사회에 미친 영향이 엄청났다. 게다가『강희자전』에 수록된 한자와 그 한자의 형음의(形音義)에 대한 해석이 널리 인용되면서, 그 체제도 후세에 자전 편찬의 저본이 되었다.『강희자전』은 또 동아시아 한자문화권에서도 그 영향력이 대단했다. 지금까지 한국과 일본의 고대와 현대에 편찬된 수많은 한자 공구서에서 한자의 형음의(形音義)에 대한

王平·李凡,「日本明治時代<玉篇>類字典的版本與價值」,『山東師範大學學報』제2집(2017).

12) 王平 등,『<宋本玉篇>標點整理本·前言』(上海書店, 2017).

13) 이는 왕평 교수가 설계하고, 하영삼 교수가 같이 주관하여 개발하였다. 한국연구재단(과제번호: NRF-2011-322-A00040)의 지원을 받아 제작되었다.

해석은 상당부분 『강희자전』에서 직접 인용하였다. 그뿐만 아니라, 한자공구서의 편찬과 한자교육 등의 영역에서 『강희자전』에서 채용한 214개 한자 부수를 지금까지 사용하고 있다.

a. 역대 판본

『강희자전』은 판본이 많은데, 가장 이른 판본이 강희(康熙) 55년(1716)의 무영전본(武英殿本)이다. 이는 전체 40책으로 구성된 정부에서 판각한 초간본으로 제일 진귀한 판본이라고 할 수 있다. 이 판본의 판형은 크고, 행간의 배치가 또렷한데다 인쇄지는 깨끗하고, 장정에 신경을 많이 썼다. 판틀의 크기는 19.5cm×14cm이며, 매 쪽마다 8행, 매 행마다 12자가 써져 있다. 명대(明代)의 방송(仿宋)체로 써져 있기에 네모반듯하고 둥글고 아름다우며, 고상함을 느낄 수 있다.

도광(道光) 11년(1831)에 왕인지(王引之)가 『강희자전』의 교정본을 출판하였다. 훈고학자인 왕인지가 명을 받아 『강희자전』에 보이는 오류들을 하나하나 고증하여 모두 2,558개의 항목을 정정하였다. 이 판본은 완벽한 편이지만, 안타깝게도 세간에서 큰 변화를 원하지 않았기에 여전히 강희(康熙)의 판각본으로 복사하거나 또는 서문의 뒤에 왕인지의 교정본을 더하였다.

광서(光緒) 6년(1880), 상해신보관(上海申報館)의 신창서화실(申昌書畫室)에서 발매한 점석재(點石齋) 석판(石版) 축쇄본은 4책이 한 질로 되었는데, 표지에 금홍색으로 서명을 하고 홍목 협판을 곁들였다. 판틀의 크기는 14cm×20cm로, 화선지에 인쇄하여 종이의 재질은 깨끗하고 섬세하며 균일하다. 필적도 이상하리만큼 분명하여 석판인쇄의 우수작이라고 할 만하다.

b. 현대 정리본

원래 『강희자전』의 판본은 세로로 편집되어 있으며, 지금처럼 구두점이 표시된 것도 아니었다. 또 현대의 독음 표시도 없고 편리한 색인기능도 없어 사용하기가 매우 불편했으므로 주로 전문가들만 사용하였다. 현대판『강희자전』은 상술한 한계를 극복하고, 원래 판본에서 가장 찾기 어려운 부분과 주석부분을 현대의 문자규범에 맞게 병합하여 다듬었으므로 검색하기가 매우 쉬워졌다. 게다가 현대판에서는 구판본을 대량으로 수정하여 정리하였다. 예컨대, 청(淸)나라 왕인지(王引之)는 『강희자전』에서 2,588개의 오류를 수정하였는데, 현대판에서는 18,000여개를 수정하였다. 현대판의 판식은 가로배열을 선택하였고, 올림자에는 현대의 독음을 기록하였으며, 석문에는 신식 구두점을 표시하였고, 책의 앞부분에는 색인을 더하여 사람들이 편리하게 사용할 수 있도록 만들었다. 현재 중국에서 유행하는 현대판『강희자전』들은 많지만, 한어대자전출판사(漢語大字典出版社)(2002), 중화서국(中華書局)(2004), 중주고적출판사(中州古籍出版社)(상하권, 2006), 북경연산출판사(北京燕山出版社)(전체 6책, 2006), 사회과학문헌출판사(社會科學文獻出版社)(수정판, 2008) 등에서 출판한 판본들이 대체로 영향력이 크다.

c. 전자판본『강희자전』

『강희자전』의 전자판본이 만들어지면서, 더욱 넓은 범위에서 편리하게 사용할 수 있게 되었다. 첫째 정보검색이 편해, 자료의 이용률이 향상되었다. 둘째 가독성을 높이기 위해 서적의 형식을 따라 독자의 읽는 습관에 맞추었다. 셋째 사용자가 자유롭게 복사한 정보를 편집할 수 있도록 하여 사용은 물론 연구를 할 때에도 편리를 제공하고자 하였다. 결과적으로 새로운 방법과 새로운 공구의 활용은 『강희자전』의 사용과 그 연구 가치를 크게 제고시켰다. 전자판『강희자전』으로 현재 아래와 같은 4종류가 존재한다.

○상해서동문(上海書同文) 전자판
 •중화서국(中華書局) 출판본을 저본으로 하였다.
 •사용자에게 중국어•일본어•간체자•번체자•이체자 등 한자와 관련된 대체검색 기술을 제공하여, 사용자가 자신에게 익숙한 중국한자, 일본한자, 간체자, 번체자, 이체자 등을 입력하기만 하면 자전에서의 문자조항을 검색할 수 있다. 또한 단어로도 검색할 수 있고, 부수•필획•획순•병음•독음으로도 검색할 수 있다.
 •전자판은 원래『강희자전』의 문자조항의 정보뿐만 아니라, 한자의 부수, 부수를 제외한 필획수, 총필획수, 획순, 병음, 독음, Unicode, GBK, Big5 코드 등의 속성정보를 제공한다.
 •그와 동시에 한자의 표준음도 제공하고 있다.

○한진(漢珍) 전자판

- 동문서국(同文書局)에서 출판한 석인판(石印版) 『강희자전』을 저본으로 하여 제작하였으며, 왕인지의 『자전고증(字典考證)』을 뒷부분에다 첨부하였다.
- 한진 기업은 고대 서적을 디지털화하면서, 친화적인 검색화면으로 BIG5, GBK와 매치하고, Unicode의 문자 내부코드와 서로 대조하여, 단어, 부수, 필획, 획순, 독음, 병음 등 다원화된 필드검색을 제공하고 있다.

○중이(中易) 전자판
- 북경사범대학출판사(北京師範大學出版社)에서 출판한 『강희자전(康熙字典)』판을 채택하여, 전체 올림자 및 의미 해석을 마음대로 검색할 수 있으며, 이미지와 텍스트를 대조할 수 있는 전자자전이다.
- 이 전자판은 다음과 같은 특징을 가지고 있다. 첫째, 윈도우(Windows) 플랫폼에서 한자수를 27,484자에서 70,195자로 확충하였고, 국제표준코드의 7만개 한자를 보유한 데이터로, 자형이 우아하고 아름답다. 윈도우 시스템에서의 'Simsun(宋體)'체는 모두 '중이'회사의 제품으로 스타일이 같다.
- 둘째, 진정한 의미의 전문을 검색할 수 있다. 올림자를 단독으로 검색하면서 의미 해석과 여러 가지 속성도 같이 볼 수 있다. 또한 임의로 글자와 단어를 입력하기만 해도 관련 정보를 검색할 수 있다.
- 셋째, 자유롭게 복사하고 붙일 수가 있어, 편집이 간편하다. 전체 문자는 MS-Office에서 복사와 붙이기할 수 있으며, 발췌한 올림자나 자의(字義) 해석 내용을 복사할 수도 있다(기업판에서만 가능). 그런 다음 MS-Office의 응용프로그램에서 재편집할 수 있다.(이것은 이미지 스캔의 전자판 『강희자전』에서는 할 수 없다.)
- 넷째, 텍스트문자와 원래의 문헌을 대조해놓았다. 독자들이 올림자 및 석문(釋文)을 읽을 때, 클릭만 한 번 하면, 원본 『강희자전』과 서로 대응되는 스캔이미지를 대조할 수 있어, 학술연구에 도움을 주고 있다.
- 다섯째, 올림자의 다중속성을 표시함으로써, 올림자의 속성을 편리하게 학습하고 사용할 수 있다. 북경사범대학판본에서 원래 표시한 병음과 독음 외에도 여기에서는 그 글자의 ISO/IEC(Unicode) 국제표준코드, 정씨한자입력코드 등 다중 속성을 첨가하였다.

○한당도서(瀚堂圖書) 전자판

- 빅 데이터[大字庫]의 Unicode 전문검색기술을 채택하였기에, 사용자는 종이자료에서 본 글자들을 모두 도서데이터베이스에서 그룹문자열로 검색하고 복사하여 다시 이용할 수 있다.
- 여기에는 도서내용의 자동누적기능이 탑재되어 있다.『설문』,『설문해자주(說文解字注)』,『강희자전』,『이아음도(爾雅音圖)』,『송본옥편』등의 고대 서적뿐만 아니라 현대의 서적과 데이터베이스 등도 자동으로 누적시킬 수 있다.

B. '『강희자전』데이터베이스'의 설계 절차

○한당도서(瀚堂圖書)의 전자판『강희자전』데이터베이스를 기반으로 한 새로운 정보 교열.

전자판『강희자전』은 전문적인 데이터베이스의 설계를 위해 많은 편리를 제공하였다. 한당도서 전자판『강희자전』을 MS-Office의 Access 프로그램에 도입한 후에, 일부 정보에서 역순, 깨진 글자, 누락 등의 문제가 발생하였다. 그래서 저장형식으로 전환하고 나서, 문헌의 정보에 대해 엄청난 양의 교열 작업을 하였다. 우리는 먼저 사회과학문헌출판사에서 출판한 왕굉원(王宏源) 등이 교감한『강희자전』수정판(2008)에 근거하여, 데이터베이스에 저장된 정보의 시퀀스와 지물 인쇄본을 수동으로 번호를 매겨 완전히 일치시켰다. 이러한 기초 위에서, 글자조항마다 텍스트와 대조를 하여 조금의 오차도 없게 하였다.

○한자학 지식의 발굴과 검색 모듈의 확정

『강희자전』에서 문자학 지식을 캐는 목적은 사람들이 더욱 편리하게 정보를 발견하고 사용하여, 지식을 얻게 됨으로서 정보검색의 고차원적인 수요를 만족시키기 위함이다. 한자학에 관한 전공지식의 발굴에는 한자학 정보의 분류, 추출, 인공적인 주석 표기, 정보의 매치가 포함된다.

사람들이 어떤 정보체계를 이용하여 필요한 정보를 추출하는 내재적인 계기를 정보의식이라고 부르는데, 구체적으로 필요한 정보에 대한 민감능력, 선택능력, 흡수능력 등으로 표현된다. 따라서 이 정보의 한자학 전공에 대한 이용가능성 여부, 한자학 연구에서 일부 특정한 문제에 대한 해결가능성 여부 등 일련의 사유과정을 판단한다.

한자학 정보검색 모듈은 일정한 방식에 따라 구성된 정보의 집합체를 말한다. 즉, 정보들 속에서 한자학에 필요한 전문적인 지식을 찾아내는 것이다. 저장매체와 검색대상에 따라 나뉘며, 한자학정보검색 모듈은 한자학 문헌 검색, 한자학지식 검색, 한자학자료 검색 등으로 나눌 수 있다. 이상의 정보검색 유형의 주된 차이점은 한자학지식과 한자학자료검색은 문헌에서의 한자학정보 자체를 검색하는데 반해, 문헌검색은 필요한 한자학 정보의 문헌을 바로 검색할 수 있다는데 있다. 한자학의 상식에 따라 나뉘며, 정보 검색모듈은 한자의 구조적 지식 모듈(象形, 指事, 會意, 形聲), 한자의 형체 변천 모듈(金文, 籒文, 古文, 古文奇字, 大篆, 小篆, 篆文, 秦石刻文, 隷書, 楷書), 한자의 용자 모듈(假借字, 古今字, 繁簡字, 異體字, 俗字), 인용자전 모듈(『說文』, 『宋本玉篇』, 『字彙』, 『正字通』 등)로 나눌 수 있다. '『강희자전』 데이터베이스'에 근거하여, 한자학 연구를 지지하는 정보플랫폼을 형성할 수 있고, 이러한 체계에 따라 『강희자전』자체의 한자학 체계는 물론, 그와 관련된 기타 한자학에 관한 내용도 연구할 수 있다.

○한자학 정보의 분류와 추출

인류의 가장 기본적인 교제도구는 언어와 문자이다. 이 두 가지 교제도구는 두 개의 범주에 나누어 귀속된다. 언어의 본질은 소리와 의미로써, 말소리를 내고 들으면서 의미를 표현하고 이해하게 된다. 문자의 본질은 형체로써, 형체로 언어의 소리와 의미를 기록한다. 마찬가지로 언어가 일차적인 것이며, 문자는 언어의 보조적인 도구로써 이차적인 것이다. 스웨덴의 저명한 언어학자 소쉬르는 세계의 문자들을 표음(表音)과 표의(表意)라는 두 가지 체계로 나누고, 표의문자의 "전형적인 예가 바로 한자다."라고 말했다. 한자학은 한자에 관한 학문으로, 『중국대백과전서 언어문자학[中國大百科全書語言文字學]』에서는 "한자의 형체와 소리, 의미 간의 관계를 연구하는 학문"이라고 정의하였다. 언어는 의미 부호로서 체계성을 가지는데, 문자가 언어를 기록하는 부호가 될 때에도 체계성을 가진다. 한자는 중국어를 기록하는 서사부호 체계로, 그 체계성을 유지하는 것이 형체구조의 규칙이 된다. 따라서 한자학의 본질을 두고 말하자면, 한자형체학 혹은 한자 구조학이라고 말할 수 있다. 동한(東漢)의 허신이 저술한 『설문』은 한자학 전문서적으로, 그 본질과 중심내용은 한자의 형체에 관한 연구이다. '형체[形]'는 한자학의 근간으로, 이것이 한자학을 이야기할 때 가장 근본적인 관념이 된다. 설정된 한자학 검색 모듈에 따라, '『강희자전』 데이터베이스'에 한자학 정보를 분류하고 추출하였다. 예를 보자.

중문(重文) 유형: 고문(古文), 주문(籒文), 전문(篆文), 전작(篆作), 대전(大篆), 소전(小篆) 등

구조[結構] 유형: 상형(象形), 지사(指事), 회의(會意), 형성(形聲) 등

용자(用字) 유형: 통작(通作), 고금자(古今字), 가차(假借) 등

이체(異體) 유형: 금문(今文), 속(俗), 동(同), 동상(同上), 본작(本作), 우작(又作), 별작(別作), 역작(亦作), 혹작(或作), 고작(古作), 속작(俗作), 금작(今作) 등

C. '『강희자전』 데이터베이스'의 인공적인 표기 및 정보의 매치

표기라는 것은 데이터베이스의 원시자료를 가공하여, 한자의 특징을 나타내는 각종 부호를 그에 상응하는 한자의 성분에 표기하여 편리하게 컴퓨터에서 읽는 것을 말한다. 한자학 데이터베이스에서 표기하는 과정은 실제로 한자지식을 형식화하는 과정으로, 데이터베이스에 기록된 정보를 더욱 풍부하게 하고 정확하게 하는데 직접적인 영향을 끼친다. 그래서 자료의 이용가치를 높이기 위해서는 '『강희자전』 데이터베이스'에 필요한 자료에 대한 인공적인 표기가 관건이 된다. 인공적으로 표기를 하는 과정은 관련 정보를 새롭게 다시 매치시키는 것을 말한다.

『강희자전』에는 다음과 같은 특징이 존재한다.

• 수록자가 많고, 글자의 별체(別體) 및 대중적인 서사까지 모두 기록되어 있다. 글자체에서 음과 뜻이 다른 것처럼 보이는 것들은 '애매함[疑似]'이라고 표시하였으며, 달리 '비고(備考)' 또는 '보정[补正]'이라고도 표시하였다.

• 발음부호를 표시한 것이 가장 전반적이다. 글자의 독음을 찾아서 모두 기록하였는데, 운서에 게재된 순서에 따라 배열하였다.

• 자의(字義)의 해석에서 그 예문을 원시자료를 출처로 해서 많이 인용하였다. 고대의 시문을 인용하여 그 자원(字源)을 거슬러 올라가고자 하였으며, 또 시대별로 용법을 기록함으로서 변천사항을 논증하였다. 책의 말미에는 『보

유(補遺)』를 첨부하여, 잘 사용하지 않는 글자까지도 수록하였고, 또 『비고(備考)』를 첨부하여, 음은 있지만 뜻이 없거나 음과 뜻이 전부 없는 글자를 수록하였다.

『강희자전』은 고대의 서적을 읽고 고문헌을 정리하여 고대문화연구에 종사하는 연구자에게는 중요한 참고서로, 특히 한자학관련 연구 분야에서는 없어서는 안 될 공구서인데, 현재 중국에 현존하는 유일하게 해서자로 써진 자전이기 때문이다. 그러나 『강희자전』은 반절과 해석만을 나열하는 현상이 강하고, 어떠한 기준도 없으며, 저자 자신의 견해도 드물게 제시되어 있다. 또 정보는 많지만 분류가 제대로 이뤄지지 않아, 사용하기에 어려움이 많았다. 게다가 쓸데없이 많은 정보도 전문적으로 정보를 이용하고 추출하는데 불편함을 안겨다주었다. 그래서 『강희자전』에 존재하는 한자학과 관련된 전문지식은 키워드 검색으로만 한정시킬 수밖에 없었다.

우리는 종종 거대한 정보의 바다를 마주하게 되는데, 이러한 국면은 갈수록 학술연구의 규범성과 순차성에 심각한 영향을 주게 되었다. 정보의 분류는 과학적인 연구를 위한 기초인데, 과학적인 데이터베이스의 발전은 통용되는 데이터베이스를 기반으로 하여 전문성을 더하게 되었다. 정보의 전문화는 데이터베이스를 사용하기 이전에는 없었던 배경을 안겨주었으며, 정보의 도로위에서 과학적인 연구로 시간과 에너지를 절약할 수 있게 되었다. '『강희자전』 데이터베이스'를 개발한 목적은 한자학 연구자들을 위해 편리하게 검색할 수 있는 전문플랫폼을 제공해주기 위함이다. 한자학에 관한 정보가 필요했고, 한자학에 관한 전문지식이 검색목표가 되어 개발된 이 플랫폼은 한자학 연구자들과 학습자들의 요구를 만족시켰다.14)

(2) '한중 고대 소학류 문헌 통합검색' 시스템

'한·중 고대 소학류(小學類) 문헌 통합검색'(이하 '한·중 통합검색')15)은 자

---

14) 王平, 「基於通用資料庫的專業資料庫深度開發 — 以『康熙字典』漢字學資料庫設計 爲中心」, 韓國『中國言語研究』第44輯(2013).
15) 이 베이스는 왕평 교수가 설계하고 주관하여 개발하였다. 이는 왕평 교수와 하영 삼 교수가 공동으로 주관한 '中韓古代小學類文獻聯合檢索'(과제번호: 11JJD74000

료의 저장과 다중 경로 검색을 하나로 모은 전문가용 데이터베이스이다. 이는 『송본옥편』데이터베이스, 『송본광운(宋本廣韻)』데이터베이스, 『훈몽자회』데이터베이스, 『전운옥편』데이터베이스, 『자류주석』데이터베이스, 『화동정음』데이터베이스와 같이 단독으로 운영되는 6개의 데이터베이스를 포함하고 있다. 이상의 6개의 데이터베이스는 단어의 사용빈도 검색과 전문검색 기능을 갖추고 있다. 선택한 자전과 운서의 특징에 따라 번호, 올림자, 부수, 전문 등 검색 경로를 설계하였다.

운영 환경: Windows XP, 7, 8, 8.1 혹은 10(작업 시스템)
운영 플랫폼: NET Framework V4.0
지원 폰트: 중국어 Simsun, Simsun(founder extended)(확장A, B 포함), 한글바탕, 한소프트바탕
자체제작폰트: diwuyou, quanyunyupian, huadongzhengyin

이 데이터베이스는 한·중 소학류 문헌을 통합해서 검색할 수 있으며, 사용자는 클릭만 하면 관련 문헌의 지식과 정보를 찾아볼 수 있다.

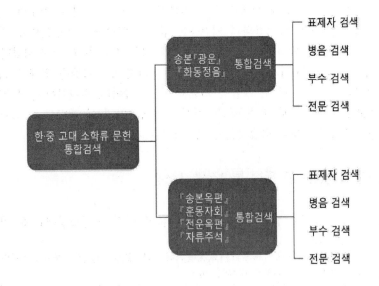

---

7)의 종료된 연구과제 성과물이다.

① '한·중 통합검색'의 기능
'한·중 통합검색'의 기능을 아래의 그림과 같이 나타낼 수 있다.

A. 전문 검색
검색하려는 글자나 필드를 입력하면, 『송본옥편』, 『훈몽자회』, 『전운옥편』, 『자류주석』, 『송본광운』, 『화동정음』의 전문을 검색할 수 있다.

B. 통합검색
통합검색의 구성관계는 아래와 같다.

『송본광운』과 『화동정음』의 통합검색
『송본옥편』과 『훈몽자회』, 『전운옥편』, 『자류주석』의 통합검색

상술한 두 통합검색에는 각각 '올림자 검색', '부수 검색', '병음 검색'이라는 세 가지 검색경로를 설계하였다.

【올림자 검색】 검색하고자 하는 올림자를 입력하여 관련 자료 검색.
【부수 검색】 검색하고자 하는 부수를 입력하여 관련 자료 검색.
【한어병음 검색】 검색하고자 하는 올림자의 한어병음을 입력하여 관련 자료 검색.

② '한·중 통합검색'에서 해결한 문제

A. 데이터 보전
데이터베이스 기술로, 제일 먼저 한·중 고대 한문자전을 디지털화했으며, 전통적인 저장매체인 문헌자료들을 컴퓨터에서 엑세스, 열람, 검색할 수 있는 디지털형식으로 전환하였다. 전환하는 과정에서 발생할 수 있는 오류를 피하기 위해, 원시자료를 그대로 유지한 것이 본 검색 소프트웨어의 포인트라 할 수 있다.

B. 폰트 디스플레이

한·중 소학류 문헌에서 한자의 사용은 복잡한 양상을 띤다. 거기에다 일부 문헌은 한자와 한글을 병행하는 텍스트 구조를 가지고 있어, 컴퓨터가 개입할 수 있는 가능성이 극히 제한되었다. 한자문화권의 한자문헌들을 통일된 한자코드로 정리할 문자코드표가 부족한 것은 동아시아 한자문헌을 정리하고 연구하는 수단의 현대화에 심각한 문제점이 되었다. 전자텍스트를 제작하면서 우리는 한글 체계에서의 바탕과 한소프트바탕을 사용하였고, 중국어 체계에서의 simsun과 simsun(founder extended)(확장A, B 포함)를 사용하였으며, 또 모든 문헌마다 각자 자체제작 폰트가 들어있다. 그런데 조자 공간의 부족과 새로 만든 글자부호의 중첩 및 관리의 어려움 등으로 작업량이 대거 늘어나게 되었다. 여러 폰트가 동일한 인터페이스에서 통합해서 디스플레이된 것은 본 연구 성과의 포인트라 할 수 있다.

C. 자형 동일시

소학류 문헌에서 한자의 자형을 다음과 같이 분류하였다. 첫째, 상용한자는 중문 체계의 simsun이 지원을 하고, 비상용한자는 simsun(founder extended)(확장A, B)가 지원을 한다. 한글은 한글 체계의 바탕체가 지원을 하고, 한글고대의 글자체는 한소프트바탕이 지원을 한다. 둘째, 음과 뜻은 같지만 자형에서 차이가 나는 한자는 동일한 것으로 처리하였다.

D. 빠진 글자 처리

문헌에서 일부 글자들은 simsun(founder extended)으로도 완전하게 대응되는 글자를 찾을 수가 없었으며, 한 개의 글자로 동일시할 수도 없었다. 우리는 문헌에서 용자의 원래 모습에 근거하여 폰트를 자체 제작하여 처리하였다. 연구과제팀은 글자 제조 소프트웨어인 폰트랩(fontlab)을 사용하여 새롭게 글자를 만들었고, 관련 프로그램을 통해 윈도우에 디스플레이 하였다.

(3) '한중 통합검색 시스템의 가치

조선시대에서 간행한 각종 한문자전은 학술적 가치가 매우 높지만, 현재까지 한자의 확장과 그 발전사를 연구하는 중요한 좌표가 되지는 못했다.

그 주된 원인은 조선시대 한문자전에 대한 체계적이고 디지털화된 정리를 하지 않아서, 한자의 확장에 대한 연구에 귀납시킬 시퀀스가 없었기 때문이다. '한·중 통합검색'은 고대 한국과 중국의 대표적인 한문자전과 운서들을 디지털로 정리하여, 동일한 평면층차에 드러낸 것이다. 따라서 동아시아 자전편찬사, 한자발전사, 확장사, 개념사 등의 연구를 위한 디지털화된 완전히 새로운 자료검색 시스템인 것이다. 그밖에, 조선시대의 한문자전과 운서는 중국의 소학류 문헌에 기원을 두고 있으면서 한국의 언어와 문자의 특징이 많이 두드러진다. 그러므로 이 통합검색은 중국의 소학류 문헌의 해외확장 규칙을 연구하는 데 도움이 될 뿐만 아니라, 한·중 고대 소학류 문헌에 관한 깊이 있는 연구에도 도움이 된다. 한자 확장의 맥락, 특징, 경로, 영향 등의 연구에 편리함을 안겨줄 수 있으며, '중국 빅데이터 구축 프로젝트[中華大字庫的創建工程]'와 같이 국가가 주도하는 언어문화의 발전전략에도 직접적으로 일조를 할 수 있다.

3. 한중일 역대 한문 자전 통합검색 시스템

한국한자연구소에서 개발한 '한·중·일 역대 한문 자전 통합검색 시스템'[16]은 자료보존과 정보검색이 한 곳에서 가능한 전문가용 데이터베이스이다. 이는 고대의 한·중·일에서 판각하여 오늘에까지 전해 내려오는 12종의 자전을 저장하여, 한자 확장사, 동아시아 한자발전사의 연구, 동아시아에서 공동으로 사용하는 『한·중·일 한자대자전(韓中日漢字大字典)』의 편찬을 위해, 편리하게 검색할 수 있는 운영플랫폼을 제공하고 있다.

(1) 문헌 소개

우수한 자전 데이터베이스를 구축하기 위해서는 먼저 학술적으로 뛰어

---

16) 이 데이터베이스는 경성대학교 한국한자연구소의 하영삼 소장, 상해교통대학의 왕평 교수가 주관하여 개발하였으며, 한국연구재단 토대DB에서는 한중일 고대 한자자전 통합 DB구축과 비교연구라는 이름으로 게시되어 있다. http://ffr.krm.or.kr/base/td022/intro_db.html 참조.

난 가치가 있는 자전들을 감별하고 선택해야 한다. 이러한 과정이 데이터베이스 정보를 구성하는 과정이 된다. '한·중·일 역대 한문 자전 데이터베이스'(이하 '한중일 자전 데이터베이스'라 부른다.)는 다음과 같은 자전들을 포함하고 있다. 한국자전으로는 『훈몽자회』, 『전운옥편』, 『자류주석』, 『제오유』, 『교정전운옥편』, 『자전석요』, 『신자전』이 있고, 중국 자전으로는 『설문』, 『송본옥편』, 『강희자전』이 있으며, 일본 자전으로는 『전예만상명의(篆隷萬象名義)』[17], 『신찬자경(新撰字鏡)』[18]이 있다.

(2) '한중일 자전 데이터베이스'의 정보 분류

'한·중·일 자전 데이터베이스'의 정보 분류는 정보의 성질, 특징, 용도 등에 따라 구분한 기준이며, 동일한 기준에 부합되는 사물을 취합한 일종의 수단이다. '한·중·일 자전 데이터베이스'의 개발목적은 한자학 연구자들이 편리하게 검색하도록 전문가용 플랫폼을 제공하는 데 있다. 이는 한자학에 관련된 정보가 필요하고, 그와 관련된 전문지식을 검색해야 되는 한자학 연구자와 학습자들의 요구를 만족시킬 것이다.

① '한·중·일 자전 데이터베이스'의 정보 분류 원칙
'한·중·일 자전 데이터베이스'는 자연성, 과학성, 실용성의 원칙을 따르고 있다. 자연성의 원칙이란 가능한 한 문헌에 있는 언어를 그대로 사용하는 게 취합기준이 되는 것을 말한다. 과학성의 원칙이란 분류대상의 특징과 사

---

17) 『篆隷萬象名義』는 일본의 승려인 空海(서기774~835)가 梁나라의 顧野王이 쓴 『옥편』의 송본을 기초로 전서체를 더하고 약간의 주석을 더하여 편찬한 자전이다. 전해져 내려오는 『명의』는 일본 야마시로국[山城國]의 高山寺에서 소장하고 있는 鳥羽永久 2년(서기 1114)의 전사본인데, 중국의 송나라 말년에 필사한 것과 같다. 이 데이터베이스가 근거로 하는 판본은 중화서국이 1987년에 출판한 일본의 고산사에서 소장하고 있던 고사본인 『전예만상명의』의 영인본이다.

18) 『新撰字鏡』은 일본의 승려 昌住가 898~901 사이에 완성한 책이다. 이 책에는 중국 고대자전의 정보가 많이 보존되어 있다. 현재 보이는 『신찬자경』의 판본으로는 두 종류가 존재한다. 하나는 天治本(1124)으로, 法隆寺의 스님이 필사한 것이다. 다른 하나는 享和本(1803)이다. 이 데이터베이스가 근거로 하는 판본은 교토대학에서 편찬한 『신찬자경』(증보판)인데, 이 판본에는 향화본 및 여러 종류의 판본에서 존재하는 異文들이 수록되어 있다.

용자의 요구에 따라 일정한 기술적 환경을 결합하여 '한·중·일 자전 데이터베이스'를 구축하는 것을 말한다. 사용자의 입장에서 보면, 자전 데이터베이스를 사용하는 대상은 주로 언어문자연구자들이다. 기술·환경적 측면에서 보면, 데이터베이스의 정보 분류 체계는 컴퓨터를 사용하는 환경과 기술을 충분히 이용하여, 시스템구축과 범주 설정 등의 영역에서 전통분류법의 특색을 발전시켜야 한다. 실현성 원칙이란 자전 데이터베이스의 지식분류 시스템의 편성방법을 구축하고, 가지와 줄기가 분명한 주제나무 또는 맥락이 분명한 지식 포인트를 구성하여, 분류주제를 일체화시키는 것을 말한다.

② '한·중·일 자전 데이터베이스'의 정보 분류의 사례

'한·중·일 자전 데이터베이스'는 정보저장처리와 검색모듈설계라는 두 가지 과정을 거친다. 정보저장처리는 원래 문헌의 정보에 대해 매개체를 바꾸고 정보를 분류하여, 문헌정보를 분류하는 특징적인 표식을 만들어 규칙적인 검색경로를 제공하는 것이다. 정보검색은 분류표 및 조합원칙에 따라 검색모듈을 설계하고, 메모리에서 제공하는 검색경로에 따라 모듈에 서로 부합되는 정보를 찾아낸다. 이를 통해, 저장 혹은 검색에 상관없이, 원래 문헌에 대한 정보의 분류가 매우 중요하다는 것을 알 수 있다. 예를 들면 아래와 같다.

A. 『설문』 데이터베이스의 정보 분류
a. 자형(字形)류
　구조[結構]유형: 상형, 지사, 회의, 형성 등
　중문(重文)유형: 고문(古文), 주문(籒文), 기자(奇字), 전문(篆文), 혹체(或體), 속자(俗字), 금문(今文) 등
b. 자음(字音)류
　허신(許愼)의 직음(直音), 독약(讀若), 음모(音某), 독여모동(讀如某同), 우음(又音)
　서현(徐鉉)의 반절
　서개(徐鍇)의 독음 표시
c. 자의(字義)류
　허신(許愼)의 자의 해석, 의견이 나뉘는 해설, 서현(徐鉉)의 주석, 서개(徐鍇)의

주석 등

B.『송본옥편』데이터베이스의 정보 분류
  a. 이체자류
     고문(古文), 주문(籒文), 전문(篆文), 동상(同上), 혹작(或作), 속작(俗作), 본작(本作), 금작(今作), 정작(正作)
  b. 자음(字音)류
     반절(反切), 직음(直音), 우음(又音) 등
  c. 자의(字義)류
     본의(本義), 파생의[引申義], 의견이 나뉘는 해설 등

C.『신찬자경』데이터베이스의 정보 분류
  a. 이체자류
     고문(古文), 주문(籒文), 동상(同上), 혹작(或作), 금작(今作), 역작(亦作), 속작(俗作), 본작(本作), 통작(通作) 등
  b. 자음(字音)류
     반절(反切), 우음(又音), 일음(日音) 등
  c. 자의(字義)류
     한자 자의 해석, 화훈(和訓) 등

D.『전운옥편』데이터베이스의 정보 분류
  a. 이체자류
     고문(古文), 주문(籒文), 동상(同上), 혹작(或作), 금작(今作), 역작(亦作), 속작(俗作), 본작(本作), 통작(通作) 등
  b. 자음(字音)류
     한음(漢音), 우음(又音), 한음(韓音) 등
  c. 자의(字義)류
     한자 자의 해석, 훈독(訓讀) 등

(3) '한중일 자전 데이터베이스'의 정보 검색

① 개별 검색

'한·중·일 자전 데이터베이스'에 포함된 12종의 자전은 모두 독립적인 데이터베이스이다. 『설문』을 예로 들면, 『설문』의 데이터베이스에는 '올림자, 부수, 병음, 반절, 자형, 자음, 인용문헌, 의견이 나뉘는 해설, 해성(諧聲), 기타검색, 전문검색'이라는 11개의 검색 모듈이 있다. 부수 검색에서 사용자는 부수의 명칭과 필획을 통해 정보를 검색할 수 있다. 병음 검색에서는 올림자의 병음을 입력하면 검색이 가능하다. 해서 올림자 검색에서는 올림자를 입력하면 검색할 수 있다. 반절 검색에서는 반절자, 반절상자, 반절하자를 입력하면 검색할 수 있는데, 이 검색 모듈에서는 또 반절상자나 반절하자 또는 동일한 반절용자의 사용빈도를 통계 낼 수 있다.

② 통합검색

'한·중·일 자전 데이터베이스'에 포함된 12종의 자전은 하나의 인터페이스에서 통합검색 정보를 나타낼 수 있다. 이는 처음으로 고대 한·중·일을 대표하는 12개의 자전을 하나의 시스템에 놓고 통합검색이 가능하도록 한 것이다. 그러므로 사용자들은 원하는 바를 선택하거나 입력하기만 하면, 국가별, 시대별, 자전별로 관련 한자의 형음의(形音義)가 발전·변화한 정보 전체를 신속하게 찾을 수 있다. 이렇게 편리하고 실용적인 운영플랫폼은 한자 자체의 연구 또는 동아시아 문화권에서의 한자의 사용 및 발전을 연구하는 데에도 중요한 의미를 가진다.

(4) 데이터베이스를 기반으로 한 한중일 역대 한문 자전 연구 사례

데이터베이스는 종이문헌을 전자문헌으로 전환한 것을 말한다. 저장매체의 혁명은 문헌을 정적인 상태에서 동적인 상태로 변화시켰고, 이를 통해 문헌의 이용률이 높아졌다. 자전의 데이터베이스는 자전에 대한 정보항, 구조, 저장, 검색을 처리하고 설계하여, 문헌에서 원소에 해당되는 내용의 선별과 검색 플랫폼을 구축해서, 자전 연구에 과학적인 자료를 제공해주고 있다.

① 개별 자전 데이터베이스의 분류 기능 및 운용

A. 개별 자전 데이터베이스의 텍스트 출력—분류검색자전

'한·중·일 자전 데이터베이스'는 MS-office에서 작업하였고, 여기에서 개별 데이터베이스의 분류 검색 텍스트를 얻을 수 있다. 다시 말해, 모든 '한·중·일 자전 데이터베이스'는 완벽하게 자전을 분류하고 검색할 수 있다. '분류검색'자전과 일반 자전의 가장 큰 차이점은 전자는 관련 자료와 정보를 한 곳에 모아서 연구자들에게 유형을 비교할 수 있는 자료와 그 플랫폼을 제공한다는 점이다. 국가별로 한자의 유형을 비교하는 것은 한자의 확장연구와 동아시아에서 한자의 사용에 대한 연구 영역에서 특히 중요하다. 한국과 일본으로 전해진 한자의 발전경로는 똑같은 게 아니었다. 한자의 형음의(形音義)가 한국과 일본에서 어떻게 발전하였는지, 어떻게 변천하였는지, 또 어떻게 취사되었는지 하는 문제는 모두 동아시아 한자 발전사의 연구범주에 속한다. 한국과 일본은 동아시아에서 주요 한자 사용국으로, 양국에서의 한자의 사용상황과 발전과정은 동아시아의 한자 연구에서 중요한 부분을 차지한다. '한·중·일 자전 데이터베이스'에 있는 한자에 대한 유형비교연구는 동아시아 한자 연구를 확장시키고 심화시킨 것이다. 이는 직접적으로 동아시아 한자의 주체를 언급하고 있으므로, 동아시아 한자연구에 참고자료로 제공될 수 있다. 『송본옥편』을 예로 들면, 『『송본옥편』분류검색』의 내용은 아래와 같다.[19]

> 자음(字音): 반절(反切), 직음(直音), 우음(又音)
> 자의(字義): 본의(本義), 파생의[引申義], 가차의(假借義)
> 자형(字形): 고문(古文), 주문(籀文), 전문(篆文), 속자(俗字), 금문(今文), 금작(今作), 금위(今爲), 본작(本作), 본역작(本亦作), 역작(亦作), 본혹작(本或作), 혹작(或作), 혹위(或爲), 정작(正作), 동상(同上)

'한·중·일 자전 데이터베이스'는 이를 규범으로 하여, 서로 다른 분류검색자전을 만들었다. 예를 들어, 『<전예만상명의>분류검색』, 『<신찬자경>분류검색』, 『<전운옥편>분류검색』, 『<자류주석>분류검색』 등이 있다.

---

19) 王平, 劉元春, 李透延의 『『宋本玉篇』標點整本』 참조.

B. 분류검색자전을 기반으로 한 유형비교연구 사례

한·중·일의 역대 한문 자전들은 모두 하나의 체계로 이루어져 있다. 이는 통시 및 공시적 측면의 한자를 분류별로 모았을 뿐 아니라, 한자의 확장과 사용에 관한 여러 정보들을 기록하고 있다. 데이터베이스의 유형별 취합기능으로 비교·연구한 자료와 결론들은 한자 확장사와 동아시아 한자 발전사 연구에 큰 도움을 줄 수 있다. 예로, 한·중·일의 역대 한문 자전에 수록된 속자(俗字)의 유형에 대한 비교연구를 들 수 있다. 속자는 한자의 발전에서 큰 특징을 이루고 있는데, 한자의 생성과 함께 만들어졌으며, 한자의 발전과 함께 발전하였고, 한자의 확장과 함께 확장되었다.

우리의 연구에 따르면, 조선시대의 소학류 문헌에는 대량의 속자들이 수록되어 있다. 속자의 생성과 사용은 한자의 생성·발전·확장의 과정과 늘 함께 한다. 한자가 한국에 전해질 때, 중요한 구성부분이 되는 속자도 같이 전해졌다. 한국의 속자는 '중국에서 전해진 속자'와 '한국 특유의 속자'로 나뉜다. 전자는 중국어의 속자가 한국에 전해진 후에 자형의 변화가 없는 속자를 말하고, 후자는 자형에 변화가 생긴 속자를 말한다. "당(唐)나라 때 한국은 신라시기에 해당된다. 당의 문화와 밀접한 관계를 가진 그 시기에 한글자모는 아직 창제되지 않았었다. 그렇기에 문서는 전부 한자를 사용하여 사리를 헤아렸는데, 중국의 속자도 신라에서 사용되었다. 그런데 신라에서 한문을 쓸 때 이체자가 있었고, 현재의 한국한자들은 모두 검증을 통해서 알 수 있는 것들이다. 송대(宋代)에 간행한 서적이 출판되면서, 속자도 늘어나거나 완만해졌지만, 한국의 상황은 중국과 조금 차이가 났다. 그 시기 한국은 고려시기에 해당되며, 나라에서 하는 교육은 한문서적만을 교재로 하였으나, 수량이 많지 않고, 조판간행에 드는 비용이 부족하였다. 그 이후에 활자가 발명되었지만, 판매량이 많지 않은 저서는 여전히 필사를 하였으며, 이는 조선시대에 이르기까지 그대로 이 방법이 사용되었다. 그러므로 한국의 사본에 있는 속자들은 그 수가 많을뿐더러, 형성된 방법에는 또 두 서가 존재한다." 한자의 동아시아 확장은 '쉽게 구별할 수 있는 한자를 위한 과정'이라고 말할 수 있다. 전자는 한자사용의 효율을 높이기 위함이고, 후자는 한자를 사용한 표현의 정확성을 높이기 위함이다. 쉽게 구별할 수 있어야만, '쉽게 배우고, 쉽게 기억하며, 쉽게 사용한다.'는 세 가지 규칙과 일치하게 되어, 동아시아에서 한자가 굳건히 살아남을 수 있었던 것이다.

필자가 조사한 바에 따르면, 『설문』, 『송본옥편』, 『강희자전』, 『전예만상명의』, 『신찬자경』, 『제오유』, 『전운옥편』, 『자류주석』 등의 자전에 모두 속자가 수록되어 있다. 이들 자전에 수록된 속자들은 수량과 어원, 자형 및 용법에도 모두 차이가 있다. 그래서 이러한 속자에 대해 통계, 분류, 어원 고찰, 비교, 분석 등 연구를 하는 것은 한자에 대한 나라별 사용연구 혹은 한자가 동아시아로 전해지면서 발생한 변이현상에 대한 연구에 모두 중요한 의미를 지닌다. 그리하여 이들 자전의 수록자를 토대로, 동류의 문헌과 출토문헌을 더 보충하여, 『한중일속자자전(韓中日俗字字典)』이나 『한중일속자보(韓中日俗字譜)』를 편찬할 수 있을 것이다.

② 통합검색 데이터베이스의 정보 비교 및 연구

중국의 자전에 기원을 두고 있는 한국과 일본의 역대 자전들은 자국의 언어와 문화적 특징이 풍부하게 내포되어 있다. 이러한 정보를 체계적으로 비교함으로써 한자 자체의 연구를 유리하게 이끌어 갈 수 있다. 한자문화권은 공통된 문자를 가지고 있지만 또 각자 차이점도 존재한다. 한·중·일에서 한자의 발전노선은 완전히 같은 게 아니었다. 그렇다면 구체적인 차이점은 무엇일까? 한자문화권에서 사용하는 한자의 공통된 특징을 총결하여, 한자문화권의 한자규범을 위해 자료를 제공하고자 한다.

A. 통합검색 데이터베이스 텍스트 출력—한·중·일 역대자전통합검색

한·중·일의 고대 12종 자전들을 교감하고 연구한 성과들은 디지털 수단을 통해서 한자의 형음의(形音義)를 모두 수록한 높은 수준과 품질을 갖춘 대형 공구서인 『한·중·일 역대 자전 통합검색[中日韓傳統字典通檢]』(이하 『통합검색』이라고 부른다.)으로 나타나게 되었다. 글자 하나를 검색하더라도, 한·중·일의 고대 자전에 기록된 한자의 형음의(形音義)의 전체 정보를 알 수 있다. 『통합검색』에서는 우선 중국의 『설문』, 『송본옥편』, 『강희자전』을 하나로 편집하여, 한자의 형음의(形音義)의 시대별 발전맥락이 일목요연하게 드러나 있다. 거기에 한국과 일본의 경전을 나열하여, 동아시아에서의 한자의 확장맥락을 분명하게 알게 하였다. 『통합검색[通檢]』이라고 명명한 것은 실제로 동아시아에서의 한자의 확장사와 발전사를 위한 것이다. 이뿐만 아

니라, 『통합검색』은 동아시아문화권의 한자, 언어, 문화, 경제 등 분야의 연구에 풍부한 자료를 지원해줄 수 있다.

B. 통합검색 자전을 기반으로 한 글자 단위 정보 비교 연구

거시적인 관점의 한자 연구는 미시적인 관점의 한자연구의 토대 위에서 이루어진다. 따라서 동아시아 한자를 연구할 때도 미시적인 관점에서 시작하여 자료를 축적하고 규칙을 총결한 다음에, 거시적인 연구로 나아가야 한다. 모든 한자들을 시대별·나라별로 배열하고, 개별 한자들이 한·중·일에서 어떻게 발전되고 사용되었는지 대조하는 것은 미시적인 관점에서 동아시아 한자를 연구하는 시작점이 된다. '소(笑)'자를 예로 들어보자.

『설문』신부(新附): 소(笑), 이 글자는 본래 빠져 있다.(笑, 此字本闕.)
『송본옥편』: 소(笑)는 사(私)와 소(召)의 반절이다. 기쁘다는 뜻이다. 또한 소(咲)라고도 쓴다. 소(嗟)는 사(思)와 요(曜)의 반절이다. 세속의 소(笑)자이다.(笑, 私召切. 喜也. 亦作咲. 嗟, 思曜切. 俗笑字.)
『강희자전』: 고문(古文)에서는 소(咲)나 소(关)라고 쓴다. 『광운(廣韻)』에서는 "사(私)와 묘(妙)의 반절이다."라고 하였다. 『집운(集韻)』과 『운회(韻會)』에서는 "선(仙)과 묘(妙)의 반절이다."라고 하였다. 『정운(正韻)』에서는 "소(蘇)와 조(弔)의 반절이다. 독음이 초(肖)이다."라고 하였다. 『광운(廣韻)』에서는 "기쁘다[欣], 기뻐하다[喜]는 뜻이다."라고 설명했으며, 『증운(增韻)』에서는 "기뻐서 이빨이 보일 정도로 얼굴이 풀어지는 것을 말한다."라고 설명하였다. 또 비웃다[嗤], 조롱하여 웃다[哂]는 뜻이다. 『역(易)·췌괘(萃卦)』에 "손을 마주잡고 웃게 되니.(一握爲笑.)"라는 구절이 있다. 『시(詩)·패풍(邶風)』에 "나를 보면 히죽 웃는 그이.(顧我則笑.)"20)라는 구절이 있는데, 모전(毛傳)에서는 "업신여기다는 뜻이다"라고 주석했다. 『예(禮)·곡례(曲禮)』에 "부모가 병이 있으면, 웃는 데도 이가 드러나도록 웃지 않는다.(父母有疾, 笑不至矧.)"21)라는 구절이 있다. 이에 대해 "이빨을 본래 신(矧)이라고 부르는데, 크게 웃으면 보인다."라고 주석되어 있다. 『좌전(左傳)·애공(哀公)20년』에 "오왕(吳王)이 말하길 물에 빠져 죽으려는 사람은 반드시 웃는다고 했다.(吳王曰: 溺人

---

20) (역주) 김학주 역저, 『새로 옮긴 시경』(서울: 명문당, 2010), 152쪽.
21) (역주) 이민수 역해, 『예기』(서울: 혜원출판사, 1995), 38-39쪽.

必笑.)"라는 구절이 있다. 『논어(論語)』에 "부자(夫子)께서 빙그레 웃으시면서(夫子莞爾而笑)"라는 구절이 있는데, "작게 웃는 모양(小笑貌)"이라고 주석되어 있다.

또 동물의 이름을 뜻한다. 『광동신어(廣東新語)』에 "큰곰을 달리 산소(山笑)라고도 부른다.(人熊, 一名山笑.)"라는 구절이 있다. 또 『운보(韻補)』에는 "사(思)와 요(邀)의 반절이다."라고 했다. 『시(詩)·대아(大雅)』에 "비웃지 말라.(勿以爲笑)(위구절의 囂와 아래구절의 蕘와 협운함.)"라는 구절이 있다. 『회남자(淮南子)·사논훈(氾論訓)』에 "어린아이를 죽이지 않고, 노인을 붙잡지 않는 것은 옛날에는 의(義)로 삼았으나, 지금은 비웃음[笑]으로 삼는다.(不殺黃口, 不獲二毛, 于古爲義, 于今爲笑.)"라는 구절이 있다. 『고일시(古逸詩)·조동요(趙童謠)』에 "조(趙)나라는 울부짖고, 진(秦)나라는 웃는다. 믿지 못하겠으면, 땅 위에 나는 풀을 보라.(趙爲號, 秦爲笑. 以爲不信, 視地上生毛.)"라는 구절이 있다.

또 입성 유(宥)운에 속하며, 독음은 수(秀)이다. 「강총시(江總詩)」에 "옥 같은 뺨에 눈물을 머금었더니 돌아와 스스로 웃으니, 거문고 마음으로 하여금 한 곡조 연주하게 하는구나.(玉臉含啼還自笑, 若使琴心一曲奏.)"라는 구절이 있다.

간혹 소(咲)라고 쓰기도 한다. 『전한(前漢)·양웅전(揚雄傳)』에 "나무꾼이 그를 비웃었다(樵夫咲之)"라는 구절이 있다.

또 줄여서 소(关)라고도 쓴다. 『전한(前漢)·설선전(薛宣傳)』에 "한 번 웃으면 서로 즐거워한다.(一关相樂)"라는 구절이 있다.[22]

『만상명의』: 소(笑)는 선(先)과 소(召)의 반절이다. 기쁘다[喜]. 웃다[笑]는 뜻이다.(笑, 先召反. 喜也. 笑也.)

---

22) (역주) 古文咲关. 『廣韻』私妙切, 『集韻』『韻會』仙妙切, 『正韻』蘇弔切, 夶音肖. 『廣韻』欣也, 喜也. 『增韻』喜而解顔啓齒也. 又嗤也, 哂也. 『易·萃卦』一握爲笑. 『詩·邶風』顧我則笑. 毛傳: 侮之也. 『禮·曲禮』父母有疾, 笑不至矧. 注: 齒本曰矧, 大笑則見. 『左傳·哀二十年』吳王曰: 溺人必笑. 『論語』夫子莞爾而笑. 注: 小笑貌. 又獸名. 『廣東新語』人熊, 一名山笑. 又『韻補』思邀切. 『詩·大雅』勿以爲笑, 葉上囂、下蕘. 『淮南子·氾論訓』不殺黃口, 不獲二毛, 于古爲義, 于今爲笑. 『古逸詩·趙童謠』趙爲號, 秦爲笑. 以爲不信, 視地上生毛. 又入宥韻, 音秀. 『江總詩』玉臉含啼還自笑, 若使琴心一曲奏. 或作咲. 『前漢·揚雄傳』樵夫咲之. 亦省作关. 『前漢·薛宣傳』一关相樂.

『신찬자경』: 소(笑)는 선(先)과 소(召)의 반절이다. 소(咲)자이다.(笑, 先召反. 咲字.)

『신찬자경』: 소(嘆)와 소(咲)라는 두 글자는 같다. 비(秘)와 묘(妙)의 반절과 어(於)와 교(交)의 반절 두 가지가 있다. 평성이다. 기쁘다[喜]는 뜻이다. 희롱하고 조소하다는 뜻이다.(嘆咲, 二字同. 秘妙於交二反. 平. 喜也. 謔嘆也.)

『전운옥편』: 소(笑), 【쇼】. 기쁘다[欣]는 뜻이다. 기뻐서 이빨이 보일 정도로 얼굴이 풀어지는 것을 말한다. 소(嘯)운이다.(笑, 【쇼】欣也, 喜而解顔啓齒. (嘯).)

『자류주석』: 소(笑), 우슘【쇼】소(咲)와 같다. 기뻐서 이빨이 보일 정도로 얼굴이 풀어지는 것을 말한다.(笑, 우슘【쇼】咲仝. 喜而解顔, 啟齒.)

『제오유』: 소(咲)는 얼굴이 풀어지는 것을 말한다. 소(笑)라고도 쓴다. 일찍이 "어린 대나무가 성성함이 마치 웃는 얼굴과 같다.(嫩竹夭夭, 怳如笑容.)"에서 볼 수 있는데, 여기서 이 글자를 만든 의미를 알 수 있다. 죽(竹)으로 구성되어 있다. 요(夭)는 소리부인데 의미부도 겸한다. 줄여서 소(关)라고 쓰며, 구(口)를 더해 소(咲)라고 쓰기도 한다.(咲, 解顔. 亦作笑. 曽見嫩竹夭夭, 怳如笑容, 始知作字之義. 從竹. 夭音, 兼意. 省作关, 加口作咲.)

　'소(笑)'자의 형체를 구성하는 이론적 근거에 대해서는 여태까지 여러 의견이 존재해왔다. 『설문』 대서본(大徐本)에서는 "서현 등은 이렇게 생각합니다. 손면(孫愐)의 『당운(唐韻)』에서 『설문』에서 말한 '기쁘다[喜]는 뜻이다. 죽(竹)과 견(犬)으로 구성되어 있다.'라는 구절을 인용하고, 그 뜻을 서술하지 않았으며, 지금의 세속에서는 모두 견(犬)으로 구성되어 있다고 말했다. 또 이렇게 생각합니다. 이양빙(李陽冰)이 발간한 『설문』에서는 '죽(竹)과 요(夭)로 구성되어 있으며, 대나무가 바람을 맞아 그 몸이 사람의 웃는 것처럼 굽어진다는 뜻을 가지고 있다.'고 하고, 그 구체적인 내용은 모른다라고 했다.(臣鉉等案: 孫愐『唐韻』引『說文』云: 喜也. 從竹從犬. 而不述其義. 今俗皆從犬. 又案: 李陽冰刊定『說文』從竹從夭, 義云: 竹得風, 其體夭屈如人之笑. 未知其審.)"라는 구절이 있다. 『구경자양(九經字樣)·죽(竹)부수』에는 "소(笑)라고 쓰는 것이 옳고, 소(𥬇)라고 쓰는 것은 틀렸다. 기쁘다[喜]는 뜻이다. 윗부분의 경우, 『자통(字統)』을 보면 '죽(竹)과 요(夭)로 구성되어 있다. 죽(竹)은 악기를 말하는데, 군자는 즐거운 연후에 웃는다(君子樂, 然後笑.)'라고 주석하였다. 아래 부분의 경우, 경전의 의미를 계승했지만, 글자의 의미는 본래 견

(犬)으로 구성된 것이 아니다. 소(笑)·빈(賓)·막(莫)·개(蓋)·미(芈)·응(廱)·정(鼎)·예(隸) 등 8자는 옛날의 자형이 이미 나와 있으므로, 주석을 이와 달리 했으며, 중복해서 보이게 되었다.(以笑爲正, 以笑爲非: 喜也, 上案『字統』注曰: 從竹從夭, 竹爲樂器, 君子樂, 然後笑. 下經典相承, 字義本非從犬, 笑、賓、莫、蓋、芈、廱、鼎、隸等八字, 舊字樣已出, 注解不同此, 乃重見.)"라는 구절이 있다.

수많은 학자들이 이상의 견해에 대해 의문을 가졌었는데, 출토문헌이 끊임없이 나오자, 학자들은 이를 근거로 『설문』대서본의 주석에 있는 일부 오류를 수정하였다.

현재 출토된 문헌으로 봤을 때, 소(笑)자는 전국(戰國)시대 문자에서 최초로 보인다. 『곽점초묘죽간(郭店楚墓竹簡)·노자을(老子乙)』의 소(芺), 『곽점초묘죽간(郭店楚墓竹簡)·성자명출(性自命出)』의 소(芺), 상해박물관에서 소장하고 있는 『전국초죽서(戰國楚竹書)』3『주역(周易)』의 소(芺)는 서법에 조금씩 차이가 나더라도, 초(艸)와 견(犬)으로 구성된 상하구조임은 분명하다. 상해박물관 소장의 『전국초죽서(戰國楚竹書)』5『경건내지(競建內之)』에는 오른쪽이 조(兆)이고 왼쪽이 견(犬)으로 써진 소(狄)가 써져 있다. 위가 초(艸)이고 아래가 견(犬)으로 써진 '소'자와 비교해보면, 이 글자가 견(犬)으로 구성된 것은 변하지 않았으나, 조(兆)부수가 초(艸)부수로 바뀌었다. 그런데 조(兆), 초(艸), 소(笑)는 독음이 가깝기 때문에, 이를 근거로 초(楚)나라 죽간의 두 개의 '소'자는 모두 형성자이고, 초(艸), 조(兆)는 소리부이고, 견(犬)이 의미부라고 단정 지을 수 있다.

소(笑)자의 자형의 계승과 변화는 『마왕퇴한묘백서(馬王堆漢墓帛書)·노자을본(老子乙本)178』의 소(芺), 『마왕퇴한묘백서(馬王堆漢墓帛書)·노자을본(老子乙本)前125上』의 소(芺), 『은작산한간(銀雀山漢簡)·손자병법(孫子兵法)126』의 소(芺)와 같은 실물문자에서 그 궤적을 찾아볼 수 있다. 서한(西漢)에서 출토한 문자에서 '소'자는 전국(戰國)시대의 형체를 계승하여 초(艸)와 견(犬)으로 구성된 것이 많이 보인다. 북위원상지묘지(北魏元尙之墓誌)의 소(㗛), 북위원자정묘지(北魏元子正墓誌)의 소(㗛), 동위원수묘지(東魏元瞱墓誌)의 소(㗛), 북제두태묘지(北齊竇泰墓誌)의 소(㗛)와 같이, 위진(魏晉)시대 석각에서는 구(口)와 관(关)으로 구성된 '소'자가 많이 보이는데, 이 자형은 『송본옥편

』의 근거가 되었다. 북제(北齊)의 고육묘지(高淯墓誌)에 있는 소(咲)자는 구(口), 죽(竹), 요(夭)로 구성되어 있는데, 이 글자는『송본옥편』,『강희자전』,『간록자서(干祿字書)』,『구경자양(九經字樣)』에는 보이지 않지만, 일본의『신찬자경』에는 수록되어 있다. 수(隋)나라 고긴묘지(高緊墓誌)의 소(咲)는 구(口), 죽(竹), 견(犬)으로 구성되어 있는데,『송본옥편』에도 이 자형이 존재한다. 당(唐)나라 개원(開元)22년의『왕신의 처 장씨 묘지(王慎疑妻張氏墓誌)』에는 소(咲)로 써져 있는데, 이는 위진(魏晉)시대의 자형을 계승한 것으로, 한·중·일 역대 자전에도 모두 수록되어 있다. 당(唐)나라 대중(大中) 8년의 침사황묘지(沈師黃墓誌)에는 '소(笑)'로 써져 있는데, 이는 중국과 일본의 역대 자전에 모두 수록되어 있다.

중국문자의 발전과 변화라는 관점에서 소(笑)를 놓고 보면, 다음과 같은 사실을 알 수 있다. 이 글자는 전국(戰國)시기에 최초로 보이며, 견(犬)이 의미부이고 초(艸)가 소리부인 구조로 이루어져 있지, 죽(竹)과 요(夭)로 구성되어 있는 게 아니다. 서한(西漢)까지, 견(犬)이 의미부이고 초(艸)가 소리부인 '소'자가 계속 계승되었다. '소'자의 구성성분이 잘 못 변한 것은 대개 위진(魏晉)시대부터 발생하였다. 초(艸)부수와 죽(竹)부수의 의미류가 비슷하여 혼용되었으며, 요(夭)와 견(犬)부수는 자형이 서로 유사하여 잘 못 변하게 되었다. 북위(北魏)시기 이후에는 구(口)와 '关'로 구성, 죽(竹)과 요(夭)로 구성, 죽(竹)과 관(关)으로 구성, 죽(竹)과 견(犬)으로 구성된 여러 가지 서법이 나타나, 위진(魏晉)시기에 해서체가 아직 정해져 있지 않았다는 것을 반영하고 있다. 상술한 바를 근거로, '소'의 자형이 변천한 궤적을 다음과 같이 서술할 수 있다. '소'자는 본래 견(犬)이 의미부이고 초(艸)가 소리부인 글자였는데, 후세에 초(艸)가 죽(竹)으로 혼동되기 시작하였다. 자형이 비슷하다 해도, 독음을 나타내는 이론적 근거를 잃게 된 것이다. 본래의 의미부인 견(犬)은 고문자의 자형이 요(夭)와 비슷하고, 또 요(夭)는 소(笑)와 음이 비슷하므로, 요(夭)로 잘 못 바뀌게 된 것이다. 이를 통해, 소(笑)자의 형체를 구성하는 이론적 근거가 상당히 분명해진 것 같다.

동아시아의 역대 한문 자전의 체계에다 소(笑)를 놓고 보면, 한·중·일 역대 자전에서의 '소(笑)'의 이체자에 아래와 같은 여러 가지 자형이 있다는 것을 알 수 있다.

중국: 笑, 关, 笑, 唉, 咲
일본: 笑, 笑, 唉, 咲
한국: 笑, 咲

상술한 소(笑)자들은 구성성분이 달라서 이체자를 형성하는 경우이다.

상하구조로 된 소(笑)자를 살펴보면, '죽(竹)'부수의 차이점은 죽(竹)이나 인(人)으로 구성되어 있다는 데 있다. 요(夭)로 구성된 것의 차이점은 요(夭)나 견(犬)으로 구성되어 있다는 데 있다.

좌우구조의 소(笑)자는 소(笑)자에다 의미부호인 구(口)를 더해, 새로운 형성자인 소(唉)를 만들었다. 그중에서 구(口)부수는 소(笑)와 구(口)의 동작이 연관되어 있다는 것을 나타내는데, 소(笑)는 소리부가 된다. 좌우구조의 소(咲)자에서 소리부는 '소(笑)'에서 '관(关)' 또는 '소(笑)'로 바뀌었다.

일본의 자전에 수록된 소(笑)자는 그 자형들이 풍부한 편인데, 이 자형들은 중국 중고시기 실물문헌에 있는 소(笑)의 자형과 서로 검증할 수 있다. 『신찬자경』에 수록된 소(唉)는 중국과 한국의 자전에서는 보이지 않는 것이므로, 이들 자전에 보충해서 넣을 수 있다.

한국 자전인 『제오유』에서 해석한 소(笑)자의 의미는 『설문』의 영향을 받은 것이 분명해 보이지만, 『전운옥편』과 『자류주석』에서 해석한 소(笑)자의 의미는 『강희자전』의 영향을 받은 것으로 보인다. 『전운옥편』과 『자류주석』에서는 소(笑)자의 고음(古音)을 '쇼', 금음(今音)을 '소'라고 주석하여, 소(笑)자가 초(艸)를 소리부로 삼았다는 것을 근거로 삼을 수 있다.

"한자의 확장은 매우 복잡한 문제이다. 첫째, 확장의 노선과 시간 즉 확장하는 지리적 방향과 확장된 역대 시간을 정리해야 한다. 둘째, 확장의 상태 즉 사용한자와 그 범위를 분명하게 해야 한다. 셋째, 민족문자의 저본이 무엇인지, 일원론적인지 아니면 이원론적인지, 혹은 다원론적인지 연구해야 한다."[23] 한국과 일본의 역대 자전들은 한자가 동아시아로 확장하는 과정에서 사용되는 상황을 나타내고 있다. 이 자료들은 한자에 대한 통시적 연구에 풍부한 원시자료를 제공해주고 있다. 이는 중고시기에 한자가 어떻게 사용되고 확장되는지, 또 그중의 용자 규칙은 어떤 것인지를 연구할 때

---

23) 陸錫興, 『漢字傳播史·前言』(語文出版社, 2002).

중요한 의미와 가치를 지닌다. 한자의 동아시아 확장에 관한 연구는 지금까지 아직 한자학 연구자들의 관심을 끌지 못했다. 그래서 동아시아 한자의 발전사에 관한 연구는 줄곧 공백상태에 놓여 있었다. 동아시아 각국에서 각 연대별로 편찬하고 사용한 한문자전을 정합하여 연구하는 것은 바로 동아시아의 한자발전사에 대한 과학적인 연구이므로 그 결과가 기대되는 바이다. 아울러 중국어 정보 처리의 한자 연구는 한자 정보 처리의 기초연구 또는 한자의 식별 연구에 상관없이 모두 동아시아 각국의 역대 한자의 정합과 연구에서 벗어날 수 없다. 따라서 한·중·일의 역대 한문 자전을 정리하고 연구하는 것은 반드시 한자문화권에서 중국어 정보처리를 한 한자연구를 할 때 더욱 큰 진전을 이뤄낼 수 있을 것이다.

제3절 자전의 데이터베이스 성과 활용

1. 『역외한자전파서계(域外漢字傳播書系)·한국권(韓國卷)』

『역외한자전파서계·한국권』(이하 『한국권』이라 부른다.)은 '한국 한문 자전 데이터베이스[韓國經典漢字字典數據庫]' 등을 기반으로, 독립적으로 데이터베이스를 만든 성과물이다. 이들 총서는 상해인민출판사에서 2012년에 출판하였는데, 조선시대(1392~1910)의 대표적인 한자 자전 4종, 운서 1종, 몽구자전 3종으로 구성되어 있으며, 전체 글자 수가 300만자에 가깝다. 각각의 서적은 해제, 본문, 색인, 서영(書影)의 4부분으로 이루어져 있다. 이는 풍부한 내용과 체계적인 정리 및 처음으로 선보이는 자료라는 점에서 동아시아 한자 연구의 중요한 참고자료가 될 것이다.

조선시대의 한문자전에 있는 한자들을 폐쇄적인 체계로 간주하여, 정성(定性) 및 정량(定量)으로 분석하는 것은 한자의 한국 확장사 및 사용사 연구에 기초가 된다. 『한국권』은 조선시대의 대표적인 소학류 문헌을 디지털화하여 정리하고 연구한 것이다. 이는 한자의 한국 확장 및 사용 연구와 한자문화권에서의 역대 문헌의 자원공유를 위해 플랫폼으로 제공되어, 나라별로 한자를 연구할 수 있게 하였다. 우리는 학자들이 이 플랫폼을 사용하여,

한자가 한국으로 확장된 경로와 시간적 층차, 한자의 형음의(形音義)가 한국에서 전승되고 변화한 특징과 규칙, 한자의 육서(六書)이론과 한자문화의 한국화 등의 연구가 더욱 심화될 수 있기를 기대하고 있다.

(1) 문헌 설명

『한국권』에서 선택한 문헌은 『제오유』, 『전운옥편』, 『자류주석』, 『설문해자익징』, 『화동정음통석운고(華東正音通釋韻考)』, 『훈몽자회』, 『신증유합』, 『천자문』이다. 이들 중, 『화동정음통석운고』와 『천자문』을 제외한 나머지 문헌들과 관련된 정보는 이 책의 제2장을 참고하면 된다. 박성원(朴性源, 1697~1767)이 편찬한 『화동정음통석운고』는 『정음통석(正音通釋)』이라고도 부르며, 간단히 줄여서 『화동정음(華東正音)』이라고도 부른다. 이 책은 근대 시기 중국과 한국의 독음을 같이 병기한 운서이다. 박성원의 서문에 따르면, 이 책은 1747년에 출판되었다. 음성학사의 시기로 봤을 때, 이 시기는 중국의 근대음(近代音) 시기에 속한다. 『화동정음』은 모든 글자마다 두 개의 음을 병기하였다. 오른쪽에는 화음(華音) 즉 당시 중국의 음을 썼고, 왼쪽에는 동음(東音) 즉 그 당시 조선시대의 음을 썼다. 현재 『화동정음』의 판본은 1747년 박성원이 간행한 원본과 1787년 정조(正祖)의 서문이 있는 중간본(重刊本) 2종이 존재한다. 이들 판본은 현재 한국 국립 중앙도서관, 부산대학교 도서관, 연세대학교 도서관 등 15곳의 도서관에서 소장하고 있다. 이 책에서 사용한 서영(書影)과 판본은 국립중앙도서관의 소장본으로, 1747년 간행본(古3111-62, 등록번호 75001)이다.[24]

연구에 따르면, 조선시대에는 지방의 관리기구가 『천자문』을 간행하여, 그 판본이 상당히 많으며, 이후에 원본에다 자음을 해석한 간행본이 점차 나타나게 되었다. 현재 발견된 최초로 한글로 자음을 해석한 『천자문』은 광주판(光州版)으로, 1575년경에 출판되었다. 우리는 이들 자료를 정리하는 중에 1900년대 중기의 『천자문』들을 대거 발견하게 되었으며, 독자들이 사용하기 편하도록, 본 총서에 포함시켰다. 지금 여러 『천자문』들이 한국에 소장된 상황은 다음과 같다.

---

24) 康寔鎭·羅度垣, 『華東正音』(上海人民出版社, 2012) 참조.

한국 국립 중앙도서관:『만고천자문(萬古千字文)』,『속천자(續千字)』,『도형천자
　　문(圖形千字文)』,『신천자문(新千字文)』,『일선문신정유합천자(日鮮文新訂類
　　合千字)』,『유몽천자문(牖蒙千字文)』
한국학 중앙연구원의 장서각(藏書閣):『경서집구천자문(經書集句千字文)』,『조
　　선역사천자문(朝鮮歷史千字文)』
한국 독립기념관 정보시스템:『신정천자문(新訂千字文)』
서울대학교 규장각(奎章閣):『별천자문(別千字文)』
영남대학교 도서관:『속천자문(續千字文)』,『부별천자문(部別千字文)』

　　본 시리즈의 판본은 각각 이상의 소장지에서 제공한 탁본을 사용하였
다.25)

(2) 문헌 정리

　　디지털화 이전의 한자 문헌을 정리할 때는 한자가 그리 큰 문제가 되지
않지만, 디지털화하는 과정에서는 한자가 가장 성가신 존재로 바뀌게 된다.
특히 동아시아 국가들의 역대 한자 문헌을 정리할 때는 더더욱 심해진다.
한자가 동아시아로 확장되어 사용되는 과정에서 사용자들은 일부 한자를
본토의 문화에 맞게 바꾸려고 하는데, 이렇게 해야 본토의 언어를 한자로
기록하는 작업이 더욱 원활해지기 때문이다. 예를 들어, 일부 한자의 필획
과 구성성분을 생략하고 줄인다면, 간략화한 뒤의 구성성분이 한국 특유의
한자를 형성하게 된다. 바로 형성자에서 한자의 독음을 나타내는 소리부가
한글발음을 나타내는 소리부 등으로 바뀌어진 것이다.
　　우리가 정리하고 연구한 한국의 소학류(小學類) 문헌들은 복잡한 편이
다. 실체와 응용면에서 봤을 때, 자전, 운서, 아동들의 한자교재 등을 언급하
고 있다. 저자도 같은 연대가 아니고 편찬목적도 다르기 때문에, 각각의 문
헌은 서문과 발문이 있기도 하고 없기도 하며, 체제도 각기 다르다. 내용으
로 봤을 때, 설명하는 말이 비교적 간단하다. 글자에 있는 어떤 의항을 해

<hr>

25) 王平・安晟秀,「韓國歷代千字文的版本與價值」,『經學研究集刊』(2017) 참조.

석할 때 조선시대에서 사용한 습관적인 표현을 따랐다. 의항이 상대적으로 간단하기 때문에 문헌의 용례를 예로 들어 인용한 경우는 매우 드물다. 용자의 측면에서 봤을 때, 한자를 새기거나 쓰는 수준이 각기 달랐으므로, 임의로 한자를 사용하게 되었고 또한 동아시아에서 이 한자들에 변화가 발생하여, 대량의 속자를 만들게 되었다. 상술한 바에 따라, 『한국권』의 텍스트 정리와 연구는 주로 아래의 4가지 부분에서 드러난다.

첫째, 문헌을 디지털화시켰다. 이 총서는 최초로 조선시대에 간행한 소학류 문헌과 데이터과학기술을 결합시켜, 한자문화권에서의 한자문헌에 대한 자원공유에 적합한 정보화 플랫폼을 구축하고자 노력하였다. 필자는 선본을 먼저 결정한 다음에 문헌의 데이터베이스를 구축하였으며, 마지막으로 편집과 검색을 할 수 있는 전자텍스트를 제작하였다. 원서를 전자텍스트로 제작하게 되면, 검색과 연구에 편리할 뿐만 아니라, 총서의 인터넷판을 보급하는 데에도 편리하다. 이렇게 편리하고 실용적인 플랫폼은 한자 자체를 연구할 때나 한자의 한국 확장과 사용을 연구할 때도 모두 중요한 의미를 지닌다.

둘째, 문헌에 구두점을 표시하였다. 선택한 문헌에 신식 구두점을 표시한 것은 데이터베이스에서 추출한 자료에 보이는 공통된 표지이다. 우리는 문헌에 구두점을 표시할 때, 가능한 한 각 문헌의 특징을 고려하여, 동일한 문헌에서는 될 수 있는 대로 구두점을 일치시키고자 하였다. 구두점은 관식 표점을 사용하여, 주로 쉼표와 마침표로 나타내었다.

셋째, 색인을 작성하였다. 우리는 이 총서의 각각의 문헌에 부수와 필획 색인을 만들어 독자들이 편리하게 사용하도록 하였다. 색인은 고서를 연구하고 사용할 때 반드시 필요한 보조적인 수단이므로, 고문헌을 정리함에 있어 중요한 구성부분으로 간주해야 한다.

넷째, 서영(書影)을 제작하였다. 각 문헌의 서영에는 앞표지, 속지, 뒤표지가 포함되어 있다. 일반적으로 말하는 서영의 기능은 독자에게 이 책의 스타일을 드러내고 소개하는 데 있다. 특히 고문헌의 진본을 드러낼 때 많이 사용된다. 우리가 첨부한 서영은 첫째, 글자의 배열과 행간의 형식, 글자체, 광곽, 먹색 및 소장도장과 제사와 발문 등 고문헌의 형태와 같은 판본목록학의 연구에 사용될 수 있다. 둘째, 문헌의 원시자료를 독자에게 보여줌으로서 문헌의 자형연구에 사용될 수 있다.

(3) 문헌 자형

종이로 이루어진 전통적인 문헌들을 컴퓨터에 접속해서 읽고 검색할 수 있는 디지털화 형식으로 전환하였고, 그 과정에서 발생할 수 있는 오류를 없애고자 원시자료의 실물을 그대로 유지시키려고 노력하였다.

조선시대 소학류 문헌들을 디지털화하는 과정에서, 우리는 최대한 원문의 자형을 충실히 보존하고자 하였다. 그러나 지금의 상황에서, 중국어 체계의 simsun(founder extended)과 한글 체계의 바탕은 이들 문헌에 있는 일부 한자를 제대로 만족시킬 수 없었다. 다시 말해, 현재의 기술로는 전자텍스트에서 한국의 역대 한자 자형의 원래 모습을 완벽하게 재현할 수 없다. 한국한문자전과 simsun(founder extended)에서 일부 글자의 음과 뜻은 완전히 같지만, 필획이나 구성성분에 차이가 나는 것은 조자가 과도하게 많아져서 인쇄에 불편함을 초래하는 것을 방지하기 위해, 우리는 simsun(founder extended)에 있는 기존의 자형들을 그대로 사용하였다. 예를 들어, 방(菀), 경(夐) 등의 글자가 글자 단위일 때, simsun(founder extended)으로 처리할 수 있다. 그러나 이상의 글자 단위가 구성성분의 단위로 나타날 때는, simsun(founder extended)로는 처리할 수 없다. 예컨대 방방(磅滂)의 방(旁), 경경(梗埂)의 경(更), 변(邊)자 아래의 방(方)의 구성성분은 구(口)로 쓰며, 장(藏)자는 왼쪽 부분이 생략되어 있는 것과 같다. 이러한 상황에 대해서, 우리는 한자를 동일시하는 방법을 채택하여, 새로운 글자를 만들지 않았다. 한국한문자전에서 일부 글자는 simsun(founder extended)에서 그와 완전히 대응되는 글자를 찾을 수 없어, 하나의 글자로 동일시 할 수 없는 경우에, 용자(用字)의 원래 모습에 근거하여 새로 글자를 만들어 처리했다.

(4) 문헌 연구

데이터베이스를 기반으로 한 문헌 연구는 '해제'의 형식으로 모든 문헌의 앞부분에 덧붙였다. '해제'는 주로 저자 및 저술목적, 판본과 판본이 전해져 내려온 상황, 체제와 텍스트 구조, 내용과 연구요약 및 데이터베이스 작업을 한 연구자가 발견한 문제점과 연구에 대한 결론 등의 내용을 포함하고 있다. 조선시대에 간행한 소학류 문헌들은 다방면에서 학술적 가치를 지니기에, 계속해서 연구를 할 수 있는 영역이 늘어날 것이라 기대하고 있다.

한자학의 관점에서 보면, 이들 문헌에 있는 한자의 상용자, 속자, 상용의미, 편찬자의 한자의 의향, 독음, 자형 등에 관한 선택 및 재해석 등은 한자가 발전한 역사를 연구할 때 꼭 필요한 내용이다.

한자확장학의 관점에서 보면, 중국에서 만든 한자를 한국에서 차용하여 생각을 표현한 것이 된다. 한국과 중국은 똑같이 한자를 사용하였지만, 표현하는 생각과 그 문화적 정보에는 차이가 존재한다. 이러한 차이점은 한국에서 한자가 확장되고 사용된 역사를 연구할 때 매우 중요한 가치를 지닌다.

문화학의 관점에서 보면, 한국과 중국은 국가도 다르고 민족도 다르기 때문에, 한국에서 사용된 한자는 자연히 한국문화의 특징을 기록하고 반영하게 된다. 중국의 한자와 비교했을 때, 한국한자는 중국한자와 같은 점도 있으면서 또 그만의 개성도 가지고 있다. 즉 한국에서 한자가 사용된 상황을 반영할 뿐만 아니라, 한국 문화 특유의 역정도 반영하고 있는 것이다.

조선시대 소학류 문헌들이 지금까지 한자의 발전사와 확장사를 연구하는 데 있어 중요한 좌표로 인식되지 않았고, 또 학자들이 아시아의 역사문화를 연구할 때 이를 활용하지 않은 점은 매우 유감스런 일이라 생각된다.

2. 『중한전통자서회찬(中韓傳統字書匯纂)』

『중한전통자서회찬』(이하 『회찬』이라고 줄여 부름)은 '중한자전 통합검색시스템[中韓字典聯合檢索系統]'을 기반으로 이룩한 성과의 하나이다.26) 한·중의 전통자전들은 독특한 문헌자료로써, 이들 국가에서 한자가 공시적·통시적으로 사용된 상황과 해석 등의 분야에서 풍부한 정보를 보유하고 있다.

---

26) 『匯纂』은 國家社會科學基金重大項目 "한국전세한문자전문헌집성"(항목호: 14ZD B108)의 중간성과물이며, 또 Seed Program for Korean Studies through the Ministry of Education of Republic of Korea and Korean Studies Promotion Service of The A cademy of Korean Studies(AKS-2014-INC-2230008)의 기금도 받았다.

그리고 시대가 발전하게 되면서 한·중의 전통자전을 정리할 필요성이 갈수록 절실해졌다.

(1) 문헌 설명

『회찬』에서는 중국의 자전으로『설문』,『송본옥편』,『강희자전』을 수록했고, 한국의 자전으로『훈몽자회』,『제오유』,『전운옥편』,『자류주석』,『신자전』을 수록했다.『회찬』은 한중의 고대 자전을 교감·정리·연구한 성과물로써, 디지털화 수단을 통해 한자문화권에서 한자의 형음의(形音義)를 가장 많이 수록하고 빠른 속도로 검색할 수 있는 최초의 공구서이다.

(2) 문헌 정리

① 새로운 구두점 표시
수록된 한·중 자전에 신식 구두점을 표시하였다. 문장 사이에는 일률적으로 모두 쉼표를 사용하였고, 문장의 끝에는 마침표를 사용하였다.『사(史)·이광(李廣)』과『한(漢)·사마천(司馬遷)』등과 같이 인용한 문헌은 모두 서명을 줄여서 표시하였으며, 서명을 나타내는 부호를 표시하였다. 또 문헌의 이름에만 서명을 나타내는 부호를 나타내었고, '주(註)', '소(疏)', '전(傳)', '전(箋)' 등에는 서명을 나타내는 부호를 사용하지 않았다. '의서(醫書)', '범서(梵書)', '방서(方書)'와 같은 총칭일 때는 서명을 나타내는 부호를 사용하지 않았다.『신자전』에는 '모왈(某曰)'의 부분에서 서명을 나타내는 부호를 더하는 상황이 있는데, 여기에서는 일괄 없애버렸다.

② 한·중 자전의 통합검색 데이터베이스 구축
한국의 전통적인 자전들은 중국의 자전에 기원하면서 한국의 언어와 문화적 정보가 풍부하다는 특징을 가지고 있다. 디지털화 수단을 통해, 연구팀은 오랫동안 한중 역대 자전들의 통합검색 데이터베이스를 구축하였다. 이 데이터베이스에는『회찬』에 수록된 8종의 자전들이 포함되어 있는데, 개별자전의 전문을 검색할 수도 있고, 동태적으로 선택할 수도 있으며, 또 같

은 화면에 통합검색의 전체 정보를 볼 수도 있다. 이 데이터베이스는 한·중을 대표하는 고대의 자전들을 동일한 시스템에 두고 통합검색을 할 수 있게 하였다. 데이터베이스는 종이 문헌을 검색 가능한 전자 텍스트로 전환한 것이다. 저장매체의 혁명은 전통적인 자전의 이용률과 공유치를 크게 향상시키고, 과학적인 자료를 제공함으로서 전문적인 연구에 많은 도움을 주었다.

(3) 특징

『회찬』은 모두 21권으로 구성되어 있는데, 그중에서 20권이 문헌의 내용이고, 1권이 색인이다. 한·중의 역대 자전을 한곳에 모아, 한자가 중국이나 동아시아에서 계승되고 확장된 흔적을 찾는 것은 독창적이라 하겠다. 『회찬』은 『강희자전』의 올림자를 검색 경로로 삼고, 컴퓨터 기술로, 공구서로서의 완전성을 보장하면서 실용성과 편리성을 극단적으로 높였다. 『회찬』에서 두드러지는 특징은 아래에 서술한 바와 같다.

① 대표적인 자료
『회찬』에 수록된 중국의 자전으로는 『설문』, 『송본옥편』, 『강희자전』이 있고, 한국의 자전으로는 『훈몽자회』, 『제오유』, 『전운옥편』, 『자류주석』, 『신자전』이 있다. 이들 자전들은 모두 그만의 특색을 가지고 있어, 한·중 자전의 역사에서 이정표적인 본보기라고 불리는 것들이다.

② 체계적인 내용
『회찬』은 『강희자전』의 214부수와 올림자를 중심으로 하였기에, 『강희자전』의 문장을 제일 앞쪽에 배치하였고, 그 밖의 자전들은 중국의 자전을 앞쪽에, 한국의 자전을 그 뒤에 배치하였다. 개별 자전의 특징을 드러내면서 중국과 한국 자전의 계승관계도 반영하고 있는데, 시대순으로 자전들을 나열하여, 시간적 층차를 체계적으로 보여주고 있다.

③ 편리하고 빠른 검색

중국의『설문』,『송본옥편』,『강희자전』을 하나로 모은 것은『회찬』에서 처음으로 이루어낸 일로, 한자의 형음의(形音義)의 변천과정을 일목요연하게 알 수 있다. 또한 한국의 역대 자전들도 나열하여, 한국에서 한자가 확장된 맥락도 알 수 있게 하였다.『회찬』에서 한·중 고대 자전을 하나로 모은 것은, 단순한 작업이 아닌 문헌을 교감하고 난 뒤에 그 성과를 나타낸 것이다. 글자를 검색하면 한·중의 역대 자전에 기록된 한자의 모든 정보를 알 수 있다.

④ 여러 기능을 가진 사용방법

중국 고대의 전통 자전들은 한국으로 건너가 융합과 전승 및 변이 등의 과정을 거쳐 갖가지 한국 자전의 모습들로 나타나게 되었다. 한국의 자전들은 중국 고대 자전의 특징도 가지고 있으면서 규범성, 체계성, 한국특유의 개성도 가지고 있으므로, 오늘날 우리가 동아시아 한자를 연구할 때 없어서는 안 될 귀중한 자료이다. 이 자전들은 시간에 따라 누적되면서 내용은 복잡해지고 층차도 풍부해졌다. 그러므로 연구영역도 상당히 넓은데, 중국의 역사 언어학, 자전 편찬학, 역사 문화학, 한자 발전사 및 확장사 등 여러 분야의 연구에 참고문헌으로서의 가치를 지니며, 게다가 중국의 자전에서 누락된 부분을 보충할 수도 있다. 따라서 한·중의 언어학, 철학, 역사, 문학, 종교, 문헌학, 한·중 문화교류와 비교연구에 뜻을 둔 학자라면,『회찬』은 대체할 수 없는 가치를 가진다. 진인각(陳寅恪)은 "오늘날 훈고학의 기준에 따르면, 글자 하나의 해석은 하나의 문화사가 된다."라고 하였다. 이 총서의 서명이『회찬』이라 할지라도, 실제로는 동아시아에서의 한자 확장사를 찾아볼 수 있는 공구서가 될 것이다. 예를 보자.

○인(人)

『설문』: 천지의 성품 가운데 가장 귀중한 것이다. 이는 주문(籒文)이다. 팔다리의 형상을 본떴다. 무릇 사람에 속하는 것들은 모두 인(人)으로 구성되어 있다. 여(如)와 린(鄰)의 반절이다.(天地之性最貴者也. 此籒文. 象臂脛之形. 凡人之屬皆从人. 如鄰切.)

『송본옥편』: 이(而)와 진(眞)의 반절이다.『주서(周書)』에 "오직 사람만이 만물 가운데 가장 으뜸이다.(惟人萬物之靈.)"라는 구절이 있다. 공안국(孔安國)은

"천지에서 난 것 중에서 오로지 사람만이 귀하다.(天地所生, 惟人爲貴.)"라고 말했다. 『역(易)』에는 "대인(大人)은 천지와 그 덕을 합하였으며, 해와 달과 그 밝음을 합하였으며, 사시(四時)와 그 순서를 합하였으며, 귀신과 그 길흉을 합하였다.(大人者, 與天地合其德, 與日月合其明, 與四時合其序, 與鬼神合其吉凶.)"라고 했다. 『예기(禮記)』에는 "사람은 오행(五行)의 시작이다.(人者, 五行之端.)"라고 했다. 『태현경(太玄經)』에는 "아홉 종류의 사람이 있다. 첫째 하인(下人), 둘째 평인(平人), 셋째 진인(進人), 넷째 하록(下禄), 다섯째 중록(中禄), 여섯째 상록(上禄), 일곱째 실지(失志), 여덟째 질어(疾瘀), 아홉째가 극(極)이다.(有九人, 一爲下人, 二爲平人, 三爲進人, 四爲下禄, 五爲中禄, 六爲上禄, 七爲失志, 八爲疾瘀, 九爲極)"라고 했다. 『설문』에서는 "천지의 성품 가운데 가장 귀중한 것이다. 팔다리의 형상을 본떴다.(天地之性最貴者也. 象臂脛之行.)"라고 했다.[27]

『강희자전』: 고문에서는 인(冂)이라고 썼다. 『당운(唐韻)』에는 "여(如)와 린(鄰)의 반절이다."라고 했다. 『집운(集韻)』·『운회(韻會)』·『정운(正韻)』에는 "이(而)와 린(鄰)의 반절이다. 아울러 독음이 인(仁)이다."라고 했다. 『설문』에는 "천지의 성품 가운데 가장 귀중한 것이9다.(天地之性最貴者也)"라고 했다. 『석명(釋名)』에는 "인(人)을 인(仁)을 의미한다. 인(仁)은 만물을 생겨나게 한다.(人, 仁也. 仁, 生物也.)"라고 했다. 『예(禮)·예운(禮運)』에는 "사람은 천지의 덕(德)이고, 음양의 교차이며, 귀신의 만남이고, 오행의 뛰어난 기운이다.(人者, 天地之德, 陰陽之交, 鬼神之會, 五行之秀氣也.)"라고 했다.

또 한 사람, 임금[君]을 나타낸다. 『서(書)·여형(呂刑)』에 "임금이 선행을 하면 모든 백성들이 그를 의지한다.(一人有慶, 兆民賴之.)"라는 구절이 있다.

또 나 한사람, 천자가 스스로를 일컫는 칭호를 나타낸다. 『탕고(湯誥)』에 "아. 너희 사방의 무리들아. 나 한사람의 가르침을 분명하게 들으라.(嗟, 爾萬方有衆, 明聽予一人誥.)"라는 구절이 있다.

또 두 사람, 부모(父母)를 나타낸다. 『시(詩)·소아(小雅)』에 "날이 밝도록 잠을 이루지 못하고, 부모님을 그리워하네.(明發不寐, 有懷二人.)"라는 구절이 있

---

27) (역주) 而眞切. 『周書』云: 惟人萬物之靈. 孔安國曰: 天地所生, 惟人爲貴. 『易』曰: 大人者, 與天地合其德, 與日月合其明, 與四時合其序, 與鬼神合其吉凶. 『禮記』云: 人者, 五行之端. 『太玄經』云: 有九人, 一爲下人, 二爲平人, 三爲進人, 四爲下禄, 五爲中禄, 六爲上禄, 七爲失志, 八爲疾瘀, 九爲極. 『説文』云: 天地之性最貴者也. 象臂脛之行.

다.

또 좌인(左人)과 중인(中人)으로 적국(翟國)의 두 읍을 나타낸다.

또 관명(官名)을 나타낸다. 『주례(周禮)』에는 '포인(庖人), 형인(亨人), 장인(漿人), 능인(凌人)'과 같은 종류가 있다고 했다.

또 풍인(楓人)이라는 혹을 나타내는데, 오래된 단풍나무에서 생긴다. 『조야첨재(朝野僉載)』에 보인다.

또 포인(蒲人)과 애인(艾人)을 나타내는데, 『세시기(歲時記)』에 보인다.

또 성(姓)을 나타내는데, 명(明)나라에 인걸(人傑)이라는 사람이 있었다.

또 좌인(左人)이나 문인(聞人)이라고 하여, 복성(複姓)을 나타낸다.

또 『운보(韻補)』에는 "여(如)와 연(延)의 반절과 협음한다. 독음이 연(然)이다. (叶如延切. 音然.)"라고 했다. 유향(劉向)의 『열녀송(列女頌)』에는 "낯빛을 보고 죄를 물으니, 환공(桓公)이 기뻐하였다. 그 이후에 안을 다스릴 부인으로 세웠다.(望色請罪, 桓公嘉焉. 厥後治内, 立爲夫人.)"라는 구절이 있다.[28]

『훈몽자회』: :사·룸【신】

『제오유』: 하늘과 땅의 심장이다. 머리를 숙이고 두 손을 모으고 있는 형상으로, 상형(象形)이다. 사람은 인(寅)에서 생겨나 모이므로, 독음이 인(寅)이다. 인(人)이 글자의 위에 있으면 동(仝)이 되고, 오른쪽에 있으면 이(以)가 되며, 아래에 있으면 측(仄)이 되므로, 반드시 왼쪽에 자리하는 것만은 아니다. 그러나 많은 글자들이 왼쪽에 있는 편방으로 쓰이기에 다른 글자들도 모두 이를 본떴다. 인심(人心), 인사(人事), 인륜(人倫) 등의 글자들이 모두 인(人)으로 구성되어 있다. 수를 세는 것도 사람의 일이기에, 천(仟)이나 억(億) 등과 같은 글자도 모두 인(人)으로 구성되어 있다. 물건(物件)의 건(件)도 사람이 하는 일이라서, 인(人)으로 구성되어 있다. 그런데 소[牛]는 덩치가 큰 짐승이라 잡아서 죽이는데 혼자서는 할 수 없다. 그래서 사람[人]들이 나누어서

---

28) (역주) 古文同 『唐韻』如鄰切. 『集韻』『韻會』『正韻』而鄰切. 並音仁. 『説文』: 天地之性最貴者也. 『釋名』: 人, 仁也. 仁, 生物也. 『禮·禮運』: 人者, 天地之德, 陰陽之交, 鬼神之會, 五行之秀氣也. 又一人, 君也. 『書·呂刑』: 一人有慶, 兆民賴之. 又予一人, 天子自稱也. 『湯誥』: 嗟, 爾萬方有衆, 明聽予一人誥. 又二人, 父母也. 『詩·小雅』: 明發不寐, 有懷二人. 又左人、中人, 翟國二邑. 又官名. 『周禮』有庖人、亨人、漿人、凌人之類. 又楓人, 老楓所化. 見『朝野僉載』. 又蒲人、艾人. 見『歲時記』. 又姓. 明人傑. 又左人、聞人, 俱複姓. 又『韻補』叶如延切. 音然. 劉向『列女頌』: 望色請罪, 桓公嘉焉. 厥後治内, 立爲夫人.

해야 하는 일이라, 몇 건[幾件]이라 할 때의 건(件)이 되었다.(亻, 天地之心
也. 俯首拱揖形, 象形也. 生於寅會, 故寅音. 人之於在字上爲仝, 在右爲以, 在
下爲仄, 不必在左, 而從衆屬之左邊, 他皆倣此. 人心、人事、人倫等字多從人;
至於計數, 亦是人之事, 故仟、億等字皆從人; 物件之件亦是人爲, 故從人, 而
牛大物也, 其宰殺也, 不可獨取, 與人分之, 故爲幾件之件.)

『전운옥편』: 【인】 삼재 중에서 만물 가운데 가장 으뜸이며, 오행의 뛰어난 기
운이다. 진(眞)운이다.(【인】三才之中, 萬物之靈, 五行秀氣. (眞).)

『자류주석』: 사름【인】 만물 가운데 가장 으뜸이며, 오행의 뛰어난 기운이다.(사
룸【인】萬物之靈, 五行之秀氣.)

『신자전』: 【인】동물 중에서 가장 으뜸인 것. 사람. 『예(禮)』에는 "사람은 천지의
덕(德)이고, 음양의 교차이며, 오행의 뛰어난 기운이다.(人者, 天地之德, 陰陽
之交, 五行之秀氣)"라고 했다. ○자기에 대응되는 타인. 남. 『논어(論語)』에
"자기가 서고자 하면 남을 서게 하며, 자기가 통달하고자 하면 남을 통달케
한다.(己欲立而立人, 己欲達而達人)"라는 구절이 있다. 진(眞)운이다.(【인】動
物之最靈者. 사람. 『禮』: 人者, 天地之德, 陰陽之交, 五行之秀氣 ○己之對他
人. 남. 『論語』: 己欲立而立人, 己欲達而達人. (眞).)

○인(仁)

『설문』: 사랑하다[親]는 뜻이다. 인(人)과 이(二)로 구성되어 있다.(親也. 从人从
二.)

서현은 "인자(仁者)는 사랑을 겸하기 때문에, 이(二)로 구성되어 있다. 여(如)
와 린(鄰)의 반절이다. 忎, 고문에 인(仁)은 천(千)과 심(心)으로 구성되어 있
다. 尸, 고문에 인(仁)은 혹 시(尸)로 구성되어 있다."라고 말했다.(臣鉉等曰:
仁者兼愛, 故从二. 如鄰切. 忎, 古文仁从千、心. 尸, 古文仁或从尸.)

『송본옥편』: 이(而)와 진(眞)의 반절이다. 『주례(周禮)』에 "육덕(六德)에서의 인
(仁)이다."라는 구절이 있는데, 정현(鄭玄)은 "사람과 사물을 사랑하는 것을
말한다.(愛人以及物.)"라고 했다. 『좌전(左傳)』에는 "근본을 저버리지 않는
것을 인(仁)이라 한다.(不背本仁也.)"라고 했다. 또 뒤섞여 합쳐지는 것을 인
(仁)이라 한다. 『논어』에는 "자신의 몸을 죽여 인(仁)을 이룬다.(殺身以成仁.)"
라고 했다. 또 극기복례(克己復禮)를 일러 인(仁)이라 한다. 공자(孔子)는 "사
람이라면 어질어야 한다.(人者仁也.)"라고 했다. 정현(鄭玄)은 "인(仁)은 사랑

과 정의를 베푸는 것을 말한다.(仁謂施以恩義也.)"라고 했다. 또 교사(郊社)의 의미를 지니고 있어, 귀신을 섬긴다는 뜻이 있다. 정현(鄭玄)은 "인(仁)은 존(存)과 같다.(仁猶存也.)"라고 했다.『백호통(白虎通)』에는 "인자(仁者)는 만물의 생생함을 좋아한다.(仁者好生.)"라고 했다.『설문』에는 "인(仁)은 사랑하다[親]는 뜻이다. 고문에서는 인(忎)이라고 썼다."라고 했다.29)

『강희자전』: 고문에는 인(忎)이라 썼다. 인(刄)은 『광운(唐韻)』에는 "여(如)와 린(鄰)의 반절이다."라고 했다.『집운(集韻)』·『운회(韻會)』·『정운(正韻)』에는 "이(而)와 린(鄰)의 반절이다. 아울러 독음은 인(人)이다."라고 했다.『석명(釋名)』에는 "참다[忍]는 뜻이다."라고 했다.『역(易)·건괘(乾卦)』에는 "군자가 인을 체득하면 족히 다른 사람의 우두머리가 될 수 있다.(君子體仁, 足以長人.)"라는 구절이 있다.『예(禮)·예운(禮運)』에는 "인(仁)이라는 것은 의(義)의 근본이고, 순응함[順]의 본체[體]인데, 그것을 얻는 자는 공경을 받는다.(仁者, 義之本也, 順之體也, 得之者尊.)"라고 했다. 정호(程顥)는 "마음은 곡식의 씨앗과도 같아, 그 생기는 성품이 바로 인(仁)이다.(心如穀種, 生之性便是仁.)"라고 했다. 또『방서(方書)』에는 "손발이 마비되는 것을 불인(不仁)이라고 한다. 후한(後漢)시기 반초(班超)의 누이인 반소(班昭)는 늙어서도 서역에 있는 반초(班超)에게 중국으로 돌아와 달라고 청하였다. 그리하여 글을 올려 말하기를, '형의 나이가 70이 되자, 손과 발에 마비가 왔다.'(兄年七十, 兩手不仁.)"라고 한 구절이 있다.

또 열매의 씨에는 생기가 있으므로 이를 역시 인(仁)이라고 부른다.

또 성(姓)을 말한다.

또『운보(韻補)』에는 "여(如)와 연(延)의 반절과 협음한다. 독음이 연(然)이다."라고 했다. 구양수(歐陽修)의 『송오자경남귀(送吳子京南歸)』라는 시에는 "내가 오생(吳生)을 비웃자, 네가 나의 말을 들었다. 안회(顏回)는 잘못을 두 번 되풀이하지 않았으니, 후세에서 그 인(仁)을 칭송하였다.(我笑謂吳生, 爾其聽我言. 顏回不貳過, 後世稱其仁.)"라는 구절이 있다.『육서정위(六書正譌)』에는 "원(元)은 이(二)와 인(人)으로 구성되어 있고, 인(仁)은 인(人)과 이(二)

---

29) (역주) 而眞切.『周禮』曰六德, 仁. 鄭玄曰: 愛人以及物.『左傳』云: 不背本仁也, 又曰參和爲仁.『論語』曰: 殺身以成仁, 又曰克己復禮爲仁. 孔子曰: 人者仁也. 鄭玄曰: 仁謂施以恩義也. 又曰郊社之義, 所以爲仁鬼神也. 鄭玄曰: 仁猶存也.『白虎通』曰: 仁者好生.『説文』云: 仁, 親也. 古文作忎也.

로 구성되어 있다. 하늘에 있는 것이 원(元)이고, 사람에 있는 것이 인(仁)이다. 사람이 만물 중에서 영험한 까닭은 인(仁)이 있기 때문이다."라는 구절이 있다.[30]

『훈몽자회』: ·클【신】 마음의 덕이자, 사랑의 이치이다. 또 열매의 씨를 일러 인(仁)이라 부른다.(·클【신】心之德, 愛之理. 又果核中實曰仁.)

『제오유』: ▨ 진력을 다하는 마음을 말한다. 사람의 인(仁)·의(義)·예(禮)·지(智)는 하늘의 원(元)·형(亨)·리(利)·정(貞)과 같다. 이(二)와 인(人)으로 구성된 것이 원(元)인데, 인(仁)도 이(二)와 인(人)으로 구성되었다. 이들은 모두 하늘에서 근원한 것이라, 천(天)도 이(二)와 인(人)으로 구성되었다. 천(天)의 주석을 살펴보라. 인(人)이 독음이다. 살이 차고 생기가 있는 과핵(果核)도 인(仁)으로 부르는데, 유추하면 알 수 있다. 팔다리와 몸이 순조롭지 못한 것을 일러 불인(不仁)이라 하는데, 생생의 이치에 어긋났기 때문에 그렇게 부른다.(▨, 好生之心. 人之仁、義、禮、智, 猶天之元、亨、利、貞. 從二、從人爲元, 仁亦從二、從人, 其原出于天, 天亦從二、從人, 見天註. 人音. 果核中實有生氣者亦曰仁, 可以類推. 肢體之不順謂之不仁, 違於生生之理也.)

『전운옥편』:【인】마음의 덕(德)이자, 사랑의 이치[理]이다. 네 가지 마음씨[四端]를 합한 것이며, 온갖 착한 일을 겸한다. 또 열매의 씨앗을 뜻한다. 마비되는 증세를 불인(不仁)이라고 부른다. 진(眞)운이다.(【인】心之德, 愛之理, 統四端, 兼萬善. 又果核. 痿痺症, 不仁. (眞).)

『자류주석』: 어딜【인】마음의 덕이자 사랑의 이치이며, 네 가지 덕을 포함한다.(어딜【인】心之德, 愛之理, 包四德)

『신자전』:【인】마음의 덕이자 사람의 이치이다. 네 가지 마음씨를 합한 것이며, 온갖 착한 일을 겸한다. 어질◦착할. 정호(程顥)는 "마음은 곡식의 씨앗과도 같아, 그 생기는 것이 바로 인(仁)이다.(心如穀種, 生之者, 便是仁)"라고 했다. ○열매의 씨[果核]. 씨. 예를 들어, 복숭아 씨[桃仁]와 살구 씨[杏仁]가 있다.

---

30) (역주) 古文忎. 忈,『唐韻』如鄰切.『集韻』『韻會』『正韻』而鄰切. 並音人.『釋名』: 忍也.『易·乾卦』: 君子體仁, 足以長人.『禮·禮運』: 仁者, 義之本也, 順之體也, 得之者尊. 程顥曰: 心如穀種, 生之性便是仁. 又『方書』: 手足痿痺爲不仁. 後漢班超妹昭, 以兄老西域, 請命超還漢土, 上書云: 兄年七十, 兩手不仁. 又果核中實有生氣者, 亦曰仁. 又姓. 又『韻補』叶如延切. 音然. 歐陽修『送吳子京南歸』詩: 我笑謂吳生, 爾其聽我言. 顏回不貳過, 後世稱其仁.『六書正譌』: 元从二、从人, 仁則从人、从二. 在天爲元, 在人爲仁. 人所以靈於萬物者, 仁也.

○수족이 마비되어 움직일 수 없는 것을 불인(不仁)이라고 부른다. 거북할. 『반초매상서(班超妹上書)』에 "형의 나이가 70이 되자 손과 발에 마비가 왔다. (兄年七十, 手足不仁.)"라는 구절이 있다. 진(眞)운이다. (【인】心之德, 愛之理, 統四端, 兼萬善. 어질ㅇ착할. 程顥曰: 心如穀種, 生之者, 便是仁. ○果核. 씨. 如桃仁, 杏仁. ○手足痿痺不能運動曰不仁. 거북할. 『班超妹上書』: 兄年七十, 手足不仁. (眞).)

○우(右)

『설문』: 돕다[助]는 뜻이다. 구(口)와 우(又)로 구성되어 있다.(助也. 从口从又.) 서개(徐鍇)는 "말로는 부족한 것을 다시 손으로 돕는 것이다.(言不足以左, 復手助之.)"라고 말했다.

『송본옥편』: 우(禹)와 구(救)의 반절이다. 『서(書)』에는 "내가 백성들을 돕고자 한다."라는 구절이 있는데, 좌우(左右)는 돕다[助]는 뜻이다. 또 우(于)와 구(九)의 반절이다.(禹救切. 『書』曰: 予欲左右有民. 左右, 助也. 又于九切.)

『강희자전』: 『당운(唐韻)』에는 "우(于)와 구(救)의 반절이다."라고 했다. 『집운(集韻)』・『운회(韻會)』에는 "우(尤)와 구(救)의 반절이다."라고 했다. 『정운(正韻)』에는 "원(爰)과 구(救)의 반절이다. 독음이 우(肴)이다. 우(祐)・우(佑)와 통한다."라고 했다. 『설문』에는 "돕다[助]는 뜻이다."라고 했다. 『이아(爾雅)・석고(釋詁)』에는 "우(右)에는 이끌다[導], 마음으로 돕다[勸], 밝다[亮]는 뜻이 있다."라고 했다. 『서(書)・익직(益稷)』에는 "내가 백성들을 돕고자 한다.(予欲左右有民.)"라는 구절이 있다. "좌(左)는 독음이 좌(佐)이다."라고 주석되어 있다. 『태갑(太甲)』에는 "오로지 이윤이 몸소 지극히 도우니 임금의 스승이 되었다.(惟尹躬, 克左右, 厥辟宅師.)"라는 구절이 있다. 『시(詩)・대아(大雅)』에는 "하늘이 그분을 보호하고 돕고 명하시어, 상나라를 치게 하셨네.(保右命爾, 燮伐大商.)"[31]라는 구절이 있다.

또 좌(左)의 대응이다. 『서(書)・우공(禹貢)』에는 "오른쪽으로 갈석을 끼고 황하로 들어간다.(夾右碣石入于河.)"라는 구절이 있다. 『예(禮)・소의(少儀)』에는 "폐백을 돕는 것은 왼쪽에서 하고, 조서를 알리는 것은 오른쪽에서 한다.(贊幣自左, 詔辭自右.)"라는 구절이 있는데, "서 있는 자는 오른쪽을 높인다.(立者尊右.)"라고 주석되어 있다.

---

31) (역주) 김학주 역저, 『새로 옮긴 시경』(서울: 명문당, 2010), 700쪽.

또 위[上]라는 뜻이 있다. 『전한(前漢)·공손홍전(公孫弘傳)』에는 "선인의 업적을 지키려면 문덕을 숭상하고, 재난을 당했다면 무공을 숭상해야 한다.(守成上文, 遭遇右武)"라는 구절이 있는데, "사고(師古)는 '우(右)도 역시 상(上)의 뜻이다.'라고 말했다."라고 주석되어 있다.

또 『순리전(循吏傳)』에는 "문옹(文翁)은 그들에게 높은 직책을 맡겼다.(文翁以爲右職)"라는 구절이 있는데, "사고(師古)는 '우직(右職)은 현에서 높은 직책을 말한다.'라고 말했다."라고 주석되어 있다.

또 강하다[强]는 뜻이 있다. 『후한(後漢)·명제기(明帝紀)』에는 "권세가가 없다면, 그 이익을 공고히 할 수 있다.(無令豪右, 得固其利)"라는 구절이 있다.

또 관명(官名)을 나타낸다. 『주례(周禮)·하관(夏官)』에는 "사우(司右)는 군우(羣右)의 명령을 관장한다.(司右, 掌羣右之政令.)"라는 구절이 있다. "군우(羣右)는 융유(戎右)·제우(齊右)·도우(道右)를 말한다."라고 주석되어 있다.

또 성(姓)을 나타낸다. 『정자통(正字通)』에는 "한(漢)나라의 우공필(右公弼), 송(宋)나라의 우가상(右嘉祥), 명(明)나라의 우암(右巖).(漢右公弼, 宋右嘉祥, 明右巖.)"이라는 구절이 있다. 또 『광운(廣韻)』에는 "한(漢)나라의 있던 복성(複姓)으로 다섯 개의 성씨가 있다. 『좌전(左傳)』에 보이는 패악(宋樂)은 큰 야망을 가지고 우사(右師)가 되었는데, 이후 관직으로 성씨를 받았다. 한(漢)나라에 중랑(中郎) 우사담(右師譚)이 있다. 진(晉)나라 때 가화(賈華)가 우행(右行)이 되었는데, 이후 관직으로 성씨를 받았다. 한(漢)나라에 어사중승(御史中丞) 우행작(右行綽)이 있다. 『하씨성원(何氏姓苑)』에 우려(右閭), 우호(右扈), 우남(右南) 등의 성씨가 보인다.(漢複姓, 五氏. 左傳宋樂大心爲右師, 其後因官爲氏, 漢有中郎右師譚. 晉賈華爲右行, 因官爲氏, 漢有御史中丞右行綽. 何氏姓苑有右閭、右扈、右南等氏.)"라는 구절이 있다.

또 산(山)의 이름과 짐승의 이름을 나타낸다. 『산해경(山海經)』에는 "장우(長右)라는 산에 짐승이 있는데, 그 형상이 원숭이와 같으며 네 개의 귀를 갖고 있다. 이를 장우(長右)라고 불렀다.(長右之山有獸, 狀如禺而四耳, 其名長右.)"라는 구절이 있다.

또 유(侑)와 통한다. 『주례(周禮)·춘관(春官)·대축(大祝)』에는 "제사를 돕는다.(以享右祭祀)"라는 구절이 있다. "우(右)는 유(侑)로 읽는다. 권하다[勸]는 뜻이다."라고 주석되어 있다.

또 『광운(廣韻)』·『집운(集韻)』·『운회(韻會)』·『정운(正韻)』에는 "운(云)과 구

(久)의 반절이다. 독음은 유(有)이다. 뜻이 같다.(丛云久切, 音有. 義同.)"라고
했다. ○『집운(集韻)』에는 "상성과 거성이라는 두 개의 독음이 존재하며, 뜻
이 실제로 서로 통한다."라고 했다.『정운(正韻)』에는 "상성(上聲)으로는 좌
우의 손이라고 해석되고, 거성(去聲)으로는 돕다라고 해석되어, 두 개의 독
음은 각기 두 개의 뜻이 있는데, 틀렸다."라고 했다.

또 이(以)와 주(周)의 반절과 협음한다. 독음이 유(由)이다.『시(詩)·주송(周
頌)』에 "우리가 받들어 올리는 제물로 양과 소가 있는데, 하늘이 제사를 받
고 우리를 도와주시네.(我將我享, 維羊維牛, 維天其右之.)"[32]라는 구절이 있
다. ○『당운(唐韻)』에는 "정음(正音)은 이(以)이다. 지금은 주(朱)의 주석을 따
랐다. 또 우(羽)와 궤(軌)의 반절과 협음한다. 독음이 이(以)이다."라고 했다.
『시(詩)·위풍(衛風)』에는 "샘물은 왼편에 흐르고 기수는 오른편에 흐르고 있
네. 여자란 시집을 가면 부모형제와도 멀어진다더니.(泉源在左, 淇水在右. 女
子有行, 遠父母兄弟.)"[33]라는 구절이 있다. 제(弟)는 만(滿)과 피(彼)의 반절과
협음한다.『진풍(秦風)』에는 "물결 거슬러 올라가려고 해도 길은 험하고 멀
구나. 물결 따라 들어가려고 해도 아스라이 강물 가운데 있네.(溯洄從之, 道
阻且右. 溯游從之, 宛在水中央.)"라는 구절이 있다.『송옥(宋玉)·적부(笛賦)』
에는 "높이 우뚝 솟은 게 만장이나 되고, 큰 돌이 쌍으로 서 있다. 단수(丹
水)가 그 왼쪽에서 샘솟고, 예천(醴泉)이 그 오른쪽에서 흐른다.(隆崛萬丈, 盤
石雙起. 丹水涌其左, 醴泉流其右.)"라는 구절이 있다. ○『광운(唐韻)』에는
"'우(右)의 고대음이 이(以)라는 것은 역대 경전자집(經傳子集)을 통해 알 수
있다. 이는 마땅히 이(以)라고 읽어야 하며, 단지 협음에 그치는 것이 아니
다(右古音以歷引經傳子集證之, 是直當讀作以, 非止叶音矣.)"라고 했다.

또 우(于)와 기(記)의 반절과 협음한다. 독음이 이(異)이다.『시(詩)·소아(小
雅)』에 "내게 좋은 손님 오자, 진심으로 기뻐서 그에게 주며, 종과 북을 벌여
놓고, 아침부터 술 권하네.(我有嘉賓, 中心喜之. 鐘鼓既設, 一朝右之.)"[34]라는
구절이 있다. 희(喜)는 거성(去聲)이다.

또 연(演)과 녀(女)의 반절과 협음한다. 독음이 여(與)이다.『육운(陸雲)·육승
상뢰(陸丞相誄)』에는 "이에 종군(中軍)을 담당하였고, 들어가서 내조를 하였

32) (역주) 김학주 역저,『새로 옮긴 시경』(서울: 명문당, 2010), 857쪽.
33) (역주) 김학주 역저,『새로 옮긴 시경』(서울: 명문당, 2010), 229쪽.
34) (역주) 김학주 역저,『새로 옮긴 시경』(서울: 명문당, 2010), 490-491쪽.

구나. 공작과 후작으로 오르락내리락 하여, 황제의 좌우에 있었구나.(乃幹中軍, 入作內輔. 公侯陟降, 在帝左右.)"라는 구절이 있다. 『설문』에는 "본래 우(㕛)라고 써서, 구(口)와 우(又)로 구성되어 있다."라고 했다. 서개(徐鍇)는 "말로는 부족한 것을 다시 손으로 돕는 것이다(言不足以左復手助之.)"라고 말했다.[35]

『제오유』: 좌우(左右)이다. 오른손의 형상을 본떴다. 밥을 먹을 때 우선시 되므로, 구(口)로 구성되었고, 독음이 구(口)이다. 우(佑)·우(祐)와 통한다. 해성(諧聲) 겸 지사(指事)이다. 우(又)의 주석을 보라.(左右也. 從右手之形. 食食爲先, 故從口, 口音. 與佑、祐通. 該聲兼指事也. 見又註)

『전운옥편』: 【우】좌(左)의 대응이다. 높다[尊]. 위[上]. 강하다[強]는 뜻이다. 유(有)운이다. 돕다[助]는 뜻이다. 유(宥)운이다. 우(佑)·우(祐)와 통한다.(【우】左之對. 尊也. 上也. 強也. (有). 助也. (宥). 佑祐通)

『자류주석』: 올을【우】좌(左)의 대응이다. 위[上]. 높다[尊]는 뜻이다. 우(佑)와 통한다.(올을【우】左之對. 上也. 尊也. 佑通)

---

35) (역주) 『唐韻』于救切. 『集韻』『韻會』尤救切. 『正韻』爰救切, 丛音宥. 與祐佑通. 『說文』助也. 『爾雅·釋詁』右, 導也, 勸也, 亮也. 『書·益稷』予欲左右有民. 『註』左音佐. 『太甲』惟尹躬, 克左右, 厥辟宅師. 『詩·大雅』保右命爾, 燮伐大商. 又左之對也. 『書·禹貢』夾右碣石入于河. 『禮·少儀』贊幣自左, 詔辭自右. 注: 立者尊右. 又上也. 『前漢·公孫弘傳』守法上文, 遭遇右武. 注: 師古曰: 右亦上也. 又『循吏傳』文翁以爲右職. 注: 師古曰: 右職, 縣中高職也. 又强也. 『後漢·明帝紀』無令豪右, 得固其利. 又官名. 『周禮·夏官』司右, 掌羣右之政令. 注: 羣右, 戎右, 齊右, 道右也. 又姓. 『正字通』漢右公弼, 宋右嘉祥, 明右巖. 又『廣韻』漢複姓, 五氏. 左傳尖樂大心爲右師, 其後因官爲氏, 漢有中郞右師譚. 晉賈華爲右行, 因官爲氏, 漢有御史中丞右行綽. 何氏姓苑有右閭、右扈、右南等氏. 又山名, 獸名. 『山海經』長右之山有獸, 狀如禺而四耳, 其名長右. 又與侑通. 『周禮·春官·大祝』以享右祭祀. 注: 右讀爲侑. 勸也. 又『廣韻』『集韻』『韻會』『正韻』丛云久切, 音有. 義同. ○按『集韻』有上去二音, 義實相通. 『正韻』於上聲訓左右手, 去聲訓右助, 二音分二義, 非. 又叶以周切, 音由. 『詩·周頌』我將我享, 維羊維牛, 維天其右之. ○按『唐韻』正音以. 今從朱註. 又叶羽軌切, 音以. 『詩·衞風』泉源在左, 淇水在右. 女子有行, 遠父母兄弟. 弟叶滿彼反. 『秦風』溯洄從之, 道阻且右. 溯游從之, 宛在水中沚. 『宋玉·笛賦』隆崛萬丈, 盤石雙起. 丹水涌其左, 醴泉流其右. ○按『唐韻』正云: 右古音以歷引經傳子集證之, 是直當讀作以, 非止叶音矣. 又叶以記切, 音異. 『詩·小雅』我有嘉賓, 中心喜之. 鐘鼓旣設, 一朝右之. 喜叶去聲. 又叶演女切, 音與. 『陸雲·陸丞相誄』乃幹中軍, 入作內輔. 公侯陟降, 在帝左右. 『說文』本作㕛, 從口從又. 徐鍇曰: 言不足以左復手助之.

『만상명의』: 구(九)와 구(救)의 반절이다. 돕다[助]. 도(道). 밝다[亮]는 뜻이다.(九
救反. 助也. 道也. 亮也.)
『신찬자경』: 우(禹)와 구(九)의 반절이다. 위[上]. 교도(教道). 마음으로 돕다[勖].
돕다[左]. 돕다[助]는 뜻이다.(禹九反. 上. 教道也. 勖也. 左也. 助也.)

인류사회의 진보, 과학의 발전, 문명의 향상은 모두 지식과 밀접한 관계
가 있다. 지식이라는 것은 크게 전통적인 지식과 현대의 지식으로 나눌 수
있다. 전자는 근원이고 후자는 흐름이다. 또 전자는 원인이고 후자는 결과
이다. 근원과 흐름, 원인과 결과는 서로 계승되고 바뀔 수가 있기에 분리하
기가 어렵다. 지식의 생성과 확장도 근원과 흐름, 원인과 결과의 계승으로
간주할 수 있다. 유구한 중국문화는 후세 사람들에게 귀중한 자원을 남겼을
뿐만 아니라, 한자라는 형식으로 동아시아까지 확장되어 그 영향력이 상당
히 깊다 하겠다. 그렇기에 일찍부터 한자는 동아시아에서 중요한 기능을 담
당했었는데, 이는 풍부한 지식과 문화적 함의를 담고 있는 한국의 역대 한
문자전에서도 엿볼 수 있는 부분이다.

7

한국한문자전의 미래 연구

본장에서는 한국한문자전의 연구방법, 자료의 활용, 관점의 선택 등 문제에 대해 논의하였으며, 한국의 대표적인 한문자전을 근거로 하여, 문헌상의 예증을 『예기(禮記)』의 이문(異文), 자전의 편찬용어, 중국어 접사 및 명사 등의 내용을 인용하여 연구하였다.

제1절 방법론(方法論)

최근 몇 년간, 말뭉치 언어학이 발전하면서 한자 데이터베이스가 구축되었고, 그에 따라 데이터베이스를 기반으로 한 한자연구가 놀랄 정도로 성장하게 되었다. 그러나 지금까지 데이터베이스를 기반으로 한 한자연구는 한자학 연구의 주류가 된 적이 없었다. 그러므로 데이터베이스를 이용하여 한자를 연구한 경험가지고 사고하고 결론내리기에는 부족한 감이 있다. 이 점을 고려하여, 아래에 '자전 데이터베이스'와 '데이터베이스 한자학'의 개념을 제시하고, 그와 더불어 이들의 연구목표, 방법, 특징, 내용 등 문제를 설명하였다.[1]

---

1) 王平, 「資料庫漢字學芻議－以魏晉南北朝石刻用字資料庫與斷代漢字發展史研究

1. 자전 데이터베이스

자전 데이터베이스는 역대 자전을 디지털화하여 만들어진 자료의 집합체를 말한다. 이는 역대 자전을 가지고, 한자의 형음의(形音義)에 대한 각 시대의 편찬자들의 해석을 연구하는 게 목적이다. 자전 데이터베이스는 한자를 기술하는 시작점이자 한자학 이론을 검증하는 초석으로, 주된 특징은 아래와 같다.

(1) 주석의 전문성

자전 데이터베이스는 임의로 언어자료를 저장한 것이 아니라, 정확한 기준과 원칙으로 자료들을 선별하여, 역대 자전의 한자자료들을 컴퓨터에 저장하였다. 그런 다음 연구목적을 가진 주석표시 작업을 하고 검색공구를 사용하여 자전의 자료를 빠르게 검색하고 분류하였다. 그 결과 이전에는 조건의 한계로 인해 미처 주의하지 못했던 언어현상을 발견하고 분석하게 되었다. 그리하여 언어를 연구할 때, 편리하고 빠른 플랫폼과 정확한 자료를 제공하였다.

(2) 자전 데이터베이스의 체계성

자전 데이터베이스는 역대 자전들을 가공하고 정합하여 최대한 자료를 시스템화 시키고, 그 규모를 크게 하고자 하였다. 일정한 시스템과 규모를 갖추고 있어야만 데이터베이스 자전언어학의 연구결론을 기반으로 한 신뢰성과 보편성을 보증할 수 있기 때문이다. 이들 연구방법에는 자료, 분석, 이론이 포함될 수 있다.

爲例」, 『中國文字研究』第17輯(2013), 159-165쪽.

---

2. 데이터베이스 한자학

데이터베이스 한자학은 자전 데이터베이스에 있는 언어자료를 한자의 형음의(形音義)를 기술하는 시작점으로 삼고, 언어자료를 가지고 한자학 이론을 검증하는 학문이다. 데이터베이스 한자학은 주로 두 가지 함의를 가진다. 첫째, 데이터베이스 기술로 자전에 수록된 한자의 정보 및 언어현상을 연구하는 것으로, 새로운 연구수단을 의미한다. 둘째, 자전 데이터베이스에 반영된 언어적 사실에 근거하여 한자학 이론을 증명하고 새로운 관점이나 이론을 제시하는 것이다. 자전 데이터베이스와 데이터베이스 한자학은 겉과 속의 관계처럼, 전자는 체제의 구축이고 후자는 기능의 체현이다.

(1) 독자성

자전 데이터베이스를 기반으로 한 데이터베이스 한자학은 다음과 같은 특징을 가진다. 첫째, 역대 자전에 있는 한자의 형음의(形音義)가 한자 및 중국어가 변천하고, 사용된 규칙을 검증하는 조건이 되므로 신뢰도가 높다. 둘째, 역대 자전의 언어적 자료들이 한자의 정량(定量) 분석 및 정성(定性) 분석의 근거가 되므로 정확도가 높다.

(2) 내용

데이터베이스 한자학에서 연구하는 내용은 대체로 두 가지 분야를 포함한다. 첫째, 자전 데이터베이스 자체에 대한 구축과 가공으로, 학술적 가치가 뛰어난 자전의 선택, 텍스트 정리, 설계와 주석 표기, 소프트웨어 개발 및 자전 데이터베이스를 공유할 플랫폼 구축 등의 내용을 포함한다. 둘째, 자전 데이터베이스를 기반으로 한 한자학 연구로, 글자의 수량과 순서, 빈도, 검자법(檢字法), 한자의 형음의(形音義)의 취사와 배열, 자전 용어의 사용, 자료를 증명하는 형식 등의 내용을 포함한다.

데이터베이스 한자학은 데이터베이스가 출현하면서 두각을 드러낸 신흥 학문으로, 컴퓨터가 읽을 수 있는 한자문헌의 텍스트 및 그 텍스트의 수집,

저장, 검색, 통계내고, 글꼴, 자형, 이체자, 구조, 구성성분, 필획 등 규칙을 연구한다. 아래는 모두 자전 데이터베이스를 기반으로 한 연구 분야에 대해 서술하였다. 예를 들어 보자.

문자집합 연구. 문자집합에 대한 분석은 한자학 이론 연구의 기초에 해당되는데, 주로 한자의 저장매체 체계나 서체의 체계를 통계 낸다. 어떤 한자 단위를 포함하여, 이들 한자 단위 간의 관계를 분석한다.

글자의 빈도 연구. 역대 자전에서 각 한자의 단위가 서로 다른 시기에 계승된 자료를 조사하면서 특정시기의 한자체계의 성숙도를 측정한다.

'육서(六書)'의 형체구성에 따른 이론 연구. 한자의 형체를 구성하는 이론적 근거를 통계하고 분석하여, '육서'이론의 정확성과 합리성을 검증하며, 더 나아가 중국의 문화가 한자의 형체에 끼친 영향은 어떠했는지를 조사한다.

형태학 연구. 한자의 구성성분과 필획 등의 요소를 조사하여, 한자의 형체를 구성하는 체계의 본질적인 특징을 나타낸다.

이체자 연구. 자전 데이터베이스의 자양(字樣)과 종류, 순서, 쓰임, 역대 신증자(新增字), 편찬 용어, 동아시아로의 한자 확장을 연구한다.

3. 자전 데이터베이스 구축의 문제점

데이터베이스를 구축하는 작업은 한자 자전 및 한자 연구에 새로운 이론과 방법을 제시해주어 연구 영역을 확대시켰다. 상해교통대학의 해외한자 연구센터에서 이미 구축해놓았거나 구축하고 있는 데이터베이스로는 주로 중국 역대 자전 데이터베이스, 한국 한문 자전 데이터베이스, 베트남 한문 자전 데이터베이스 등이 있다. 연구팀에서 데이터베이스를 구축한 경험에 근거하여, 자전 데이터베이스를 구축할 때는 아래의 세 가지 부분을 주의해야 한다.

(1) 데이터베이스 주석 원칙의 통용성

자전 데이터베이스의 텍스트 기술 언어, 주석 언어, 파일 형식은 계속해서 규범화를 시켜야 한다. 주석 원칙의 통용성을 구비해야만, 데이터베이스에서 자원을 공유하고 자료의 불필요한 부분을 감소시킬 수 있다. 자원의 공유라 함은 사용자가 동시에 데이터베이스의 자료를 저장하거나 여러 가지 방식으로 인터페이스를 통해 데이터베이스를 사용하는 것을 말한다. 텍스트의 형식을 통일시키면 사용자가 각자 응용파일을 만드는 것을 방지할 수 있으며, 이로 인해 중복 자료들을 줄여 자료의 일치성을 유지할 수 있다.

(2) 데이터베이스의 개방성

자전 데이터베이스는 집중적으로 관리될 수 있으며, 다른 기계에도 적용가능하다. 각각의 부분들은 전부 독립적이고 독자적인 한자 데이터베이스로써, 합친다면 서로 연결되어 있는 거대한 자전 데이터베이스가 된다. 이들을 각국의 사용자들은 연구나 교육에 필요할 때 언제든지 확인하고 검색할 수 있다.

(3) 데이터베이스의 다기능성

자전 데이터베이스의 소프트웨어를 개발하여 사용에 편의를 도모한 것은 자전 데이터베이스를 고차원적으로 사용하고, 각각의 자전 데이터베이스를 모아 비교 연구할 수가 있게 한 것이다. 자전 데이터베이스는 한자연구의 응용에만 국한되지 않고, 거대한 지식베이스가 되어, 사회, 생활, 문화, 정치, 종교 등 다방면의 문제를 탐구하는데 사용될 수 있다.

제2절 자료론(資料論)

20세기 중국의 학술계가 세계적으로 주목할 만한 발전을 한 것은 학술연구에서 새로운 자료를 얻어 새로운 시야를 개척하고 새로운 방법을 사용했기 때문이다. 진인각(陳寅恪)은 『왕정안 선생 유서 서문[王靜安先生遺書序]

』에서 "첫째, 지하에 있는 실물과 종이에 써진 문장을 서로 해석하여 검증하는 것을 말한다. 둘째, 다른 민족의 고서와 중국의 고대 서적을 서로 보충하고 수정하는 것을 말한다. 셋째, 외국의 관념과 중국 고유의 자료를 서로 증명하는 것을 말한다."라고 했다. 그러므로 자료(지하에서 발굴한 실물, 해외 고서), 시야(확충, 확장, 확대), 방법(서양의 언어학 이론, 컴퓨터 기술)은 학술 연구에 전반적이고 깊이 있는 발전을 가져온 금과옥조라고 말할 수 있다.2)

중국의 입장에서 한국한문자전은 해외 도서에 속하며, 그 서사형식이 한자라 해도, 한국에서 만들어졌기에, 중국의 전통문화에 대한 학습과 확장이 있는 것도 있고, 또 한국 문화의 계승과 창의가 깃들어 있는 것도 있으므로, 다방면에 걸쳐 가치가 뛰어나다 하겠다.

아래에 우리는 『신자전』을 예로 들어, 그 속에 인용된 『예기(禮記)』의 이문(異文)을 통해 경학(經學) 및 유학(儒學)이 한국에 미친 영향을 살펴보았다.

1. 『신자전』에서 인용한 『예기』의 이문(異文) 통계

한국의 한문자전 중에서 『신자전』은 중국 고대의 경전이나 문헌들을 가장 많이 인용한 자전이다. 일본의 식민지 시기였던 근대 시기에 출판된 『신자전』은 언어와 문자가 혼란한 상태였다. 당시 한국은 한자와 한글이 병용해서 사용되던 상황에서 한자만 사용하는 형세로 바뀌었다. 이러한 배경에서 『신자전』은 전통문화를 계승하고, 한자와 한자어휘를 보존하며, 외래문명의 침입을 저지하고 민족의 독립정신을 발양하기 위하여 탄생하였다. 이는 『신자전·서』에 "한국의 역대 전적들을 전부 버려서는 안 된다. 한평생의 습관도 갑자기 바뀔 수 있는 게 아니므로, 오랜 문화도 계승하고 새로운 문명도 계도해야 한다."라고 하여, 그 정신을 엿볼 수 있다. 그러므로 『신자전』의 출판에는 깊은 역사적 배경이 존재하고 있으며, 그 내용은 한자의 동아시아 확장사에 홀대할 수 없는 가치가 있다.

'이문(異文)'에 대해 학계에서는 여러 가지 의견이 존재한다. 육종달(陸宗

---

2) 張伯偉, 『域外漢籍研究入門』(復旦大學出版社, 2012), 17-18쪽.

達)과 왕녕(王寧)은 "이문(異文)은 동일한 문헌의 서로 다른 판본에서의 용자(用字)의 차이 또는 원문과 인용문에서의 용자의 차이를 나타낸다."라고 여겼다.3) 『한어대사전(漢語大詞典)』에는 "무릇 동일한 책의 서로 다른 판본 또는 서로 다른 책에 동일한 사물이 기재되어 있지만 자구(字句)가 서로 다른 것으로, 통가자(通假字)와 이체자(異體字)를 포함하는데, 이를 이문(異文)이라 부른다."라고 서술하였고,4) 『실용 중국 언어학 사전[實用中國語言學詞典]』에는 "동일한 전적의 서로 다른 판본(그 밖의 저술에서의 인용문도 포함)에서의 서로 다른 문자를 나타낸다. 일반적으로 고금자(古今字), 이체자(異體字), 통가자(通假字) 등을 포함한 용자의 차이를 말한다. 또 동의어의 대체 또는 기타 문자의 오류 등의 상황을 나타낸다."라고 서술하였다.5) 이 책에서 말하는 이문(異文)은 『신자전』에서 인용한 『예기』와 『십삼경주소(十三經注疏)』에서 인용한 『예기』의 용자 차이를 나타낸다. 즉 인용문과 원문에서의 용자의 차이를 말한다.

중국 국가 사회과학기금의 중점과제인 『한국 역대 한자 자전 문헌집성[韓國傳世漢字字典文獻集成]』의 연구팀에서 개발한 '『신자전』 데이터베이스'는 텍스트 처리를 위한 다기능 검색 소프트웨어로써, 『신자전』의 특징에 근거하여 일련번호, 올림자, 부수, 전문 등 검색 경로를 설계하였다. 『신자전』에서 인용한 『예기』의 이문자료는 이 데이터베이스가 출처이다.

(1) 『신자전』에서 인용한 『예기』의 이문(異文) 정리

『예기』는 중국의 고대 문헌으로, 모두 49편으로 되어 있으며, 주로 사회제도, 예절과 의식, 인간의 관념에 대해 기록하고 있다. 아래에서 이문(異文)을 정리한 『예기』의 판본은 1980년 10월에 중화서국에서 영인출판한 『십삼경주소』이다. 『신자전』에서는 『예기』를 인용하면서, 『대학(大學)』과 『중용(中庸)』 이외에 기타 편목(篇目)을 인용할 때는 모두 『예기』라고 하여 섞어 말했기 때문에 구체적인 편목이 없다. 그 원인에 대해, 필자는 『대학』과 『

---

3) 陸宗達・王寧, 『訓詁學方法論』(中國社會科學出版社, 1983), 109쪽.
4) 羅竹風 主編, 『漢語大詞典』(漢語大詞典出版社, 1991), 1343쪽.
5) 葛本儀 主編, 『實用中國語言學詞典』(青島出版社, 1992), 235쪽.

중용』이 이후에 사서(四書)에 포함되어, 항상 과거시험의 문제로 사용되었기 때문에, 중요한 지위를 차지하였으므로 직접적으로 『대학』과 『중용』의 편명을 인용했다고 본다. 이 책에서는 이 두 편을 다른 예에 나열하여, 여기에서는 연구범위에 포함시키지 않았다.

우리가 『신자전』에 인용된 『예기』의 이문(異文)을 정리한 방법은 우선 『신자전』의 데이터베이스를 기반으로, '예기'를 키워드로 검색한 것이다. 그리하여 『신자전』에서 인용한 『예기』가 총 1004항목임을 밝혀내었으나, 『예기』는 편목(篇目)은 매우 많지만, 구체적인 편명(篇名)은 없기 때문에, 『신자전』에서 인용한 『예기』의 편목(篇目)을 정리하기가 쉽지 않았다. 그러므로 우리의 두 번째 작업은 주로 『신자전』에서 인용한 『예기』의 1004항목을 『십삼경주소』에서의 『예기』와 대조를 하여, 인용한 『예기』의 편목(篇目)을 찾아내고, 원문과 인용문을 하나하나 대조한 다음에 이문(異文)을 찾아내는 것이었다. 현재 정리한 결과를 표의 형식으로 나타내면 아래와 같다.

『신자전』에서 인용한 『예기』

『예기』의 편목	인용 『예기』의 총수	인용 『예기』와 동일 횟수	인용 『예기』의 이문(異文) 횟수
曲禮(上下)	212	192	20
檀弓(上下)	94	80	14
王制	48	45	3
月令	149	134	15
曾子問	5	3	2
文王世子	15	13	2
禮運	32	29	3
禮器	14	13	1
郊特牲	16	15	1
內則	65	61	4
玉藻	60	54	6
明堂位	11	9	2
喪服小記	1	1	0
大傳	4	4	0
少儀	22	17	5
學記	30	28	2

樂記	51	48	3
雜記(上下)	18	18	0
喪大記	13	13	0
祭法	1	1	0
祭義	16	15	1
祭統	7	7	0
經解	3	3	0
哀公問	4	4	0
仲尼燕居	1	1	0
孔子閒居	1	1	0
坊記	10	10	0
表記	13	12	1
緇衣	9	8	1
問喪	3	2	1
服問	2	2	0
問傳	1	1	0
三年問	4	4	0
深衣	3	3	0
投壺	5	4	1
儒行	43	33	10
冠義	2	2	0
昏義	2	2	0
鄕飮酒義	4	3	1
射義	4	4	0
聘義	6	5	1
총계	1004	904	100

표를 통해, 『신자전』에서 인용한 『예기』의 『곡례(曲禮)』항목이 가장 많고, 그 다음이 『월령(月令)』이라는 것을 알 수 있다. 『예기』의 49편에서 『분상(奔喪)』, 『연의(燕義)』, 『상복사제(喪服四制)』와 같은 편목은 『신자전』에서 인용되지 않았다. 우리가 낸 통계와 조사에 따르면, 『신자전』에서 인용한 『예기』의 예증은 절대 다수가 원문과 같으며, 이문을 포함한 인용문은 전체 인용문에서 10분의 1만을 차지하고 있다.

(2) 『신자전』에서 인용한 『예기』의 이문(異文) 유형

우리는 『신자전』에서 인용한 『예기』에서 이문(異文)이 생성된 원인에 따라, 이체자 이문, 고금자(古今字) 이문, 통가자(通假字) 이문, 자형이 비슷하여 잘 못 기재된 이문, 의미가 비슷하여 대체된 이문이라는 5종류로 나누었다.

① 이체자(異體字) 이문
A. 이구(異構) 이문

『신자전』: 창(唱)은 이끌다[導]는 뜻이다. 『예(禮)』에는 "한 번 소리를 내면 세 사람이 화답한다."라는 구절이 있다.(唱, 導也. 『禮』一唱三歎.)

『예기·악기(樂記)』에는 "한 번 소리를 내면 세 사람이 화답한다.(壹倡而三歎.)"라는 구절이 있는데, 정현(鄭玄)은 "창(倡)은 노래를 이끌어내는 문장이다.(倡, 發歌句也.)"라고 주석하였다.

『신자전』: 대(帶)는 차다[佩]는 뜻이다. 『예(禮)』에는 "활전대를 차고"라는 구절이 있다.(帶, 佩也. 『禮』帶以弓韣.)

『예기·월령(月令)』에는 "활전대를 차고(帶以弓韣)"라는 구절이 있다.

『신자전』: 계(鷄)는 시간을 알리는 가축으로, 한음(翰音)이라 하며, 다섯 가지 덕이 있다. 『예(禮)』에는 "닭[鷄]을 한음(翰音)이라 한다."라는 구절이 있다.(鷄, 知時畜, 翰音, 有五德 『禮』鷄曰翰音.)

『예기·곡례하(曲禮下)』에는 "닭을 한음이라 한다.(雞曰翰音.)"라는 구절이 있고, 『설문』에서는 "닭[雞]은 시간을 알리는 가축이다. 추(隹)가 의미부이고, 해(奚)가 소리부이다. 계(鷄)는 주문(籀文)에서는 계(雞)로 썼고, 조(鳥)로 구성되어 있다.(雞, 知時畜也. 从隹, 奚聲. 鷄, 籀文雞从鳥.)"라고 하였다.

『신자전』: 제(題)는 이마[額]를 뜻한다. 『예(禮)』에는 "남방의 오랑캐를 만(蠻)이라고 부르는데, 이마에 먹물을 넣어 무늬를 새긴다."라는 구절이 있다.(題, 額也. 『禮』南方曰蠻, 雕題交阯.)

『예기·왕제(王制)』에는 "남방의 오랑캐를 만(蠻)이라고 부르는데, 이마에 먹물을 넣어 무늬를 새긴다.(南方曰蠻, 雕題交阯.)"라는 구절이 있고, 『자휘(字彙)』에는 "지(阯)와 지(趾)의 고대 글자는 통용된다.(阯與趾古字通用.)"라는 구절이 있다. 지(阯)는 부(阝)가 의미부이고 지(止)가 소리부라고 분석할 수 있다. 또 지(趾)는 족(足)과 지(止)가 소리부라고 분석할 수 있지만, 족(足)이 의미부로 바뀌었다.

B. 이사(異寫) 이문

『신자전』: 이(椸)는 옷걸이를 말한다. 『예(禮)』에는 "남자와 여자는 옷걸이를 같이 하지 않는다."라는 구절이 있다.(椸, 衣架. 『禮』男女不同椸枷.)

『예기·곡례상(曲禮上)』에는 "남자와 여자는 섞어 앉지 않으며, 옷걸이를 같이 하지 않는다.(男女不雜坐, 不同椸枷.)"라는 구절이 있다.

『신자전』: 개(槩)는 말[斗]이나 휘(斛)를 고르게 한다. 『예(禮)』에는 "중춘(仲春)의 달에, 저울추와 평미레를 바르게 한다."라는 구절이 있다.(槩, 平斗斛. 『禮』仲春之月, 正權槩.)

『예기·월령(月令)』에는 "중춘(仲春)의 달에 저울추와 평미레를 바르게 한다.(仲春之月, 正權概.)"라는 구절이 있다.

② 고금자(古今字) 이문
어떤 글자의 인용문과 원문의 자형이 다른데, 인용문에서는 금자(今字)를 사용하였고, 원문에서는 고자(古字)를 사용하였다.

『신자전』: 졸(殊)은 죽다[死]는 뜻이다. 『예(禮)』에는 "대부(大夫)가 죽는 것을 졸(殍)이라 하고, 선비[士]가 죽는 것을 불록(不祿)이라 한다."라는 구절이 있다. (殍, 死也. 『禮』大夫曰殍, 士曰不祿)

『예기·곡례하(曲禮下)』에는 "대부(大夫)가 죽는 것을 졸(卒)이라 하고, 선비[士]가 죽는 것을 불록(不祿)이라 한다.(大夫曰卒, 士曰不祿.)"라는 구절이 있다.

『신자전』: 성(胜)은 날고기를 말한다. 『예(禮)』에는 "밥과 날고기, 삼을 익힌다."라는 구절이 있다.(胜, 生肉. 『禮』飮胜而苴熟.)

『예기·예운(禮運)』에는 "그런 다음에 밥과 날고기, 삼을 익힌다.(然後飯腥而苴孰.)"라는 구절이 있다.

『신자전』: 휘(楎)는 옷을 거는 도구이다. 『예(禮)』에는 "감히 남편의 옷걸이에 옷을 걸지 않는다."라는 구절이 있다.(楎, 懸衣具. 『禮』不敢懸于夫之楎)

『예기·내칙(內則)』에는 "감히 남편의 옷걸이에 옷을 걸지 않는다.(不敢縣於夫之楎椸.)"라는 구절이 있다.

『신자전』: 원(怨)은 성내다[恚]는 뜻이다. 『예(禮)』에는 "밖에서 천거하되 원한이 있다 해서 피하지 않는다."라는 구절이 있다.(怨, 恚也. 『禮』外擧不避怨.)

『예기·유행(儒行)』에는 "밖에서 천거하되 원한이 있다 해서 피하지 않는다.(外擧不辟怨.)"라는 구절이 있다.

『신자전』: 경(鶊)은 창경(鶬鶊)을 뜻하며, 이는 꾀꼬리를 말한다. 『예(禮)』에는 "중춘(仲春)의 달에 창경(鶬鶊)이 운다."라는 구절이 있다.(鶊, 鶬鶊, 黃鳥. 『禮』仲春鶬鶊鳴.)

『예기·월령(月令)』에는 "중춘(仲春)의 달에 창경(倉庚)이 운다.(仲春之月, 倉庚鳴.)"라는 구절이 있다.

③ 통가자(通假字) 이문

어떤 글자의 인용문과 원문의 자형이 다른데, 인용문에서 본자(本字)를 사용하였거나 통가자(通假字)를 사용하였다.

『신자전』: 구(柩)는 관(棺)을 말한다. 『예(禮)』에는 "관은 일찍 떠나지도 않고 늦어도 자지 않는다."라는 구절이 있다.(柩, 棺也. 『禮』柩不早出不暮宿.)

『예기·증자문(曾子問)』에는 "무릇 관은 일찍 떠나지도 않고 늦어도 자지 않는다.(夫柩不蚤出, 不莫宿.)"라는 구절이 있는데, 단옥재는 "조(蚤)는 경전에서 조(早)자로 많이 가차되었다.(蚤, 經傳多叚借爲早字.)"라고 주석하였다.

『신자전』: 혼(溷)은 더럽다[穢]는 뜻이다. 『예(禮)』에는 "군자는 개와 돼지의 창자를 먹지 않는다."라는 구절이 있다.(溷, 穢也. 『禮』君子不食溷餘.)

『예기·소의(少儀)』에는 "군자는 개와 돼지의 창자를 먹지 않는다.(君子不食圂腴.)"라는 구절이 있는데, 공영달(孔穎達)은 "유(腴)는 돼지와 개의 창자를 말한다.(腴, 豬犬腸也.)"라고 주석하였다. 여(餘)와 유(腴)는 통가자이다.

『신자전』: 렵(鬣)은 말의 갈기를 말한다. 『예(禮)』에는 "하후씨는 낙마흑렵(駱馬黑鬣)이고, 주나라 사람은 황마번렵(黃馬繁鬣)이다."라는 구절이 있다.(鬣, 馬領毛. 『禮』夏駱馬黑鬣, 周黃馬繁鬣.)

『예기·명당위(明堂位)』에는 "하후씨(夏后氏)는 낙마흑렵(駱馬黑鬣)이고, 은나라 사람은 백마흑수(白馬黑首)이며, 주나라 사람은 황마번렵(黃馬蕃鬣)이다.(夏后氏駱馬黑鬣, 殷人白馬黑首, 周人黃馬蕃鬣.)"라는 구절이 있다. 『설문해자·초(艸)부수』에서는 "초(艸)가 의미부이고, 번(番)이 소리부이다.(从艸番聲.)"라고 하였으며, 『설문통훈정성(說文通訓定聲)』에서는 "번(蕃)은 번(繁)으로 가차되었다.(蕃, 叚借爲繁.)"라고 하였다.

『신자전』: 쟁(爭)은 쟁론하다[辨]는 뜻이다. 『예(禮)』에는 "쟁론을 분별하고 송사를 밝히는 것도 예가 아니면 결정지을 수가 없다."라는 구절이 있다.(爭, 辨也.『禮』分爭辨訟, 非理不決)

『예기·곡례상(曲禮上)』에는 "쟁론을 분별하고 송사를 밝히는 것도 예가 아니면 결정지을 수가 없다.(分爭辨訟, 非**禮**不決.)"라는 구절이 있다. 리(理)와 례(禮)는 통가자이다.

④ 자형이 비슷하여 잘 못 기재된 이문
인용문과 원문의 자형이 서로 비슷하여 오류가 발생한 경우를 말한다.

『신자전』: 아(芽)는 싹[萠]이라는 뜻이다.『예(禮)』에는 "이 달에는 싹을 보호한다."라는 구절이 있다.(芽, 萠也.『禮』是月也, 安萠芽.)

『예기·월령(月令)』에는 "이 달에는 싹을 보호한다.(是月也, 安**萌**牙.)"라는 구절이 있다. 붕(朋)과 명(明)의 형체가 서로 비슷하여 잘 못 기재된 것이다.

『신자전』: 측(側)은 기울다[傾]는 뜻이다.『예(禮)』에는 "기울어서 듣지 말라.(毋側聽)"라는 구절이 있다.(側, 傾也.『禮』毋側聽)

『예기·곡례상(曲禮上)』에는 "기울어서 듣지 말라.(**毋**側聽.)"라는 구절이 있다.

⑤ 의미가 비슷하여 대체된 이문
어떤 글자의 인용문과 원문의 의미가 똑같거나 비슷한 경우를 말한다.

『신자전』: 식(息)은 일시적 안정을 말한다.『예(禮)』에는 "소인이 남을 사랑하는 것도 일시적일 뿐이다."라는 구절이 있다.(息, 姑息, 安也.『禮』小人之愛人也以姑息.)

『예기·단궁상(檀弓上)』에는 "소인이 남을 사랑하는 것도 일시적일 뿐이다.(**細**人之愛人也以姑息.)"라는 구절이 있다. 『광아(廣雅)』에는 "세(細)는 소

(小)를 말한다.(細, 小也.)"라고 했고, 『송본옥편』에는 "소(小)는 세(細)를 말한다.(小, 細也.)"라고 했다. 이 두 글자는 서로 같은 의항을 가지고 있기 때문에, 바꿔 사용할 수 있다.

『신자전』: 모(毛)는 두 가지 털이 있다. 흑백이 반씩 섞인 머리칼을 말한다. 『예(禮)』에는 "옛날의 정벌자는 이모(二毛)를 포로로 잡지 않았다."라는 구절이 있다.(毛, 二毛, 髮班白. 『禮』古之征伐者, 不獲二毛)

『예기·단궁하(檀弓下)』에서는 "옛날의 정벌자는 사(祀)를 베지 않고, 병자를 죽이지 않았으며, 이모(二毛)를 포로로 잡지 않았다.(古之侵伐者, 不斬祀、不殺厲、不獲二毛.)"라고 하였다. 『서(書)·윤정(胤征)』에는 "윤정(胤征)"이 있는데, 공전(孔傳)에는 "말을 받들고 죄를 벌하는 것을 정(征)이라 한다.(奉辭伐罪曰征.)"라고 하였다. 공영달(孔穎達)은 "꾸짖고 사양하는 말을 받들고, 공손하지 아니한 죄를 벌하는 것을 일러 정(征)이라고 한다.(奉責讓之辭, 伐不恭之罪, 名之曰征.)"라고 주석하였다. 『춘추호전(春秋胡傳)』에서는 "죄를 밝혀 공격하는 것을 벌(伐)이라 부르고, 군대를 가라앉히고 땅을 노략질하는 것을 침(侵)이라 부른다.(聲罪緻討曰伐, 潛師掠境曰侵.)"라고 하였다. 양자는 의항에서 서로 통하는 부분이 있어, 바꿔 사용할 수 있다.

『신자전』: 견(牽)은 삼가다[遬]는 뜻이다. 『예(禮)』에는 "군자의 가르침은 깨달음을 주지, 억지로 끌지 않는다."라는 구절이 있다.(牽, 遬也. 『禮』君子之敎諭也, 道而勿牽.)

『예기·학기(學記)』에는 "그러므로 군자의 가르침은 깨달음을 주지, 억지로 끌지 않는다.(故君子之敎喩也, 道而弗牽.)"라는 구절이 있다. 물(勿)과 불(弗)은 모두 부정부사로 사용할 수 있기 때문에, 대체될 수 있다.

『신자전』: 칭(稱)은 말하다[言]는 뜻이다. 『예(禮)』에는 "군자는 남의 아름다움을 말할 때는 벼슬을 준다."라는 구절이 있다.(稱, 言也. 『禮』君子稱人之善則爵之.)

『예기·표기(表記)』에는 "남의 아름다움을 말할 때는 벼슬을 준다.(稱人之 美則爵之.)"라는 구절이 있다. 미(美)와 선(善)은 좋다[好]는 의미를 가지고 있다. 『신자전』에서는 직접적으로 선(善)을 사용하여 미(美)의 의항을 나타내었다.

『신자전』에서 인용한 『예기』의 이문은 모두 100가지 사례가 존재한다. 여기에 나타난 용자의 특징은 다음과 같은 2가지로 나타낼 수 있다. 첫째, 이체자 이문(異文)의 비율이 가장 많으며, 주로 의미를 나타내는 구성성분의 대체에서 드러난다. 둘째, 고금자(古今字) 이문(異文)이 두 번째로 많은 비율을 차지한다. 인용문에서 금자(今字)를 사용한 경우는 주로 고자(古字)의 토대에서 의미를 나타내는 구성성분을 더한 것을 나타내었다. 구성성분의 대체나 증가는 『신자전』에서 인용한 『예기』에서 이문(異文)이 생성된 주요 수단으로, 이러한 현상은 형성자에서 대부분 발생하였다. 형성자는 표의부호와 표음부호로 구성되어 있는데, 의미를 나타내는 구성성분으로 글자의 의미류를 나타내었으며, 음을 나타내는 구성성분으로 독음을 나타내었다. 일반적으로 전자를 의미부라고 부르고, 후자를 소리부라고 부른다. 형성자를 만드는 이론적 근거는 구체적으로 의미부가 의미를 나타내고 소리부가 음을 나타내는 것으로 드러난다. 한자는 소리와 의미를 나타내는 문자에 속하기 때문에, 말소리가 발전하면서 음과 뜻을 나타내는 기능이 퇴화되었다 하더라도, 형성자의 소리부와 의미부는 여전히 드러나는 부분이다. 한자의 인지관점에서 봤을 때, 독음과 의미 성분이 명확히 있다면, 한자를 쉽게 인식하고 기억하게 된다. 동아시아로 한자가 확장되면서 한자의 직능은 쓰기와 읽기에서 발휘된다. 한자를 읽을 때, 사람들은 부호가 형상적이어서 쉽게 식별하기를 희망한다. 한자를 쓸 때, 사람들은 또 부호가 단순하여 편하게 묘사하기를 희망한다. '쉽게 쓰기'와 '쉽게 인식하기'라는 모순 속에서, 사람들은 최대한 한자의 구성성분과 필획을 감소시켜야 했고, 뜻을 나타내는 성질과 구별할 수 있는 형태도 유지시켜야 했다. 한자가 동아시아로 확장되는 과정에서 빠른 서사를 위해, 한자의 구조까지 파괴하는 경우가 발생하기도 했다. 그러나 다른 한 편으로는 문자의 표의와 표음 기능을 개선하기 위해, 뜻을 나타내는 성질과 한자의 형체 구별을 강화시켰으며, 또 형체를 더욱 번잡하게 만들기도 하였다. 그러므로 자형의 간략화와 복잡화는 반드시 필요한 부분이다. 한자의 간략화와 복잡화의 가장 기본적인 동기는 한자의 사용효율을 높여, 신속정확하고 편리하게 교제에 사용하자는 데 있다.

결과적으로, 『신자전』에서 인용한 『예기』의 이문(異文)은 한자가 동아시아로 확장되는 과정에서의 어떤 특징을 나타낸다. 이러한 자료는 역대 한자를 연구할 때 풍부한 원시자료를 제공해 줄 뿐만 아니라, 한자의 동아시아 확장과 사용상황을 연구하고, 거기에 사용된 한자의 규칙을 나타내는 데에도 중요한 의미와 가치를 지닌다. 자전의 이문(異文)은 한자가 발전하고 확장되는 과정에서 만들어진 형체 변이의 하나이다. 어떤 의미에서 한국자전 인용문에서의 이문(異文) 유형 및 특징을 파악하는 것은 한국에서 한자가 확장된 규칙과 특징을 파악하는 것이라고 말할 수 있다.

2. 『신자전』 인용 『예기』로 본 유학(儒學)의 한국 영향

유학(儒學)이 조선으로 유입된 시기에 대해서, 학계에서는 주로 다음과 같은 의견으로 나뉘고 있다. 상(商)나라 말 기자(箕子)가 조선으로 들어갔을 때 유입되었다는 설, 전국(戰國)시대 연(燕)나라와 진(秦)나라 말에 중국의 이민(移民)으로 인해 유입되었다는 설6), 한(漢)나라 초, 위만(衛滿)이 무리를 이끌고 난을 피하여 조선으로 들어와 유입되었다는 설7), 한사군(漢四郡)을 설치할 때 유입되었다는 설8),백제(百濟)와 신라(新羅)가 대치하고 있는 시기에 유입되었다는 설9)이 있다. 양소전(楊昭全)은 "어떤 문화는 문헌, 정치, 제도 및 이로 형성된 사회의 풍속, 예의 및 기물 등 3가지 부분으로 구성되어 있다. 어떤 문화가 다른 나라나 민족으로 전해질 때, 이 세 가지 구성부분이 한꺼번에 같이 유입될 수는 없다. 일반적으로 이러한 문화가 형성된 예의나 풍속 또는 기물이 먼저 전해지고, 그 이후에 정치나 제도 혹은 이러한 문화를 선양하는 문헌이 전해지게 된다. 이 세 가지 중에서 그 문화에 따라 건립한 정치제도가 가장 중요하다."라고 말했다.10) 그러므로 양소전은 유학(儒學)이 조선으로 전해진 시기는 한사군(漢四郡)이 설치될 때(기원전 108년)

---

6) 柳承國, 『韓國儒學史』(臺灣商務印書館, 1989), 13쪽.
7) 張立文 등 주편, 『中外儒學比較研究』(東方出版社, 1998), 144쪽.
8) 陳植鍔, 「韓國儒文化史序論」, 『韓國研究』第1輯, 52쪽.
9) 樓宇烈·張西平 주편, 『中外哲學交流史』(湖南教育出版社, 1998), 6쪽.
10) 楊昭全, 『中國-朝鮮·韓國文化交流史1』(昆侖出版社, 2004), 200-201쪽.

가 되어야 한다고 여겼다. 한사군이 처음 설치될 때, 조선에서는 '그 지방의 백성들은 변(邊)과 두(豆)로 음식을 먹고, 도읍에서는 벼슬아치나 장사꾼들을 본받아서 종종 술잔[杯] 같은 도구로 음식을 먹는다.(其田民飲食以邊豆, 都邑 頗放效吏及内郡賈人, 往往以杯器食.)'와 같은 풍속을 가지고 있었다.11) 그러 므로 도마와 곡식, 대나무와 나무로 만든 제기, 조복(朝服), 의복과 두건, 고 취(鼓吹) 등 유가(儒家)의 문물과 사군(四郡)을 세우고, 다섯 제후[五侯]를 봉 하는 등 유가 사상의 정치, 예의 제도를 구현하였다. 한사군(漢四郡)의 설치 는 바로 유학(儒學)이 조선으로 유입되었다는 것을 나타낸다. 유학은 조선으 로 유입되고 나서, 조선의 모든 방면에 걸쳐 영향력을 발휘하였다.

서기3~4세기에 백제(百濟)는 완벽히 갖추어진 교육기관을 설립하고, 유 가의 경전인 '오경(五經)'과 '삼사(三史)' 등을 강의하였으며, 오경박사(五經博 士)를 두었다.12) 682년에 신라(新羅)는 예부(禮部)의 아래에다 유학사상을 주 로 가르치는 교육기관인 국학(國學)을 두었다. 788년에 신라는 독서삼품과 (讀書三品科)인 과거시험제도를 만들어, 국학의 학생들 중에서 시험에 합격 한 자를 관리로 선발하였다. 시험은 유가의 경전에 있는 내용으로 치러졌으 며, 세 개의 등급으로 나뉘는데 등급마다 시험내용도 달랐다.

상등과(上等科): 『춘추좌씨전(春秋左氏傳)』, 『예기(禮記)』, 『문선(文選)』을 읽고 뜻을 분명하게 알 수 있으며, 아울러 『논어(論語)』, 『효경(孝經)』에 밝은 자 가 상품이 된다.(讀『春秋左氏傳』、若『禮記』, 若『文選』而能通義兼明『論語』『 孝經』者爲上)

중등과(中等科): 『곡례(曲禮)』, 『논어(論語)』, 『효경(孝經)』을 읽은 자가 중품이 된다.(讀『曲禮』『論語』『孝經』者爲中.)

하등과(下等科): 『곡례(曲禮)』, 『효경(孝經)』을 읽은 자가 하품이 된다.(讀『曲禮』 『孝經』者爲下.)13)

과거시험제도를 통해, 신라는 유학사상에 정통한 인재를 원했다는 것과 이 시기의 『예기』의 지위를 알 수 있다. 고려(高麗)시대에는 불교가 융성하

---

11) 班固, 『漢書·地理志』(中華書局, 1962), 1658쪽.
12) 楊昭全, 『韓國文化史』(山東大學出版社, 2009), 31쪽.
13) 金富軾, 『三國史記·新羅本紀』(乙酉文化社, 1990), 21쪽.

였지만, 유교(儒敎)를 경시하지는 않았다. 958년에 고려에서는 처음으로 과거제도를 시행하였다. 과거시험은 기본적으로 계수시(界首試)(초급)와 예부시(禮部試)로 나뉜다. 계수시의 내용은 오언율시를 시험하는 제술과(制述科)와 『오경(五經)』을 시험하는 명경과(明經科)가 있다. 예부시의 명경과 시험은 『상서(尙書)』, 『주역(周易)』, 『모시(毛詩)』, 『춘추(春秋)』, 『예기(禮記)』 등을 주된 내용으로 한다. 조선에서는 서양의 사상과 실학(實學)이 유학의 지위에 타격을 입혔지만, 여전히 주도적인 지위를 차지하고 있었으며, 심지어 일본의 식민지시대에도 유가(儒家)의 사상과 경전은 조선의 문화를 이루는 근간이었다.

『예기』는 중국의 예(禮) 문화를 대표하며, 중국문화에서 각 계급이 마땅히 준수해야 될 예법을 반영하고 있다. 『신자전』은 한국의 근대사를 집대성한 자전으로, 당시 한국문화의 정통성과 정수를 반영하고 있다. 『신자전』에서 인용한 문헌은 백여 종으로, 경사자집(經史子集)을 모두 언급하였으나, 그 중에서 『예기』를 인용한 항목이 가장 많다. 이를 통해, 예(禮)의 문화가 미친 영향이 상당히 깊었으며, 조선시대 민중의 일상생활 속에서도 『예기』에 기록된 각종 예법이 전승되었다는 것을 알 수 있다.

제3절 본체론(本體論)

한국의 역대 한문 자전들은 모두 상당히 높은 사료적 가치를 지니는데, 한문 자전 자체를 연구함으로서, 한자 연구에 대한 새로운 영역을 개척할 수 있을 뿐만 아니라, 그와 관련된 학문도 발전시킬 수 있다.

한어사(漢語史) 관점. 지금까지 전해내려 오는 한국한문자전들은 한국자전의 역사에서 이정표가 되는 모범들이다. 『훈몽자회』부터 점차 한글로 한자의 독음을 표시하기 시작했는데, 중국어와 한글을 같이 기재하여, 그 당시 한자의 음성체계를 완벽하게 보존하였다. 한글로 한자의 독음을 표시한 것에 근거하여 중국어의 소리를 연구하는 것보다 반절용자(反切用字), 해성(諧聲), 성훈(聲訓), 독약(讀若), 직음(直音) 등 자료에 근거한 것이 더 과학적인 방식인 것은 분명하다. 그러므로 이러한 자료들은 기존의 중국어 음운학의 연구 성과를 수정하고 보충하는 작업에 중요한 가치를 지닌다. 각각의 한국한문자전들은 모두 고대에 사용된 의미의 총체이다. 자전의 편찬자들이 한자의 의미를 해석하고 분석할 때, 중국 고대의 훈고 자료들을 많이 언급하였기에, 고대 중국어 어휘가 한국에서 사용된 상황도 완벽하게 보존되어 있다. 그러므로 이들 자료를 연구함으로서 중국의 한자 자전에 존재하는 문제점들을 보완하고 보충할 수 있을 것이다.

한자확장학[漢字傳播學] 관점. 한자는 중국의 문자로써, 한국에서 차용하여 사상을 기록하고 표현하였다. 그런데 중국과 한국이 똑같은 문자를 사용했다 해도, 표현하는 사상과 전달하는 문화의 정보가 다르기 때문에 한자가 한국에 확장된 역사를 연구할 때 매우 가치가 있다. 예를 들어, 허신은 한자의 구조를 창의적으로 정리하여, '육서(六書)'이론을 만들어내었다. 이는 한자를 연구하는 학자들에게 분석의 원칙을 제공한 것일 뿐만 아니라, 전통적인 한자학의 이론적 기틀을 마련한 것이다. 『설문』이후에, '육서'이론은 한자의 규칙을 연구하는 중요한 근거가 되었다. 송대(宋代)의 정초(鄭樵)는 『육서고(六書故)·육서서(六書序)』에서 "문자[文言]의 근본은 육서(六書)에 있다.(文言之本, 在於六書.)"라고 말했다. 원대(元代)에서는 대동(戴侗)이 『육서고(六書故)』, 양환(楊桓)이 『육서통(六書統)』·『육서소원(六書溯源)』을 저술하였고, 명대(明代)에서는 조휘겸(趙撝謙)이 『육서본의(六書本義)』, 오원만(吳元滿)이 『육서정의(六書正義)』·『육서총요(六書總要)』 등을 저술하였다. 이를 통해, 역대 학자들이 '육서'에 대한 연구를 매우 중요하게 여겼다는 것을 알 수 있다. 또한 '육서'는 한국한문자전의 서문과 발문에서도 여러 차례 언급되고 해석되었으며, 『육서경위(六書經緯)』와 같이 이를 서명으로 하는 자전이 나올 정도였다. 그러므로 '육서'가 동아시아에서도 한자의 인지·해독·사용에 있어, 중요한 참고지침이 된다는 것을 알 수 있다. 중국에서 다른 나라로 확장된 한자가 변천하고 발전한 상황은 동아시아 한자의 연구범주에 속한다. 한국은 한자를 사용하는 주요 국가로서, 한국에서의 한자의 사용과 발전과정은 동아시아 한자연구에서 반드시 연구해야하는 부분이다. 관련 연구를 확대하고 심화시키는 것은 '동아시아 한자'를 연구할 때 참고할 수 있는 자료로 사용될 것이다. 한국한문자전은 중국의 자전에 근원을 두고 있지만, 한국의 언어와 문화적 특징이 풍부하다. 그러므로 한국한문의 언어 정보를 충분히 이용한다면, 한자 자체에 대한 연구를 더욱 유리하게 이끌어 갈 수 있을 것이다.

자전편찬사(字典編纂史) 관점. 중국에서 한문자전이 시작되었으므로, 그 주류도 중국에 있다. 한자의 확장에 대해 연구하려면, 이러한 한문 자전의 연구에서 벗어날 수가 없다. 한국한문자전을 정리하고 연구하면서 한자가 확장된 시간, 층차, 나라별, 규칙, 특징, 방향을 이해할 수 있으며, 동아시아 국가의 중국문화에 대한 이해도를 가늠할 수 있으므로, 과학적인 한문자전 편찬학이 형성되었다. 예를 들어, 『훈몽자회』에 "치(瘈)는 약방문에서는 강치(強瘈)라고 말한다.(瘈, 方文云強瘈.)"라는 구절이 있는데, 여기에서 치(瘈)는 풍병(風病)을 뜻한다. 이는 근육에 경련이 일어나 경직되는 질병의 증상을 말한다. 『소문(素問)·기궐론(氣厥論)』에 "폐(肺)에서 신(腎)으로 열사(熱邪)가 전이하게 되면, 수기(水氣)가 메마르게 되므로, 수기(水氣)를 자양할 수가 없어서 유치(柔瘈)라는 경병(瘈病)이 생기게 됩니다.(肺移熱於腎, 傳爲柔瘈.)"[14]라는 구절이 있다. 왕빙(王冰)은 "유(柔)는 근육이 물러서 힘이 없는 것을 말한다. 치(瘈)는 뼈가 안 좋아서 따르지 않는 것을 말한다. 기혈과 골격이 모두 뜨거워서, 골수가 안에서 채워지지 못한다. 그러므로 뼈가 나빠지고 굳어져 들지 못하게 되니, 근육은 물러서 힘이 없어지는 것이다.(柔, 謂筋柔而無力. 瘈, 謂骨瘈而不隨. 氣骨皆熱, 髓不內充, 故骨瘈強而不舉, 筋柔緩而無力也.)"라고 주석하였고, 요지암(姚止庵)은 "치(瘈)는 근맥(筋脉)이 땅기는 것으로 목(木)의 병(病)이다.(瘈者, 筋脈抽掣, 木之病也.)"[15]라고 주석하였다. 『의종금감(醫宗金鑒)·자구심법요결(刺灸心法要訣)·족부주병침구요혈가(足部主病針灸要穴歌)』에는 "낮에 풍병이 발발하니 어찌 다스리면 되는가? 금침(金針)으로 맥을 찔러 가라앉은 지병을 푼다.(晝發瘈證治若何, 金針申脈起沉屙.)"라는 구절이 있고, 명(明)나라의 이시진(李時珍)은 『본초강목(本草綱目)·백병주치약상(百病主治藥上)·당귀(當歸)』에서 "어혈이 속에서 뭉쳐있고, 중풍이 발발하니, 땀이 나지 않는다.(客血內塞, 中風瘈, 汗不出.)"라고 하였다. 이상의 기록을 살펴보면, 강치(強瘈)라는 명칭이 없기 때문에, 『한어대사전』(전자판2.0)에서도 강치(強瘈)라는 명칭이 수록되어 있지 않다. 그러므로 『훈몽자회』의 내용을 통해, 치(瘈)의 또 다른 명칭을 알 수 있다.

---

14) (역주) 정종헌 편역, 『쉽게 배우는 황제내경 소문 해석』(서울: 도서출판 의성당, 2010), 858쪽.
15) (역주) 정종헌 편역, 『쉽게 배우는 황제내경 소문 해석』(서울: 도서출판 의성당, 2010), 855쪽.

개념사(槪念史) 관점. 개념적 의미는 모두 저장매체가 필요한데, 이 저장매체가 바로 자전에서의 항목이다. 완벽한 의미의 자전이란, 항목에 기록된 한자의 형음의(形音義)로써 사용자들이 해당 한자에 대해 간단하고 요약적인 개념을 얻을 수 있어야 하는 것을 말한다.『훈몽자회』에 "심(梣)은 약방문에서는 진피(秦皮)라고 부른다. 세속에서는 고리목(苦裏木)이라고 부른다.(梣, 方文云秦皮. 俗呼苦裏木.)"라는 구절이 있다. 심(梣)은 역시 심(櫄)이라고도 쓴다. 나무의 명칭으로, 물푸레나뭇과에 속하며, 낙엽교목이다. 나무의 재질이 단단하고 질기기 때문에, 가구재나 기구재로 사용되며, 나뭇가지로 광주리를 만들 수 있다. 나무껍질을 진피(秦皮)라고 부르는데, 중의(中醫)에서는 해열제로 사용한다. 나무에 백랍벌레를 키워 백랍을 얻을 수 있기에, 백랍수(白蠟樹)라고도 부른다.『회남자(淮南子)·숙진훈(俶真訓)』에 "무릇 물푸레나무의 껍질은 눈이 침침한 것을 치료하고, 고둥과 달팽이는 눈의 질환을 낫게 해준다. 이는 모두 눈을 치료하는 약이다.(夫梣木色青翳, 而蠃瘉蝸睆, 此皆治目之藥也.)"16)라는 구절이 있다. 고유(高誘)는 "물푸레나무는 고력(苦歷)을 말한다. 나무의 명칭으로, 산에서 난다. 그 껍질을 벗겨내어 물에 담그면 푸르게 변한다. 눈을 씻는데 사용하며, 눈에 생기는 백반증을 치료할 수 있다.(梣木, 苦歷. 木名也, 生於山, 剝取其皮, 以水浸之, 正青, 用洗眼, 瘉人目中膚翳.)"라고 주석하였다. 이를 통해, 심(梣), 심(櫄), 진피(秦皮), 심목(梣木), 고력(苦歷), 고리목(苦裏木)이 모두 '물푸레나무'를 뜻한다는 것을 알 수 있다.

문화학(文化學) 관점. '문화'의 의미는 광의와 협의로 나눌 수 있다. 광의의 문화는 인류가 노동을 하면서 창조해 낸 성과의 총화를 말한다. 본능을 초월하여 인류가 자연계와 사회에 의식적으로 행한 일체의 활동들이 모두 광의의 문화에 속한다. 광의의 문화에는 물질생산, 사회조직과 정신생활, 정치제도, 과학기술, 사상관념 등이 포함된다. 협의의 문화는 특정 민족의 생산방식 및 생활방식에 서로 적응하여, 언어로 확장된 가치 관념이나 행위의 준칙 즉 사상, 도덕, 풍속, 종교, 문학예술 등과 같은 사회의식형태를 말한다. 동아시아에서의 한자 사용은 그 나라의 문화적 특징이 기록되고 반영된

---

16) (역주) https://blog.naver.com/tigerkimtiger/221309748001의『淮南子·俶真訓』의 내용을 참조.

것이다. 『설문』이 중국문화를 나타내는 넓은 정원이라면, 어떤 자전이라도 서로 다른 시대, 국가, 문명과 문화를 나타내는 정원이라고 생각한다. 한국한자와 중국한자를 비교해보면, 공통점도 가지고 있지만 각각의 개성도 지니고 있다. 한국한자의 독자성은 한국에서 한자를 사용하는 상황에 대해 반영하고 있을 뿐만 아니라, 한국 문화 특유의 과정도 어느 정도 반영하고 있다. 한국한문자전을 하나의 체계로 삼고, 정성(定性) 및 정량(定量)으로 조사하고 연구하는 것은 동아시아에서 한자가 발전한 역사를 정확하게 서술하는 토대가 된다. 조사하는 나라와 범위가 많을수록, 한자 확장사의 연구도 과학적이고 정확해진다. 그러므로 한국한문자전의 자원을 정합해서 연구하고, 그 사용기능과 응용범위를 확대하는 것은 한자의 확장사 연구와 동아시아의 한자 발전사 연구의 중요과제이다.

1. 『훈몽자회』에 나타난 용어 '속(俗)'

조선시대 학자 최세진이 편찬한 『훈몽자회』는 한자를 학습하기 위한 최초의 자전이다. 이는 교육성, 실용성, 규범성 등의 특징으로 한국자전사에서 첫 번째로 꼽힌다.[17] 그중 가장 특징적인 것은 수록되어 있는 명사 및 주석에서 사용한 용어이다.

『훈몽자회』에서 '속(俗)'자로 구성된 것은 한자 또는 단어의 속성을 지칭하는 언어단위로 사용되는데, 우리는 이를 '속(俗)' 용어라고 부른다. 최세진은 『훈몽자회』의 범례에서 "주석에 '속(俗)'이라고 칭한 것은 중국인의 말을 의미합니다. 일반 사람이나 중국어를 배우는 사람들이 알게끔 하였으므로, 중국의 구어를 많이 수록하였습니다. 그러나 주석이 복잡해지는 것을 피해야 했기에 역시 전부를 다 수록하지는 않았습니다."[18]라고 말했다. 이를 통해, 『훈몽자회』에서 '속(俗)'이라고 표기된 것은 모두 조선시대 전기(중국의 명대) 때 중국인의 구어를 뜻한다는 것을 알 수 있다. 편찬자는 시대의 변

---

17) 王平, 『韓國朝鮮時代<訓蒙字會>與中國古代字書的傳承關係考察』, 韓國 『中國學』第32輯(2009).

18) (역주) 注內稱'俗'者, 指漢人之謂. 人或有學漢語者可使兼通. 故多收漢俗稱呼之名也, 又恐注繁, 亦不盡收.

화에 맞춰 한자와 중국어를 학습시키고, 배운 것을 실제로 활용시키기 위해, 대량의 구어를 사용하여 일음절어를 주석하였다. 문언과 백화문을 같이 배워 실제 생활에 활용한다는 것은 편찬자의 교육 이념이자 방법이었다. 다음은 『훈몽자회』 데이터베이스를 토대로, '속(俗)' 용어를 자세히 통계 낸 다음, 『훈몽자회』에서 사용한 '속(俗)' 용어의 표시형식, 유형, 연원, 내포, 특징 등을 탐구하고 분석하였다. 이는 중국어와 한자의 확장, 자전의 편찬, 근대 중국어 등을 연구할 때 중요한 참고자료로 사용될 수 있다.

(1) 『훈몽자회』의 '속(俗)' 용어의 형식

'속(俗)' 용어의 표시형식은 최세진이 중국어의 글자 또는 단어의 특성을 정할 때 사용한 명칭을 말한다. 우리가 『훈몽자회』의 '속(俗)' 용어를 통계낸 바에 따르면, 『훈몽자회』에서 '속(俗)' 용어의 표시 형식은 속작(俗作), 속혹작(俗或作), 속생작(俗省作), 속음(俗音), 속우음(俗又音), 속지(俗指), 속호(俗呼), 속우호(俗又呼), 속칭(俗稱), 속우칭(俗又稱), 속총칭(俗總稱), 속범칭(俗汎稱), 속위(俗謂), 속우위(俗又謂), 속우명(俗又名), 속어(俗語), 속서작(俗書作)과 같이 17가지가 존재하는데, 이들 용어의 사용빈도도 각기 다르다.

① 속작(俗作)

칠(桼): 세속에서는 칠(漆)이라고 쓴다.(桼, 俗作漆.)
선(饍): 세속에서는 선(膳)이라고 쓴다.(饍, 俗作膳.)
침(鍼): 세속에서는 침(針)이라고 쓴다.(鍼, 俗作針.)
건(漧): 세속에서는 건(乾)이라고 쓴다.(漧, 俗作乾.)
영(暎): 세속에서는 영(映)이라고 쓴다.(暎, 俗作映.)
위(餧): 표준체로는 위(餧)라고 쓰고, 세속에서는 위(喂)라고 쓴다.(餧, 正作餧. 俗作喂.)

② 속혹작(俗或作)

종(鬈): 세속에서는 혹 종(鬃)이라고 쓴다.(鬈, 俗或作鬃.)

③ 속생작(俗省作)

끽(喫): 세속에서는 생략해서 흘(吃)이라고 쓴다.(喫, 俗省作吃.)

④ 속음(俗音)

잠(簪): 빈혀【줌】예복용(禮服用). 중국어 속음은【잔】으로, 잠자(簪子)라고 쓴다.
(簪, 빈혀【줌】禮服用. 漢俗音【잔】, 簪子.)

⑤ 속우음(俗又音)

거(車): 속우음(俗又音)이【챠】이다.(車, 俗又音【챠】.)

⑥ 속지(俗指)

휴(畦): 세속에서는 채소밭을 채휴(菜畦)라고 부른다. 정음(正音)은 해(奚)이다.
(畦, 俗指菜田曰菜畦. 正音奚.)

⑦ 속호(俗呼)

와(渦): 소용돌이를 말한다. 세속에서는 선와수(漩渦水)라고 부른다.(渦, 水回.
俗呼漩渦水.)
근(槿): 세속에서는 목근화(木槿花)라고 부른다.(槿, 俗呼木槿花.)
완(莞): 골풀을 말한다. 일명 총포(葱蒲)라고 하는데, 세속에서는 수총(水葱)이라
고 부른다.(莞, 莞蒲, 一名葱蒲. 俗呼水葱.)
백(栢): 세속에서는 편송(匾松)이라고 부른다.(栢, 俗呼匾松.)
도(桃): 세속에서는 도아(桃兒)라고 부른다.(桃, 俗呼桃兒.)
교(蕎): 세속에서는 교맥(蕎麥)이라고 부른다.(蕎, 俗呼蕎麥.)
가(茄): 세속에서는 가자(茄子)라고 부른다. 또 낙소(落蘇)라고 부르기도 한다.
(茄, 俗呼茄子. 又呼落蘇.)

학(鶴): 세속에서는 선학(仙鶴)이라고 부른다.(鶴, 俗呼仙鶴.)

호(虎): 세속에서는 노후(老虎)라고 부른다. 또 대충(大虫)이라고도 한다. 초(楚)
나라에서는 어면(於菟)이라고 불렀다.(虎, 俗呼老虎. 又呼大虫. 楚謂於菟.)

별(鼈): 세속에서는 왕팔(王八)이라고 부른다. 또 단어(團魚)라고도 하는데, 그
등껍데기를 단판(團板)이라고 부른다.(鼈, 俗呼王八. 又呼團魚, 其殼曰團板.)

확(蠖): 자벌레를 말한다. 일명 보굴(步屈)이라고 하는데, 세속에서는 곡곡충(曲
曲虫)이라고 부른다.(蠖, 蚇蠖, 一名步屈. 俗呼曲曲虫.)

신(身): 세속에서는 신재(身材)라고 부른다.(身, 俗呼身材.)

여(女): 세속에서는 여자 아이나 처녀를 규녀(閨女)나 실녀(室女)라고 부른다.
(女, 俗呼女兒、處女曰閨女、室女.)

부(傅): 세속에서는 사부(師傅)라고 부른다. 또 붙다[麗著]는 뜻이 있다.(傅, 俗呼
師傅. 又麗著也.)

비(批): 세속에서는 차비(差批)라고 부른다. 또 상부[上司]에서 공사를 가지고
아래 등급의 관아에 글을 쓰는데, 문장의 끝을 비(批)라고 부른다.(批, 俗呼
差批. 又上司以公事題于下司, 文尾曰批.)

리(吏): 아전의 사관이나 아전의 무리를 말한다. 세속에서는 외랑(外郎)이라고
부른다. 또 관청에서 백성을 다스리는 자를 관리(官吏)라고 부른다.(吏, 掾史,
吏屬, 俗呼外郎. 又爲官治民曰官吏.)

전(殿): 임금이 거주하는 곳을 말한다. 세속에서는 정전(正殿)이나 편전(偏殿)이
라고 부른다.(殿, 君居. 俗呼正殿、偏殿.)

사(司): 세속에서는 관사(官司)라고 부른다.(司, 俗呼官司.)

등(凳): 세속에서는 판등(板凳)이라고 부른다.(凳, 俗呼板凳.)

도(餡): 세속에서는 준도(餕餡)라고 부른다. 또 경단[餡兒]이라는 뜻이 있다.(餡,
俗呼餕餡. 又餡兒.)

구(裘): 세속에서는 피오(皮襖)라고 부른다.(裘, 俗呼皮襖.)

외(桅): 작은 돛대를 외(桅)라고 부른다. 세속에서는 외간(桅竿)이라고 부른다.
(桅, 小曰桅. 俗呼桅竿.)

관(輨): 세속에서는 차천(車釧)이라고 부른다.(輨, 俗呼車釧.)

안(鞍): 세속에서는 안자(鞍子)라고 부른다.(鞍, 俗呼鞍子.)

순(盾): 세속에서는 단패(團牌)라고 부른다. 또 순(楯)이라고 쓰기도 한다.(盾, 俗
呼團牌. 亦作楯.)

릉(綾): 세속에서는 능자(綾子)라고 부른다.(綾, 俗呼綾子.)

주(珠): 세속에서는 진주아(珍珠兒)라고 부른다.(珠, 俗呼珍珠兒.)

박(拍): 박자판을 말하는데, 6개의 판을 연결시켜서 만든다. 세속에서는 아박(牙拍)이라고 부른다.(拍, 拍板, 連六板爲之. 俗呼牙拍.)

옴(疥): 세속에서는 개창(疥瘡)이라고 부른다.(疥, 俗呼疥瘡.)

앙(秧): 세속에서는 벼가 나기 시작하는 것을 앙침(秧針)이라고 부른다. 또 물고기의 새끼를 어앙(魚秧)이라고 부른다.(秧, 俗呼稻始生曰秧針. 又呼魚兒曰魚秧.)

⑧ 속우호(俗又呼)

혼(圂): 세속에서는 또 정방(淨房)이라고 부른다.(圂, 俗又呼淨房.)

손(猻): 세속에서는 또 호손(猢猻)이라고 부른다.(猻, 俗又呼猢猻.)

경(鶊): 세속에서는 또 규천아(叫天兒)라고 부른다. 혹 마작(麻雀)이라고도 부른다.『시(詩)』에서는 창경(鶬鶊)이라고 했다.(鶊, 俗又呼叫天兒. 或呼麻雀,『詩』鶬鶊.)

(檾): 세속에서는 또 백마(白麻)라고 부른다.(檾, 俗又呼白麻.)

청(圊): 세속에서는 또 동사(東司)라고 부른다.(圊, 俗又呼東司.)

다(爹): 세속에서는 또 다다(爹爹)라고 부른다. 또 신분이 미천한 사람이 고귀한 사람을 노다(老爹)라고 부른다.(爹, 俗又呼爹爹. 又賤人呼貴人曰老爹.)

⑨ 속칭(俗稱)

소(霄): 세속에서는 청소(靑霄)라고 부른다. 또 싸라기눈[霰]의 의미도 있다.(霄, 俗稱靑霄. 又霰也.)

지(芝): 세속에서는 영지초(靈芝草)라고 부른다.(芝, 俗稱靈芝草.)

총(葱): 세속에서는 대총(大葱)이라고 부른다. 또 실파[小葱]의 의미도 있다.(葱, 俗稱大葱, 又小葱.)

모(貌): 세속에서는 모양(模樣)이라고 부른다. 또 양범(樣范)이라고도 한다.(貌, 俗稱模樣. 又曰樣范.)

부(父): 세속에서는 노자(老子)라고 부른다. 또 부친(父親)이라고도 한다.(父, 俗

稱老子. 又稱父親)

서(書): 『상서(尚書)』이다. 세속에서는 『서경(書經)』이라고도 부른다. 또 글자를 쓰는 것을 서자(書字)라고도 부른다.(書, 『尚書』. 俗稱『書經』. 又寫字亦曰書字.)

방(榜): 큰 것을 방(榜)이라고 한다. 세속에서는 괘방(掛榜)이라고 부른다. 작은 것을 고시(告示)라고 부른다. 또 나무로 만든 표패[板榜]를 뜻하기도 한다.(榜, 大曰榜. 俗稱掛榜, 小曰告示. 又板榜.)

왜(倭): 세속에서는 왜자(倭子)라고 부른다. 즉 왜노(倭奴)를 말한다. 일본(日本)이나 유구(琉球) 등의 나라 이름이다.(倭, 俗稱倭子, 即倭奴. 有日本、琉球等國.)

청(廳): 세속에서는 정청(正廳)이나 공청(公廳)이라고 부른다.(廳, 俗稱正廳、公廳.)

곽(郭): 세속에서는 나성(羅城)이라고 부른다.(郭, 俗稱羅城.)

성(城): 세속에서는 성자(城子)라고 부른다.(城, 俗稱城子.)

쇄(鎖): 세속에서는 쇄자(鎖子)라고 부른다. 또 감옥에서 사용하는 도구를 말한다.(鎖, 俗稱鎖子. 又獄具.)

홀(笏): 세속에서는 수간(手簡)이라고 부른다. 이빨[牙者]을 아홀(牙笏)이라고 부른다.(笏, 俗稱手簡. 牙者曰牙笏.)

로(艣): 세속에서는 요로(搖艣)라고 부른다. 상앗대를 흔드는 것을 말한다. 로(櫓)와 통하며, 역시 로(艚)라고도 쓴다.(艣, 俗稱搖艣. 盪槳. 通作櫓. 亦作艚.)

복(輻): 세속에서는 복조(輻條)라고 부른다.(輻, 俗稱輻條.)

라(鑼): 큰 것을 라(鑼)라고 부른다. 세속에서는 동라(銅鑼)라고 한다.(鑼, 大曰鑼. 俗稱銅鑼.)

랍(鑞): 세속에서는 석랍(錫鑞)이라고 부른다.(鑞, 俗稱錫鑞.)

두(痘): 세속에서는 두창(痘瘡)이라고 말한다. 또 완두창(豌豆瘡)이라고 부르기도 한다. 또 반자(斑子)라고도 한다.(痘, 俗稱痘瘡. 又曰豌豆瘡. 又曰斑子.)

경(耕): 세속에서는 경전(耕田)이라고 부른다.(耕, 俗稱耕田.)

⑩ 속우칭(俗又稱)

염(黶): 세속에서는 또 흑자(黑子)라고 부른다.(黶, 俗又稱黑子.)

준(準): 세속에서는 또 준량(準梁)이나 준경(準脛)이라고 한다. 또 평평하다는
뜻이 있다.(準, 俗又稱準梁、準脛. 又平準.)

⑪ 속총칭(俗總稱)

오(襖): 세속에서는 남녀의 의복을 오자(襖子)라고 부른다.(襖, 俗總稱男女服曰
襖子.)

⑫ 속범칭(俗汎稱)

등(藤): 세속에서는 일반적으로 덩굴을 모두 등(藤)이라고 부른다.(藤, 俗汎稱蔓
皆曰藤.)

⑬ 속위(俗謂)

연(筵): 세속에서는 잔치를 연석(筵席)이라고 말하는데, 표준어로는 연연(筵宴)
이라고 부른다.(筵, 俗謂宴曰筵席, 官話稱筵宴.)
사(耍): 세속에서는 행방(行房)이라고 말한다. 또 사자(耍子)라고도 부른다.(耍,
俗謂行房. 亦曰耍子.)
규(叫): 세속에서는 사람을 부르는 것을 규인(叫人)이라고 말한다.(叫, 俗謂招人
曰叫人.)
장(裝): 세속에서는 물건을 수레에 싣는 것을 장차(裝車)라고 부른다.(裝, 俗謂
載物於車曰裝車.)
가(駕): 세속에서는 사선(使船)이라고 부른다. 또한 가선(駕船)이나 가사(駕使)라
고도 부른다.(駕, 俗謂使船. 亦曰駕船、駕使.)

⑭ 우속위(又俗謂)

식(植): 또 세속에서는 재목(材木)을 목식(木植)이라고 부른다.(植, 又俗謂材木曰
木植.)

탱(撐): 또 세속에서는 상앗대를 탱자(撐子)라고 부른다.(撐, 又俗謂篙曰撐子.)

⑮ 속우명(俗又名)

국(鵴): 세속에서는 또 곽공조(郭公鳥)라고 부른다. 『시(詩)』에서는 '알국(鴶鵴)'
이라고 주석되어 있다.(鵴, 俗又名郭公鳥, 『詩』注: 鴶鵴.)

⑯ 속어(俗語)

리(娌): 세속에서는 축리(妯娌)라고 부른다.(娌, 俗語妯娌.)

⑰ 속서작(俗書作)

부(蝜): 세속에서는 서부(鼠婦)라고 쓴다.(蝜, 俗書作鼠婦.)

(2) 『훈몽자회』에 나타난 '속(俗)' 용어의 기능 유형 및 연원

① '속(俗)' 용어의 기능의 유형
우리는 『훈몽자회』에 있는 17가지의 '속(俗)' 용어의 기능을 아래의 4종
류로 귀납하였다.

A. 형체가 다른 경우[異體]를 지칭
속작(俗作), 속혹작(俗或作), 속생작(俗省作)이 형체가 다른 경우를 지칭
한다. 올림자의 형체가 다른 경우를 주로 나타낸다.

> 『잡어(雜語)』: 위(餧)의 경우 표준체로는 위(餒)라고 쓰고, 세속에서는 위(喂)라
> 고 쓴다.(餧, 正作餒. 俗作喂.)
> 『과실(菓實)』: 시(柿)는 세속에서는 건조한 것을 시병(柿餅)이라고 부르고, 표준
> 체로는 시(枾)라고 쓴다.(柿, 俗呼乾者曰柿餅, 正作枾.)

B. 독음이 다른 경우[異讀]를 지칭

속음(俗音)과 속우음(俗又音)이 독음이 다른 경우를 지칭하는데, 올림자에 다른 독음이 있는 경우를 주로 나타낸다. 그 외에, 『훈몽자회』의 편찬자는 일부 한자의 잘못된 독음을 수정하고 바로잡았는데, 이를 범례(凡例)에서는 "무릇 자음(字音)이 우리나라에 잘못 전해진 것은 많이 고침으로써 훗날다른 사람들이 배울 때 바로 잡기를 바랍니다.(凡字音在本國傳呼差誤者, 今多正之, 以期他日眾習之正.)"라고 밝히고 있다.

> 료(轑): 정음(正音)이 로(老)이다.(轑, 正音老.)
> 묘(貓): 정음(正音)이 모(毛)이다.(貓, 正音毛.)
> 시(弛): 정음(正音)이 시(始)이다.(弛, 正音始.)
> 항(伉): 정음(正音)이 항(抗)이다.(伉, 正音抗.)
> 전(羴): 양고기의 노린내를 말한다. 정음(正音)은 선(鮮)이다.(羴, 羊臭. 正音鮮.)
> 엽(饁): 들로 밥을 내가는 것을 말한다. 정음(正音)은 업(業)과 엽(葉)이다.(饁, 餉田. 正音業、葉.)
> 휴(畦): 세속에서는 채소밭을 채휴(菜畦)라고 부른다. 정음(正音)은 해(奚)이다. (畦, 俗指菜田曰菜畦. 正音奚.)

C. 의미가 다른 경우[異義]를 지칭
속지(俗指)만이 올림자의 의미가 다른 경우를 지칭한다.

D. 명칭이 다른 경우[異名]를 지칭
속호(俗呼), 속우호(俗又呼), 속칭(俗稱), 속우칭(俗又稱), 속총칭(俗總稱), 속범칭(俗汎稱), 속우명(俗又名), 속위(俗謂), 속우위(俗又謂), 속어(俗語) 등이 명칭이 다른 경우를 지칭한다. 이들 용어는 용법상에서 조금의 차이가 있어보이지만[19], 주로 올림자의 다른 명칭을 나타낸다.

② '속(俗)' 용어의 연원
A. 『훈몽자회』의 '속(俗)' 용어가 『설문』에서 보이는 경우

---

19) 王平, 「韓國古代字典俗術語研究 －以『訓蒙字會』爲中心」, 『中國文字研究』第21輯(2016).

『설문』에서 '속(俗)'으로 구성된 용어는 속작(俗作), 속생작(俗省作), 속음(俗音), 속위(俗謂), 속어(俗語)가 있다.

속작(俗作)은 한자의 다른 형체를 지칭하는 용어로써, 『설문』에 63번 사용되었는데, 전부 서현(徐鉉)의 주석에서만 나타난다.[20] 그런데 서현(徐鉉)은 종종 속작(俗作)의 앞에 '금(今)'자를 더해, 금속작(今俗作)이라고 쓰기도 했다. 예를 들면, "오(烏)는 새를 말한다. 상형이다. 공자(孔子)는 '오(烏)는 탄식하는 말[盻呼]이다. 그 돕는 기운을 취했으므로, 오호(烏呼)라고 하였다. 무릇 오(烏)에 속하는 것들은 전부 오(烏)로 구성되어 있다.'라고 말했고, 서현(徐鉉)은 '지금은 오(嗚)라고 쓰는데, 틀렸다.'라고 말했다.(烏, 鳥也. 象形. 孔子曰: 烏, 盻呼也. 取其助氣, 故以爲烏呼. 凡烏之屬皆从烏. 臣鉉等曰: 今俗作嗚, 非是.)"라는 구절이 있다.

속생작(俗省作)은 『설문』에 1번 사용되었으며, 서현의 주석에서 보인다. 예를 보자.

> 타(嫷): 초(楚)나라 이외의 지역에서는 예쁜 것을 타(嫷)라고 한다. 여(女)가 의미부이고 수(隋)가 소리부이다.(嫷, 楚之外謂好曰嫷. 从女隋聲.)
>
> 서현은 "지금 세속에서는 줄여서 타(婧)라고 쓴다. 『당운(唐韻)』에서는 타(妥)라고 썼는데, 틀렸다."라고 했다.(臣鉉等曰: 今俗省作婧. 『唐韻』作妥, 非是.)

속음(俗音)은 『설문』에 2번 사용되었다.

> 폭(爆): 불사르다는 뜻이다. 화(火)가 의미부이고, 폭(暴)이 소리부이다.(爆, 灼也. 从火暴聲.)
>
> 서현은 "지금 속음(俗音)은 표(豹)이며, 불에 태워 없애는 것을 말한다."라고 했다.(臣鉉等曰: 今俗音豹, 火裂也.)

> 란(瀾): 작은 물결[波]이 모인 것이 바로 란[瀾]이다. 수(水)가 의미부이고, 란(闌)이 소리부이다.(瀾, 波爲瀾. 从水闌聲.)
>
> 서현은 "지금 속음(俗音)은 력(力)과 연(延)의 반절이다."라고 말했다.(臣鉉等曰:

---

20) 본문의 『설문』과 『송본옥편』의 통계데이터는 '『설문』·『옥편』·『전예만상명의』 통합검색'에서 가져왔다.

今俗音力延切.)

속위(俗謂)는 『설문』에 3번 사용되었는데, 그중에서 2번은 『설문·신부자 (新附字)』에서 사용되었다.

　『설문』: 섬(夾)은 도둑이 물건을 품다는 뜻이다. 역(亦)으로 구성되어 있으며, 잡는 바가 있다. 세속에서는 폐인비협(蔽人俾夾)을 일컫는다. 홍농섬(弘農陝) 에서 섬(陝)자가 이것으로 구성되어 있다.(夾, 盜竊懷物也. 从亦, 有所持. 俗 謂蔽人俾夾是也. 弘農陝字从此)

　『설문·신부자』: 압(鴨)은 오리를 말한다. 세속에서는 압(鴨)이라고 한다. 조(鳥) 가 의미부이고, 갑(甲)이 소리부이다.(鴨, 鶩也. 俗謂之鴨. 从鳥甲聲.)

　『설문·신부자』: 비(箆)는 인도하다는 뜻이다. 지금 세속에서는 비(箆)라고 한다. 죽(竹)이 의미부이고 비(毘)가 소리부이다.(箆, 導也. 今俗謂之箆. 从竹毘聲.)

속어(俗語)는 『설문』에 5번 사용되었는데, 2번은 『설문·신부자(新附字)』에 서 사용되었다.

　『설문』: 진(肀)은 붓으로 꾸미다는 뜻이다. 율(聿)과 삼(彡)으로 구성되어 있다. 속어(俗語)에서는 글씨가 좋은 것을 진(肀)이라고 했다. 진(津)과 같이 읽는 다.(肀, 聿飾也. 从聿从彡. 俗語以書好爲肀. 讀若津.)

　『설문』: 기(殗)는 버리다는 뜻이다. 알(歺)이 의미부이고 기(奇)가 소리부이다. 속어(俗語)에서는 죽는 것을 대기(大殗)라고 부른다.(殗, 棄也. 从歺奇聲. 俗 語謂死曰大殗.)

　『설문』: 행(幸)은 사람을 놀라게 하는 바이다. 대(大)와 양(羊)으로 구성되어 있 다. 대성(大聲)이라고도 부른다. 무릇 행(幸)이 속하는 것은 모두 행(幸)으로 구성되어 있다. 한편으로 호(瓠)와 같이 읽기도 한다. 속어(俗語)에서는 도적 이 그치지 않는 것을 행(幸)이라고 부르기도 한다. 행(幸)은 섭(爾)과 같이 읽 는다.(幸, 所以驚人也. 从大从羊. 一曰大聲也. 凡幸之屬皆从幸. 一曰讀若瓠. 一曰俗語以盜不止爲幸, 幸讀若爾.)

　『설문·신부자』: 잠(蘸)은 물건을 물속에 잠근다는 뜻이다. 이는 대개 속어(俗語) 이다. 초(艸)로 구성되어 있으며, 미상이다.(蘸, 以物沒水也. 此蓋俗語. 从艸未

詳.)

『설문·신부자』: 타(馱)는 짐을 지다는 뜻이다. 마(馬)가 의미부이고, 대(大)가 소
리부이다. 이는 속어(俗語)이다.(馱, 負物也. 从馬大聲. 此俗語也.)

B. 『훈몽자회』의 '속(俗)' 용어가 『송본옥편』에서 보이는 경우

『송본옥편』에서 '속(俗)'으로 구성된 용어는 속작(俗作), 속우음(俗又音),
속호(俗呼), 속위(俗謂), 속어(俗語)가 있다.

속작(俗作)은 다른 형체를 지칭하는 용어로써, 『송본옥편』에 48번 사용
되었다.

　　지(祇): 제(諸)와 시(時)의 반절이다. 공경하다[敬]는 뜻이다. 세속에서는 祗라고
　　썼다.(祇, 諸時切. 敬也. 俗作祗.)

속우음(俗又音)은 독음이 다른 것을 지칭하는 용어로써, 『송본옥편』에 1
번 사용되었다.

　　투(骰): 고(孤)와 로(魯)의 반절이다. 혹은 고(股)자로 쓴다. 허벅다리를 뜻한다.
　　속우음(俗又音)은 투(投)이다.(骰, 孤魯切. 或股字. 脛本也. 俗又音投.)

속호(俗呼)는 명칭이 다른 것을 지칭하는 용어로써, 『송본옥편』에 5번
사용되었다.

　　개(個): 가(加)와 하(賀)의 반절이다. 하나라는 뜻이다. 정현(鄭玄)은 "『의례(儀禮)
　　』에는 "세속에서는 개(个)가 개(個)이다."라는 구절이 있다."라고 주석하였
　　다.(個, 加賀切. 偏也. 鄭玄注『儀禮』云: 俗呼个爲個.)
　　범(枫): 부(扶)와 엄(嚴)의 반절이다. 북쪽에서는 이 나무껍질을 세속에서는 수
　　부(水桴)라고 불렀다. 나무를 뜻한다.(枫, 扶嚴切. 北(此)木皮俗呼爲水桴. 木
　　也.)
　　행(荇): 하(何)와 경(梗)의 반절이다. 마름풀을 뜻한다. 세속에서는 저순(豬蓴)이
　　라고 불렀다. 행(荇)과 같다.(荇, 何梗切. 荇菜也. 俗呼爲豬蓴. 荇, 同上.)
　　수(豨): 양(羊)과 추(捶)의 반절이다. 시(豕)는 세속에서는 분저(豶豬)라고 불렀다.

수(隊)와 같다.(貐, 羊捶切. 豕, 俗呼爲貐豬也. 隊, 同上.)
　단(鶉): 추(醜)와 변(弁)의 반절 및 도(徒)와 돈(頓)의 반절이다. 세속에서는 치조
　　(癡鳥)라고 불렀다. 또 도(徒)와 곤(困)의 반절이다.(鶉, 醜弁、徒頓二切. 俗呼
　　癡鳥. 又徒困切.)

　속위(俗謂)는 명칭이 다른 것을 지칭하는 용어로써, 『송본옥편』에서 1번
사용되었다.

　　절(蠽): 자(子)와 렬(列)의 반절이다. 쓰르라미는 매미를 닮았지만 크기가 작다.
　　세속에서는 모절(茅蠽)이라고 부른다.(蠽, 子列切. 蜩似蟬而小, 俗謂茅蠽.)

　속어(俗語)는 다르게 말하는 것을 지칭하는 용어로써, 『송본옥편』에서 2
번 사용되었다.

　　기(殣): 구(丘)와 지(知)의 반절이다. 『설문』에서는 "버리다는 뜻이다. 속어(俗語)
　　에서는 죽는 것을 대기(大殣)라고 말한다. 또 거(居)와 기(綺)의 반절이다."라
　　고 했다.(殣, 丘知切. 『說文』曰: 棄也. 俗語死曰大殣. 又居綺切.)
　　계(藭): 공(公)과 예(詣)의 반절이다. 구독초(狗毒草)를 말한다. 번광(樊光)은
　　"세속에서는 계(藭)와 같이 쓰다라고 말한다."라고 말했다.(藭, 公詣切. 狗毒
　　草. 樊光云: 俗語苦如藭.)

　C. 『훈몽자회』의 '속(俗)' 용어가 『설문』에 없는 경우
　속혹작(俗或作), 속우음(俗又音), 속지(俗指), 속호(俗呼), 속우호(俗又呼),
속칭(俗稱), 속우칭(俗又稱), 속총칭(俗總稱), 속범칭(俗汎稱), 우속위(又俗謂),
속우명(俗又名), 속서작(俗書作)과 같이 12가지가 있다.

　D. 『훈몽자회』의 '속(俗)' 용어가 『송본옥편』에 없는 경우
　속혹작(俗或作), 속생작(俗省作), 속음(俗音), 속지(俗指), 속우호(俗又呼),
속칭(俗稱), 속우칭(俗又稱), 속총칭(俗總稱), 속범칭(俗汎稱), 우속위(又俗謂),
속우명(俗又名), 속서작(俗書作)과 같이 12가지가 있다.

E. 『훈몽자회』의 '속(俗)' 용어가 『설문』과 『송본옥편』에 없는 경우

속혹작(俗或作), 속우음(俗又音), 속지(俗指), 속우호(俗又呼), 속칭(俗稱), 속우칭(俗又稱), 속총칭(俗總稱), 속범칭(俗汎稱), 우속위(又俗謂), 속서작(俗書作)과 같이 10가지가 있다.

자전 용어인 '속(俗)'은 『설문』에서 최초로 보인다. 허신(許愼)은 이를 사용하여 15개의 중문(重文)을 지칭하였다. 필자가 연구한 바에 따르면, 『설문』에서 '속(俗)'이 지칭하는 중문(重文)은 대다수가 한(漢)나라 때 새로 생긴 글자들이다.[21] 『설문』에 '속(俗)'으로 구성된 용어는 서현(徐鉉)의 주석에서 대부분 보이는데, 그 기능은 각각 다른 형체를 나타내는 것(俗作, 俗省作), 다른 독음을 나타내는 것(俗音), 다른 명칭을 나타내는 것(俗謂, 俗語)이 있다. 『설문』을 계승한 『송본옥편』에서는 '속호(俗呼)'가 더해졌으며, 한자의 다른 명칭을 지칭하는데 사용되었다. 『훈몽자회』의 '속(俗)' 용어는 『설문』과 『송본옥편』의 영향을 받았으나, 사용된 '속(俗)' 용어의 종류가 무려 17종에 달하는 것은 중국의 고대 자전과 다르다.[22] 『훈몽자회』에서 '속(俗)' 용어를 사용한 것은 중국어의 구어체가 동아시아에 빠르게 확장되었다는 것을 반영하며, 실용성을 중시한 조선시대 한문 자전의 특징을 드러낸 것이기도 하다.

(3) 결론

① '속(俗)' 용어에 내포된 의미

『훈몽자회』에서 이 용어는 한자의 형체, 독음, 의미, 명칭의 다름을 나타내는 언어단위로 사용되었다. 『훈몽자회』에서 '속(俗)'으로 기록된 글자나 단어들은 중국의 명대(明代)에서 유행하여 조선시대로 전해진 것들로, 『설문』에서 서현(徐鉉)이 주석한 '금속작모(今俗作某)'와 『송본옥편』에서의 '금작모(今作某)'와 같다. 그러므로 결코 최세진(崔世珍)이 표준말을 보급하고 '속

---

21) 王平, 『說文重文研究』(華東師範大學出版社, 2008).
22) 王平, 「韓國朝鮮時代<訓蒙字會>與中國古代字書的傳承關係考察」, 韓國『中國學』第32輯(2009).

(俗)'어를 배척하고자 한 게 아니다. '속(俗)'은 그 시대를 나타내는 성질을 지니고 있기에, 한 시대에는 한 시대의 '속(俗)'이 있다.

② 기명(器皿)과 신체를 나타내는 글자에 집중되어 있는 '속(俗)' 용어
『훈몽자회』의 33개의 분류에서 지리, 채색(彩色), 상장(喪葬)과 같은 분류에서는 이 용어가 나타나지 않았다. 『훈몽자회』에서 이 용어가 나타난 순위는 아래의 표와 같다.

『훈몽자회』에서 '속(俗)' 용어의 분포상황

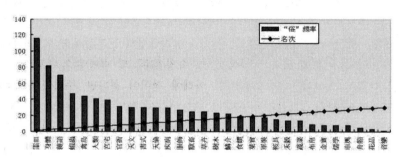

분포 상황을 통해, 일상생활과 밀접한 관계가 있는 글자들에 '속(俗)' 용어의 사용빈도가 높다는 것을 알 수 있다. 이는 왕평의 『설문중문연구(說文重文研究)』에서 형성이체자의 의미부 대체에 대한 결론과 일치한다. 그러므로 한자의 형체·독음·의미·명칭 등의 변화와 그 사용빈도는 밀접한 관계가 있다.

③ '속(俗)' 용어의 특징
'속(俗)' 용어의 사용은 상대적으로 규범적이다. 『훈몽자회』에서는 편찬자가 17개의 '속(俗)' 용어를 800여 번 사용하였고, 또 그렇게 사용한 용어의 기능이 기본적으로 일치한다. 즉 '속작(俗作)'류는 한자의 이체자를 지칭, '속음(俗音)'류는 한자의 다른 독음을 지칭, '속지(俗指)'류는 한자의 다른 의미를 지칭, '속호(俗呼)'류는 한자의 다른 명칭을 지칭하는 데 사용되었다. 이는 편찬자가 용어의 활용에 있어, 완벽을 추구한데다가 규칙적이었다는 것을 반영한다.

『훈몽자회』에서 다른 명칭을 지칭하는 용어로는 속호(俗呼), 속우호(俗又呼), 속칭(俗稱), 속우칭(俗又稱), 속총칭(俗總稱), 속범칭(俗汎稱)이 있다. 이중에서 속호(俗呼)와 속칭(俗稱)이 가장 많이 보이는데, 속호(俗呼)는 579회, 속칭(俗稱)은 213회 나타난다. 『훈몽자회』가 출판된 시기는 중국에서는 명대(明代)에 속한다. 명대(明代)는 근대 중국어가 발전한 중요한 시기로서, 이 시기의 어휘는 문언과 백화가 뒤섞여 있는 특징을 지니고 있다. 문언과 백화가 교체되는 과정에서 생성된 대량의 구어체 어휘들은 조선시대에서 한자와 중국어의 교육에도 영향을 미쳤다. 최세진은 언어를 학습하여 활용하는 중요성을 의식하고 있었기 때문에, 글자를 해석하면서 명대에 유행하고 있는 중국어의 구어체 어휘들을 대량으로 사용하였고, 아울러 이들을 '속호(俗呼)' 또는 '속칭(俗稱)' 등의 용어로 표시하였다. 『훈몽자회』의 범례에는 "한 물건의 이름에 글자가 셋이고, 그 속칭(俗稱) 및 별명(別名)에도 역시 셋의 다름이 있어서, 하나의 글자의 아래에 적어야 한다면, 주석이 번잡해지는 것이 두려워, 그 글자들 아래에 나누어 수록하였습니다. 여러 사물의 이름처럼 보이지만 실제로 하나의 사물이기에, 주석을 간단하고 편리하게 하였습니다.(一物之名有數三字, 而其俗稱及別名亦有數三之異者. 若收在一字之下, 則恐其地狹注繁, 故分收於數三字之下. 雖似乎各物之名而其實一物也, 以其注簡爲便而然也.)"라고 설명하였다.

④ '속(俗)' 용어의 가치

'속(俗)' 용어 자체의 가치. 고대 자전의 용어는 자전의 체제를 이해하는 포인트가 된다. 그렇기에 우리가 역대 자전의 수록자, 발음 표시, 의미 해석 등 체제를 연구할 때 가장 적합한 착안점이 된다. 동아시아 각국의 한문 자전의 편찬 용어에 대한 어원 고증, 외연과 내포 비교, 지시적 의미와 기호 표현의 분석 및 용어의 사용빈도 통계 등은 모두 고대 한문 자전을 연구하는 과정에서 반드시 해결해야 될 문제이다. 한국한문자전의 편찬용어는 이들 자전의 편찬 특징을 반영하면서 한자의 사용, 확장, 인식 등의 정보를 내포하고 있다.

'속(俗)' 용어가 규정하는 자료의 가치. 『훈몽자회』와 같이 '속(俗)'으로 성질을 규정한 중국어 자료는 조선시대의 한자와 중국어 교육 및 확장을 연구할 수 있는 중요한 자료이며, 근대 중국어의 역사를 연구할 수 있는 참고서이기도 하다. 근대 중국어의 어휘로 봤을 때, 명대(明代)는 중국어 어휘의 발전에서 문언과 백화의 교체가 시작되는 중요한 시기이다. "중국어의 역대 문헌에는 문언과 백화라는 두 가지 체제가 존재한다. 중고(中古)시기와 근대(近代)시기는 백화가 싹트고 점차 성숙해지는 시기였다. 이 시기에, 중국어의 어휘에도 매우 큰 변화가 발생하였으나, 역사적인 원인으로 인해, 이전 사람들이 제대로 중시하지 않았으므로, 중국어의 어휘사 연구에서 공백으로 남겨진 것이다."23) 그러므로 나라와 언어적 특성을 뛰어넘는 『훈몽자회』를 참고하여 중국의 자전에서 누락된 부분을 보충하고 메울 수 있을 것이다.

2. 『훈몽자회』에 수록된 근대 중국어 접사

『훈몽자회』에서 접사가 매우 풍부하게 수록되어 있다는 점은 주의할 필요가 있다. 중국어사의 시기 구분은 학자들마다 의견이 다르다. "근대 중국어의 가장 빠른 상한선은 5세기(六朝)가 되며, 가장 늦은 하한선은 13세기(宋나라 말, 元나라 初)가 되어, 그 기간이 대략 800여년이 된다. 학자들마다 분류법도 각기 달라, 근대 중국어의 성질에 대한 인식도 일치하지 않고, 시기를 구분하는 기준도 통일되어 있지 않다. 또 어느 시기에 속하는 언어의 특징에 대한 인식도 각기 다르며, 분류방법도 다르다. 그러나 그렇다 해도 고대 중국어와 현대 중국어 사이에서 나온 초기 백화문이 근대중국어 시기를 대표하고 있다고 본다."24) 이 책에서 말하는 근대 중국어의 시기는 장기빙(蔣冀騁)의 관점을 취하여 만당(晚唐)과 오대(五代)에서 명(明)나라 말과 청(淸)나라 초기인 9세기에서 17세기이다.25)

접사라는 이 명칭은 서양의 언어학에서 기원하였다. 접사(Affix)는 접두사(Prefix), 접요사(Infix), 접미사(Suffix)의 총칭이다. 접사는 lucky(행운의)의 -y와 unlucky(불행한)의 un-과 같이, 어근(Base)에 첨가되어 새로운 어간(Stem)을

---

23) 王锳, 「近代漢語詞彙研究和中古漢語」, 『近代漢語詞彙語法散論』(商務印書館, 2004), 62쪽.
24) 徐時儀, 『近代漢語詞彙學』(暨南大學出版社, 2013), 16-17쪽.
25) 蔣冀騁, 『近代漢語詞彙研究』(湖南教育出版社, 1991), 8, 239, 244쪽.

구성하는 형태소이다. 또는 unluckier(더욱 불행한)와 unluckiest(가장 불행한)의 -er과 -est와 같이, 굴절성분을 더하는 형태소이다.[26] 중국어의 접사는 어근에 첨가된 형태소로, 부가적인 의미를 나타내며, 접두사와 접미사 등으로 나뉜다.[27]

『훈몽자회』의 출판연대는 중국과 조선의 문화적 교류가 절정기에 달하던 시기로, 조선시대의 국왕들은 한학(漢學) 교육자들에게 순수하고 올바른 중국어를 배우게 하기 위해, 여러 차례 명(明)나라에 유학생을 파견할 것을 요청하였다. 조선시대의 학자들도 조선의 역사와 문화를 발전시키고 중국과의 관계를 잘 유지하기 위해서는 중국의 역대 경전을 배우고, 당시 중국인들의 구어를 배워야만 한다는 걸 잘 알고 있었다. 최세진은 『훈몽자회』의 범례 7조에서는 주석에서 '속(俗)'으로 이루어진 중국어의 속어가 또한 당시의 구어라는 점을 특히 강조하였다. 최세진은 백화가 문어보다 통속적이라 할지라도 구어가 사교에서 매우 중요한 역할을 한다고 여겼다. 그래서 그는 시대적 요구에 따라 편찬한 『훈몽자회』의 주된 목적이 아이들의 한자 교육에 있다 해도 학습자들이 한자를 익히고 기억하면서, 당시 중국인들이 사용하는 중국어의 백화어휘도 같이 파악할 수 있기를 희망했다.

필자의 통계와 조사에 따르면, 『훈몽자회』에서 속호(俗呼), 속칭(俗稱), 우호(又呼)등은 접사가 더해진 2음절어나 다음절어가 많았다. 중국어의 접사는 선진(先秦) 시기에 생성되기 시작해, 육조(六朝) 때 형성되었고, 당송(唐宋)시기에 발달하였다. 구어 위주의 백화문은 당송(唐宋)시기에 대량으로 생성되어 구어의 특징을 갖춘 접사가 발달할 수 있는 환경이 만들어졌다. 원대(元代) 이후, 사용범위나 빈도에 상관없이, 중국어의 접사는 모두 위축상태에 접어들며, 새로운 접사의 생성도 점차 정체되었다. 청대(清代)에 들어서자, 근대 중국어에서 이미 생성되었거나 나타난 접사들은 거의 사용을 하지 않았다. 그래서 청대(清代)를 근대 중국어 접사의 끝으로 구분한다.[28] 1527년에 출판된 『훈몽자회』를 중국의 발전시기에 놓고 본다면, 명대(明代) 중기에 속하므로, 『훈몽자회』에 기록되어 있는 접사는 근대 중국어의 접사

---

26) R.R.K.Hartmann and F.C.Stork著, 黃長著等譯, 『語言與語言學詞典』(上海辭書出版社, 1981), 10쪽.
27) 辭海編纂委員會, 『辭海·語言文字分冊』(上海人民出版社, 1977), 14쪽.
28) 鮑瀅, 『近代漢語詞綴研究』(碩士論文, 2006).

인 것이다. 접사는 『훈몽자회』의 편찬자가 중국어의 구어 어휘를 활용한 표지이다. 『훈몽자회』에서 사용한 접사의 통계와 귀납 및 분석을 통해, 우리는 근대 중국어의 구어 어휘가 조선시대의 언어문화에 어떤 영향을 미쳤는지 고찰할 수 있을 뿐만 아니라, 명대(明代)에 사용된 접사에 대해서도 고찰할 수 있다. 그러므로 『훈몽자회』의 중국어 접사 자료는 중국어 접사의 발전과정을 연구할 때 매우 중요한 가치를 지닌다.

『훈몽자회』의 연구에서 대부분의 학자들은 판본, 수록 글자, 한자의 교육 등의 영역에 많은 관심을 가질 뿐, 접사에 대해서는 그렇게 중시를 하지 않고 있다. 어떤 학자가 강조한 바와 같이, 언어학의 관점에서 언어 자료를 철저하게 파헤칠 때, 통계 등 실험과학적인 방법으로 연구하는 것은 매우 의미가 크다 하겠다. 그러므로 아래는 『훈몽자회』에 수록된 접사를 통계 내어, 그 유형을 귀납하고 특징을 도출해내었다.

(1) 『훈몽자회』에 수록된 근대 중국어 접사

① 접두사

중국어의 접두사는 로(老)-와 타(打)- 2개뿐이다.

A. 로(老)-

6개의 용례가 있는데, 천륜(天倫)류에서 5개가 있고, 기명(器皿)류에서 1개가 있다. 이는 명사 접두사로만 사용되며, '존경'이라는 화용적 의미를 나타낸다.

> 구(媼): 일반적으로 노구(老媼)라고 부른다.(媼, 泛稱老媼.)
> 옹(翁): 일반적으로 노자(老者)라고 부른다.(翁, 泛稱老者.)
> 부(父): 세속에서는 노자(老子)라고 부른다. 또 부친(父親)이라고도 부른다.(父, 俗稱老子. 又稱父親)

B. 타(打)-

10개의 용례가 있는데, 신체(身體)류에서 4개가 있고, 잡어(雜語)류에서 3

개가 있다. 나머지 3개는 인류(人類), 기명(器皿), 식찬(食饌)류에 있다. 이는 동사 접두사로만 사용된다.

체(嚔): 세속에서는 타체분(打嚔噴)이라고 부른다.(嚔, 俗稱打嚔噴.)
한(鼾): 세속에서는 타한수(打鼾睡)라고 부른다.(鼾, 俗稱打鼾睡.)
분(扮): 세속에서는 타분(打扮)이라고 부른다.(扮, 俗稱打扮.)

② 접미사
중국어의 접미사는 '-자(子)', '-아(兒)', '-두(頭)', '-가(家)', '-사(師)', '-적(的)', '-료(了)'와 같이 7개가 있다.

A. -자(子)
'-자(子)'는 『훈몽자회』에서 사용빈도가 가장 높은데, 29개의 글자류에서 나타난다. 그중, 기명(器皿)류에서 가장 많이 보이고, 신체(身體)류가 두 번째를 차지하며, 천륜(天倫)과 잡어(雜語)류가 세 번째를 차지한다. 지리(地理), 채색(彩色), 음악(音樂), 상장(喪葬)에서는 보이지 않는다. 아래의 표를 살펴보자.

접미사 '자(子)'의 출현 빈도표

천문(天文)(2) 지리(地理)(0) 화품(花品)(1) 초훼(草卉)(1) 수목(樹木)(2) 과실(果實)(2) 화곡(禾穀)(5) 소채(蔬菜)(3) 금조(禽鳥)(9) 수축(獸畜)(4) 인개(鱗介)(1) 곤충(昆蟲)(9) 신체(身體)(15) 천륜(天倫)(11) 유학(儒學)(1) 서식(書式)(1)
인류(人類)(8) 궁택(宮宅)(5) 관아(官衙)(3) 기명(器皿)(25) 식찬(食饌)(1) 복식(服飾)(6) 주선(舟船)(1) 거여(車輿)(2) 안구(鞍具)(4) 군장(軍裝)(2) 채색(彩色)(0) 포백(布帛)(5) 금보(金寶)(1) 음악(音樂)(0) 질병(疾病)(11) 상장(喪葬)(0)
잡어(雜語)(11)

『훈몽자회』에서 접미사 '-자(子)'는 주로 명사의 접미사로 사용되었다. 동사의 접미사로 사용된 예는 하나뿐이다. 『훈몽자회』의 잡어(雜語)에 "사(要)

는 세속에서는 행방(行房)이라고 부른다. 또한 사자(耍子)라고 부른다.(耍, 俗謂行房. 亦曰耍子.)"라는 구절이 있다. 『한어대사전(漢語大詞典)』2.0판에는 '사자(耍子)'라고 수록되어 있는데,[29] 의미를 해석하는 부분에서 '행방(行房)(남녀의 성교를 지칭)'이라는 의항이 없다. 그러므로 『한어대사전』의 '사자(耍子)'라는 단어의 항목 아래에 이 의항을 보충해야 할 것이다. '-자(子)'가 명사 접미사로 사용된 예는 아래와 같다.

전(甸): 세속에서는 야전자(野甸子)라고 부른다. 길이가 십리가 되는 것이 전(甸)이다.(甸, 俗稱野甸子. 又規方十裡爲甸.)

연(蓮): 연꽃을 말한다. 또 연자(蓮子)라고 말하고, 연봉(蓮蓬)과 연방(蓮房)이라고도 부른다.(蓮, 芙蕖實也. 又曰蓮子, 曰蓮蓬、蓮房.)

호(瓠): 또 호자(瓠子)라고 하는데, 월과[菜瓜]와 비슷하게 생겼고, 맛이 달다.(瓠, 又瓠子. 形如菜瓜, 味甘.)

송(松): 세속에서는 유송(油松)이라고 부른다. 또 잣나무[果松]를 일러 자(子)라고 부른다. 송자(松子)라고 부른다.(松, 俗呼油松. 又呼果松呼子. 曰松子.)

추(楸): 그 열매를 산핵도(山核桃)라고 부른다. 또 호두나무의 열매를 핵도(核桃)라고 부른다.(楸, 實曰山核桃. 又唐楸子曰核桃.)

률(栗): 세속에서는 률자(栗子)라고 부른다.(栗, 俗呼栗子.)

B. -아(兒)

'-아(兒)'는 『훈몽자회』에서 '-자(子)' 다음으로 사용빈도가 높은데, 13개의 글자류에서 나타난다. 그중에서 기명(器皿)류에 가장 많이 보이고, 잡어(雜

---

29) 『漢語大詞典』2.0전자판의 사자(耍子)의 의항은 다음과 같다.
  1. 玩耍. 元無名氏『陳州糶米』第三折: "這幾日只是吃酒耍子." 明湯顯祖『南柯記·俠概』: "空庭寂靜, 好是無聊. 山鷗兒揚州有什麼會耍子的人麼?" 『兒女英雄傳』第一回: "但見院子裡一班魁課的孩子正在那裡捉迷藏耍子." 葉紫『校長先生』: "要不是孩子們忍不住自動地去敲鐘耍子, 恐怕他還以爲自家是坐在南陽橋的一家小酒店裡呢."
  2. 遊賞. 元無名氏『醉寫赤壁賦』第三折: "正末云: '趁此景物, 正好追歡遊賞也.' 梢公云: '佛印言的是. 我也要耍子哩.'" 『二刻拍案驚奇』卷二三: "好人家女眷出外稀少, 到得時節, 頭邊看見春光明媚, 巴不得尋個事由來外邊散心耍子."
  3. 開玩笑. 元關漢卿『裴度還帶』第二折: "哄你耍子哩." 『西遊記』第十五回: "那老者道: 師父休怪, 我老漢作笑耍子, 誰知你高徒認真."

語)류가 그 다음을 차지하며, 곤충(昆蟲)류가 세 번째를 차지한다. 그리고 지리(地理), 화품(花品), 초훼(草卉), 수목(樹木), 화곡(禾穀), 소채(蔬菜), 인개(鱗介), 유학(儒學), 서식(書式), 인류(人類), 궁댁(宮宅), 관아(官衙), 주선(舟船), 거여(車輿), 채색(彩色), 포백(布帛), 음악(音樂), 질병(疾病), 상장(喪葬)과 같은 19종의 해석에서는 '-아(兒)'가 보이지 않는다.

접미사 '아(兒)'의 출현 빈도표

천문(天文)(1) 지리(地理)(0) 화품(花品)(0) 초훼(草卉)(0) 수목(樹木)(0) 과실(果實)(5) 화곡(禾穀)(0) 소채(蔬菜)(0) 금조(禽鳥)(4) 수축(獸畜)(3) 인개(鱗介)(0) 곤충(昆蟲)(7) 신체(身體)(4) 천륜(天倫)(6) 유학(儒學)(0) 서식(書式)(0)
인류(人類)(0) 궁댁(宮宅)(0) 관아(官衙)(0) 기명(器皿)(13) 식찬(食饌)(1) 복식(服飾)(8) 주선(舟船)(0) 거여(車輿)(0) 안구(鞍具)(2) 군장(軍裝)(1) 채색(彩色)(0) 포백(布帛)(0) 금보(金寶)(1) 음악(音樂)(0) 질병(疾病)(0) 상장(喪葬)(0)
잡어(雜語)(11)

'-아(兒)'는 주로 명사의 어근 뒤에 부착된다. 아래에 예를 보자.

파(波): 세속에서는 파랑아(波浪兒)라고 부른다.(波, 俗稱波浪兒)
리(李): 세속에서는 리아(李兒)라고 부른다.(李, 俗呼李兒)
도(桃): 세속에서는 도아(桃兒)라고 부른다.(桃, 俗呼桃兒)
리(梨): 세속에서는 리아(梨兒)라고 부른다.(梨, 俗呼梨兒)
행(杏): 세속에서는 행아(杏兒)라고 부른다. 또 은행(銀杏)을 백과(白果)라고 부르기도 한다. 또 압각(鴨腳)이라고 부른다.(杏, 俗呼杏兒. 又呼銀杏曰白果. 又曰鴨腳.)
구(梂): 세속에서는 조두(皂斗)라고 부른다. 상완아(橡捥兒)라고 부르기도 하고, 상두(橡斗)라고 부르기도 한다.(梂, 俗呼皂斗. 又橡捥兒. 又曰橡斗.)

C. -두(頭)
'-두(頭)'는 사용빈도가 '-아(兒)'의 다음으로, 총 12개의 글자류에서 나타난다. 그중에서 기명(器皿)류에서 가장 많이 나타나며, 복식(服飾)류가 그 다음을 차지하며, 관아(官衙)류가 세 번째에 해당된다. 지리(地理), 화품(花品), 초훼(草卉), 수목(樹木), 화곡(禾穀), 금조(禽鳥), 수축(獸畜), 인개(鱗介), 곤충(昆蟲), 천륜(天倫), 유학(儒學), 서식(書式), 인류(人類), 궁댁(宮宅), 주선(舟船), 거여(車輿), 채색(彩色), 포백(布帛), 음악(音樂), 질병(疾病), 상장(喪葬)과 같은 21종의 해석에서는 보이지 않는다.

접미사 '두(頭)'의 출현 빈도표

천문(天文)(3) 지리(地理)(0) 화품(花品)(0) 초훼(草卉)(0) 수목(樹木)(0) 과실(果實)(1) 화곡(禾穀)(0) 소채(蔬菜)(1) 금조(禽鳥)(0) 수축(獸畜)(0) 인개(鱗介)(0) 곤충(昆蟲)(0) 신체(身體)(1) 천륜(天倫)(0) 유학(儒學)(0) 서식(書式)(0)
인류(人類)(0) 궁댁(宮宅)(0) 관아(官衙)(4) 기명(器皿)(5) 식찬(食饌)(2) 복식(服飾)(4) 주선(舟船)(0) 거여(車輿)(0) 안구(鞍具)(3) 군장(軍裝)(2) 채색(彩色)(0) 포백(布帛)(0) 금보(金寶)(1) 음악(音樂)(0) 질병(疾病)(0) 상장(喪葬)(0)
잡어(雜語)(1)

'-두(頭)'는 주로 단음절어의 어근 뒤에 부착되어 명사화를 시킨다. 아래에 예를 보자.

회(晦): 세속에서는 월진(月盡)이라고 부른다. 진두(盡頭)라고도 하고, 또 대진(大盡)과 소진(小盡)이라고도 한다.(晦, 俗稱月盡. 又盡頭. 又大盡、小盡)

암(岩): 세속에서는 암두(岩頭)라고 부른다. 또 석락(石硌)이라고도 한다.(岩, 俗稱岩頭. 又曰石硌.)

도(濤): 큰 물결이다. 또 조수[潮頭]를 말한다.(濤, 大波. 又潮頭)

검(炗): 세속에서는 계두(雞頭)라고 부른다.(炗, 俗呼雞頭)

우(芌): 세속에서는 우두(芌頭)라고 부른다. 또 우이(芌嬭)를 말한다. 【·알】세속에서는 우(芋)라고 쓴다.(芌, 俗稱芌頭. 又芌嬭【·알】俗作芋.)

우(膅): 견두(肩頭)라고도 부르고, 견골(肩骨)이라고도 부른다.(膅, 一云肩頭. 或云肩骨.)

D. -가(家)

'-가(家)'는 10개의 용례가 보인다. 천륜(天倫)류에 3개, 인류(人類)류에 2

개가 있다. 그밖에 5개의 예는 차례대로 궁댁(宮宅), 관아(官衙), 기명(器皿), 식찬(食饌), 복식(服飾), 음악(音樂)류에서 각각 보인다. '-가(家)'는 일음절어의 어근 뒤에 부착되어 명사화를 시킨다.

> 친(親): 부모를 역시 친(親)이라고 부른다. 또 혼인하여 서로의 집을 친가(親家)라고 부른다. 거성(去聲)이다.(親, 父母亦曰親. 又婚姻家相謂曰親家. 去聲.)
>
> 혼(婚): 처가를 말한다. 또 아내의 아버지를 혼(婚)이라고 부른다. 아내는 음이고, 혼(昏)시가 되어서 아내를 맞이하기에, 혼(婚)이라고 부른다.(婚, 婦家. 又婦之父曰婚. 以婦陰也, 娶以昏, 故曰婚.)
>
> 인(姻): 사위의 아버지를 인(姻)이라고 부른다. 아내는 남자로 인해서 이루어지는 것이므로, 인(姻)이라 부른다.(姻, 壻家父曰姻. 以婦因人而成, 故曰姻.)
>
> 염(染): 세속에서는 염가(染家)라고 부른다.(染, 俗稱染家.)
>
> 고(賈): 앉아서 장사하는 것을 고(賈)라고 부른다. 세속에서는 포가(鋪家), 포호(鋪戶), 행가(行家)라고 부른다.(賈, 坐者曰賈. 俗稱鋪家、鋪戶、行家.)
>
> 가(家): 세속에서는 가당(家當)이라고 부른다. 스스로를 한가(寒家)나 한거(寒居)라고 칭할 수 있다.(家, 俗呼家當. 自稱寒家、寒居.)

E. -사(師)

'사(師)'가 접미사로 사용된 경우는 4개이다. 곤충(昆蟲), 천륜(天倫), 인류(人類), 잡어(雜語)류에 사용되었다. 주로 1음절어의 어근 뒤에 부착되어 명사화를 시킨다.

> 활동(蛞蟲): 활사(活師)라고도 부른다.(蛞蟲, 一名活師.)
>
> 모(姆): 여사(女師)를 말한다. 백부의 아내를 또 모모(姆姆)라고도 부른다.(姆, 女師. 又伯父之妻亦曰姆姆.)
>
> 주(呪): 세속에서는 법사(法師)라고 부른다.(呪, 俗呼法師.)
>
> 초(梢): 나뭇가지의 끝을 말한다. 또 세속에서는 배의 뱃사공[篙師]을 초자(梢子)라고 부른다.(梢, 枝末. 又俗謂船上篙師曰梢子.)

F. -적(的)

'-적(的)'이 접미사로 사용된 경우는 7개이다. 인류(人類)류에 5개, 잡어(雜

語)와 신체(身體)류에 각각 1개가 있다. 주로 2음절어의 어근 뒤에 부착되어 명사화를 시킨다.

기(妓): 세속에서는 악기를 다루는 기녀를 탄적(彈的)이라고 부른다.(妓, 俗呼作樂之妓曰彈的.)

우(優): 세속에서는 파희적(把戲的)이라고 부른다. 또 잡극(雜劇)이라고도 부른다. 편안하고 한가롭게 잘 지낸다[優逌는 뜻과 우열(優劣)의 뜻을 가지고 있다.(優, 俗呼把戲的. 又曰雜劇. 又優遊、優劣.)

복(卜): 세속에서는 과명적(課命的), 산괘적(算卦的), 산명적(算命的)이라고 부른다.(卜, 俗呼課命的、算卦的、算命的.)

공(工): 세속에서는 작공적(作工的)이라고 부른다. 공교하다는 뜻도 있다.(工, 俗稱作工的. 又巧也.)

고(瞽): 세속에서는 몰안적(沒眼的)이라고 부른다.(瞽, 俗呼沒眼的.)

외(聵): 세속에서는 이롱적(耳聾的)이라고 부른다.(聵, 俗稱耳聾的.)

포(鮑): 세속에서는 포아적(鮑牙的)이라고 부른다.(鮑, 俗呼鮑牙的.)

G. -료(了)

'-료(了)'가 접미사로 사용된 경우는 5개이다. 잡어(雜語)류에 3개, 천륜(天倫), 질병(疾病)류에 각각 1개가 있다. '-료(了)'는 대부분 일음절어의 어근에 부착되어, 이음절 동사를 구성한다.

문(璺): 그릇이 갈라졌지만 떨어지지는 않은 것을 말한다. 세속에서는 문료(璺了)라고 말한다.(璺, 器破未離. 俗稱璺了.)

탄(綻): 꿰맨 곳이 풀어진 것을 말한다. 세속에서는 탄료(綻了)라고 말한다.(綻, 縫解. 俗稱綻了.)

퇴(褪): 세속에서는 의퇴료(衣褪了)라고 말한다.(褪, 俗稱衣褪了.)

종(腫): 세속에서는 종료(腫了)라고 말한다.(腫, 俗稱腫了.)

기(氣): 화가 나지만 발설하지 못하는 것을 기료(氣了)라고 말한다. 또 화가 나지만 화를 내지 않는 것을 말한다. 분(忿)은 분(分)이라고 쓰기도 한다.(氣, 又憤不泄曰氣了. 又氣不忿了, 忿或作分.)

상술한 특징들은 모두 최세진이 『훈몽자회』를 편찬한 목적과 관련이 있다. 즉 "만약 아이들에게 글을 가르치고 글자를 알게 하기 위해서는 먼저 사물을 기억하게 해야 합니다. 이에 관계되는 글자들을 그들이 보고 듣는 형체와 이름의 실상과 부합시켜야 합니다.(若使童稚學書知字, 則宜先記識事物. 該紐之字, 以符見聞形名之實.)"[30] 『훈몽자회』에서 사용한 명사 접미사는 동사 접미사보다 많다. 명사 접미사로는 '로(老)-', '-자(子)', '-아(兒)', '-두(頭)', '-가(家)', '-사(師)', '-적(的)'이 있고, 동사 접미사로는 '-타(打)', '-료(了)'가 있다. 『훈몽자회』에서 선택한 한자는 일상생활에서 사용하는 상용명사들이 많은데, 천문지리(天文地理), 유학인륜(儒學人倫), 신체복식(身體服飾) 등 사회생활의 각 영역이 다 포괄되어 있어, 그 내용이 상당히 풍부하다. 『훈몽자회』에서 문어와 백화의 교체를 상징하는 중국어의 접사는 명대(明代)의 접사가 조선에서 어떻게 사용되는지를 반영하고 있다. 그러므로 『훈몽자회』에 사용된 중국어 접사종류를 통해, 조선시대의 몽구(蒙求)자전에서의 중국어 접사의 사용현황 및 조선시대 사람들의 중국어 구어 어휘를 학습하는 상황을 이해할 수 있다.

(2) 『훈몽자회』에 수록된 중국어 접사의 특징

『훈몽자회』에서 사용된 중국어의 접사는 동아시아에서 중국어의 어휘가 어떻게 사용되는지를 알게 해주는 자료이다. 『훈몽자회』를 통해, 우리는 명대(明代)의 한자와 중국어 어휘가 동아시아로 확장된 상황은 물론이거니와 그 당시 명나라와 조선의 언어 및 문화적 교류의 특징을 이해할 수 있다. 아래는 『훈몽자회』의 중국어 해석에서 사용된 접사의 유형을 분석하여 그 특징을 정리해보았다.

① 접미사의 종류가 접두사보다 많다.
접두사는 '로(老)-'와 '타(打)-'로 2개뿐이지만, 접미사는 '-자(子)', '-아(兒)', '-두(頭)', '-가(家)', '-사(師)', '-적(的)', '-료(了)'로 7개가 있다.

---

30) [중국]王平, [한국]河永三, 『域外漢字傳播書系·韓國卷』의 『蒙求字書整理與研究』(上海: 上海人民出版社, 2012), 11쪽.

② 접미사 '-자(子)'의 사용빈도가 가장 높다.

접미사 '-자(子)'는 『훈몽자회』에서 29개의 글자류에서 나타나, 사용빈도가 가장 높으며, 단어를 구성하는 것도 자유롭다. 세 가지 유형으로 나타날 수 있는데 아래와 같다.

a. 올림자의 어근에 '자(子)'를 첨가하여 이음절을 만든 경우

'전(甸)/전자(甸子)', '각(脚)/각자(脚子)', '필(筆)/필자(筆子)', '불(佛)/불자(佛子)', '몽(蒙)/몽자(蒙子)', '왜(倭)/왜자(倭子)'

b. 올림자가 어근이며, 2음절어로 확장시키고 나서 다시 '자(子)'를 첨가한 경우

'비(篦)/희비자(稀篦子)/밀비자(密篦子)', '피(鞁)/피안자(鞁鞍子)', '방(肨)/방한자(肨漢子)', '전(甸)/야전자(野甸子)', '댁(宅)/대댁자(大宅子)', '라(螺)/수라자(水螺子)' '압(鴨)/소압자(梳鴨子)', '맥(貉)/수맥자(睡貉子)'

c. '자(子)'로 구성된 2음절어나 3음절어로 올림자를 해석한 경우

'부(父)/로자(老子)', '첩(妾)/낭자(娘子)', '전(鸇)/황전자(黃鸇子)', '와(蝸)/초라자(草螺子)', '차(鱃)/조비자(糟鼻子)', '옹(魖)/랑비자(狼鼻子)'

③ 일상생활과 밀접한 관계가 있는 글자류의 단어에 접사화 정도가 높다.

『훈몽자회』의 상권 및 하권의 32개 분류에서 기명(器皿)의 글자류에서 사용한 중국어의 접사가 가장 많고, 신체의 글자류에 사용된 경우가 그 다음을 차지한다. 이러한 언어현상은 두 개의 문제를 설명한다. 첫째, 접사와 사용빈도가 관련이 있다. 일상생활 및 자신과 밀접한 관련이 있는 어휘는 사용빈도가 높기 때문에, 접사화 정도도 높다. 지리(地理), 채색(彩色), 음악(音樂), 상장(喪葬) 등의 글자류에서 접사가 사용되지 않은 것은 당시의 일상

생활에서 기명(器皿)과 신체(身體)의 글자류보다 사용빈도가 낮다는 것을 설명하고 있다. 둘째, 접사는 구어와 관련이 있다. 일음절 어휘의 구어화는 접사가 광범위하게 사용되면서 드러나는데, 접사로 구성된 단어는 구어나 방언적 색채가 들어있다.

④ 접사어는 속호(俗呼), 속칭(俗稱), 우호(又呼)를 사용해서 많이 해석되었다.

『훈몽자회』에서 접사어는 편찬자가 속호(俗呼), 속칭(俗稱), 우호(又呼) 등을 사용하여 해석하였다. 접사어는 당시 중국인의 구어나 방언인 경우가 많다. 조선시대의 학자들은 구어 어휘의 중요성을 알고 있었지만, 표준어와 속어의 개념이 상당히 명확했기 때문에, 경전이나 문헌에 사용하는 단어들은 표준적이어야 하고, 구어에 사용하는 단어들은 통속적이어야 했다. 그래도 "주석에서 '속(俗)'이라고 칭한 것은 중국인의 말을 의미한다. 일반 사람이나 중국어를 배우는 사람들이 사용해서 알게끔 하였다."[31] 실용이 목적인 중국어 접사가 조선으로 들어가, 학자들이 표준적인 것과 통속적인 것을 융합하고 나서, 조선의 언어와 문화에 스며들게 되었다.

명대(明代)는 근대 중국어가 발전한 중요한 역사적 단계이자, 한자 문화권에 속하는 각국으로 중국어가 확장되는 시기이기도 하다. 장소우(蔣紹愚)는 『근대 중국어 연구개요[近代漢語研究槪要]』에서 근대 중국어의 문법과 어휘에 관한 연구 자료를 분석하고, 근대중국어 자료를 다음과 같이 세 가지 유형으로 귀납하였다.

> 첫째, 돈황 변문 및 이를 기초로 하여 발전한 소설과 희곡 등과 같이 백화로 써진 문학작품.
> 둘째, 선종(禪宗) 어록과 같이 특정한 목적을 가지고 구어로 써진 실록(實錄).
> 셋째, 시(詩), 사(詞), 곡(曲)에서 쓰인 구어적 어구 등과 같이 문언작품에서 보이는 백화자료.[32]

---

31) 金基石,「崔世珍與韓國李朝時期的語文教育」,『漢語學習』第4輯(2006), 11쪽.
32) [중국]王平, [한국]河永三,『域外漢字傳播書系・韓國卷』의『蒙求字書整理與研究』(上海: 上海人民出版社, 2012), 15쪽.

서시의(徐時儀)는『근대 중국어 어휘학[近代漢語詞彙學]』에서 "근대 중국어 어휘학을 연구하려면, 중국의 백화문헌을 살펴봐야 하고, 또한 중국 이외의 국가에서 소장하고 있는 중국문헌의 백화자료들도 충분히 이용해야 한다. 중국문헌이라 함은 주로 동아시아에 있는 중국의 고서적 및 그 나라 사람들이 편찬한 한자 문헌을 나타낸다."라고 강조하였다.[33] 이를 통해, 학자들의 근대 중국어에 대한 연구 시야나 자료들이 중국에서부터 동아시아의 국가로 확장되었다는 것을 알 수 있다. 조선시대의 학자들이 중국어 또는 한글과 중국어의 두 언어로 편찬한 자전(字典), 사서(詞書), 운서(韻書) 등은 자체적으로 규범성과 체계성을 갖추고 있기 때문에, 그 독특한 형식으로 서로 다른 시기의 중국어 자료들이 대량으로 남겨져 있다. 이 자료들을 중국의『설문』,『이아』,『석명(釋名)』,『송본옥편』,『자휘(字彙)』,『강희자전』등의 저서와 동일시할 수는 없지만, 이들은 확실히 한자와 중국어의 동아시아 확장을 이해할 수 있는 중요한 창구가 될 수 있다. 이러한 창구를 통해, "우리는 조선시대의 정신적 면모와 문화적 특징을 이해할 수 있다." 조선시대의 대표적인 몽구(蒙求)자전인『훈몽자회』는 미래의 우수한 공구서와 비교해서, 내용면에선 가벼울 수 있어도, 근대 사회 생활을 반영하는 글자와 단어들의 영역에서는 더욱 진실 되고 구체적이다.

『훈몽자회』에 남겨진 근대 중국어 구어의 모습은 중국어 공구서의 편찬에도 중요한 가치가 있다.『한어대사전』(이하『대사전』이라 줄여서 말한다.)2.0판은 중국사전의 최신 성과를 반영하고 있다.『대사전』은 기원을 중요하게 여겨, 고대와 현대의 글자를 같이 수록하였다. 총 수록한자가 20,902자이고, 중복단어 343,307조, 성어 23,649조, 의미해석 515,524항, 새로 첨가한 예문 877,130조가 있다.[34] 그런데 이와 같다 해도, 일부 구어의 단어와 접사어가 빠져 있는 것을 발견했다. 예를 보자.

『훈몽자회・금조(禽鳥)』: 할미새[鶺]는 세속에서는 척령조(鶺鴒鳥)라고 부른다. 또 수불랄(水不剌)이라고 부르고, 설고아(雪姑兒)라고도 부른다.(鶺, 俗呼鶺鴒鳥. 又呼水不剌. 又呼雪姑兒)

---

33) [중국]王平, [한국]河永三,『域外漢字傳播書系・韓國卷』의『蒙求字書整理與研究』(上海: 上海人民出版社, 2012), 69쪽.
34) 상동.

『대사전』: 령(鴒)은 령(鴒)의 번체자이다. 새의 명칭으로, 척령(鶺鴒)이라고 부른다. 『북제서(北齊書)·이회전(李繪傳)』에서는 "할미새[鴒]는 6개의 날개 죽지가 있어, 날게 되면 바로 하늘로 솟구친다."라는 구절이 있다.(鴒, 鴒的繁體字. 鳥名. 鶺鴒. 『北齊書·李繪傳』: "鴒有六翮, 飛則沖天.")

『대사전』의 이 항목에 이 새의 다른 명칭인 '척령조(鶺鴒鳥)', '수불랄(水不剌)', '설고아(雪姑兒)'를 보충해야 한다.

『훈몽자회·금조(禽鳥)』: 구(鷗)는 세속에서는 강응(江鷹)이라고 부른다. 또 해묘아(海貓兒)라고 부르고, 강구(江鷗)라고도 부른다.(鷗, 俗呼江鷹. 又呼海貓兒. 又呼江鷗.)

『대사전』: 구(鷗)는 물새의 명칭이다.……『후한서(後漢書)·마융전(馬融傳)』에서는 "물새로는 홍곡(鴻鵠), 원앙(鴛鴦), 구(鷗), 예(鷖), 창괄(鶬鴰)이 있다."라고 했다. 이를 이현(李賢)은 "구(鷗)는 백구(白鷗)를 말한다."라고 주석했다. 명(明)나라의 이시진(李時珍)은 『본초강목(本草綱目)·금일(禽一)·구(鷗)』에서 "구(鷗)라는 것은 물에 뜰 수 있는데, 갈매기[漚]와 같이 가볍게 뜰 수 있다.……바다에 사는 것을 해구(海鷗)라 부르고, 강에 사는 것을 강구(江鷗)라고 부른다."라고 했다.(鷗, 水鳥名.……『後漢書·馬融傳』: "水禽鴻鵠, 鴛鴦、鷗、鷖, 鶬鴰." 李賢注: "鷗, 白鷗也." 明李時珍『本草綱目·禽一·鷗』: "鷗者浮水上, 輕漾如漚也……在海者名海鷗, 在江者名江鷗.")

『대사전』의 이 항목에 이 새의 다른 명칭인 '강응(江鷹)', '해묘아(海貓兒)'를 보충해야 한다.

『훈몽자회·금조(禽鳥)』: 꾀꼬리[鶊]는 세속에서는 또 규천아(叫天兒)라고 부른다. 혹 마작(麻雀)이라고도 부르는데, 『시경』에서는 창경(鶬鶊)이라고 하였다.(鶊, 俗又呼叫天兒. 或呼麻雀, 『詩』鶬鶊.)

『대사전』: 경(鶊)은 창경(鶬鶊)을 말한다.(鶊, 鶬鶊.)

『대사전』의 이 항목에 이 새의 다른 명칭인 '규천아(叫天兒)'를 보충해야 한다.

『훈몽자회』에 수록된 접사는 중국어가 동아시아에서 발전한 특징과 규칙을 나타내는데, 일음절어에서 접사를 첨가한 방식으로 이음절이나 다음절을 구성하는 것은 근대 중국어 접사의 발전과 동아시아에서 중국어와 한자의 확장사를 연구할 때 귀중한 자료가 된다.

3. 『자류주석』에 수록된 중국의 악기 명칭 고찰

일본학자 하야시 켄조(林謙三)는 "인도 및 남해(南海)를 바깥으로 둘러싸고 있는 동아시아와 서아시아는 악기의 보물창고이다. 여기에서는 오늘날 전 세계 모든 종류의 다양한 형태로 만든 악기의 표본과 그 과거의 형태를 볼 수 있다. 그리고 악기가 만들어지고 난 이래로 지금까지의 여러 단계의 발전과 변화를 알 수 있거나 혹은 그와 반대로 쇠퇴와 소멸하는 과정을 알 수 있다. 이로써 악기를 도구로 삼는 음악이 인류의 지혜가 발전하는 단계에서 인간에게 얼마나 중요한 가치를 지니는지 이해할 수 있으며, 문화 교류에 수반되는 여러 가지 의미심장한 구체적인 사례들도 악기를 통해 관찰할 수 있다."라고 제시하였는데,35) 조선시대의 『자류주석』이 딱 이에 해당된다.

1856년에 출판된 『자류주석』은 한국의 역사상 최초로 의미를 가지고 종류를 분류한 자전이다. 모범적이고 체계적이며, 주도면밀하고 실용적인 등 과학적인 속성을 두루 다 갖추고 있기에, 『자류주석』에 있는 정보는 우리가 한자문화의 확장을 연구할 때 참고하는 중요한 문헌자료이다. 『자류주석·음악류(音樂類)』(이하 「음악류」라고 줄여서 말한다.)에서 수록된 한자는 모두 146개로, 악기(樂器), 악곡(樂曲), 음악의 종류, 악장(樂章), 음악가, 악무(樂舞) 등의 내용을 포함하고 있으며, 40여종의 중국의 전통악기의 명칭이 언급되어 있어, 고대의 한·중 음악의 교류사라고 일컬을 만하다. 아래에는 『자류주석』 데이터베이스를 기반으로 하여36), 『설문』, 『송본옥편』, 『강희자전』, 『한어대사전』과 같은 대표적인 공구서를 기준으로, 『자류주석』에 수록된 악기 명칭 및 그 분류의 특징을 고찰하였으며, 한문자전의 관점에서 중국의 전통

---

35) [일본]林謙三著, 錢稻孫譯, 『東亞樂器考』(上海書店出版社, 2013), 1쪽.
36) 王平 等, 『朝鮮時代經典字書數據庫』(2015).

적인 음악문화 및 한자문화가 한국에 어떤 영향을 미쳤는지 탐구하고 토론하고자 한다.

중국은 예로부터 기악(器樂)예술을 숭상하여, 악기의 종류가 매우 풍부하다. 선진(先秦)시기의 악기도 문헌에서 70종에 가깝게 기록되어 있다. 『시경』에서 언급한 악기의 종류만 해도 26종이나 있다.37) 악기의 종류가 끊임없이 늘어나, 주(周)나라 때에 사람들은 제작한 악기의 재료에 따라 금속[金], 돌[石], 흙[土], 가죽[革], 현(絲), 나무[木], 박[匏], 대나무[竹] 8종류로 나누고, '팔음(八音)' 분류법이라고 불렀다. 이는 중국의 역사상 최초로 과학적으로 악기를 분류한 것이었다. 주(周)나라 말기에서부터 청(淸)나라 초기까지 3천여 년 동안, 중국은 계속해서 '팔음(八音)' 분류법을 사용하였다. 아래에는 '팔음' 분류법에 따라 「음악류」에 수록된 악기의 명칭을 귀납하고 고증하였다.

(1) 금속[金] 악기

금속을 주된 재료로 제작한 악기. 「음악류」에 수록된 금속으로 만든 악기로는 종(鐘), 휴(鑴), 박(鎛), 횡(鐄), 용(鏞), 우(釪), 거(鐻) 등이 있다.

① 종(鐘)

종(鐘): 매다는 악기이다. 오행에서 금(金)에 해당하는 음이다. 음률의 이름이다. 네 가지 종을 말한다. 수(垂)가 종(鐘)을 만들었다. 산 이름이다.(鐘. 懸樂. 金音. 律名, 四鐘. 垂作鐘, 山名.)

종(鍾): 종(鐘)과 통한다. 모이다[聚]. 또 술병을 말하며, 호(壺)에 속한다. 되의 명칭으로, 팔곡(八斛)을 말한다. 거문고의 명칭으로, 체종(遞鍾)이다. 당하다[當]. 무겁다[重]. 성(姓)을 나타낸다.(鍾, 鐘通. 聚也. 又酒器, 壺屬. 量名, 八斛. 琴名, 遞鍾. 當也, 重也, 姓也.)

종(鐘)은 청동으로 제작한 전통악기로써, 제사와 국빈을 대접하는 잔치

37) 寧勝克, 『『詩經』中26種樂器的文化解讀』(江西社會科學出版社, 2007), 184쪽.

에 주로 사용되었으며, 전쟁 때에도 전진과 후퇴를 지휘하는데 사용되었다. 종(鐘)은 종(鍾)과 종(鏦)으로도 썼다.

『설문』에서는 "종(鐘)은 악기이다. 추분(秋分)의 음으로, 벼가 익을 때를 말한다. 금(金)이 의미부이고, 동(童)이 소리부이다. 고대에 수(垂)가 종(鐘)을 만들었다.(鐘, 樂鐘也. 秋分之音, 物種成. 從金童聲. 古者垂作鐘.)"라고 했다.

『송본옥편』에서는 "종(鐘)은 직(職)과 용(容)의 반절로, 악기이다.(鐘, 職容切. 樂器也.)"라고 하였다.

② 휴(鐫)

> 휴(鐫): 큰 종(鐘)을 말한다. 또 솥에 속한다. 큰 동이[甕]를 말한다. 또 햇무리를 뜻하기도 한다.(鐫, 大鐘. 又鼎屬, 甕也. 又曰旁氣也.)

휴(鐫)는 고대 중국에서 연주하던 악기의 명칭으로, 종(鐘)에 속한다.

『설문』에서는 "휴(鐫)는 당(甕)을 말한다. 금(金)이 의미부이고, 휴(巂)가 소리부이다. 당(甕)은 큰 동이를 뜻하는데, 와(瓦)가 의미부이고 상(尚)이 소리부이다.(鐫, 甕也. 從金巂聲. 大盆也. 從瓦尚聲.)"라고 했다.

『송본옥편』에서는 "휴(鐫)는 호(呼)와 규(規), 호(胡)와 규(圭)의 반절이다. 큰 솥[大鑊]을 말한다. 감(鑑)과 같다.(鐫, 呼規、胡圭二切. 大鑊也. 鑑, 同上.)"라고 했다.

『설문』과 『송본옥편』에는 "휴(鐫)는 큰 종(鐘)을 말한다.(鐫, 大鐘)"라는 의항이 없다.

『강희자전』에서는 "『광운(廣韻)』에서는 "큰 종(鍾)을 말한다."라고 했고, 『집운(集韻)』에서는 "솥에 속한다. 또한 햇무리를 말한다."라고 했다.(『廣韻』大鍾. 『集韻』鼎屬. 一曰日旁氣.)"라는 구절이 있는데, 이는 『자류주석』에서 "또 햇무리를 뜻한다.(又曰旁氣也.)"라고 한 부분이다.

③ 박(鎛)

> 박(鎛): 큰 종(鐘)을 말한다. 종(鐘)과 경쇠[磬]에 대응함으로써, 음악의 박자를 맞추었다. 또 12시진 때 울리는 요령을 말한다. 또 밭에 쓰는 도구로써, 호미

[鋤]를 말한다.(鎛, 大鐘, 以應鐘磬, 樂以爲節. 又十二辰, 鈴鐘. 又田器, 鋤類.)

박(鎛)은 고대 중국에서 연주하던 악기의 명칭으로, 종(鐘)에 속한다.

『설문』에서는 "박(鎛)은 큰 종(鐘)을 말한다. 순어(淳於)에 속하므로, 종(鐘)과 경쇠[磬]에 대응한다. 두 개의 쇠로 틀을 만들고, 박(鎛)을 치면서 거기에 응한다.(鎛, 大鐘, 淳於之屬, 所以應鐘磬也. 堵以二金, 樂則鼓鎛應之.)"라고 했다.

『송본옥편』에서는 "박(鎛)은 방(旁)과 각(各)의 반절이다. 종(鐘)과 비슷하지만 더 크고, 사계절의 소리를 나타낸다. 또 보(補)와 각(各)의 반절이다.(鎛, 旁各切. 似鐘而大, 四時之聲也. 又補各切.)"라고 했다.

『강희자전』에서는 다음과 같이 설명했다. "『광운(廣韻)』에서는 '종(鐘)과 비슷하지만 더 크다.'라고 했으며, 『집운(集韻)』에서는 '또 12시진 때 울리는 요령을 말한다.(十二辰頭鈴鐘也.)'라고 했다. 『의례(儀禮)·대사의(大射儀)』에서는 '생황[笙]과 경쇠[磬]를 서쪽으로 향하게 하고, 그 남쪽에 생황[笙]과 종(鍾)을, 그 남쪽에 박(鎛)을 두었으니, 모두 남쪽에 진설하였다.'라고 했는데, 정현(鄭玄)은 '박(鎛)은 종(鍾)과 같지만 더 크다. 음악을 연주할 때 박(鎛)을 치면서 박자를 맞추었다. 또 밭에서 사용하는 도구이다. 박(鎛)과 같다.'라고 주석했다. 『석명(釋名)』에서는 '박(鎛)은 역시 호미[鋤]의 종류에 해당된다.'고 하였다.'(『廣韻』: 似鐘而大. 『集韻』: 十二辰頭鈴鐘也. 『儀禮·大射儀』: 笙磬西面, 其南笙鍾, 其南鎛, 皆南陳. 鄭玄注: 鎛, 如鍾而大. 奏樂以鼓鎛爲節. 又, 田器也. 與鎛同. 『釋名』鎛亦鋤類也.)"

④ 횡(鐄)

횡(鐄): 큰 종(鐘)을 말한다. 쟁횡(鉦鐄)은 소리를 뜻한다. 낫을 의미하기도 한다.(鐄, 大鐘. 鉦鐄, 聲也. 又鎌也.)

횡(鐄)은 고대 중국에서 연주하던 악기의 명칭으로, 종(鐘)에 속한다.

『설문』에는 횡(鐄)자가 수록되어 있지 않다.

『송본옥편』에서는 "횡(鐄)은 호(胡)와 굉(觥)의 반절이다. 종소리를 의미한다. 『광운(廣韻)』에서는 "횡(鐄)은 큰 종(鐘)을 말한다. 또 낫[鎌]을 뜻하기도 한다.(鏄, 胡觥切. 鐘聲.『廣韻』: 鏄, 大鐘也. 又鎌也.)"라고 했다.

⑤ 용(鏞)

용(鏞): 큰 종(鐘)을 말한다. 용(庸)과 통하는데, 혹은 용(鋪)으로 쓰기도 한다.(鏞, 大鐘. 庸通, 或作鋪.)

용(鏞)은 고대 중국에서 연주하던 악기의 명칭으로, 종(鐘)에 속하며, 용(鋪)으로 쓰기도 한다.

『설문』에서는 "용(鏞). 큰 종(鐘)을 용(鏞)이라고 부른다. 금(金)이 의미부이고, 용(庸)이 소리부이다.(鏞, 大鐘謂之鏞. 從金庸聲.)"라고 했다.

『송본옥편』에서는 "용(鏞)은 익(弋)과 종(鍾)의 반절이다. 큰 종(鐘)을 말한다. 용(鋪)과 같다.『설문』에서는 종(鐘)과 같다고 했다.(鏞, 弋鍾切. 大鐘也. 鋪, 同上.『說文』與鐘同.)"라고 했다.

『시(詩)·대아(大雅)·영대(靈台)』에는 "종과 경틀에 기둥 나무와 가로 나무가 아래위에 있고, 큰 북과 큰 종이 매어 있네.(虡業維樅, 賁鼓維鏞.)"38)라는 구절이 있는데, 정현(鄭玄)은 "용(鏞)은 큰 종(鐘)을 말한다.(鏞, 大鐘也.)"라고 주석했다.

『강희자전』에는 다음과 같이 설명했다. "용(鏞)은 또 용(庸)으로도 쓴다.『시(詩)·주송(周頌)』에 '큰 종과 북소리 한데 어울리고(庸鼓有斁)'39)라는 구절이 있다. '큰 종(鐘)을 용(庸)이라고 부른다.'라고 주석되어 있다.『광운(廣韻)』에는 '혹 용(鋪)이라고 쓴다.'라고 했다.(鏞又通作庸.『詩·周頌』庸鼓有斁.『傳』大鐘曰庸.『廣韻』或作鋪.)"

⑥ 우(釪)

우(釪): 악기. 종(鐘)과 같다. 고(鼓)와 화합한다. 순우(錞釪)라고도 쓴다. 또 창고 달[鐏]의 의미도 있다. 또 발우(鉢釪)라고 하여 승려들이 사용하는 식기를 의미

---

38) (역주) 김학주 역저,『새로 옮긴 시경』(서울: 동문선, 2010), 727쪽.
39) (역주) 김학주 역저,『새로 옮긴 시경』(서울: 동문선, 2010), 919쪽.

하기도 한다.(釪, 樂器, 如鐘. 和鼓, 錞釪. 又鐏也. 又鉢釪, 僧飯器.)

우(釪)는 고대 중국에서 연주하던 악기의 명칭으로, 종(鐘)과 같다. 순(錞)은 또 돈(鐓)으로 쓰기도 하며, 순우(錞釪)·순어(錞于)라고 쓰기도 한다.

『설문』과 『송본옥편』의 올림자에는 '우(釪)'자가 수록되어 있지 않다.

『강희자전』에는 다음과 같이 설명되어 있다. "우(釪)는 바로 순우(錞釪)를 말하며, 악기의 명칭이다. 종(鐘)과 같은 형상으로, 고(鼓)의 소리와 서로 화합한다. 순우(淳于)라고도 쓰는데, 장우(將于)라고 잘 못 써졌다. 또 『박아(博雅)』에서는 "창고달[鐏]을 말한다."고 하였고, 『양자(揚子)·방언(方言)』에는 "준(鐏)은 우(釪)를 말하는데, 돈(鐓)이라고 하기도 한다."고 하였다. 또 『자휘보(字彙補)』에는 "발우(鉢釪)는 승려들이 사용하는 식기를 의미한다."고 하였다.(釪, 錞釪, 樂器, 形如鐘, 以和鼓. 亦作淳于. 譌作將于. 又『博雅』鐏也. 『揚子·方言』鐏謂之釪, 或謂之鐓. 又『字彙補』鉢釪, 僧家飯器.)"

『주서(周書)·곡사징전(斛斯徵傳)』에는 "또 악기에 순우(錞于)라는 것이 있는데, 근대에는 절대 이러한 것이 없다. 혹 촉(蜀)에서 그것을 얻었다고는 하나 모두 알 수가 없다.(又樂有錞於者, 近代絶無此器, 或有自蜀得之, 皆莫之識.)"라고 하였다.

청(淸)나라 조익(趙翼)의 「서양을 악기를 보며(觀西洋樂器)」라는 시에는 "순우(錞于)는 세차고 편안하고, 구성지며, 나무막대기로 두 번 친다.(錞于丁且寧, 磬折柎復擊.)"과 같은 구절이 있다.

⑦ 거(鐻)

거(鐻): 악기. 종거(鐘鐻)를 말한다. 또 거(簴)와 같다. 종(鍾)과 북[鼓]을 매다는 걸이를 뜻한다. 또 금은식기의 명칭이다.(鐻, 樂器, 鐘鐻. 又仝簴, 鍾鼓之柎. 又金銀器名.)

거(鐻)는 바로 종거(鐘鐻)를 말하며, 종거(鐘虡)라고도 쓴다. 맹수의 형상을 장식한 종을 거는 틀이다.

『설문』의 올림자는 '거(鐻)'자가 수록되어 있지 않다.

『송본옥편』에는 "거(鐻)는 거(渠)와 려(呂)의 반절이다. 그릇의 명칭이다.

(鐻, 渠呂切. 器名也.)"라고 하였다.

『강희자전』에는 다음과 같이 설명하고 있다. "거(鐻)는 종(鍾)과 북[鼓]을 매는 틀을 말한다. 또 『집운(集韻)』, 『정운(正韻)』에서는 "구(求)와 어(於)의 반절로, 독음이 거(渠)이다."라고 했다. 『집운(集韻)』에서는 "금은식기의 명칭이다."라고 했다.(鍾鼓之柎也. 又『集韻』『正韻』求於切, 音渠.『集韻』金銀器名.)"

나무로 만들었는데, 이후에 구리로 만들었다. 『장자(莊子)·달생(達生)』에는 "재경(梓慶)이 나무를 깎아 거(鐻)를 만들었다. 거(鐻)가 만들어지고 나서, 보는 사람은 귀신이 만든 것처럼 여겨 깜짝 놀랐다.(『莊子·達生』梓慶削木爲鐻, 鐻成, 見者驚猶鬼神.)"라는 구절이 있다. 성현영(成玄英)은 "거(鐻)는 악기로써, 협종(夾鍾)같이 생겼다. 거(鐻)를 말할 때, 호랑이의 형상을 닮았다고도 하는데 나무로 만들었다. 교묘하게 새기고 깎아서 사람의 솜씨가 아닌 것처럼 보인다. 보는 사람이 놀라 의심을 하여, 귀신이 만든 것이 아닌가라고 말한다.(鐻者, 樂器, 似夾鍾. 亦言鐻似虎形, 刻木爲之. 彫削巧妙, 不類人工, 見者驚疑, 謂鬼神所作也.)"라고 주석했다.

(2) 돌[石]로 만든 악기

석회석, 응회암, 옥석과 같은 돌을 주된 재료로 만든 악기이다. 「음악류」에 수록된 돌로 만든 악기로는 경(磬)과 효(磬) 등이 있다.

① 경(磬)

경(磬): 돌로 만든 악기이다. 편경(編磬), 특경(特磬), 옥경(玉磬), 석경(石磬), 동생경(東笙磬), 서송경(西頌磬)이 있다. 또 경절(磬折)이라는 의미가 있는데, 경(磬)의 등처럼 허리를 굽혀 하는 절을 말한다. 경(磬)과 통한다. 현경(懸磬)이 있다.(磬, 樂石. 編磬、特磬、玉磬、石磬、東笙磬、西頌磬. 又磬折, 僂折, 如磬背. 磬通. 懸磬.)

경(磬)은 고대 중국에서 연주하던 악기의 이름으로, 곱자처럼 생겼다. 옥이나 돌 또는 금속으로 만들어, 틀에 걸고 쳐서 소리를 낸다.

『설문』에는 "경(磬)은 돌로 만든 악기를 말한다. 석(石)과 성(殸)으로 구성되어 있다. 틀에 매달아 놓은 형상인데, 수(殳)는 그것을 치는 모습이다. 고대에 모구씨(母句氏)가 경(磬)을 만들었다.(磬, 樂石也. 從石、殸. 象縣虡之形. 殳, 擊之也. 古者母句氏作磬.)"라고 했다.

『옥편잔권(玉篇殘卷)』에서는 이렇게 설명했다. "경(磬)은 구(口)와 정(定)의 반절이다. 『고공기(考工記)』에서 '소리를 잘못 내는 부분을 깎아내다(刮臂之聲)'는 뜻이라고 했다. 나(고야왕)의 생각은 이렇다. 돌[石]로 소리 내는 악기를 만든다는 뜻이다. 『상서(尚書)』에서 '사수 가[泗濱]의 부경(浮磬: 물이 뜨는 돌로 만든 경쇠)'라는 말이 있는데 이를 말한다. 『세본(世本)』에는 '모구(毋句)가 경쇠[磬]를 만들었다.'라고 했다. 『예기(禮記)』에서는 '숙지잡경.(叔之雜磬: 숙이 만든 편경)'이라고 했고, 『모시(毛詩)』에서는 '억경강기(抑磬腔忌)'라고 했는데, 『전(傳)』에서는 '말을 달리게 하는 것을 성(騁)이라 한다.(騁馬曰騁.)'라고 주석했다. 『고공기(考工記)』에서는 '1가(一柯) 반을 경절(磬折: 허리를 반으로 굽혀 절하다)이라 부른다.'라는 구절이 있는데, 정현(鄭玄)은 "허리띠 아래로 4자5치 되는 빈 부분을 경쇠의 꺾이는 부분으로 삼는데, 허리를 절반으로 굽혀 절하면 윗부분이 끊기게 되기 때문이다."라고 말했다. 『예기(禮記)』에는 "사대부가 죄를 지었다면, 전인(甸人)[40]에 의해서 목을 매어 사형을 당한다.(公族有罪即磬於甸人.)"라는 구절이 있는데, 정현(鄭玄)은 "목을 매어 죽이는 밧줄을 성(磬)이라 한다. 빈 공간이 없는 경쇠를 부(磬)라 하는데, 부(磬)자는 부(缶)부수에 들어있다. 혹은 공동(空窒: 비다)이라는 뜻이라고도 하는데 이 글자는 혈(穴)부수에 들어있다." 그리고 성(殸)자에 대해서는 이렇게 설명했다. "『설문』에서 '이는 경(磬)자의 주문(籀文)이다. 달리 경성(磬聲: 경쇠의 소리)을 뜻한다고도 한다.'라고 하였다. 나(고야왕)는 이렇게 생각한다. '이 글자의 독음은 고(苦)와 윤(贇) 혹은 고(苦)와 경(耕)의 반절이다.'[41] 『예기(禮記)』에서는 '낭랑한 석경 소리로 뜻을 세우다고 했는데 옳다.(石聲殸殸以立志是也.)'라고 했는데, 자서(字書)에는 '낭랑한 소리다.(殸殸也.)'라고 했다."[42]

---

40) (역주) 田野의 일이나 사대부의 사형을 관리하는 사람.
41) (역주) 縣繆絲之曰聲. 空盡之磬爲磬字, 在缶部. 或爲空贊在字, 穴部也. 殸, 『說文』: 籀文磬字也. 一曰磬聲也. 野王案: 此音苦贇、苦耕二反.
42) (역주) 『玉篇殘卷』: 磬, 口定反. 『考工記』: 刮臂之聲. 野王案: 以石爲樂聲也. 『

『송본옥편』에는 "경(磬)은 구(口)와 정(定)의 반절이다. 돌[石]로 악기를 만들었다. 혹 경(硜)으로 쓰기도 한다. 성(殸)은 주문(籀文)이다. 또 구(口)와 경(耕)의 반절이다.(磬, 口定切. 以石爲樂器也. 或作硜. 殸, 籀文. 又口耕切.)"라고 했다.

「음악류」에는 편경(編磬), 특경(特磬), 옥경(玉磬), 석경(石磬), 생경(笙磬), 송경(頌磬), 현경(懸磬)이라는 7종류가 수록되어 있다.

편경(編磬)은 고대의 악기로, 돌이나 옥으로 만들었다. 일반적으로 16매로 구성되어 있으며, 12정율(正律)에다 4반율(半律)을 더했다. 크기와 두께의 차이에 따라 저음에서 고음을 낸다. 나무틀에 두 줄로 나누어 매달려 있으며, 작은 나무망치로 쳐서 연주한다.

특경(特磬)은 특현경(特懸磬)을 말한다. 고대의 악기로, 돌이나 옥으로 만들었다. 은허(殷墟)에서 출토된 것으로는 반원형과 곡절형(曲折形)이지만, 이후에는 곡절형을 많이 만들었다. 주(周)나라 이후로 아악(雅樂)에서 사용하였다.

옥경(玉磬)은 고대에 돌로 만든 악기의 명칭이다. 『예기(禮記)·교특생(郊特牲)』에는 "제후가 궁현(宮縣)하고 백모(白牡)로 제사를 지내며, 옥경(玉磬)을 치고……대부의 참례(僭禮)이다.(諸侯之宮縣, 而祭以白牡, 擊玉磬……諸侯之僭禮也.)"라는 구절이 있다. 손희단(孫希旦)은 집해(集解)에서 "옥경(玉磬)은 『서(書)』에서 말하는 명구(鳴球)로써, 천자의 악기로 사용되었다.(玉磬, 『書』所謂鳴球, 天子之樂器也.)"라고 설명했다.

석경(石磬)은 돌로 만든 악기를 말한다. 『예기(禮記)·악기(樂記)』에 '석성경(石聲磬)'[43]과 '생경(笙磬)'이라는 명칭이 보인다.

생경(笙磬)은 고대의 동쪽에 진설한 경쇠[磬]를 일컫는다. 『주례(周禮)·춘관(春官)·시료(眡瞭)』에 "시료(眡瞭)는 무릇 악사(樂事)를 관장하여, 노도[鞉]를 두드리고, 송경(頌磬)과 생경(笙磬)을 친다.(眡瞭掌凡樂事, 播鞉, 擊頌磬、笙

尚書」: 泗濱浮磬是也.『世本』: 毋句作磬.『禮記』: 叔之離磬.『毛詩』: 抑磬腔忌.『傳』曰: 騂馬曰聲.『考工記』: 一柯有半謂之磬折. 鄭玄曰: 帶以下四尺五盡之磬寸磬折, 立即上絕也.『禮記』: 公族有罪即聲於甸人. 鄭玄曰: 縣縊絲之曰聲. 空盡之磬爲磬字, 在缶部. 或爲空窐, 在字穴部也. 殸, 『說文』: 籀文磬字也. 一曰磬聲也. 野王案: 此音苦賚、苦耕二反.『禮記』: 石聲殸殸以立志是也.『字書』: 殸殸也.

43) (역주)『禮記·樂記』에 나오는 '石聲磬'이라는 명칭을 두고, 孔穎達는 "石聲磬이라는 것은 石磬을 말한다.(石聲磬者, 石磬也.)"라고 주석했다.

磬.)"라는 구절이 있다. 정현(鄭玄)은 "동쪽에 진설한 경쇠를 생(笙)이라 부른다. 생(笙)은 생(生)과 같다. 서쪽에 진설한 것을 송(頌)이라 부른다.……『대사례(大射禮)』에서는 '악인(樂人)은 미리 동쪽 섬돌의 동쪽에 매달고, 생경(笙磬)은 서쪽으로 향하게 하고, 그 남쪽에 생(笙)과 종(鐘)을 둔다.'라고 하였다.(磬在東方曰笙. 笙, 生也. 在西方曰頌……『大射禮』曰: '樂人宿縣於阼階東, 笙磬西面, 其南笙鐘.')"라고 주석했다.

송경(頌磬)은 특히 고대의 대사례(大射禮) 때 서쪽에 진설한 경쇠[磬]를 지칭한다.『주례(周禮)·춘관(春官)·시료(眡瞭)』에는 "악사(樂事)를 관장하여, 노도[鼗]를 두드리고, 송경(頌磬)과 생경(笙磬)을 친다.(掌凡樂事, 播鼗, 擊頌磬、笙磬.)"라는 구절이 있다. 정현(鄭玄)은 "동쪽에 진설한 경쇠를 생(笙)이라 부른다. 생(笙)은 생(生)과 같다. 서쪽에 진설한 것을 송(頌)이라 부르는데, 송(頌)은 혹 용(庸)이라고 쓰기도 한다. 용(庸)은 공(功)이다.(磬在東方曰笙, 笙, 生也. 在西方曰頌, 頌或作庸; 庸, 功也.)"라고 주석했으며, 가공언(賈公彦)은 "동쪽은 성장을 상징하는 방위이므로, 생(笙)이라 부른다. 서쪽은 성공을 상징하는 방위이므로 용(庸)이라 부른다. 용(庸)은 공(功)이다. 송(頌)이라는 것은 훌륭하고 성대한 덕(德)을 형용하는 말로서, 하늘과 땅의 신령에게 성공을 알리므로 송(頌)이라 부른다.(以東方是生長之方, 故云笙. 西方是成功之方, 故云庸; 庸, 功也. 頌者, 美盛德之形容, 以其成功告於神明, 故云頌.)"라고 주석했다.

『의례(儀禮)·대사(大射)』에는 "서쪽계단의 서쪽에는 송경(頌磬)을 동쪽으로 향하게 한다.(西階之西, 頌磬東面.)"라는 구절이 있는데, 정현(鄭玄)은 "성공을 알리는 것을 송(頌)이라 부른다. 서쪽은 음(陰)의 가운데로, 만물이 이루어지는 곳이다.(言成功曰頌, 西爲陰中, 萬物之所成.)"라고 주석했다.『춘추전(春秋傳)』에는 "(다섯 번째는) 이칙(夷則)으로서, 이는 아홉 가지 법칙을 노래하여 찬양하며 백성으로 하여금 두 마음이 없도록 한다는 뜻입니다. (여섯 번째는) 무역(無射)으로, 옛 선인들의 아름다운 덕을 널리 선전하여 백성에게 모범의 표준을 보여준다는 뜻입니다.44) 이로써 서쪽에 진설한 종(鍾)과 경(磬)을 송(頌)이라 부른다.(『春秋傳』曰: 夷則, 所以詠歌九則, 平民無貳. 無射, 所以宣佈哲人之令德, 示民軌義, 是以西方鍾磬謂之頌.)"라는 구절이 있

---

44) (역주) 左丘明 撰, 林東錫 譯註,『國語』(서울: 동서문화사, 2009), 228쪽.

다.

현경(懸磬)은 또 현경(懸罄)이라고 쓰기도 하는데, 매달려 있는 경(磬)을 말한다.

② 효(磬)

효(磬): 큰 경쇠를 말한다. 밭가는 쟁기의 형상과 비슷하고, 소리가 맑고 건조하다.(磬, 大磬, 形似犁錧, 聲淸燥)

효(磬)는 고대 중국에서 연주하던 악기의 명칭으로, 경(磬)에 속한다.

『설문』의 올림자에는 효(磬)자가 수록되어 있지 않다.

『옥편잔권(玉篇殘卷)』에는 다음과 같이 설명되어 있다. 효(磬)는 거(渠)와 교(驕)의 반절이다. 『이아(爾雅)』에는 "큰 경쇠[磬]를 효(磬)라고 부른다."라고 하였다. 곽박(郭璞)은 '명아주와 형상이 닮았고, 옥을 꿰는데 사용한다.'라고 주석했다.(磬, 渠驕反. 『爾雅』: 大磬謂之磬. 郭璞曰: 形似藜, 貫以爲玉之也.)"

『송본옥편』에서는 "효(磬)는 거(巨)와 교(嬌)의 반절이다. 『이아(爾雅)』에서는 "큰 경(磬)을 효(磬)라고 부른다."고 했다.(磬, 巨嬌切. 『爾雅』云: 大磬曰磬.)"라고 하였다.

『강희자전』의 설명은 다음과 같다. "『이아(爾雅)·석악(釋樂)』에서는 "큰 경쇠[磬]를 효(磬)라고 부른다."고 했다. 곽박은 "효(磬)는 쟁기와 같이 생겼는데, 옥돌로 만든다."라고 주석했다. 손염(孫炎)은 "효(磬)는 교(喬)를 말한다. 교(喬)는 높다[高]는 뜻이다. 그 소리가 높은 것을 말한다."라고 했으며, 이순(李巡)은 "큰 경쇠[磬]는 소리가 맑고 건조하기 때문에 효(磬)라고 한다. 효(磬)는 메마르다는 뜻이다."라고 했다. 『자림』에서는 "관(錧)은 밭에서 사용하는 기구이다. 장강이남에서는 쟁기의 칼날을 관(錧)이라 부른다. 이게 효(磬)와 비슷하게 생겼는데 조금 클 뿐이다."라고 했다.(『爾雅·釋樂』大磬謂之磬. '郭註磬, 形似犁錧, 以玉石爲之. 孫炎云: 磬, 喬也. 喬, 高也. 謂其聲高也. 李巡云: 大磬聲淸燥, 故曰磬. 磬, 燥也. 『字林』云: 錧, 田器也. 自江而南呼犁刃爲錧. 此磬形似之, 但大爾.)"

『송서(宋書)·악지일(樂志一)』에서는 "팔음(八音)의 두 번째에 해당되는 것이 돌[石]이다. 돌[石]은 경쇠[磬]를 의미한다.……큰 것을 효(磬)라고 부른다.

(八音二曰石. 石, 磬也……大曰馨.)"라고 했다.

(3) 현(絃)악기

현악기는 줄을 사용해 만든 악기를 말한다.「음악류」에 수록된 중국 고대의 현악기에는 주로 현(絃), 금(琴), 슬(瑟), 비파(琵琶), 공후(箜篌) 등이 있다.

① 현(絃)

현(絃): 팔음(八音)에서 현(絲)을 의미한다. 현(弦)과 통한다. 금슬(琴瑟)도 현(弦)자를 사용한다.(絃, 八音之絲. 弦通. 琴瑟亦用弦字.)

현(絃)은 거문고와 같은 악기에 소리를 내는 줄의 이름이다.
『설문』과 『송본옥편』에는 '현(絢)'이라고 썼다.
『강희자전』에는 다음과 같이 설명했다. 『오경문자(五經文字)』에는 "금슬(琴瑟)은 현(弦)으로 이루어져 있다."고 하였다. 역시 현(弦)자를 사용하여 현(絃)을 나타내었는데, 틀렸다.(『五經文字』琴瑟弦. 亦用弦字作絃者, 非.)"라고 했다.
『한비자(韓非子)·난삼(難三)』에는 "게다가 중기(中期)의 소관은 금슬(琴瑟)에 있다. 현(絃)을 고르지 못하여 불명확한 것은 중기의 책임이다.(且中期之所官, 琴瑟也. 絃不調, 弄不明, 中期之任也.)"라고 했다.
한(漢)나라 매승(枚乘)의 『칠발(七發)』에는 "깎아낸 것이 정교하고 적당한 것으로 금(琴)을 만들고, 야생 누에의 실로 현(絃)을 만들었다.(使琴摯斫斬以爲琴, 野繭之絲以爲絃.)"라는 구절이 있고, 당(唐)나라 이상은(李商隱)의 『금슬(錦瑟)』이라는 시에 "금슬(錦瑟)은 무슨 연유로 50현(絃)인가. 하나의 현(絃)과 하나의 기둥[柱]마다 꽃다운 시절 생각나네.(錦瑟無端五十絃, 一絃一柱思華年.)"라는 구절이 있다.

② 금(琴)

금(琴): 현악기로, 복희(伏羲)가 만들었다. 일설에는 신농(神農)이 만들었다고도 하는데, 5현에다 2현을 더하였다.(琴, 絃樂, 伏羲作, 一曰神農作, 五絃周加二絃.)

금(琴)은 고대의 중국에서 현악기로 연주하는 악기의 명칭이다.

『설문』에는 "금(琴)은 금지하다[禁]는 뜻이다. 신농(神農)이 만들었다. 동월(洞越)[45]. 5현을 누이고 2현을 더하였다. 상형이다. 금(珡)에 속하는 것들은 모두 금(珡)으로 구성되어 있다.(琴, 禁也. 神農所作. 洞越. 練朱五弦, 周加二弦. 象形. 凡珡之屬皆從珡.)"라고 했다.

『송본옥편』에는 다음과 같이 설명했다. "금(琴)은 거(巨)와 림(林)의 반절이다.『설문』과『신론(新論)』에서는 "신농(神農)이 만들었다. 금(琴)은 금지하다[禁]는 말이다. 군자는 지킴으로써 스스로 금한다."라고 했고,『풍속통(風俗通)』에서는 "금(琴)은 일곱 개의 현으로 이루어져 있는데, 칠성(七星)을 본뜬 것이다."라고 했으며,『금조(琴操)』에서는 "길이가 3척 6촌이고, 366일을 본떴다. 너비가 6촌인 것은 육합(六合: 上下, 四方)을 본뜬 것이다. 금(珡)은 전문(篆文)이며, 금(𤦡)과 금(𤨟)은 고문(古文)이다."라고 했다."[46]

금(琴)은 중국에서 가장 오래된 현악기 중의 하나인데, '복희(伏羲) 제작설'과 '신농(神農) 제작설'이 존재한다. 한(漢)나라 말에 채옹(蔡邕)은『금조(琴操)』에서 "옛날에 복희씨(伏羲氏)가 금(琴)을 만들었다. 간사하고 경박한 것을 금지하고, 마음이 음란해지는 것을 막음으로서 사악하고 괴팍한 것을 관리하기 때문에, 몸과 성품을 다스려 꾸밈없는 상태가 된다. 금(琴)은 길이가 3척 6촌 6분이고, 360일을 본떴다. 너비가 6촌인 것은 6합을 본뜬 것이다.(昔伏羲氏作琴, 所以禦邪僻, 防心淫, 以修身理性, 反其天真也. 琴長三尺六寸六分, 象三百六十日也; 廣六寸, 象六合也.)"라고 했다.

이러한 전설은 다 믿을 수는 없지만, 중국에서 금(琴)을 사용한 역사가 오래되었다는 것은 알 수 있다.

---

45) (역주) 琴의 밑바닥까지 관통하는 구멍을 말한다.
46) (역주) 琴, 巨林切.『說文』及『新論』云: 神農造也. 琴之言禁也, 君子守以自禁也.
『風俗通』曰: 琴七弦, 法七星也.『琴操』云: 長三尺六寸, 法象三百六十六日, 廣六寸, 象六合也. 珡, 篆文. 𤦡、𤨟, 並古文.

③ 슬(瑟)

슬(瑟): 현악기로써, 25개의 현으로 되어 있다. 복희(伏羲)가 50개의 현으로 만든 것을 황제(黃帝)가 반으로 나누었다. 또 단정하다[矜莊]는 뜻과 엄중하고 세밀하다[嚴密]는 뜻이 있다. 또 슬슬(瑟瑟)이라 하여, 구슬을 말한다.(瑟, 弦樂, 二十五絃, 伏羲作五十絃, 黃帝分之. 又矜莊, 嚴密. 又瑟瑟, 石如珠.)

슬(瑟)은 고대 중국에서 사용한 현악기의 명칭이다. '슬(瑟)'은 '슬(鈘)'이라고도 쓰는데, 춘추(春秋)시기에 유행하여, 항상 고대에 고금(古琴)이나 생(笙)과 같이 합주를 하였다. 고금(古琴)처럼 생겼으나, 휘(徽)의 위치가 없다. 50현, 25현, 15현 등의 종류가 있었으나, 지금은 25현, 16현 두 종류가 있다. 각각의 현마다 주(柱)가 있다.

『설문』에서는 "슬(瑟)은 포희(庖犧)가 만든 현악기이다. 금(珡)이 의미부이고, 필(必)이 소리부이다.(瑟, 庖犧所作弦樂也. 从珡必聲.)"라고 했다.

『송본옥편』에서는 "슬(瑟)은 소(所)와 즐(櫛)의 반절이다. 포희(庖犧)가 만들었다. 현이 많은 것은 50개로, 황제(黃帝)가 소녀(素女)를 시켜 슬(瑟)을 타게 했는데, 슬픔을 스스로 견디지 못하여, 부수어서 25현으로 만들었다. 슬(瑟)은 고문(古文)이다.(瑟, 所櫛切. 庖犧造也. 弦多至五十, 黃帝使素女鼓瑟, 哀不自勝, 破爲二十五弦也. 瑟, 古文.)"라고 했다.

④ 비파(琵琶)

비(琵): 악기이다. 말 위에서 연주하는 현악기로써, 비파를 말한다. 4현으로 구성되어 있으며, 밖으로 내타면 비(琵)이고, 안으로 디려타면 파(琶)가 된다. 진(秦)나라 말에 유행하였다.(琵, 樂器, 馬上弦樂, 琵琶. 四絃推手爲琵, 引手爲琶, 秦末興.)

비파(琵琶)는 고대 중국에서 연주하던 악기의 명칭이다.

『설문신부(說文新附)』에서는 "비(琵)는 비파(琵琶)를 말하며, 악기의 명칭이다. 금(珡)이 의미부이고 비(比)가 소리부이다.(琵, 琵琶, 樂器. 從珡比聲.)"라고 하였고, 또 "비(琶)는 비파(琵琶)를 말한다. 금(珡)이 의미부이고 파(巴)

가 소리부이다. 의미는 비파(枇杷)로 쓰여야 옳다.(琶, 琵琶也. 從珡巴聲. 義
當用枇杷.)"라고 하였다.

『송본옥편』에서는 다음과 같이 설명했다. "비(琵)는 방(房)과 지(脂)의 반
절이다. 『풍속통(風俗通)』에서는 "비파(琵琶)는 근대(近代)의 음악가가 만들
었다고 하나, 어떻게 만들었는지 모른다. 길이는 3척 5촌이고, 삼재오행(三才
五行)을 본떴으며, 4현은 네 계절을 의미한다."라고 했다. 『석명(釋名)』에서
는 "밖으로 내타면 비(琵)라고 부르고, 안으로 디려타면 파(琶)라고 부르기
에, 비파(琵琶)라고 한다. 본디 오랑캐들이 말 위에서 연주하였다."라고 했
다.47) 또 "파(琶)는 보(步)와 파(巴)의 반절이다. 비파(琵琶)를 말한다."48)라고
했다.

비파(琵琶)는 처음에 비파(批把)라고 썼다고, 『석명(釋名)·석악기(釋樂器)』
에 써져 있다. 이 악기들은 원래 페르시아와 아라비아 등지에서 유행하였는
데, 한(漢)나라 때 중국으로 들어왔다. 이후에 둥근 몸체에 긴 목의 형상으
로 바뀌었다. 4개의 현과 12개의 주(柱)가 있다. 세속에서는 '진한자(秦漢子)'
라고 불렀다. 일설에는 진(秦)나라 말에 백성들이 만리장성을 축조하기 위해
힘들어하자, 노도[鞉]를 타서 연주하였다고 하는데, 비파(琵琶)는 바로 여기
에서 시작되었다고 한다.

⑤ 공후(箜篌)

공(箜): 공후(箜篌)를 말한다. 25현으로 되어 있으며, 사연(師延)이 만들었다. 또
채롱을 뜻한다.(箜, 箜篌, 二十五絃, 師延作. 又籃也.)

공후(箜篌)는 고대 중국에서 연주하던 악기의 명칭이다.
『설문』에는 이 글자가 수록되어 있지 않다.
『송본옥편』에서는 "공(箜)은 고(苦)와 홍(紅)의 반절이다. 공후(箜篌)는 악
기를 말한다.(箜, 苦紅切. 箜篌, 樂.)"라고 했다.

---

47) (역주) 琵, 房脂切. 『風俗通』云: 琵琶, 近代樂家所制, 不知所造. 長三尺五寸, 象
　　三才五行, 四弦象四時. 『釋名』云: 推手前曰琵, 引手卻曰琶, 所以呼爲琵琶, 本胡
　　家馬上彈也.
48) (역주) 琶, 步巴切. 琵琶.

『강희자전』에서는 다음과 같이 설명했다. 『석명(釋名)』에서는 "공후(箜篌)는 사연(師延)이 만든 퇴폐적인 악기로, 공국(空國)의 제후가 가지고 있다."[49]라고 했고, 『풍속통(風俗通)』에서는 "공후(箜篌)는 일설에서는 감후(坎侯)라고 부른다. 혹은 공후(空侯)라고 부르기도 하는데, 가운데가 비었다고 해서 붙여진 이름이다."라고 했다. 『사물기원(事物紀原)』에서는 "공후(箜篌)는 한(漢)나라 영제(靈帝)가 좋아하였다. 몸체는 곡선을 이루고 길며, 23현으로 구성되어 있다. 가슴에 안아서 두 손으로 연주하는 것을 일러, 벽(擘)이라 부른다."라고 했고, 『악부(樂府)·해제(解題)』에서는 "한(漢)나라 무제가 남월(南粤)을 멸망시키고, 태을(太乙)과 후토(后土)에게 제사를 지내면서, 악공(樂工)인 후휘(侯暉)에게 금(琴)을 본뜬 감(坎)을 만들라고 시켰으니, 감감응절(坎坎應節)이라 말한다. 감(坎)은 혹 공(贛)이라고도 쓴다. 후(侯)는 공인(工人)의 성(姓)이다. 이름이 감후(坎侯)였기 때문에, 이후에 공후(箜篌)로 잘 못 변했다."라고 했으며, 또 『편해(篇海)』에서는 "채롱[籃]이다."라고 했다.[50]

공후(箜篌)는 수공후(豎箜篌)와 와공후(臥箜篌) 2종류가 있다. 『구당서(舊唐書)·음악지(音樂志)』에서는 "와공후(臥箜篌)는 형상이 금(瑟)과 비슷하지만 크기가 작다. 7현으로 이루어져 있으며, 줄을 퉁겨 연주한다. ……수공후(豎箜篌)는 한(漢)나라 영제(靈帝)가 좋아했는데, 몸체가 곡선을 이루고 있으며 길다. 22현으로 이루어져 있으며, 세워서 가슴에 안고는 두 손으로 연주를 하는데, 세속에서는 벽공후(擘箜篌)라고 부른다.(臥箜篌形似瑟而小, 七弦, 用撥彈之……豎箜篌, 漢靈帝好之, 體曲而長, 二十有二(一作"三")弦, 竪抱於懷, 用兩手齊奏, 俗謂之擘箜篌.)"라고 했다. 『자류주석(字類注釋)』에서는 "사연(師延)이 공후(箜篌)를 만들었다."고 했다. 사연(師延)은 중국의 상고(上古)시기의 신화적 인물이다. 그는 황제(黃帝)의 시대에 악기를 관리하는 관리로서, 모현(牟縣)의 동남쪽 20리에서 공후(箜篌)를 만들었다는 전설이 있다.

『사기(史記)·효무본기(孝武本紀)』에서는 "태일(泰一)과 후토(后土)에게 제

---

49) (역주) 箜篌, 師延所作. 靡靡之樂, 空國之侯所存也.
50) (역주) 『釋名』 箜篌, 師延所作. 靡靡之樂, 空國之侯所存也. 『風俗通』 箜篌, 一曰坎侯. 或曰空侯, 取其空中. 『事物紀原』 箜篌, 漢靈帝好之. 體曲而長, 二十三絃, 抱於懷中, 兩手齊奏之, 謂之擘. 『樂府·解題』 漢武滅南粤, 祠太乙、后土, 令樂工侯暉依琴造坎, 言坎坎應節也. 坎或作贛. 侯, 工人之姓. 因名坎侯, 後譌爲箜篌. 又『篇海』籃也.

사를 지낼 때, 처음으로 악기를 사용해 춤을 추고, 노래를 불렀다. 25개의 현으로 이루어진 공후(箜篌)와 슬(瑟)은 이때부터 만들어지기 시작했다.(禱祠 泰一、后土, 始用樂舞, 益召歌兒, 作二十五弦及箜篌瑟自此起.)"라고 했다. 배 인(裴駰)은 집해(集解)에서 서광(徐廣)이 "응소(應劭)가 '무제(武帝)는 악기를 연주하는 사람인 후조(侯調)를 시켜 공후(箜篌)를 만들게 했다.'라고 말했다 ."[51]라고 한 것을 인용했다. 『수서(隋書)·음악지하(音樂志下)』에서는 "지금 곡 항비파(曲項琵琶)와 수공후(竪箜篌)와 같은 것들은 서역(西域)에서 나온 것으 로, 화하(華夏)의 옛 악기가 아니다.(今曲項琵琶、竪頭箜篌之徒, 並出自西域, 非華夏舊器.)"라고 했다.

(4) 대나무[竹]로 만든 악기

주로 대나무로 만든 악기를 지칭한다. 「음악류」에는 적(笛), 약(籥), 약 (箹), 산(篁), 소(簫), 뢰(籟), 효(筊), 소(箾), 추(萩), 교(簥), 관(琯, 管), 지(篪), 쟁 (箏), 우(竽), 축(筑) 등 대나무로 만든 중국 전통악기의 명칭이 상당히 풍부 하게 수록되어 있다.

① 적(笛)

적(笛): 관악기. 7개의 구멍이 난 용(箭)을 말한다. 적(篴)과 같다.(笛, 管樂, 七孔 箭也. 篴仝.)

고대 중국에서 대나무로 만들어 직접 부는 퉁소를 적(笛)이라 한다. 적 (笛)은 적(篴)이라고도 쓴다.

『주례(周禮)·춘관(春官)·생사(笙師)』에서는 "생사(笙師)는 우(竽)·훈(塤)·약 (籥)·소(簫)·지(篪)·적(篴)·관(管)·용(舂)·독(牘)·응(應)·아(雅)를 관장하였다.(笙師掌敎 龡竽、塤、籥、簫、篪、篴、管、舂、牘、應、雅.)"라고 했다. 정현(鄭玄)은 정사농(鄭司農)이 "방금 다섯 개의 구멍이 난 죽적(竹篴)을 불었다.(今時所吹 五空竹篴.)"라고 한 것을 인용하여 주석하였다.

51) (역주) 應劭云: 武帝令樂人侯調始造箜篌.

『설문』에서는 "적(笛)은 7개의 구멍이 난 교(簥)를 말한다. 죽(竹)이 의미부이고, 유(由)가 소리부이다. 강적(羌笛)에는 3개의 구멍이 있다.(笛, 七孔簥也. 从竹由聲. 羌笛三孔.)"라고 했다.

『송본옥편』에서는 "적(笛)은 도(徒)와 적(的)의 반절이다. 7개의 구멍이 난 용(甬)을 말한다. 적(篴)과 같다.(笛, 徒的切. 七孔甬也. 篴, 同上.)"라고 했다.

적(笛)은 제작이 쉽고, 휴대하기 간편하기 때문에, 민간에서 많은 사랑을 받았다. 돈황(敦煌)의 벽화에서도 횡적(橫笛), 봉적(鳳笛), 이형적(異形笛), 강적(羌笛), 수적(豎笛) 등을 볼 수 있다. 역대 시인의 작품에서도 악기의 소리를 언급할 때, '적(笛)'자의 출현빈도는 높은 편이다. 예를 들어, 이백(李白)의 『황학루문적(黃鶴樓聞笛)』에서 "황학루(黃鶴樓)에서 옥피리[玉笛]를 부니, 강성(江城)은 오월인데도 매화(梅花)가 떨어진다.(黃鶴樓中吹玉笛, 江城五月落梅花.)"라는 구절이 있고, 왕지환(王之渙)의 『양주사(涼州詞)』에서 "오랑캐 피리[羌笛]는 어찌 「절양류」의 애달픈 곡을 부나? 봄바람은 불어도 옥문관(玉門關)을 넘지 못하는데.(羌笛何須怨楊柳, 春風不度玉門關.)" 등의 구절이 있다.

적(笛)의 음색은 그윽하고 깊거나, 혹은 맑고 깨끗하거나 혹은 맑고 그윽하여, 미묘하게 사람을 감동시킨다. 목동이 소의 등에 올라타, 단적(短笛)을 불면서, 유유자적하는 모습을 역대 문인들은 흠모하였는데, 송(宋)나라의 시인인 뢰진(雷震)의 『촌만(村晩)』에 "푸른 풀이 연못을 가득 메우고, 연못에는 물이 가득하니 둑에서 넘칠 듯 하구나. 산이 석양을 머금고 있으니, 차가운 물결에 잠기네. 목동이 소의 등에 올라타서 돌아감에, 단적(短笛)을 곡조 없이 부는구나.(草滿池塘水滿陂, 山銜落日浸寒漪. 牧童歸去橫牛背, 短笛无腔信口吹.)"와 같은 구절이 있다. 현재, 피리[笛子]는 중국의 악기에서 여전히 중요한 지위를 차지하고 있다.

② 약(籥)

약(籥): 악기로, 적(笛)과 비슷하다. 약(籥)은 부는 것으로, 7개의 구멍이 있는데, 일설에는 6개의 구멍이 있는 것도 있다고 하고, 3개의 구멍이 있는 것도 있다고 한다. 또 약(龠)과 같다. 열쇠.(籥, 樂器, 似笛. 吹籥, 七孔, 一曰六孔, 一曰三孔. 又仝龠, 開藏管.)

약(籥)은 고대 중국의 취주악기의 명칭이다. 『설문』에서는 "서동(書僮)의 죽첨(竹笘)을 말한다. 죽(竹)이 의미부이고, 약(龠)이 소리부이다.(書僮竹笘也. 從竹龠聲.)"라고 했다.

단옥재는 "약(籥)은 서동(書僮)의 죽첨(竹笘)을 말한다. 첨(笘)의 아래에 '영천(潁川)사람 소아(小兒)가 쓴 것을 첨(笘)이라 한다.'라고 했다. 첨(笘)을 약(籥)이라 부른다. 또 고(觚)라고도 부른다. 대개 백토로 염색하여 씻어내어 다시 쓸 수 있다. 그 고(觚)를 씻어내는 천을 번(幡)이라 부른다. 죽(竹)이 의미부이고, 약(龠)이 소리부이다. 이(以)와 작(灼)의 반절이다. 2부이다. 관(管)과 약(龠)자는 이와 다르다."52)라고 주석했다.

『송본옥편』에서는 "약(籥)은 이(以)와 작(灼)의 반절이다. 악기의 명칭으로, 적(笛)과 비슷하다.(籥, 以灼切. 樂器, 似笛.)"라고 했다.

『강희자전』에는 다음과 같이 설명되어 있다. 『광운(廣韻)』에는 "악기이며, 적(笛)과 비슷하다."라고 했다. 『이아(爾雅)·석악(釋樂)』에는 "대약(大籥)을 산(產)이라 부르고, 중간 크기를 중(仲)이라 부르며, 작은 크기를 약(約)이라 부른다."라고 했다. 주석에서는 "약(籥)은 적(笛)과 같으며, 3개의 구멍이 있으나 짧고 작다."라고 했다. 『광아(廣雅)』에서는 "약(籥)은 7개의 구멍이 있다."라고 했다. 『시(詩)·위풍(衛風)』에는 "왼손엔 피리 들고(左手執籥)"53)라는 구절이 있는데, '전(傳)'에는 "약(籥)은 6개의 구멍이 나 있다."라고 주석되어 있다.54)

'약(籥)'자는 갑골문에서 처음 보이는데, 본디 '약(龠)'이라고 썼다. 편관(編管)의 형체를 닮았고, 배소(排簫)의 전신과 비슷한데, 취약(吹籥)과 무약(舞籥) 2종류가 있다. 취약(吹籥)은 적(笛)과 비슷하지만 짧고 작으며, 3개의 구멍이 있다. 무약(舞籥)은 길어서 6개의 구멍이 나 있으며, 무구(舞具)로 쓰인다. 『시(詩)·패풍(邶風)·간혜(簡兮)』에서는 "왼손엔 피리[籥] 들고, 오른손엔

---

52) (역주) (籥)書僮竹笘也. 笘下曰. 潁川人名小兒所書寫爲笘. 按笘謂之籥. 亦謂之觚. 蓋以白墡染之可拭去再書者. 其拭觚之布曰幡. 從竹. 龠聲. 以灼切. 二部. 按管龠字與此別.

53) (역주) 김학주 역저, 『새로 옮긴 시경』(서울: 명문당, 2010), 175쪽.

54) (역주) 『廣韻』 樂器, 似笛. 『爾雅·釋樂』 大籥謂之產, 其中謂之仲, 小者謂之約. 『註』籥, 如笛, 三孔而短小. 『廣雅』籥, 七孔. 『詩·衛風』 左手執籥. 『傳』籥, 六孔.

꿩깃[翟] 들었네.(左手執籥, 右手秉翟)"⁵⁵⁾라는 구절이 있다. 공영달(孔穎達)은 "약(籥)이 부는 악기이기는 하나, 춤을 출 때 깃[羽]과 함께 잡기 때문에 춤[舞]이름으로도 사용되었다.(籥雖吹器, 舞時與羽並執, 故得舞名.)"라고 주석했다.

『예기(禮記)·문왕세자(文王世子)』에서는 "봄과 여름에는 창과 방패를 들고 추는 무무(武舞)를 가르치고, 가을과 겨울에는 깃과 피리를 들고 추는 문무(文舞)를 가르치는데, 모두 동서(東序: 태학)에서 한다.(春夏學干戈, 秋冬學羽籥, 皆於東序.)"⁵⁶⁾라는 구절이 있다. 공영달(孔穎達)은 "약(籥)은 적(笛)이다. 약(籥)은 가운데에서 소리가 나는데, 겨울에는 만물이 가운데에 숨기 때문이다. 우약(羽籥)은 약무(籥舞)로, 문무(文舞)를 본떴다라고 말한다.(籥, 笛也. 籥聲出於中, 冬則萬物藏於中, 云羽籥, 籥舞, 象文也.)"라고 주석했다.

③ 약(籥)

> 약(籥): 작은 약(籥)을 말한다. 약(籥)이 큰 것을 산(簅)이라 부르고, 중간 크기를 중(仲)이라 부르며, 작은 크기를 약(籥)이라 부른다. 또 대나무의 마디를 요(籥)라고 부른다.(籥, 小籥. 籥大謂簅, 中謂仲, 小謂籥. 又竹之節曰籥.)

약(籥)은 고대 중국의 취주 악기의 명칭으로, 관이 작고 음이 가늘다. 『설문』에는 "작은 뢰(籟)를 말한다. 죽(竹)이 의미부이고, 약(約)이 소리부이다.(小籟也. 從竹約聲.)"라고 했다.

『송본옥편』에는 "약(籥)은 어(於)와 탁(卓)의 반절이다. 작은 약(籥)이다. 뢰(籟)를 뜻한다. 또 을(乙)과 효(孝)의 반절로 발음되는 것은 대나무의 마디를 뜻한다.(籥, 於卓切. 小籥也, 籟也. 又乙孝切, 竹節也.)"라고 했다.

『강희자전』에는 다음과 같이 설명되어 있다. "약(籥)은 소약(小籥)을 뜻한다. 『이아(爾雅)·석악(釋樂)』에는 '큰 약(籥)을 산(産)이라 부르고, 중간 크기를 중(仲)이라 부르며, 작은 크기를 약(籥)이라 부른다.'라고 했다.(籥, 小籥也. 『爾雅·釋樂』: 大籥謂之産, 其中謂之仲, 小者謂之籥.)"

---

55) (역주) 김학주 역저, 『새로 옮긴 시경』(서울: 명문당, 2010), 175쪽.
56) (역주) 池載熙 해역, 『예기(상)』(서울: 자유문고, 2000), 419쪽.

④ 산(箈)

> 산(箈): 큰 약(籥)을 말한다.(箈, 大籥.)

산(箈)은 고대 중국의 취주악기의 명칭으로, 3개의 구멍이 나 있고, 적(笛)과 비슷하게 생겼으나 짧다.

『송본옥편』에서는 "산(箈)은 소(所)와 한(簡)의 반절이다. 큰 약(籥)을 말한다.(箈, 所簡切. 大籥.)"라고 했다.

『강희자전』에서는 다음과 같이 설명했다. "큰 약(籥)을 말한다. 적(笛)과 비슷하게 생겼다. 3개의 구멍이 나 있고, 길이가 짧다. 『이아(爾雅)』에서는 "산(產)이라고 쓴다."고 했다.(大籥, 似笛, 三孔而短. 『爾雅』: 作產.)"

⑤ 소(簫)

> 소(簫): 악기로써, 순(舜)이 소(簫)를 만들었다. 그 형상은 늘쑥날쑥한데, 큰 것은 24관으로 이루어져 있고, 작은 것은 16관으로 이루어져 있다.(簫, 樂器, 舜作簫, 其形參差, 大者二十四管, 小者十六管.)

소(簫)는 중국 고대의 취주 악기의 명칭이다.

『설문』에서는 "소(簫)는 늘쑥날쑥한 관으로 이루어진 악기로, 봉황의 날개를 본떴다. 죽(竹)이 의미부이고, 숙(肅)이 소리부이다.(簫, 參差管樂, 象鳳之翼. 從竹肅聲.)"라고 했다.

단옥재는 다음과 같이 주석했다. 소(簫)는 들쑥날쑥한 관악기를 말한다. 즉 관악기에서 관의 열거가 들쑥날쑥한 것을 의미한다. 우(竽)와 생(笙)도 나열된 관이 많지만 들쑥날쑥하지는 않다. 『주례(周禮)·소사(小師)』에서는 '소(簫)는 작은 대나무 대롱을 묶어서 만든 악기로, 오늘날 음식점에서 연주하는 악기와 같다.'라고 주석되어 있는데, 「주송(周頌)」의 전(箋)과 내용이 같다. 『광아(廣雅)』에서는 "큰 것은 23관으로 구성되어 있고, 작은 것은 16관으로 구성되어 있다."라고 했다. 왕일(王逸)은 "『초사(楚辭)』에서는 들쑥날쑥한 퉁소를 말한다. 봉황의 날개를 본떴다. 관이 날개와 같이 배열되었다. 죽(竹)

이 의미부이고, 숙(肅)이 소리부이다.”라고 했다. 『석명(釋名)』에서는 ‘소(簫)는 숙(肅)이다. 그 소리는 엄숙하면서도 맑다.’라고 주석했다.”[57]

『송본옥편』에는 “소(簫)는 선(先)과 요(么)의 반절이다. 여섯 번째 악률[仲呂]의 기운, 악기로써, 봉황의 날개를 본떴다.(簫, 先么切. 仲呂之氣, 樂器, 象鳳之翼.)”라고 했다.

『강희자전』에는 다음과 같이 설명되어 있다. 『광아(廣雅)』에서는 “소(簫)는 큰 것은 24관으로 이루어져 있고, 작은 것은 16관으로 이루어져 있다.”라고 했다.(『廣雅』簫, 大者二十四管, 小者十六管.)

소(簫)는 또 뢰(籟)라고 부른다. 이는 고대 중국에서 대나무로 만든 관악기로써, 죽관(竹管)을 나란히 배열하여 만들었기 때문에 비죽(比竹)이라고도 부른다. 소(簫)는 크기에 따라 명칭이 다르다. 큰 소(簫)를 언(言)이라 부르고, 작은 소(簫)를 효(茭)라고 부르는데, 후세사람들은 이를 통소[洞簫]라고 부른다. 오늘날, 중국의 일부 소수민족에게 소(簫)는 여전히 성행하고 있다. 귀주(貴州)의 옥병현(玉屛縣)에서 생산하는 대나무는 마디가 길고 가늘며, 몸체가 둥글고 단단한데다, 두께가 균일하다. 이 지방의 죽세공과 악사들에게는 통소를 만드는 전통이 있는데, 그 수준이 상당히 뛰어나다. 옥병(玉屛)의 소(簫)는 그 외피가 옥과 같이 하얗고, 위에는 시문이나 새들로 장식하였으며, 매우 정교하고 훌륭하다. 이는 둘씩 비단갑에 놓는데, 하나를 불면 다른 하나에서 공명할 수 있다고 전해져, ‘봉황소(鳳凰簫)’라고도 불린다.

⑥ 뢰(籟)

뢰(籟): 소(簫)의 이름이다. 또 약(籥)이라고도 부른다. 3개의 구멍이 있다. 구멍의 중요부품을 모두 뢰(籟)라고 부른다. 지뢰(地籟)는 모든 구멍에서 나는 소리이다.(籟, 簫名. 又曰籥, 三孔. 孔竅機括皆曰籟, 地籟衆竅.)

뢰(籟)는 고대 중국의 취주악기의 명칭이다.

---

57) (역주) (簫)參差管樂. 言管樂之列管參差者. 竽笙列管雖多而不參差也. 周禮小師注. 簫, 編小竹管如今賣餳錫所吹者. 周頌箋同. 廣雅云. 大者二十三管. 小者十六管. 王逸注楚辭云. 參差洞簫也. 象鳳之翼. 排其管相對如翼. 從竹. 肅聲. 釋名. 簫肅也. 其聲肅肅而淸也.

『설문』에서는 "뢰(籟)는 3개의 구멍이 난 약(龠)을 말한다. 큰 것을 생(笙)이라고 부르고, 중간 크기를 뢰(籟)라고 부르며, 작은 크기를 약(龠)이라고 부른다. 죽(竹)이 의미부이고 뢰(賴)가 소리부이다.(籟, 三孔龠也. 大者謂之笙, 其中謂之籟, 小者謂之龠, 從竹賴聲.)"라고 했다.

『송본옥편』에서는 "뢰(籟)는 력(力)과 대(大)의 반절이다. 3개의 구멍이 난 약(籥)을 말한다.(籟, 力大切. 三孔籥也.)"라고 했다.

⑦ 효(筊)

   효(筊): 작은 소(簫)를 말하는데, 16개의 관으로 구성되어 있다. 또 대오리로 꼬아 만든 줄[竹索]을 의미하기도 한다.(筊, 小簫, 十六管. 又竹索也.)

『한어대사전』에서는 '효(筊)'의 아래에 두 개의 의항이 기록되어 있다.

『설문(說文)·죽(竹)부수』에는 "효(筊)는 대오리로 꼬아 만든 줄[竹索]을 말한다.(筊, 竹索也.)"라고 했다.

『송본옥편』에는 "효(筊)는 호(胡)와 교(交)의 반절이다. 작은 소(簫)를 말한다. 16관으로 구성되어 있으며, 길이가 1척 2촌이다. 또 대오리로 꼬아 만든 줄[竹索]을 말한다. 효(篎)와 같다.(筊, 胡交切. 小簫也. 十六管, 長尺二寸. 又竹索也. 篎, 同上.)"라고 했다.

『강희자전』에는 다음과 같이 설명되어 있다. 효(筊)는 소(簫)의 이름이다. 『이아(爾雅)·석악(釋樂)』에는 "큰 소(簫)를 언(言)이라 부르고, 작은 것을 효(筊)라고 부른다."라고 했다. "16관이고, 길이는 1척 2촌이다."와 "작은 것은 소리가 나도 작아서, 효(筊)라고 부른다. 효(筊)는 작다는 뜻이다."라고 주석되어 있다.(筊, 又簫名. 『爾雅·釋樂』: 大簫謂之言, 小者謂之筊. 注: 十六管, 長尺二寸. 疏: 小者聲揚而小, 故言筊. 筊, 小也.)

⑧ 추(篍)

   추(篍): 퉁소【쵸】라고도 부르는데, 소(簫)를 불어 부역에 힘쓰게 한다.(篍, 竹簫. 又【쵸】, 吹簫, 勸役.)

추(篍)는 가운데가 비어 불도록 만든 죽관악기를 말한다.

『설문』에서는 "추(篍)는 취통(吹筩)을 말한다.(篍, 吹筩也.)"라고 했다.

『송본옥편』에서는 "추(篍)는 취통(吹筩)을 말한다. 대나무로 편(鞭)을 삼고, 가운데가 비어 있어 불수 있으므로, 취편(吹鞭)이라고 부른다.(篍, 吹筩也. 以竹爲鞭, 中空可吹, 故曰吹鞭也.)"라고 했다.

『강희자전』에서는 "추(篍)는 대통소를 말한다.……소(簫)를 불어 부역에 힘쓰게 한다. 『급취편(急就篇)』에 '고추기거과후선(菰篍起居課後先)'이라는 말이 나온다.(篍, 竹簫.……吹簫所以勸役. 『急就篇』: 菰篍起居課後先.)"라고 했다.

고(菰)는 취편(吹鞭)을 말하고, 추(篍)는 취통(吹筩)을 말한다. 기거(起居)는 새벽에 일어나고 밤에 자며, 쉬고 식사하는 때를 일컫는데, 감독하는 일을 하는 관리는 취편(吹鞭)과 죽통(竹筩)으로 기거(起居)의 절도로 삼았다."[58]

⑨ 교(簥)

> 교(簥): 큰 관(管)을 말하며, 지(箎)와 같다.(簥, 大管, 如箎.)

교(簥)는 고대 중국의 취주 악기의 명칭이다. 큰 관(管)을 뜻한다.

『설문』에는 '교(簥)'자가 수록되어 있지 않다.

『송본옥편』에는 "교(簥)는 기(幾)와 요(妖)의 반절이다. 큰 관(管)을 말한다.(簥, 幾妖切. 大管也.)"라고 했다.

『강희자전』에는 다음과 같이 설명되어 있다. 『이아(爾雅)·석악(釋樂)』에는 "큰 관(管)을 교(簥)라고 부른다.(大管謂之簥.)"라고 했다. 곽박(郭璞)은 "관(管)은 길이가 1척이고, 둘레는 1촌이며, 모두 옻칠을 하였고, 바닥이 있다. 가(賈)씨는 지(箎)와 같으면서 6개의 구멍이 있다고 하였다.[59](管長尺, 圍寸, 併漆之, 有底. 賈氏以爲如箎六孔.)"라고 했다.

⑩ 관(管)

---

58) (역주) 菰, 吹鞭也. 篍, 吹筩也. 起居謂晨起夜臥及休食時也, 言督作之司, 吹鞭及竹筩爲起居之節度.

59) (역주) 이충구, 임재완, 김병헌, 성당제 역주, 『이아주소』(3)(서울: 소명출판, 2004), 217쪽.

관(琯): 본디 관(管)으로 썼다. 지(篪)와 같고, 옥피리[玉琯]이다. 또 금과 옥으로 광을 내다는 뜻이다. 옥장식. 옥돌.(琯, 本作管. 如篪, 玉琯. 又治金, 玉出光, 玉飾, 石似玉)

관(管)은 고대 중국의 취주 악기의 명칭으로, 관이 하나이고, 바닥이 없으며, 6개의 구멍이 난 적(笛)과 비슷한 악기이다. 혹자는 관(管)이 적(笛)과 비슷하지만 작고, 두 개의 관을 합하여 함께 분다고 하였다. 관(管)은 관(琯)·관(筦)이라고 쓰기도 한다.

『설문』에서는 "관(管)은 지(篪)와 같으며, 6개의 구멍이 나 있고, 12월의 음이다. 만물이 땅에서 싹을 내기 때문에 관(管)이라고 부른다. 죽(竹)이 의미부이고 관(官)이 소리부이다. 관(琯): 고대에는 옥관(玉管)을 옥(玉)으로 만들었다. 순(舜)임금 때, 서왕모(西王母)가 와서 그녀의 백옥관(白玉管)을 바쳤다. 옛날에 계(奚)씨 성을 가진 영릉문학(零陵文學)이라는 관직에 있던 사람이 영도현(伶道县)의 순(舜)임금을 제사지내는 사당의 아래에서 생(笙)과 백옥관(白玉管)을 얻게 되었다. 옥관(玉管)으로 음악을 연주하였기 때문에, 모든 신들과 사람들이 일제히 노래를 불렀고, 봉황조차도 의식을 수호하였다. 옥(玉)이 의미부이고 관(官)이 소리부이다. 고(古)와 만(滿)의 반절이다."[60]라고 했다.

『송본옥편』에는 "관(管)은 고(古)와 단(短)의 반절이다. 악기이며, 지(篪)와 비슷하고, 6개의 구멍이 나 있다. 관(筦)이라고도 쓴다.(管, 古短切. 樂器, 如篪, 六孔. 亦作筦.)"라고 했다.

『시경(詩經)·주송(周頌)·유고(有瞽)』에는 "소(簫)와 관(管)도 이에 화하네. 덩덩 음악소리.(簫管備舉, 喤喤厥聲.)"라는 구절이 있다.

⑪ 지(篪)

지(篪): 지(笹)와 같다. 본디 지(鯱)라고 쓴다. 관악기이며, 7개의 구멍이 나 있고

---

60) (역주) 管, 如篪, 六孔. 十二月之音. 物開地牙, 故謂之管. 從竹官聲. 琯, 古者玉琯以玉. 舜之時, 西王母來獻其白琯. 前零陵文學姓奚, 於伶道舜祠下得笙玉琯. 夫以玉作音, 故神人以和, 鳳皇來儀也. 從玉官聲. 古滿切.

가로로 분다.(箎, 笆소. 本龥 管樂, 七孔, 橫吹.)

지(箎)는 고대 중국의 취주 악기의 명칭으로, 관이 하나로 된 가로로 부는 악기이다. 후세의 횡적(橫笛)과 비슷한데, 지(箎)는 양끝이 봉해져 있다는 점이 다르다. 지(箎)는 혹 지(笆) 또는 지(箎)라고 쓰기도 한다.

『설문』에는 지(箎)자가 올림자로 수록되어 있지는 않지만, 관(管)자의 해석에 지(箎)자가 언급되어 있다.

『석명(釋名)』에는 "지(箎)는 우는 소리가 나는데, 소리가 갓난아기가 우는 것 같다.(箎, 啼也, 聲如嬰兒啼.)"라고 했다. 지(箎)의 음색은 낮고 깊어서, 슬프고 비참한 감정을 나타내는데 적합하다.

『송본옥편』에는 "지(箎)는 제(除)와 기(奇)의 반절이다. 관에는 7개의 구멍이 나 있다. 지(箎)와 같다.(箎, 除奇切. 管有七孔也. 箎, 同上.)"라고 했다.

『강희자전』에는 다음과 같이 설명되어 있다. "지(箎),……『예기(禮記)』에는 "지(笆)라고 쓴다. 또 지(箎)라고 쓰기도 한다."고 했다.(箎,……『禮記』作笆. 亦作箎.)"

⑫ 쟁(箏)

쟁(箏): 현을 두드리는 대나무로 만든 악기이다. 슬(瑟)의 종류로, 13개의 현으로 구성되어 있으며, 진(秦)의 소리이다.(箏, 鼓絃, 竹身樂, 瑟類, 十三絃, 秦聲也.)

쟁(箏)은 고대 중국의 악기 명칭으로, 축(筑)과 비슷한 현악기이다.

『설문』에는 "쟁(箏)은 현을 두드리는 대나무로 만든 악기이다. 죽(竹)이 의미부이고 쟁(爭)이 소리부이다.(箏, 鼓弦竹身也. 從竹爭聲.)"라고 했다.

『석명(釋名)』에는 "쟁(箏)은 현을 풀어서 높고 급한 음을 내는데, 쩡쩡하는 소리를 낸다.(箏, 施弦高急, 箏箏然也.)"라고 했다.

쟁(箏)에서 나는 소리는 강하고 크기 때문에 표현력이 풍부한데, 그 음향효과로 인해 얻어진 이름이다. 『사기(史記)·이사열전(李斯列傳)』에는 "무릇 항아리[甕]를 치고, 부(缶)를 두드리며 쟁(箏)을 퉁기고 넓적다리를 치면서 목청껏 노래를 불러 귀와 눈을 즐겁게 하는 것이 진정한 진(秦)의 소리이다.(夫擊甕叩缶、彈箏博髀, 而歌呼呼嗚快耳目者, 真秦之聲也.)"라는 구절이 있다. 쟁(箏)은 중국음악의 보물과도 같아, 2천여 년 동안 사랑을 받아왔다. 역대 쟁(箏)을 타는 사람들은 위로는 황제에서 아래로는 노래를 하는 기생에까지 각 계층에 두루 퍼져 있었다.

『강희자전』에서는 다음과 같이 설명되어 있다. "『통전(通典)』에서는 '쟁(箏)은 진(秦)의 소리이다.'라고 했다. 『급취편주(急就篇註)』에서는 '쟁(箏)은 슬(瑟)의 종류로서, 본디 12현으로 구성되어 있었으나, 지금은 13현으로 되어 있다.'라고 했다.(『通典』: 箏, 秦聲也. 『急就篇註』: 箏, 瑟類, 本十二絃, 今則十三.)"

⑬ 우(竽)

우(竽): 36개의 혀[簧]로 이루어진 악기로, 생(笙)과 닮았다. 다른 악기들이 같이 화합한다.(竽, 三十六簧樂也, 象笙, 異器而同和.)

우(竽)는 고대 중국의 취주악기의 명칭으로, 생(笙)과 형상이 비슷하나 비교적 큰 고대의 황관(簧管) 악기이다.

『설문』에서는 "우(竽)에는 관이 36개의 혀[簧]로 이루어져 있다. 죽(竹)이 의미부이고 우(于)가 소리부이다.(竽, 管三十六簧也. 從竹於聲.)"라고 했다.

『송본옥편』에서는 "우(竽)는 우(禹)와 구(俱)의 반절이다. 36개의 혀[簧]로 이루어진 악기이다.(竽, 禹俱切. 三十六簧樂也.)"라고 했다.

우(竽)는 악대에서 중요한 지위를 차지한다. 『한비자(韓非子)』에서는 "우(竽)라는 것은 다섯 가지 소리[五音]의 으뜸이다. 그래서 우(竽)가 먼저 울리면 종(鍾)과 슬(瑟)이 모두 따르며, 우(竽)가 연주되면 모든 악기들이 화합한다.(竽也者, 五音之長也, 故竽先則鍾瑟皆隨, 竽唱則諸樂皆和.)"라고 했다.

이를 통해, 우(竽)는 연주를 이끄는 악기로 상용되었고, 전국(戰國)시기 이전에 민간에서 성행했다는 것을 알 수 있다.

⑭ 축(筑)

축(筑): 쟁(箏)과 비슷한데, 13현으로 구성되어 있다. 또 5현이라고도 말한다. 또 슬(瑟)과 비슷하지만 작다고 하며, 대나무로 그것을 두드린다.(筑, 似箏而十三絃, 又曰五絃. 又曰似瑟而小, 以竹擊之)

축(筑)은 고대 중국에서 줄을 뜯어서 소리를 내는 악기의 명칭이다. 축(筑)은 5현, 13현, 21현의 세 가지가 있다. 쟁(箏)과 비슷하게 생겼는데, 목 부분이 가늘고 어깨부분이 둥글며, 현의 아래에는 기둥이 설치되어 있다.

『설문』에서는 "축(筑)은 대나무로 만든 5현으로 곡을 타는 악기이다. 죽(竹)과 공(巩)으로 구성되어 있다. 공(巩)은 쥐다는 뜻이다. 죽(竹)은 소리부의 역할도 한다.(筑, 以竹曲五弦之樂也. 從竹從巩. 巩, 持之也. 竹亦聲.)"라고 했다.

『송본옥편』에서는 다음과 같이 설명되어 있다. "축(筑)은 장(張)과 육(六)의 반절이다. 줍다는 뜻이다. 악기의 명칭이다. 『설문』에서는 '대나무로 만든 5현으로 곡을 타는 악기이다.'라고 했다.(筑, 張六切. 拾也, 樂器也. 『說文』曰: 以竹曲五弦之樂也.)"

『강희자전』에서는 다음과 같이 설명되어 있다. "『풍속통(風俗通)』에서는 '형상이 슬(瑟)과 같으나 대두(大頭)가 있고, 현을 안착하여 대나무로 그것을 치니 축(筑)이라 이름한다.'라고 했으며, 안사고(顏師古)는 '축(筑)은 형상이 슬(瑟)과 비슷하지만 작으며, 목 부분이 가늘다.'라고 했다. 『광운(廣韻)』에서는 '축(筑)은 쟁(箏)과 비슷하지만 13현으로 구성되어 있다.'라고 했다.(『風俗通』: 狀如瑟而大頭, 安絃, 以竹擊之, 故名曰筑. 顏師古曰: 筑形似瑟而小, 細項. 『廣韻』: 筑似箏而十三絃.)"

축(筑)은 전국(戰國)시기에 유행을 했었는데, 『전국책(戰國策)·제책일(齊策一)』에 "임치(臨淄)는 부유하여, 그 백성들은 우(竽), 슬(瑟), 축(筑), 금(琴)을 타고, 투계(鬥雞) 및 투견을 하고, 내기 장기를 두었으며 공을 차기도 하였다.(臨淄甚富而實, 其民無不吹竽、鼓瑟、擊筑、彈琴、鬥雞、走犬、六博、蹹踘者.)"라고 적혀 있다.

(5) 박[匏]으로 만든 악기

주로 박으로 만든 악기를 지칭한다. 박[匏]은 조롱박과 같은 식물의 과

실을 말한다. 「음악류」에서 수록된 박으로 만든 악기의 명칭으로는 생(笙)과 소(簫)가 있다.

① 생(笙)

> 생(笙): 악기이다. 일설에는 수(隨)가 만들었다고도 하고, 여와(女媧)가 만들었다고도 한다. 12개의 황(簧)으로 이루어져 있으며, 포(匏) 속에 관(管)이 나열되고, 봉황과 비슷하게 생겼다. 큰 것을 소(巢)라 부르고, 작은 것을 화(和)라고 부른다.(笙, 樂器也. 一曰隨作, 一曰女媧作. 十二簧, 列管匏中, 象鳳之身, 大謂巢, 小謂和.)
> 황(簧): 생(笙)의 관머리에 붙어 떨림소리가 나게 하는 엷은 조각의 혀이다. 즉 생(笙)의 혀를 말한다.(簧, 笙管中金薄鏷也, 笙簧.)

생(笙)은 고대 중국의 취주 악기의 명칭으로, 황(簧: 떨림판), 생관(笙管), 통으로 구성되어 있다. 황(簧)은 고대에는 대나무로 만들었으며, 생관은 길이가 다른 대나무관으로 이루어져 있다. 통은 박이나 나무로 만들어져 있다. 생(笙)은 합주 또는 독주를 할 수 있으며, 소리는 맑고 아름답다.

『설문』에서는 "생(笙)은 13개의 황(簧)이 있으며, 봉황의 몸과 닮았다. 생(笙)은 정월의 음으로, 만물이 생성하기 때문에 생(笙)이라 부른다. 큰 것을 소(巢)라고 부르고, 작은 것을 화(和)라고 부른다. 죽(竹)이 의미부이고 생(生)이 소리부이다.(笙, 十三簧, 象鳳之身也. 笙, 正月之音, 物生, 故謂之笙. 大者謂之巢, 小者謂之和, 從竹生聲.)"라고 했다.

『송본옥편』에서는 "생(笙)은 독음이 생(生)이다. 13개의 황(簧)이 있는 악기를 말한다.(笙, 音生. 十三簧樂也.)"라고 했다.

『강희자전』에서는 다음과 같이 설명했다. 『광운(廣韻)』에서는 "악기"라고 했다. 『세본(世本)』에서는 "수(隨)가 생(笙)을 만들었다. 일설에는 여와(女媧)가 만들었다고 한다."라고 했다. 『이아(爾雅)·석악(釋樂)』에서는 "큰 생(笙)을 소(巢)라 부르고, 작은 것을 화(和)라고 부른다."라고 했다. "큰 것에는 19개의 황(簧)이 있으며, 화(和)에는 13개의 황(簧)이 있다."라고 주석되어 있다.(『廣韻』樂器也. 『世本』: 隨作笙. 一曰女媧作. 『爾雅·釋樂』: 大笙謂之巢, 小者謂之和. 注: 大者十九簧, 和, 十三簧者.)

『시경(詩經)·소아(小雅)·녹명(鹿鳴)』에서는 "내게 좋은 손님 오시어 슬(瑟) 뜯고 생황[笙] 불며 즐기네(我有佳賓, 鼓瑟吹笙.)"[61]라는 구절이 있다. 당(唐) 나라 랑사원(郞士元)의 『청린가취생(聽鄰家吹笙)』에는 "노을을 사이에 두고 하늘에서 내려오는 듯한 생황 소리, 담장 밖의 어느 집인지 모르겠네. 첩첩 히 대문들이 꼭 잠겨 있어 찾을 수 없지만, 마음속에는 그 안에 꼭 천 그루 의 복숭아꽃이 있을 거라 짐작하네.(鳳吹聲如隔彩霞, 不知牆外是誰家. 重門 深鎖無處尋, 疑有碧桃千樹花.)"라는 구절이 있다. '생(生)'은 인류의 번영을 상징하는데, 생(笙)이 생(生)의 해음(諧音)에 속하므로, 중국 고대에는 생(笙) 을 불면서 번창을 기원했다는 설이 있다.

② 소(簫)

소(簫): 큰 생(笙)을 말한다. 19개의 황(簧)이 있다.(簫, 大笙, 十九簧.)

소(簫)는 고대 중국의 취주 악기의 명칭으로, 혹 소(巢)라고 쓰기도 한다. 『송본옥편』에서는 "소(簫)는 측(側)과 교(交)의 반절이다. 큰 생(笙)에는 19개의 황(簧)이 있다.(簫, 側交切. 大笙有十九簧.)"라고 했다.

『강희자전』에서는 다음과 같이 설명되어 있다. "『편해(篇海)』에서는 "척(陟)과 교(交)의 반절이다. 독음은 조(嘲)이다. 큰 생(笙)을 말하는데, 19개의 황(簧)이 있다."라고 했다.……『이아(爾雅)·석악(釋樂)』에서는 "큰 생(笙)을 소(巢)라고 부른다."라고 했으며, 『유편(類篇)』에서는 "소(巢)는 혹 죽(竹)으로 구성되기도 한다."라고 했다.(『篇海』: 陟交切, 音嘲. 大笙, 十九簧.……『爾雅·釋樂』: 大笙謂之巢. 『類篇』: 巢或從竹.)"

(6) 흙[土]으로 만든 악기

주로 흙으로 만든 악기를 지칭한다. 「음악류」에 수록된 토기로 만든 악기로는 훈(壎)이 있다.

---

61) (역주) 김학주 역저, 『새로 옮긴 시경』(서울: 명문당, 2010), 445쪽.

훈(壎): 훈(塤)과 같다. 악기이다. 흙을 구워 만드는데, 위가 뾰족하고 아래는 평평하다. 형상이 저울추와 닮았다. 팔음(八音)에서 토(土)부에 속하는 것을 훈(壎)이라 부른다. 대아훈(大雅壎)과 소송훈(小頌壎)이 있으며, 8개의 구멍이 나 있다.(壎, 塤仝. 樂器, 燒土爲之, 銳上平底, 形似稱錘. 八音土曰壎, 大雅壎, 小頌壎, 八孔)

훈(壎)은 고대 중국의 취주 악기의 명칭으로, 훈(塤)·훈(坑)·훈(壋)으로도 쓴다.

『설문』에서는 "훈(壎)은 악기이다. 흙으로 만드는데, 6개의 구멍이 나 있다. 토(土)가 의미부이고 훈(熏)이 소리부이다.(壎, 樂器也. 以土爲之, 六孔. 從土熏聲.)"라고 했다.

『송본옥편』에서는 "훈(壎)은 호(呼)와 원(園)의 반절이다. 악기를 말한다. 흙을 구워 만드는데, 형상이 기러기 알과 같다. 위에 6개의 구멍이 나 있다. 훈(塤)과 같다. 훈(坑)과 훈(壋)은 고문(古文)이다.(壎, 呼園切. 樂器也. 燒土爲之, 形如鴈卵, 上有六孔. 塤, 同上. 坑、壋、並古文.)"라고 했다.

『강희자전』에서는 "악기이다. 흙을 구워 만드는데, 위는 뾰족하고 아래는 평평하다. 형상은 저울추를 닮았다.(樂器也. 燒土爲之, 銳上平底, 形似稱錘.)"라고 했다.

『주례(周禮)·춘관(春官)·소사(小師)』에서는 "소사(小師)는 고(鼓)·도(鞀)·축(柷)·어(敔)·훈(塤)·소(簫)·관(管)·현(弦)·가(歌)를 관장한다.(小師掌教鼓、鞀、柷、敔、塤、簫、管、弦、歌.)"라고 했다. 정현은 "훈(塤)은 흙을 구워 만드는데, 큰 것은 기러기 알과 같다.(塤, 燒土爲之, 大如鴈卵.)"라고 주석했다.

『이아(爾雅)·석악(釋樂)』에서는 "큰 훈(塤)을 교(㙇)라고 부른다.(大塤謂之㙇.)"라고 했다. 곽박(郭璞)은 "훈(塤)은 흙을 구워 만드는데, 큰 것은 거위의 알과 같다. 위는 뾰족하고 아래는 평평하여, 저울추와 닮았고, 6개의 구멍이 나 있다. 작은 것은 달걀만 하다.(塤, 燒土爲之, 大如鵝子, 銳上平底, 形如稱錘, 六孔, 小者如雞子.)"라고 주석했다.

(7) 가죽[革]으로 만든 악기

주로 가죽으로 만든 악기를 지칭한다. 「음악류」에 수록된 가죽으로 만든 악기로는 고(鼓), 도(鞀), 분(鼖), 개(鞈) 등이 있다.

① 고(鼓)

> 고(鼓): 악기이다. 질그릇으로 몸통을 만들고 가죽으로 양 면을 대었다. 두드려 악기 음의 표준으로 삼았고, 모든 음의 길이를 정하는 기준이 되었다. 또 용기의 이름으로, 휘(斛)를 말한다. 皼(鼓)는 속자이다.(鼓, 樂器. 瓦椌革面, 以擊檢樂, 爲羣音之長. 又量名, 斛也. 皼俗.)

고(鼓)는 고대 중국의 타악기의 총칭으로, 혹 고(皼)·고(鼓)·고(鼛)로 쓰기도 한다.

『설문』에서는 "고(鼓)를 치는 것을 말한다. 복(攴)과 주(壴)로 구성되어 있는데, 주(壴)는 또한 소리부이다.(擊鼓也. 從攴從壴, 壴亦聲.)"라고 했다.

『송본옥편』에서는 "고(鼓)는 고(姑)와 호(戶)의 반절이다. 네모난 몸통은 질그릇으로 되어 있고, 양면은 가죽으로 되어 있어 칠 수 있다. 고(鼛)는 주문(籒文)이다.(鼓, 姑戶切. 瓦爲椌, 革爲面, 可以擊也. 鼛, 籒文.)"라고 했다.

『강희자전』에서는 "악서(樂書)에서 북[鼓]은 악기의 표준이 되는 까닭에 모든 음의 길이를 정하는 기준이 되었다.(樂書, 鼓所以檢樂, 爲羣音長.)"라고 했다.

중국의 고대타악기는 원통형이나 편편한 원형이 많고, 중간은 비어 있으며, 한 면이나 양면에 가죽이 씌워져 있다.

② 도(鞀)

> 도(鞀): 소고(小鼓)를 말한다. 손잡이를 잡고 흔들면 양쪽의 두 귀가 스스로 치게 되어 있다. 도(鼗)·도(鞀)와 같다. 인도하다는 뜻이다. 인도하는 음악을 말한다.(鞀, 小鼓, 持柄搖之, 兩耳自擊. 鼗、鞀仝. 導也, 導樂作也.)

도(鞀)는 고대 중국의 타악기의 명칭으로, 고(鼓)에 속하는데, 도(鞀)와 도(鼗)로도 쓴다. 도(鞀) 즉 긴 손잡이로 고(鼓)를 흔드는 것이기에, 세속에서는 발랑고(撥浪鼓)라고 부른다.

『설문』에서는 "연(鼘)은 북소리를 말한다. 고(鼓)가 의미부이고, 연(鼎)이 소리부이다. 『시(詩)』에서는 '북소리 둥둥(鞉鼓鼘鼘)'이라는 구절이 있다.(鼘, 鼓聲也. 從鼓鼎聲. 『詩』曰: 鞉鼓鼘鼘.)"라고 했다.

『송본옥편』에서는 "도(鞉)는 도(徒)와 도(刀)의 반절이다. 고(鼓)와 비슷하지만 작다. 도(鞀)라고도 쓴다.(鞉, 徒刀切. 似鼓而小. 亦作鞀.)" 및 "도(鞉)는 도(徒)와 도(刀)의 반절이다. 고(鼓)와 같지만 작다. 손잡이가 있어, 손님과 주인은 그걸 흔들어서 박자를 맞춘다. 도(鞉)와 같다.(鞀, 徒刀切. 如鼓而小, 有柄, 賓主搖之以節樂也. 鞉, 同上.)"라고 했다.

『강희자전』에서는 다음과 같이 설명했다. 『석명(釋名)』에서는 "도(鞀)는 이끌다는 뜻이다. 도(鞉)라고도 쓴다."라고 했다.(『釋名』鞀, 導也. 亦作鞉.)

『주례(周禮)·춘관(春官)·소사(小師)』에서는 "소사(小師)는 고(鼓)·도(鞀)·축(柷)·어(敔)·훈(塤)·소(簫)·관(管)·현(弦)·가(歌)를 관장한다.(小師掌教鼓、鞀、柷、敔、塤、簫、管、弦、歌.)"라고 했다. 정현(鄭玄)은 "도(鞀)는 고(鼓)와 같지만 작다. 손잡이를 잡고 흔들면, 양옆에 있는 귀가 스스로 친다.(鞀如鼓而小, 持其柄搖之, 旁耳還自擊.)"라고 주석했다. 또 『설문』에서 "도(鞀)는 멀다는 뜻이다. 혁(革)이 의미부이고, 소(召)가 소리부이다.(鞀, 遼也. 從革召聲.)"라고 했다.

③ 분(鼖)

분(鼖): 큰 북. 분(賁)과 통한다. 또 분(韠)·분(鞼)으로 쓰기도 한다.(鼖, 大鼓. 賁通. 又作韠、鞼.)

분(鼖)은 고대 중국의 취주 악기의 명칭으로, 고(鼓)에 속하며, 분(賁)·분(韠)·분(鞼)으로 쓰기도 한다. 분(鼖)은 큰 북[鼓]을 지칭하며, 고대에 군대에서 사용하였다.

『설문』에서는 "분(鼖). 큰 북[鼓]을 분(鼖)이라고 부른다. 분(鼖)은 8척으로, 양면으로 되어 있으며 군대의 일에서 친다. 고(鼓)가 의미부이고, 분(賁)의 생략된 형태가 소리부이다.(鼖, 大鼓謂之鼖. 鼖八尺而兩面, 以鼓軍事. 從鼓, 賁省聲.)"라고 했다.

『이아(爾雅)·석악(釋樂)』에서는 "큰 북[鼓]을 분(鼖)이라고 부른다.(大鼓謂之鼖.)"라고 했다.

『송본옥편』에서는 "분(鼖)은 부(扶)와 운(雲)의 반절이다. 큰 북[鼓]을 말한다.(鼖, 扶雲切. 大鼓也.)"라고 했다.

『강희자전』에서는 다음과 같이 설명했다. 『주례(周禮)·지관(地官)』에는 "고인(鼓人)은 분(鼖)으로 군대의 일에서 친다."라는 구절이 있다. 고대에는 분(賁)을 사용하였다. 『시(詩)·대아(大雅)』에서는 "큰 북과 큰 종이 매어 있네.(賁鼓維鏞)"62)라는 구절이 있다. 또 분(韈)과 분(鼖)으로 쓴다.(『周禮·地官』鼓人以鼖鼓鼓軍事. 古用賁. 『詩·大雅』賁鼓維鏞. 又作韈、鼖.)

④ 개(鞼)

개(鞼): 북의 이름. 또 신발이라는 뜻이 있다.(鞼, 鼓名, 又履也.)

개(鞼)는 고대 중국에서 쳐서 연주하는 악기의 명칭이다.

『송본옥편』에서는 "해(鞼)는 호(戶)와 개(皆)의 반절이다. 신발이라는 뜻이다.(鞼, 戶皆切. 履也.)"라고 했다.

『강희자전』에서는 다음과 같이 말했다. "『집운(集韻)』에서는 "북[鼓]의 이름. 개(揩)라고도 썼다.(『集韻』鼓名. 通作揩.)"라고 했다."

(8) 나무[木]로 만든 악기

주로 나무로 만든 악기를 지칭한다. 「음악류」에 수록된 나무로 만든 악기로는 '축(柷)', '어(敔)', '갈(楬)' 등이 있다.

① 축(柷)

축(柷): 악기이다. 비어 있는 나무로, 옻칠을 한 통과 같으며, 중간에 방망이 자루가 있고, 흔들어서 음악을 끝낸다. 일설에는 축(柷)으로 음악을 시작하고, 어

---

62) (역주) 김학주 역저, 『새로 옮긴 시경』(서울: 명문당, 2010), 727쪽.

(敔)로 음악을 끝낸다고 한다.(柷, 樂. 木空也. 狀如桼桶, 中有椎柄, 摏之以止音. 一曰柷, 以作樂, 敔以止樂)

축(柷)은 고대 중국의 타악기의 명칭이다. 「음악류」의 "축(柷), 약(樂)."은 "축(柷)은 악기이다."로 해석해야 한다. 이는 네모난 나무 상자의 모양으로, 위는 넓고 아래는 좁다. 나무 방망이를 사용하여 내벽을 두드려 소리를 낸다. 음악을 연주하기 시작할 때 축(柷)을 치는데, 역대 궁궐의 아악(雅樂)에서 사용하였다.

『설문』에서는 "악기로, 속이 비어 있는 나무이다. 음을 그치게 하여 운율을 맞춘다. 목(木)이 의미부이고, 축(祝)의 생략된 형태가 소리부이다.(樂, 木空也. 所以止音爲節. 從木, 祝省聲.)"라고 했다.

『이아(爾雅)·석악(釋樂)』에서는 "축(柷)을 치는 방망이를 지(止)라 한다.(所以鼓柷謂之止.)"[63]라고 했는데, 곽박(郭璞)은 "축(柷)은 옻칠한 검은 통과 같은데, 사방이 각각 2척 4촌이며, 깊이는 1척 8촌이다. 중간에 방망이 자루가 밑으로 연결되어 밀었다 당겼다 하여 좌우로 하여금 부딪치게 하는 것이다. 지(止)란 그 몽둥이의 명칭이다.(柷如漆桶, 方二尺四寸, 深一尺八寸, 中有椎柄, 連底摏之, 令左右擊. 止者, 其椎名.)"[64]라고 주석했다.

『송본옥편』에서는 "축(柷)은 창(昌)과 육(六)의 반절이다. 축(柷)과 어(敔)는 악기이다.(柷, 昌六切. 柷敔, 樂器.)"라고 했다.

② 어(敔)

어(敔): 금지하다는 뜻이다. 또 악기의 명칭으로, 공게(椌楬)를 의미한다. 엎드린 호랑이의 형상과 같으며, 등에 27개의 톱날이 새겨져 있고, 길이가 1척이 되는 나무로 톱니를 긁어서 음악을 끝낸다.(敔, 禁也. 又樂器, 椌楬也. 形如伏虎, 背有二十七鉏鋙, 以木尺櫟之, 止樂)

---

63) (역주) 이충구, 임재완, 김병헌, 성당제 역주, 『이아주소』(3)(서울: 소명출판, 2004), 223쪽.
64) (역주) 이충구, 임재완, 김병헌, 성당제 역주, 『이아주소』(3)(서울: 소명출판, 2004), 224쪽.

어(敔)는 고대 중국의 타악기의 명칭으로, 갈(楬)이라고도 부른다. 엎드린 호랑이의 형상으로, 궁전의 아악(雅樂)에서 끝내려고 할 때 두드리게 되면 음악이 끝난다.

『설문』에는 "어(敔)는 금지하다는 뜻이다. 일설에는 악기로, 강갈(椌楬)을 의미한다고 했다. 호랑이의 형상을 한 나무로, 복(攴)이 의미부이고 오(吾)가 소리부이다.(敔, 禁也. 一曰樂器, 椌楬也, 形如木虎. 從攴吾聲.)"라고 했다. 『송본옥편』에는 "어(敔)는 어(魚)와 려(呂)의 반절로, 악기의 명칭이다.(敔, 魚呂切. 樂器名.)"라고 했다.

『강희자전』에는 다음과 같이 설명했다. 『이아(爾雅)·석악주(釋樂註)』에서는 "엎드린 호랑이의 형상과 같으며, 등에 27개의 톱날이 새겨져 있고, 길이가 1척이 되는 나무로 톱니를 긁는다.65)(『爾雅·釋樂註』: 敔如伏虎, 背上有二十七鉏鋙刻, 以木長尺, 櫟之.)"라고 했다.

「음악류」에서는 이 항목에 '어(敔)'는 '강갈(椌楬)'이라고 주석되어 있다. '강갈(椌楬)'은 강(椌)과 갈(楬)을 말한다. '강(椌)'은 고대 중국의 타악기로써, 축(柷)을 말한다.

『예기(禮記)·악기(樂記)』에서는 "연후에 성인(聖人)이 도(鞉), 고(鼓), 강(椌), 갈(楬), 훈(壎), 지(篪)를 만들었다. 이 여섯 가지는 덕음(德音)의 음이다.(然後聖人作爲鞉、鼓、椌、楬、壎、篪, 此六者, 德音之音也.)"라고 했다.

중국의 고대 문헌에서 '축어(柷敔)'라고 붙여서 사용한 경우는 『서(書)·익직(益稷)』의 "아래에서 관(管)과 도고(鞉鼓)를 연주하고, 합하고 그침을 축어(柷敔)로 한다.(下管鞉鼓, 合止柷敔.)"와 『주례(周禮)·춘관(春官)·소사(小師)』의 "소사(小師)가 고(鼓)·도(鞉)·축(柷)·어(敔)를 관장한다.(小師掌教鼓鞉柷敔.)"에서 찾아볼 수 있다.

일설에 음악을 연주하기 시작할 때는 축(柷)을 치고, 끝낼 때는 어(敔)를 두드린다고 하고, 두 가지를 같이 음악에 사용할 때는 시작과 끝의 구분이 없다고 한다.

③ 갈(楬)

---

65) (역주) 이충구, 임재완, 김병헌, 성당제 역주, 『이아주소』(3)(서울: 소명출판, 2004), 224쪽.

갈(楬): 어(敔)를 말한다. 나무 호랑이의 형상으로 음악을 끝낼 때 사용하는 악기이다. 갈(籋)과 같다. 또 표식이 있는 것을 나타낸다. 푯말을 나타내기도 한다. 갈두(楬豆)는 나무로 만든 높은 조두같은 상을 말한다.(楬, 敔也. 木虎止樂器. 籋仝. 又表識也, 杙也. 楬豆, 木豆也.)

갈(楬)은 고대 중국의 타악기의 명칭으로, 혹 '갈(籋)'이라고도 쓴다. 나무로 만든 엎드린 호랑이의 형상으로, 음악을 끝낼 때 두드린다. 갈(楬)과 어(敔)는 하나의 사물을 두고 명칭만 다를 뿐이다.

『설문』에는 "갈(楬)은 걸(桀)이다. 목(木)이 의미부이고 갈(曷)이 소리부이다. 『춘추전(春秋傳)』에서는 '표를 해서 쓴다.'(楬, 桀也. 從木曷聲. 『春秋傳』曰: 楬而書之.)"라고 했다.

『송본옥편』에서는 "갈(楬)은 거(渠)와 렬(列)의 반절이다. 표식이 있는 것을 갈저(楬櫫)라고 부른다.(楬, 渠列切. 有表識謂之楬櫫也.)"라고 했다.

『강희자전』에서는 다음과 같이 설명했다. 『예(禮)·악기(樂記)』의 "도(鞉), 고(鼓), 강(椌), 갈(楬), 훈(壎), 지(篪)"를, '주소(註疏)'에서는 "강(椌)은 축(柷)을 말한다. 갈(楬)은 어(敔)를 말한다. 축(柷)은 음악을 시작할 때 사용하고, 어(敔)는 음악을 끝낼 때 사용한다."라고 주석했다.(『禮·樂記』: 鞉鼓椌楬壎篪. 『註疏』: 椌, 柷也. 楬, 敔也. 柷以起樂, 敔以止樂.)

(9) 결론

이상 「음악류」에 수록된 악기의 종류와 명칭을 고찰하여, 아래와 같은 결론을 도출해내었다.

첫째, 「음악류」에는 대나무로 제작한 중국 악기의 명칭이 제일 많다.

「음악류」에 수록된 악기의 종류는 고대 중국의 팔음(八音) 분류법과 서로 결합되어 있다. 금속[金], 돌[石], 흙[土], 가죽[革], 현[絲], 나무[木], 박[匏], 대나무[竹]와 같이 8가지의 재질을 전부 갖추어, 악기를 만드는 재료가 얼마나 풍부했는지를 보여준다. 악기를 만드는 재료라는 관점에서, 「음악류」에 대나무로 만든 악기가 가장 많은 것은 대나무로 만든 중국 악기가 조선시대의 음악문화에 영향을 미쳤다는 것을 설명한다. 대나무는 세한삼우(歲寒三友)의 하나로서, 예부터 중국인들의 사랑을 받았다. 대나무는 하늘 높이 우뚝 솟아 우아하고 고상한 이미지를 가지고 있어, 봉건시대 문인들과 사대부들이 생각하는 이상적인 군자의 이미지가 되었다. 역대 문인들은 대나무에 자신의 감정이나 상황을 비유하거나 혹은 대나무를 읊음으로서 인간의 고상한 절조와 드넓은 포부를 찬미하였다. 민간에서도 사람들이 대나무를 심거나 키우거나 공경하거나 숭배하거나 노래하거나 그리거나 하는 기풍이 널리 퍼져 오래도록 지속되었다. 대나무가 사랑을 받는 것은 정신적인 측면에서 많은 즐거움을 줄 수 있으며, 인류의 물질문명의 발전과정에서 큰 공헌을 하였기 때문이다. 중국의 물질문화의 역사를 보면, 직접적으로 문화를 확장하는 매체 또는 농업, 임업, 목축업, 부업, 어업 및 건축, 교통, 일용, 공예, 의약, 악기 등 곳곳에서 대나무의 아름다움을 엿볼 수 있다.

『설문·죽(竹)부수』에 수록된 대나무로 만든 악기로는 우(竽), 생(笙), 소(簫), 통(筒), 뢰(籟), 약(藥), 관(管), 묘(篍), 적(笛), 축(築), 쟁(箏), 고(菰), 추(篍)와 같이 13가지가 있다. 물론, 이렇게 대나무로 만든 악기들의 명칭이 『설문』에 처음 나타난 것은 아니지만, 이들 악기의 형상과 기능 등에 관한 허신을 묘사를 통해, 중국 고대 악기의 발전사를 이해할 수 있다. 게다가 「음악류」에 수록된 이들 악기의 수량을 통해서도 고대 중국의 대나무로 만든 악기들이 고대 한국에 미친 영향을 이해할 수 있다.

둘째, 「음악류」에는 종(鐘)과 고(鼓)의 종류가 가장 많다.

악기의 명칭이라는 관점에서 봤을 때, 「음악류」에는 종(鐘)과 고(鼓) 및 이와 관련된 명칭이 가장 많다. 그중에서 '큰 종(鐘)'의 명칭은 다음과 같다.

> 용(鏞): 큰 종(鐘)을 말한다. 용(庸)과 통하고, 혹 용(鋪)으로 쓰기도 한다.(鏞, 大鐘. 庸通, 或作鋪.)
> 횡(鐄): 큰 종(鐘)을 말한다. 쟁횡(錚鐄)은 소리를 뜻한다. 낫을 의미하기도 한다.(鐄, 大鐘. 錚鐄, 聲也. 又鎌也.)
> 휴(鑴): 큰 종(鐘)을 말한다. 또 솥에 속한다. 큰 동이[甖]를 말한다. 또 햇무리를 뜻하기도 한다.(鑴, 大鐘. 又鼎屬, 甖也. 又日菊氣也.)
> 박(鏄): 큰 종(鐘)을 말한다. 종(鐘)과 경쇠[磬]에 대응함으로써, 음악의 박자를 맞추었다. 또 12시진 때 울리는 요령을 말한다. 또 밭에 쓰는 도구로써, 호미

[鋤]를 말한다.(鏄, 大鐘, 以應鐘磬, 樂以爲節. 又十二辰, 鈴鐘. 又田器, 鋤類.)

「음악류」에 수록된 고(鼓)의 명칭은 다음과 같다.

분(鼖): 큰 북. 분(賁)과 통한다. 또 분(轒)·분(鼖)으로 쓰기도 한다.(鼖, 大鼓. 賁通. 又作轒, 鼖.)

도(鞉): 소고(小鼓)를 말한다. 손잡이를 잡고 흔들면 양쪽의 두 귀가 스스로 치게 되어 있다. 도(鞀)·도(鞉)와 같다. 인도하다는 뜻이다. 인도하는 음악을 말한다.(鞉, 小鼓, 持柄搖之, 兩耳自擊. 鞀, 鞉仝. 導也, 導樂作也.)

개(鞳): 북의 이름. 또 신발이라는 뜻이 있다.(鞳, 鼓名, 又履也.)

도(鼗): 북통. 고도(皐鼗).(鼗, 鼓木, 皐鼗.)

연(鼘): 북소리. 연연(鼘鼘)이라고 표현한다. 연(鼘)과 같다.(鼘, 鼓聲, 鼘鼘. 又鼘仝.)

등(鼟): 북소리. 등등(鼟鼟)이라고 표현한다.(鼟, 鼓聲, 鼟鼟.)

동(鼕): 북소리. 동동(鼕鼕)이라고 표현한다.(鼕, 鼓聲, 鼕鼕.)

「음악류」에 수록된 종(鐘) 및 고(鼓)와 관련된 명칭은 다음과 같다.

갱(鏗): 종(鐘)의 소리. 갱갱(鏗鏗)이라고 표현한다. 또 갱장(鏗鏘)은 금석(金石) 소리를 말한다. 치다[撞]는 뜻이 있다. 팽조(彭祖)의 이름이다.(鏗, 鐘聲, 鏗鏗. 又鏗鏘, 金石聲. 撞也, 彭祖名.)

쟁(鎗): 종(鐘)의 소리. 갱쟁(鏗鎗), 혹은 쟁쟁(鎗鎗)이라고도 쓴다. 또 금석(金石)의 소리를 말한다. 또 창(鶬)과 같은데, 이는 금속의 빛이 있는 모양을 일컫는다. 세속에서는 도창(刀槍)이라고 했는데 잘못된 것이다. 또 세발 달린 가마솥을 말한다. 장(鏘)·당(鐺)과 같다.(鎗, 鐘聲, 鏗鎗. 又鎗鎗. 又金石聲. 又仝鶬, 金飾皃. 俗作刀槍, 誤. 又鼎類. 鏘, 鐺仝.)

횡(鈜): 쇳소리를 말한다. 갱횡(鏗鈜)은 종(鐘)과 고(鼓)의 소리를 말한다. 혹 횡(吰)으로도 쓴다.(鈜, 金聲, 鏗鈜, 鐘鼓聲. 或作吰.)

횡(鐄): 종소리이다.(鐄, 鐘聲.)

동(鼟): 북소리를 말한다. 동동(鼟鼟)이라고 표현한다.(鼟, 鼓鳴, 鼟鼟.)

훈(鼘): 북이 울리는 것을 말한다.(鼘, 鼓鳴.)

인(悚): 소고를 치며 풍류를 끄는 소리이다. 또 작은 북[鼓]의 이름을 말한다.(悚, 擊小鼓, 引樂聲也. 又小鼓名.)

통(楝): 북소리가 멀리 들린다는 뜻이다. 간(柬)으로 구성된 것과는 다르다.(楝, 鼓聲遠聞, 與從柬異.)

봉(韸): 봉(韸)과 같다. 화(和)하다는 뜻이 있다. 북소리를 말한다.(韸, 韸仝. 和也, 鼓聲.)

횡(吰): 쟁횡(噌吰)을 말한다. 종(鐘)음이다. 또 횡(鈜)으로도 쓴다. 갱횡(鏗鈜)은 종(鐘)과 고(鼓)의 소리를 말한다.(吰, 噌吰, 鐘音. 又作鈜. 鏗鈜, 鐘鼓聲.)

탑(鞳): 종(鐘)과 고(鼓)의 소리를 말한다. 당탑(鏜鞳)이라고 하기도 한다. 혹 탑(鞈)이나 탑(鞺)으로도 쓴다. 또 병기를 뜻하기도 한다.(鞳, 鍾鼓聲, 鏜鞳. 或作鞈、鞺. 又兵器也.)

통계에 따르면, 「음악류」에는 '종(鐘)'과 관련된 한자가 20개 수록되어 있고, '고(鼓)'와 관련된 한자가 34개 수록되어 있어, 고대 한국에서 종(鐘)과 고(鼓)를 중시한 정도를 알 수 있다. 종(鐘)은 중국의 청동기 시대에 성행하였는데, 이는 악기이면서 예기(禮器)도 되었기에, 지위와 권력을 상징하였다. 왕실과 귀족들은 천자를 알현하거나 제사를 지내는 등 각종 의식 및 연회에서 광범위하게 종악(鐘樂)을 사용하였다. 『주역(周易)』에서 기술한 '고(鼓)를 두드리고 춤추며 신명을 다한다.(鼓之舞之以盡神)'라는 기록만 봐도 일찍이 상주(商周)시대에 고(鼓)가 있었다는 것을 알 수 있다. 고(鼓)는 제사, 신에 대한 공경, 사악함을 없애는 행위, 악무(樂舞), 경고 등의 기능을 가지고 있다. 고대 중국의 예(禮)와 음악에서 고(鼓)는 뗄레야 뗄 수 없는 관계이다. 주(周)나라 때부터 고악(鼓樂)제도가 있었다. 고(鼓)는 팔음(八音)의 으뜸으로, 음악을 연주할 때 지휘를 하는 지위에 있다. '종(鐘)과 고(鼓)의 음악(鐘鼓之樂)'은 중국 전통문화의 중요한 요소로, 이것이 고대 한국에 미친 영향도 짐작할 수 있다.

셋째, 「음악류」에서 악기의 명칭을 해석하는 언어는 간결하고 내용은 종합적이다.

「음악류」에 수록된 악기의 명칭에 대한 해석은 『강희자전』보다 언어가 간결하고 요점은 두드러진다. 『이아』, 『설문』, 『석명』, 『송본옥편』등에 비해, 내용이 상세하다. 「음악류」에서는 악기의 재료, 형체, 용법, 발명한 사람, 생산지 등이 모두 설명되어 있다.

쟁(箏): 현을 두드리는 대나무로 만든 악기다. 슬(瑟)의 종류로, 13개의 현으로 구성되어 있으며, 진나라의 소리이다.(箏, 鼓絃, 竹身樂, 瑟類, 十三絃, 秦聲也.)

지(篪): 지(笛)와 같다. 본디 지(鯱)라고 쓴다. 관악기이며, 7개의 구멍이 나 있고 가로로 분다.(篪, 笛소. 本鯱 管樂, 七孔, 橫吹.)

우(竽): 36개의 혀[簧]로 이루어진 악기로, 생(笙)과 닮았다. 다른 악기들이 같이 화합한다.(竽, 三十六簧樂也, 象笙, 異器而同和.)

금(琴): 현악기로써, 복희(伏羲)가 만들었다. 일설에는 신농(神農)이 만들었다고도 하는데, 5현에다 2현을 더했다.(琴, 絃樂, 伏羲作, 一曰神農作, 五絃周加二絃.)

비(琵): 악기이다. 말 위에서 연주하는 현악기로써, 비파를 말한다. 4현으로 구성되어 있으며, 밖으로 내타면 비(琵)이고, 안으로 디려타면 파(琶)가 된다. 진(秦)나라 말에 유행하였다.(琵, 樂器, 馬上弦樂, 琵琶. 四絃推手爲琵, 引手爲琶, 秦末興.)

종(鐘): 매다는 악기이다. 오행에서 금(金)에 해당하는 음이다. 음률의 이름이다. 네 가지 종을 말한다. 수(垂)가 종(鐘)을 만들었다. 산 이름이다.(鐘, 懸樂. 金音. 律名, 四鐘 垂作鐘, 山名.)

소(簫): 악기로써, 순(舜)이 소(簫)를 만들었다. 그 형상은 늘쑥날쑥한데, 큰 것은 24관으로 이루어져 있고, 작은 것은 16관으로 이루어져 있다.(簫, 樂器, 舜作簫, 其形參差, 大者二十四管, 小者十六管.)

생(笙): 악기이다. 일설에는 수(隨)가 만들었다고도 하고, 여와(女媧)가 만들었다고도 한다. 12개의 황(簧)으로 이루어져 있으며, 포(匏) 속에 관(管)이 나열되고, 봉황과 비슷하게 생겼다. 큰 것을 소(巢)라 부르고, 작은 것을 화(和)라고 부른다.(笙, 樂器也. 一曰隨作, 一曰女媧作. 十二簧, 列管匏中, 象鳳之身, 大謂巢, 小謂和.)

슬(瑟): 현악기로써, 25개의 현으로 되어 있다. 복희(伏羲)가 50개의 현으로 만든 것을 황제(黃帝)가 반으로 나누었다. 또 단정하다[矜莊]는 뜻과 엄중하고 세밀하다[嚴密]는 뜻이 있다. 또 슬슬(瑟瑟)이라 하여, 구슬을 말한다.(瑟, 弦樂, 二十五絃, 伏羲作五十絃, 黃帝分之. 又矜莊, 嚴密. 又瑟瑟, 石如珠.)

넷째, 「음악류」에 수록된 악기의 명칭에 나열된 의항에 관한 주석은 그 표현이 독특할 뿐만 아니라 공구서적인 성격까지도 같이 겸하고 있다.

「음악류」에서 악기의 명칭을 해석할 때, 악기를 해석하면서 또 생산도 구도 해석하였다. 즉, 악기의 명칭을 해석할 때, 악기의 재료, 형상, 구조, 용도, 발명한 사람 등의 정보뿐만 아니라 악기가 도구로써 사용되는 성질도 설명하였다.

> 횡(鐄): 큰 종(鐘)을 말한다. 쟁횡(錚鐄)은 소리를 뜻한다. 낫을 의미하기도 한다.(鐄, 大鐘. 錚鐄, 聲也. 又鎌也.)
>
> 휴(鑴): 큰 종(鐘)을 말한다. 또 솥에 속한다. 큰 동이[觿]를 말한다. 또 햇무리를 뜻하기도 한다.(鑴, 大鐘. 又鼎屬, 觿也. 又日旁氣也.)
>
> 박(鎛): 큰 종(鐘)을 말한다. 종(鐘)과 경쇠[磬]에 대응함으로써, 음악의 박자를 맞추었다. 또 12시진 때 울리는 요령을 말한다. 또 밭에 쓰는 도구로써, 호미[鋤]를 말한다.(鎛, 大鐘, 以應鐘磬, 樂以爲節. 又十二辰, 鈴鐘. 又田器, 鋤類)
>
> 우(釪): 악기. 종(鐘)과 같다. 고(鼓)와 화합한다. 순우(錞釪)라고도 쓴다. 또 창고 달[鐯]의 의미도 있다. 또 발우(鉢釪)라고 하여 승려들이 사용하는 식기를 의미하기도 한다.(釪, 樂器, 如鐘, 和鼓, 錞釪. 又鐯也. 又鉢釪, 僧飯器.)
>
> 황(鍠): 종(鍾)과 고(鼓)의 소리를 말한다. 황황(鍠鍠)이라고 표현한다. 또 악기를 말한다. 또 황(喤)은 【황】과 통한다. 또 병기로, 도끼를 뜻한다. 의장에 쓰인다.(鍠, 鍾鼓聲, 鍠鍠. 又樂也. 又喤, 【황】通. 又兵器, 木斧, 儀鍠.)
>
> 탑(鞳): 종(鍾)과 고(鼓)의 소리를 말한다. 당탑(鏜鞳)이라고 하기도 한다. 혹 탑(鞈)이나 탑(鞺)으로도 쓴다. 또 병기를 뜻하기도 한다.(鞳, 鍾鼓聲, 鏜鞳. 或作鞈, 鞺. 又兵器也.)

고대 중국의 전통 악기는 일반적으로 이중적인 기능 즉 표현성과 실용성을 지니고 있다. 다시 말해, 이 악기들이 음악을 표현하는 도구이면서 생산과 생활에 필요한 용구라는 것을 말한다.

『여씨춘추(呂氏春秋)·고악편(古樂篇)』에서는 "요(堯)임금이 즉위하자, 질(質)에게 명령하여 음악을 만들었다. 질(質)은 산림(山林)과 계곡(溪谷)의 음을 본떠 노래를 만들고, 사슴의 가죽을 부(缶)에 씌워 고(鼓)를 만들었다. 돌을 두드리고 치니 상제(上帝)의 옥경(玉磬)과 같은 음을 내므로 모든 동물들을 춤추게 한다.(帝堯立, 乃命質爲樂. 質乃效山林溪穀之音以作歌, 乃以麋革置缶而鼓之, 乃拊石擊石, 以象上帝玉磬之音, 以致舞百獸.)"라고 기재되어 있다. 여기에는 생활식기인 '부(缶)'에다 사슴의 가죽을 씌운 것이 바로 '고(鼓)'가 되었다고 적혀있다. 게다가 '부석격석(拊石擊石)'은 옛 사람들이 수렵에 사용하던 돌기구인데, 두드려서 소리를 내어 온갖 동물로 분장한 원시무용의 연주를 도왔다.

『한서(漢書)·양운전(楊惲傳)』에서는 "술을 마시고 나니 귀가 뜨거워지네. 하늘을 우러러 부(缶)를 치니 우우하고 울더라.(酒後耳熱, 仰天拊缶, 而呼烏烏.)"라는 구절이 있다. 이는 옛 사람들이 술을 마신 뒤에 흥이 나서, 술을 담는 용기인 부(缶)를 두드리면서 하늘을 올려다보며 노래를 부르는 모습을 묘사한 것이다. 「음악류」에서 해석한 악기의 기타 의항을 통해, 우리는 고대 중국의 악기변천사를 이해할 수 있고, 조선시대에서 이 의항들이 어떻게 인식되고 사용되었는지를 이해할 수 있다.

다섯째, 「음악류」에 수록된 중국 전통 악기의 명칭은 선택할 수가 있다.

「음악류」에 수록된 중국 전통 악기의 명칭은 전체적인 게 아니라 선택적이다. 이러한 현상은 조선시대에서 일부 중국의 전통악기가 자전의 편찬자들에게 인정을 받지 못했다는 것을 설명하는 부분이다. 예를 보자.

『자류주석』의 병진류(兵陣類)에서는 "가(笳)는 호가(胡笳)를 말하는데, 피리[觱栗]를 닮았으나, 구멍이 없다. 또 갈대를 말아서 분다.(笳, 胡笳, 似觱栗, 無孔. 又捲蘆吹之.)"라는 구절이 있다. 그런데, 지금은 적(笛)이라고 부르는 게 가(笳)가 되는데, 구멍이 있으므로 가(笳)와 다르다.

『대사전』의 해석에 따르면, 호가(胡笳)는 고대 중국의 북방민족에서 사용하던 관악기로, 한(漢)나라 때 장건(張騫)이 서역에서 가지고 들어와 한위(漢魏)시기에 고취악(鼓吹樂)에서 늘 사용했다고 전해진다.

한(漢)나라 채염(蔡琰)은 「비분시(悲憤詩)」의 두 번째에서 "호가(胡笳)를 부니, 변방의 말이 우는구나. 외로운 기러기가 돌아오는구나, 구구구라고 울면서.(胡笳動兮邊馬鳴, 孤雁歸兮聲嚶嚶.)"라고 적었다.

당(唐)나라 잠참(岑參)은 「호가(胡笳)로 노래 부르며 안진경(顔真卿)을 하롱(河隴)에 보내며(胡笳歌送顔真卿使赴河隴)」에서 "그대는 호가(胡笳) 소리가 가장 슬픈 것을 듣지 못했는가. 자주빛 구렛나루와 푸른 눈을 가진 호인(胡

人)이 분다네.(君不聞胡笳聲最悲, 紫髯綠眼胡人吹.)"라고 읊었다.

송(宋)나라 장효상(張孝祥)은 「완계사(浣溪沙)·중추좌상십팔객(中秋坐上十八客)」사(詞)에서 "영주(瀛洲)에서 신선으로 책봉을 받는 것과 같이, 지금 사(社)의 고승과 유학자를 모아, 호가(胡笳)로 박자를 맞추니 술이 강처럼 들어가는구나.(同是瀛洲冊府仙, 只今聊結社中蓮, 胡笳按拍酒如川.)"라고 말했다.

원(元)나라 관한경(關漢卿)은 「오후연(五侯宴)」 제3절에서 "느릿느릿 울리는 호가(胡笳) 느긋하고, 으라차차 오랑캐 소리 왁자지껄하네.(韻悠悠胡笳慢品, 阿來來口打番言.)"라고 하였다.

청(淸)나라 소련(昭槤)은 「소정잡록(嘯亭雜錄)·기신해패병사(記辛亥敗兵事)」에서 "몇 리도 안 되어, 호가(胡笳) 소리가 멀리서 나는 것을 듣고.(未數裏, 聞胡笳聲遠作.)"라고 했다. '호가(胡笳)'가 중국의 문헌에서 악기의 명칭으로 사용된 것은 의심할 바가 없지만, 『자류주석』에서는 그것을 병진류(兵陣類)에 분류를 하여, 악기가 아닌 군대에서 사용하는 도구로 여겼다.

중국의 전통 악기들이 동아시아 각국으로 확장된 역사에 관해, 우리는 기타 문헌을 통해 자연스럽게 이해하고 정리를 할 수 있다.

『자류주석』은 조선시대의 자전으로, 당시 조선과 중국이 물질문화와 정신문화를 교류한 역사적 내용을 비교적 완벽하게 기록하였다. 한국, 중국, 동아시아 및 세계문화의 확장이라는 관점에서 봤을 때, 『자류주석』에서 수록한 악기의 명칭은 중요한 가치를 지닌다. 즉 조선시대에서 중국의 전통 악기에 대한 인식에서부터 사용현황 및 확장된 역사를 반영하고 있을 뿐만 아니라, 양국의 전통적인 음악문화의 조화를 반영하고 있다.

부록

(1) 한국한문자전 연구 목록

1. 『훈몽자회(訓蒙字會)』

○ 저서

(1) 유덕선. (傳統漢文 基礎敎材)『訓蒙字會』(서울: 동반인, 1998).

○ 논문

(1) 남광우. 「字母排列에 대하여-訓蒙字會範例를 中心으로」, 『한글』(1956).

(2) 김민수. 「훈몽자회」, 『한글』(1956).

(3) 南廣祐. 「『訓蒙字會』索引」, 『南廣祐論文集』(1958).

(4) 장태진. 「15世紀文獻語中에서 發見되는 傍點表記體系의 變異와 『訓蒙字會』 3가지 책에서 얻은 統計」, 『國語國文學』(1961).

(5) 徐炳國. 「『訓民正音』解例本以後의 李朝國語學史是非: 『訓蒙字會』에서 諺文志까지를 中心으로」, 『徐炳國論文集』(1965).

(6) 김지용. 「존경각본『訓蒙字會』」. 『한글』(1966).

(7) 이춘실. 「『訓蒙字會』異刊本에 나타난 傍點研究.-漢字音과 訓의 差異도 아울러 구명함」(서울: 경희대학교 석사학위논문, 1972).

(8) 樸炳采. 「『訓蒙字會』의 異本間異聲調攷」, 『國語國文學』(1972).

(9) 金永信. 「尊經閣本『訓蒙字會』새김의 索引」, 『睡蓮語文論集』(1977).

(10) 이돈주. 「『訓蒙字會』漢字音研究」(광주: 전남대학교 박사학위논문, 1979).

(11) 李敦柱. 「『訓蒙字會』漢字音에서 發見된 中國音의 影響에 대하여」, 『國語文

學』(1979).

(12) 안태종. 『『訓蒙字會』 聲調의 比較研究: 특히 版本間에 다르게 나타난 聲調를 中心으로』(인천: 인하대학교 석사학위논문, 1981).

(13) 민충환. 『『訓蒙字會』『新增類合』『千字文』的比較考察』(인천: 인하대학교 석사학위논문, 1981).

(14) 김정헌. 『『訓蒙字會』漢字音研究: 扱萃漢字 113字의 變遷과 受容을 中心으로』(서울: 중앙대학교 석사학위논문, 1982).

(15) 박태권. 「『훈몽자회』와 『사성통해』연구-표기와 음운의 대조-」, 『國語國文學』(1983).

(16) 박병철. 『訓蒙字會』字釋研究(인천: 인하대학교 석사학위논문, 1984).

(17) 허태일. [도서해제]「『訓蒙字會』」, 『中國朝鮮語文』(1984).

(18) 신한승. 「15世紀國語의 現實聲調에 대하여-訓蒙字會叡山本. 東中本旁點比較와 關聯하여」, 『語文學』(1985).

(19) 崔世和. 「對馬歷史民俗資料館 所藏의 『訓蒙字會』와 『千字文』」, 『佛敎美術』(1985).

(20) 박태권. 「『訓蒙字會』와 『四聲通解』研究: 우리말 語彙의 造語法을 中心으로」, 『語文論集』(1985).

(21) 崔範勳. 「『訓蒙字會』의 難解字釋研究(Ⅲ)」, 『語文論志』(1985).

(22) 장주현. 『『訓蒙字會』의 語學的研究: "諺文字母"를 中心으로』(청주: 청주대학교 석사학위논문, 1987).

(23) 남기탁. 『『訓蒙字會』身體部 字訓 研究』(서울: 중앙대학교 박사학위논문, 1988).

(24) 金希珍. 「『訓蒙字會』의 語彙敎育에 관한 考察(1): 名詞 字訓의 類意關係構造를 中心으로」, 『語文研究』(1988).

(25) 김희진. 「『訓蒙字會』의 語彙敎育에 관한 考察(Ⅲ)-同音異意關係와 反意關係 構造를 中心으로」, 『語文研究』(1989).

(26) 박정수. 『『訓蒙字會』이본간에 나타난 이음 研究』(대구: 계명대학교 석사학위논문, 1991).

(27) 金宗澤·宋昌善. 「『千字文』『類合』『訓蒙字會』의 語彙分類體系對比」, 『語文學』(1991).

(28) 김경조. 『『訓蒙字會』朝鮮漢字音研究』(臺北: 國立臺灣師範大學 碩士學位論

文, 1993).

(29) 김진규. 「『訓蒙字會』 하권의 목록과 사어 考察」, 『한글』(1994).

(30) 박금자. 「分類 解釋 학습서로서의 『訓蒙字會』」, 『國語學』(1995).

(31) 박석근. 『『訓蒙字會』와 『千字文』의 漢字音과 訓의 變遷考』(목포: 목포대학교 석사학위논문, 1999).

(32) 李健相. 「『訓蒙字會』에 나타난 異體字의 類型과 性格」, 『日本研究』(1999).

(33) 李基文. 「『訓蒙字會』小考」, 『語文研究』(1999).

(34) 김진규. 「『訓蒙字會』語彙의 國語學的 考察-자모·목록·사어를 中心으로」, 『한힌샘周時經연구』(1999).

(35) 채 완. 「『訓蒙字會』와 한글 맞춤법」, 『文化人物』(1999).

(36) 鄭承喆. 「제주본 『訓蒙字會』의 漢字音」, 『韓國文化』(2000).

(37) 김진규. 「『訓蒙字會』중권의 同訓語研究(1)」, 『漢語文教育』(2001).

(38) 오완규. 『『千字文』『訓蒙字會』『新增類合』字釋研究』(공주: 공주대학교 석사학위논문, 2001).

(39) 愼惠慈. 「韓國漢字音に殘された中國上古音的な特徴: 『訓蒙字會』の漢字音の分析を中心に」, 『亞細亞文化研究』(2001).

(40) 안경상. 「『訓蒙字會』에 반영된 15세기 이후의 고유어사용실태에 대한 역사적 고찰」, 『국제학술회의논문집』(2002).

(41) 成煥甲. 金相潤. 「『訓蒙字會』字釋에 나타난 單音節語 一考察」, 『人文學研究』(2003).

(42) 위 진. 「예산문고본 『훈몽자회』에 나타난 사이ㅅ 연구」, 『한국언어문학』(2003).

(43) 홍자영. 『朝鮮朝 漢字學習書에 나타난 服飾語 字訓 研究: 訓夢字會 "腹飾"部를 中心으로』(강원: 강원대학교 석사학위논문, 2005).

(44) 장정호 「조선시대 독자적 동몽 교재의 등장과 그 의의」, 『幼兒教育學論集』(2006).

(45) 곽성은. 『韓日漢字音에 대한 對照研究: 『千字文』『訓蒙字會』의 漢字音을 中心으로』(서울: 성신여자대학교 석사학위논문, 2006).

(46) 이대엽. 『『訓蒙字會』의 字學書로서의 特徴 研究』(부산: 부산대학교 석사학위논문, 2006).

(47) 최미현. 「『訓蒙字會』의 複數漢字音 類型에 대하여」, 『우리말연구』(2006).

(48) 최홍렬. 「『訓蒙字會』 "疾病"部 字訓의 의미고찰-"내과(內科)"를 중심으로-」, 『

語文硏究』(2006).

(49) 최홍렬. 「『訓蒙字會』"疾病"部 字訓의 의미고찰-"외과(外科)"를 중심으로-」, 『語文硏究』(2007).

(50) 박환영. 「『訓蒙字會』에 나타나는 민속 고찰」, 『東洋禮學』(2008).

(51) 김기영. 『『訓蒙字會』를 중심으로 한 최세진의 이중언어 교육에 관한 연구』(공주: 공주대학교 박사학위논문, 2008).

(52) 김문기. 「어휘학습서로서의 『訓蒙字會』」, 『한글』(2009).

(53) 申雅莎. 「『訓蒙字會』・『新增類合』・『千字文』에 반영된 止攝字 층위 연구」, 『中國語文學論集』(2009).

(54) 王 平. 「韓國朝鮮時代『訓蒙字會』與中國古代字書的傳承關係考察: 以『訓蒙字會』地理類收字與『宋本玉篇』比較爲例」, 『中國學』(2009).

(55) 崔洪烈. 「『訓蒙字會』"器皿"部의 同訓字 硏究: "食器"를 중심으로」, 『語文論集』(2009).

(56) 김선희. 서수백. 「『훈몽자회』와 『자전석요』의 한자 자석의 의미정보 수록 양상 비교 연구」, 『언어과학연구』(2010).

(57) 閔丙燦. 「平田篤胤와 『訓蒙字會』」, 『日本學報』(2010).

(58) 한규진. 『교육용 기초한자의 선정 개선 방향 연구: 훈몽자회의 한자 선정 기준을 중심으로』(광주: 조선대학교 석사학위논문, 2011).

(59) 안옥순. 『신체 관용어의 정서적 분류: 『훈몽자회』 신체부 어휘를 중심으로』(공주: 공주대학교 석사학위논문, 2011).

(60) 이순미. 「『訓蒙字會』"人類"부 한어 어휘 연구」, 『中國學論叢』(2012).

(61) 최홍렬. 「『訓蒙字會』"軍裝"부의 同訓字 硏究」, 『語文論集』(2012).

(62) Wang Liqun. 『韓國漢字音 初聲과 漢語 聲母의 對照 硏究: 『訓蒙字會』漢字를 中心으로』(서울: 이화여자대학교 석사학위논문, 2012).

(63) 이준환. 「『訓蒙字會』 訓釋의 한자음」, 『구결학회 학술대회 발표논문집』(2013).

(64) 연규동. 「『千字文』『訓蒙字會』『類合』의 어휘」, 『구결학회 학술대회 발표논문집』(2014).

(65) 뤄청모. 『『훈몽자회』「궁댁」・「관아」부 자훈 연구』(서울: 중앙대학교 석사학위논문, 2014).

(66) 이순미. 「『訓蒙字會』"身體"部의 중국어 어휘 연구」, 『中國語文論叢』(2014).

(67) 王 平. 「韓國古代字典俗術語研究─以『訓蒙字會』爲中心」, 『中國文字研究』第
　　 二十三輯(2016).

(68) 王 平. 「韓國傳世漢字字典中的釋義術語研究─以『訓蒙字會』爲中心」, 『漢字
　　 研究』第12輯(2015).

(69) 王 平. 「『訓蒙字會』俗稱研究」, 『中國文字研究』第十六輯(2012).

(70) 徐瓊玉. 『『訓蒙字會』名物詞研究』(上海: 華東師範大學 碩士學位論文, 2017).

2. 『운회옥편(韻會玉篇)』

○ 저서

(1) (朝鮮)崔世珍. 『韻會玉篇』(서울: 韓國中央圖書館藏中宗三十年(1536)刻本).

○ 논문

(1) 尹仁鉉. 『『韻會玉篇』의 『古今韻會擧要』에 대한 索引性』(서울: 중앙대학교 석
　　 사학위논문, 1986).

(2) 尹仁鉉. 「韻會玉篇」考」, 『書誌學硏究』(1987).

3. 『신증유합(新增類合)』

○ 저서

(1) (朝鮮)柳希春. 『新增類合』(서울: 檀國大學校 東洋學硏究所, 1972).

(2) (朝鮮)柳希春. 『新增類合』(서울: 檀國大學校 東洋學硏究所, 2002).

○ 논문

(1) 위 진. 『『新增類合』의 새김 고찰』(광주: 전남대학교 석사학위논문, 1997).

(2) 오완규. 『『千字文』『訓蒙字會』『新增類合』字釋研究』(공주: 공주대학교 석사학
　　 위논문, 2001).

(3) 배현숙. 「『新增類合』版本考」, 『民族文化研究』(2003).

(4) 이은실. 『『新增類合』의 漢字音 연구』(공주: 공주대학교 석사학위논문, 2004).

(5) 申雅莎. 「『訓蒙字會』『新增類合』『千字文』에 반영된 止攝字 층위 연구」, 『중국
　　 어문학논집』(2009).

4. 『육서경위(六書經緯)』

○ 저서

(1) (朝鮮)洪良浩. 『六書經緯』(韓國國立中央圖書館藏憲宗九年(1843)刊本).

○ 논문

(1) 金賢美. 『耳溪 洪良浩의 『六書經緯』에 관한 연구』(서울: 성균관대학교 碩士 學位論文, 1999).

(2) 김병건. 「六書와 字形을 이용한 한자교육 일고찰-六書策과 六書經緯를 中心 으로」, 『東方漢文學』(2010).

(3) 黃卓明. 「『六書經緯』與韓國朝鮮時代的漢字研究」, 『鄭州大學學報』(2010).

(4) 文準彗. 「『六書經緯』의 구성과 체재」, 『中國語文論譯叢刊』(2015).

5. 『전운옥편(全韻玉篇)』

○ 저서

(1) 佚名. 『全韻玉篇』(서울: 由洞刊行, 1850).

(2) 佚名. 『全韻玉篇』(上海: 積山書局, 1890).

(3) 佚名. 『全韻玉篇』(전주: 四溪書鋪, 1905).

(4) 卓鐘佶. 『全韻玉篇』(전주: 四溪書鋪, 1911).

(5) 金琪鴻. 『全韻玉篇』(大邱府: 在田堂書鋪, 1913).

(6) 白斗鏞. 『全韻玉篇』(京城: 翰南書林, 1917).

(7) 佚名. 『全韻玉篇』(서울: 國立中央圖書館, 2000).

(8) 佚名. 『全韻玉篇』(서울: 世宗大王紀念事業會, 2003).

(9) 佚名. 『全韻玉篇』(首爾: 國立中央圖書館, 2004).

(10) 정경일. 『奎章全韻』 『全韻玉篇』(성남: 新丘文化社, 2008).

(11) 王平·邢慎寶. 『『全韻玉篇』整理與研究』(上海: 上海人民出版社, 2012).

○ 논문

(1) 李氣銅. 「『전운옥편』에 주기된 정속음에 대하여: 전청자의 성모를 중심으로」, 『語文論集』(1982).

(2) Rainer Dormels. 『玉篇類的漢字音比較研究:『全韻玉篇』『新字典』『漢韓大辭典』『 大字源』을 中心으로』(서울: 서울대학교 석사학위논문, 1994).

(3) 柳在元. 「『全韻玉篇』의 俗音字에 대한 研究: 牙喉音系의 ㄱ·ㅎ 反映音을 中心으로」, 『中國學研究』(1996).

(4) 이돈주. 「『全韻玉篇』의 正·俗 漢字音에 대한 연구」, 『國語學』(1997).

(5) 이돈주. 「『華東正音 通釋韻考』의 正·俗音과 『全韻玉篇』 漢字音의 비교 고찰 」, 『한글』(2000).

(6) 金泰慶. 「『廣韻』의 反切音과 『全韻玉篇』·『三韻聲彙』의 한자음 비교」, 『중국어문학논집』(2002).

(7) 최미현. 『한국 한자음의 이중음 연구:『全韻玉篇』의 복수한자음을 중심으로』(부산: 동의대학교 박사학위논문, 2006).

(8) 정경일. 「교정전운옥편 속음의 유형별 고찰」, 『우리어문연구』(2006).

(9) 邢慎寶. 『『全韻玉篇』與『宋本玉篇』比較研究』(上海: 華東師範大學 碩士學位論文, 2010).

(10) 王 平. 「韓中日傳世漢字字典所收籀文比較研究—以『宋本玉篇』(中)、『篆隷萬象名義』(日)、『全韻玉篇』(韓)爲中心」, 『中國文字研究』(2014).

6. 『제오유(第五遊)』
○ 저서

(1) 河永三. 『『第五遊』整理與研究』(上海: 上海人民出版社, 2012).

○ 논문

(1) 李圭甲. 「『第五游』初探」, 『중국어문학논집』(2008).

(2) 李圭甲. 「『第五游』字形 分析 誤謬考」, 『중국어문학논집』(2009).

(3) 河永三. 「朝鮮時代字書『第五遊』所反映的釋字特徵」, 『中國文字研究』(2012).

(4) 黃卓明. 「朝鮮時代漢字學文獻『第五遊』發微」, 『河南師範大學學報』(2013).

(5) 袁曉飛. 『『第五遊』研究』(上海: 華東師範大學 碩士學位論文, 2013).

7. 『자류주석(字類註釋)』
○ 저서

(1) (朝鮮)鄭允容. 『字類註釋』(서울: 건국대학교출판부, 1985).

○ 논문

(1) 임경조 『『字類註釋』의 사전적 성격과 언어적 성격(서울: 서울대학교 석사학위논문, 1993).

(2) 成元慶. 「『字類註釋』研究」, 『統一人文學』(1996).

(3) 서수백. 「『字類註釋』草木類의 표기와 새김말」, 『한국말글학』(2002).

(4) 서수백. 「『訓蒙字會』의 異字同釋 연구-동일 새김의 한자 5자 이상을 대상으로-」, 『한국말글학』(2005).

(5) 서수백. 「『훈몽자회』와 『자류주석』의 새김 비교 연구-한문주석의 비교를 중심

으로-」, 『한국말글학』(2006).

(6) 서수백. 「『字類註釋』草木類에 나오는 字釋 '성할'의 사전적 분석-의미정보를 중심으로」, 『한국말글학』(2007).

(7) 서수백. 「『字類註釋』身體類의 異字同釋 '볼'1) 연구-의미 분석과 사전적 처리 양상을 중심으로」, 『한국말글학』(2008).

(8) 서수백. 『『字類註釋』의 사전적 체재 연구』(대구: 대구가톨릭대학교 박사학위 논문, 2009).

(9) 서수백·김선희. 「『字類註釋』수록 한문 주석의 사전적 특성 연구」, 『國語史研究』(2010).

(10) 郭鉉淑. 「『字類註釋』簡述」, 『漢字研究』(2012).

(11) 郭鉉淑. 『韓國朝鮮時代『字類註釋』之異字同釋字整理與研究』(上海: 華東師範大學 博士學位論文, 2013).

(12) 楊瑞芳. 「『字類注釋』釋義特徵探析—以魚鼈類字爲例」, 『中國文字研究』(2013).

(13) 서수백. 「『字類註釋』의 字釋 연구—사전 미등재어를 대상으로」, 『韓民族語文學』(2014).

(14) 서수백. 「『字類註釋』의 字釋 연구」, 『韓民族語文學』(2014).

(15) 王 平. 「基於『朝鮮時代經典字書數據庫』的字際關係術語分析—以『字類注釋·音樂類』爲中心」, 『文字網出土古文獻語料庫關聯書系國際學術研討會』(2015).

(16) 王 平. 「『字類注釋』收中國傳統樂器名稱考」, 『漢字研究』第15輯(2016).

8. 『설문해자익징(說文解字翼徵)』

○ 저서

(1) (朝鮮)朴瑄壽著, 金晩植校, 『說文解字翼徵』(서울: 伯爵寺, 1912).

(2) 文准彗·金玲敬 편, 『說文解字翼徵』整理與研究』(上海: 上海人民出版社, 2012).

○ 논문

(1) 김순희. 『『說文解字翼徵』에 관한 研究』(서울: 중앙대학교 박사학위논문, 1995).

(2) 김순희. 「『說文解字翼徵』研究」, 『한국문헌정보학회지』(1996).

(3) 김순희. 「『說文解字翼徵』과 『說文解字』의 比較」, 『文獻情報學論集』(1997).

(4) 하영삼. 「박선수『說文解字翼徵』의 문자이론과 해석체계의 특징」, 『中國語文學』(2001).

(5) 河永三. 「朝鮮時『說文解字』研究的一個水準: 說文解字翼徵」, 『中國文字研究』 (2001).

(6) 金玲敬. 『『說文解字翼徵』研究』(上海: 華東師範大學 博士學位論文, 2004).

(7) 金玲敬. 「『說文解字翼徵』的特點和它的意義」, 『中文自學指導』(2004).

(8) 유동춘. 「關于朝鮮末文文字學著作『說文解字翼徵』」, 『중국언어연구』(2007).

(9) 文準慧. 「『說文解字翼徵』의 내용분류에 따른 대표자 역주」, 『中國文學』(2007).

(10) 文準慧. 『『說文解字翼徵』의 解題와 譯解의 實例」, 『中國語文論譯叢刊』 (2007).

(11) 金玲敬. 「『說文解字翼徵』에 나타난 朴瑄壽의 文字理論에 대한 考察」, 『中國學』(2007).

(12) 文準慧. 「朴瑄壽와 『說文解字翼徵』」, 『奎章閣』(2008).

(13) 文準慧. 『『說文解字翼徵』해설자 역해』(서울: 서울대학교 박사학위논문, 2008).

(14) 文準慧. 「『說文解字翼徵』의 문자 해설」, 『中國文學』(2008).

(15) 김혜경. 「朴瑄壽의 『說文解字翼徵』에 대하여」, 『東北亞文化研究』(2009).

(16) 文準慧. 「『說文解字翼徵』과 『설문고주보』 比較考察」, 『中國語文學誌』(2010).

(17) 김혜경. 『朴瑄壽『說文解字翼徵』의 干支論 연구: 許愼의 『說文解字』와 比較를 통해』(대구: 영남대학교 박사학위논문, 2010).

(18) 文準慧. 「『說文解字翼徵』의 저본 연구」, 『中國語文學誌』(2011).

(19) 文準慧. 「『說文解字翼徵』之對於漢字結構的認識」, 『漢字研究』(2011).

(20) 文準慧. 「『說文解字翼徵』의 金文 활용」, 『中國語文學誌』(2012).

9. 『기자휘(奇字彙)』
○ 논문

(1) 金愛英. 「『奇字彙』標題字形 源流 考察」, 『中國語文學論集』(2012).

(2) 金愛英. 「『奇字彙』難字考察」, 『中國語文學論集』(2012).

(3) 金愛英. 「朝鮮後期異體字專門書『奇字彙』考察」, 『中國語文學論集』(2012).

(4) 장동렬. 『『奇字彙』研究』(서울: 연세대학교 석사학위논문, 2014).

10. 『교정전운옥편(校訂全韻玉篇)』
○ 저서

(1) 池松旭. 『校訂全韻玉篇』(京城: 新舊書林, 1913).

(2) 愼村子.『校訂全韻玉篇』(서울: 國立中央圖書館, 1998).

11.『자전석요(字典釋要)』
○ 저서
(1) 池錫永.『字典釋要』(京城: 滙東書館, 1910).
(2) 池錫永.『增補『字典釋要』』(京城: 滙東書館, 1917).
○ 논문
(1) 최범훈.「『字典釋要』에 나타난 難解字釋에 대하여」,『國語國文學』(1976).
(2) 한종호.「『字典釋要』知, 端系字의 語音變化-語彙擴散理論의 適用可能性 檢討」,『中國學』(2002).
(3) 여찬영.「『字典釋要』의 漢字 字釋 '고을일흠' 硏究」,『언어과학연구』(2003).
(4) 여찬영.「池錫永『字典釋要』의 漢字 字釋 硏究」,『韓國語文學』(2003).
(5) 서수백·김선희.「『訓蒙字會』와 『字典釋要』의 한자 자석의 의미정보 수록양상 비교 연구」,『언어과학연구』(2010).
(6) 하강진.「『자전석요』의 편찬과정과 판본별 체재 변화」,『한국문학논총』(2010).
(7) 이준환.「『字典釋要』의 체재상의 특징과 언어적 특징」,『泮矯語文研究』(2012).

12.『국한문신옥편(國漢文新玉篇)』
○ 저서
(1) (朝鮮)鄭益魯著.『國漢文新玉篇』(平壤: 耶穌敎書院, 1909).
(2) (朝鮮)鄭益魯著.『國漢文新玉篇』(서울: 德興書林, 1946).
(3) (朝鮮)鄭益魯著. 文世榮編.『國漢文新玉篇』(서울: 世昌書館, 1949).
(4) (朝鮮)鄭益魯著. 德興書林編輯部編.『國漢文新玉篇』(서울: 德興書林, 1950).
(5) (朝鮮)鄭益魯著. 申泰三編.『國漢文新玉篇』(서울: 世昌書館, 1951).
(6) (朝鮮)鄭益魯著. 尹南祐編.『國漢文新玉篇』(서울: 東文社, 1959).
○ 논문
(1) 田日周.「近代 啓蒙期의 辭典 編纂과 그 歷史的 意義-특히『國漢文新玉篇』을 중심으로-」,『大東漢文學』(2002).
(2) 하강진.「한국 최초의 근대 자전『國漢文新玉篇』의 편찬 동기」,『韓國文學論叢』(2005).
(3) 하강진.「한국 최초의 근대 자전 鄭益魯의『國漢文新玉篇』」,『한글한자문화』

(2006).

(4) 하강진. 「한국 근대옥편의 효시, 정익로의 『國漢文新玉篇』(초판본)」, 『근대서지』(2014).

13. 『한선문신옥편(漢鮮文新玉篇)』
○ 저서

(1) 홍순필. 『漢鮮文新玉篇』(京城: 寶文館, 1917).

(2) 玄公廉. 『漢鮮文新玉篇』(京城: 大昌書院, 1918).

(3) 李鍾楨編. (增補奎章全韻)『漢鮮文新玉篇』(京城: 光東書局, 1919).

(4) 홍순필. 『漢鮮文新玉篇』(京城: 寶文館, 1923).

(5) 德興書林編輯部編. 『漢鮮文新玉篇』(서울: 德興書林, 1947).

(6) 德興書林編輯部編. 『漢鮮文新玉篇』(서울: 德興書林, 1949).

(7) 德興書林編輯部編. 『漢鮮文新玉篇』(서울: 德興書林, 1953).

(8) 玄公廉. 『漢鮮文新玉篇』(韓國中央圖書館藏新鉛活字本).

14. 『신자전(新字典)』
○ 저서

(1) 崔南善著. 『新字典』(京城: 博文書館, 1915).

(2) 崔南善著. 『新字典』(京城: 新文館, 1924).

(3) 崔南善著. 『新字典』(서울: 新文館, 1947).

(4) 崔南善著. 어문각편집부 편. 『新字典』(서울: 語文閣, 1961).

(5) 崔南善著. 육당전집편찬위원회 편. 『新字典』(서울: 玄岩社, 1973).

(6) 崔南善著. 지성출판사편집부 편. 『新字典』(서울: 知星出版社, 1978).

(7) 崔南善著. 『新字典』(서울: 玄岩社, 1974).

(8) 崔南善著. 한국인문과학원편집부 편. 『新字典』(서울: 한국인문과학원, 1998).

(9) 崔南善著. 河永三編. 『新字典』(부산: 도서출판3, 2017).

○ 논문

(1) 오종갑. 「『新字典』의 漢字音 研究: 特히 韻母의 對應을 中心으로」, 『韓民族語文學』(1975).

(2) 이호천. 『『新字典』에 나타난 새김말의 形容詞 研究: 類意語를 中心으로 하여』(대구: 계명대학교 석사학위논문, 1976).

(3) 나영규. 『『新字典』體言的訓釋研究』(대구: 계명대학교 석사학위논문, 1976).

(4) 황선봉. 『『新字典』用言的訓釋研究』(대구: 계명대학교 석사학위논문, 1976).

(5) Rainer Dormels. 『玉篇類의 漢字音 比較研究: 『全韻玉篇』『新字典』『漢韓大辭典』大字源을 中心으로』(서울: 서울대학교 석사학위논문, 1994).

(6) 宋　民. 『韓國『新字典』文字研究』(上海: 華東師範大學 碩士學位論文, 2013).

(7) 王　平. 「韓國『新字典』引『禮記』異文研究」, 『中國學』第56辑(2016).

15. 『자림보주(字林補註)』
○ 저서
(1) 劉漢翼. 『字林補註』(上海: 千頃堂書局, 1922).
○ 논문
(1) 田日周. 「漢字字典『字林補註』研究」, 『大東漢文學』(2001).

(2) 崔智博. 『『字林擴奇』文字研究』(上海: 華東師範大學 碩士學位論文, 2016).

(2) 주요참고문헌

(1) (일본)朝鮮古書刊行會. 『朝鮮古書目錄』(1911)(明治四十四年).

(2) 張玉書·陳廷敬. 『康熙字典』(北京: 中華書局, 1958).

(3) 王自強. 『虛詞用法例解』(山東: 山東人民出版社, 1978).

(4) 胡明揚. 『詞典學槪論』(北京: 中國人民大學出版社, 1982).

(5) 朱芳圃. 『中國古代神話與史實』(河南: 中州書畫社, 1982).

(6) 吳文祺. 『語言文字研究專輯』(上)(上海: 上海古籍出版社, 1982).

(7) 張永言. 『詞彙學簡論』(湖北: 華中工學院出版社, 1982).

(8) 胡樸安. 『古書校讀法』(江蘇: 江蘇古籍出版社, 1985).

(9) 錢劍夫. 『中國古代字典辭典槪論』(北京: 商務印書館, 1986).

(10) 김영화. 『韓國俗字譜』(서울: 亞細亞文化社, 1986).

(11) 裘錫圭. 『文字學槪要』(北京: 商務印書館, 1988).

(12) (미국)Leslie White. 『文化的科學』(山東: 山東人民出版社, 1988).

(13) 박현규. 『臺灣公藏韓國古書籍聯合書目』(臺灣: 臺灣文史哲出版社, 1991).

(14) 김종훈. 『韓國固有漢字研究』(서울: 集文堂, 1992).

(15) 嚴　紹. 『漢籍在日本的流布研究』(江蘇: 江蘇古籍出版社, 1992).

(16) 황충기. 『歷代韓國人編著書目錄』(서울: 국학자료원, 1996).

(17) 劉志成. 『中國文字學書目考錄』(成都: 巴蜀書社, 1997).

(18) 李葆嘉. 『廣韻反切今音手冊』(上海: 上海辭書出版社, 1997).

(19) 黃建國·金初升. 『中國所藏高麗古籍綜錄』(漢語大詞典出版社, 1998).

(20) 黃國營·趙麗明. 『漢字的應用與傳播』(北京: 華語教學出版社, 2000).

(21) 蘇培成. 『現代漢字學綱要』(增訂本)(北京: 北京大學出版社, 2001).

(22) 王平·臧克和. 『說文解字新訂』(北京: 中華書局, 2002).

(23) 하영삼. 『韓國歷代中國語言學文論資料集成』(부산: 경성대학교출판부, 2002).

(24) 董 明. 『古代漢語漢字對外傳播史』(上下)(北京: 中國大百科全書出版社, 2002).

(25) 王　寧. 『漢字構形學講座』(上海: 上海教育出版社, 2002).

(26) 濮之珍. 『中國語言史』(上海: 上海古籍出版社, 2002).

(27) 張伯偉. 『朝鮮時代書目叢刊』(北京: 中華書局, 2004).

(28) 高小方. 『中國語言文字學史料學』(江蘇: 南京大學出版社, 2005).

(29) 黃德寬·陳秉新. 『漢語文字學史』(增訂本)(合肥: 安徽教育出版社, 2006).

(30) 王　力. 『中國語言學史』(上海: 復旦大學出版社, 2007).

(31) 楊昭全. 『韓國文化史』(山東: 山東大學出版社, 2009).

(32) 張湧泉. 『漢語俗字研究』(增訂本)(北京: 商務印書館, 2010).

(33) 張明華. 『中國字典詞典史話』(北京: 中國國際廣播出版社, 2010).

(34) 王平·(한국)하영삼. 『域外漢字傳播書系·韓國卷』(上海: 上海人民出版社, 2012).

(35) 趙振鐸. 『字典論』(上海: 上海辭書出版社, 2012).

(36) 박형익. 『한국자전의 역사』(서울: 도서출판 역락, 2012).

(37) 徐時儀. 『近代漢語詞彙學』(廣東: 暨南大學, 2013).

(38) 陳東輝. 『漢語史史料學』(北京: 中華書局, 2013).

(39) 張新朋. 『敦煌寫本『開蒙要訓』研究』(北京: 中國社會科學出版社, 2013).

(40) 胡世文. 『黃侃『手批爾雅義疏』同族詞研究』(北京: 中國社會科學出版社, 2013).

(41) (일본)佐藤貢悅·(한국)嚴錫仁. 『韓中日同字異義小辭書』(北京: 人民日報出版社, 2013).

(42) 王雲路王誠. 『漢語詞彙核心義研究』(北京: 北京大學出版社, 2014).

(43) 姜黎黎. 『『摩訶僧祇律』單音動詞詞義演變研究及認知分析』(北京: 中國社會科學出版社, 2014).

(44) 張伯偉. 『域外漢籍研究集刊』(第十輯)(北京: 中華書局, 2014).

(45) 王小甫. 『中韓關係史: 古代卷、近代卷、現代卷』(北京: 社會科學文獻出版社, 2014).

(46) 王平·李建廷. 『說文解字本標點整理本』(上海: 上海書店出版社, 2016).

(47) 王　平. 『宋本玉篇標點整理本』(上海: 上海書店出版社, 2016).

색인

● 저자
왕평(王平)
상해교통대학 교수, 해외한자문화연구소 소장.
『설문해자와 고대과학기술』, 『한국현재한자연구』 등 다수의 저술이 있다.

하영삼(河永三)
경성대학교 중국학과 교수, 한국한자연구소 소장.
『한자어원사전』, 『한자와 에크리튀르』 등 다수의 저술이 있다.

● 역자
김화영(金和英)
경성대학교 중국학과 조교수
『유행어로 읽는 현대중국 일백년』, 『삼차원 한자학』 등의 역서가 있다.